BISS ZUR MITTAGSSTUNDE

STEPHENIE MEYER

Biss

ZUR MITTAGSSTUNDE

Aus dem Englischen von Sylke Hachmeister

CARLSEN

Für meinen Vater, Stephen Morgan –
Niemand hat je eine so liebevolle und bedingungslose Unterstützung
erfahren wie ich von dir.
Ich liebe dich auch.

FSC
Mix
Produktgruppe aus vorbildlich
bewirtschafteten Wäldern,
kontrollierten Herkünften und
Recyclingholz oder -fasern
Zert.-Nr. GFA-COC-1223
www.fsc.org
© 1996 Forest Stewardship Council

10 11 12   10 09 08
Alle deutschen Rechte CARLSEN Verlag GmbH, Hamburg 2007
This edition is published by arrangement with Little, Brown and Company (Inc.),
New York, New York, USA. All rights reserved.
Originalcopyright © 2006 by Stephenie Meyer
Originalverlag: Little, Brown and Company, New York, N.Y.
Originaltitel: New Moon
Umschlagbild: © Sonya Pletes
Umschlaggestaltung und Typografie: Michelle Mackintosh
Aus dem Englischen von Sylke Hachmeister
Lektorat: Katja Maatsch
Layout und Herstellung: Steffen Meier
Satz: Dörlemann Satz, Lemförde
Lithografie: Zieneke Preprint, Hamburg
Gesetzt aus der Janson Text, Shelley Allegro Script und MrsEavesSmallCaps
Druck und Bindung: GGP Media GmbH, Pößneck
ISBN 978-3-551-58161-7
Printed in Germany

Alle Bücher im Internet: www.carlsen.de

So wilde Freude nimmt ein wildes Ende
Und stirbt im höchsten Sieg, wie Feur und Pulver
Im Kusse sich verzehrt.

Romeo und Julia, 2. Akt, 6. Szene

$\mathcal{V}$ORWORT

Ich kam mir vor wie in einem schrecklichen Albtraum, in dem man rennt und rennt; die Lunge droht schon zu bersten, aber man kommt einfach nicht schnell genug voran. Immer langsamer schienen sich meine Beine zu bewegen, während ich mich durch die dichte Menge kämpfte, doch die Zeiger der riesigen Turmuhr wurden nicht langsamer. Ebenso unaufhaltsam wie unbarmherzig bewegten sie sich unerbittlich auf das Ende zu – das Ende allen Seins.

Doch das hier war kein Traum, und anders als in einem Albtraum rannte ich nicht um mein eigenes Leben; ich rannte, um etwas unendlich viel Wertvolleres zu retten. Mein eigenes Leben bedeutete mir im Augenblick wenig.

Alice hatte gesagt, es könnte gut sein, dass wir beide hier starben. Vielleicht hätten wir bessere Chancen, wenn sie nicht vom grellen Sonnenlicht aufgehalten würde – so konnte nur ich über den strahlend hellen Platz mit den vielen Menschen laufen.

Und ich kam nicht schnell genug voran.

Deshalb kümmerte es mich auch nicht, dass wir von so gefährlichen Feinden umzingelt waren. Als die Uhr zu schlagen begann und ich das Vibrieren der Schläge unter meinen schwerfälligen Füßen spürte, wusste ich, dass ich zu spät kam – und ich war froh zu wissen, dass die Blutsauger nur auf den richtigen

Moment warteten. Denn wenn ich hier versagte, wollte ich nicht länger leben.

Wieder schlug die Uhr und die Sonne stand im Zenit und brannte mit aller Kraft.

DIE GEBURTSTAGSPARTY

Ich war mir zu neunundneunzig Komma neun Prozent sicher, dass es ein Traum war.

Erstens stand ich in einem hellen Sonnenstrahl – so ein gleißendes Sonnenlicht gab es in meiner nieseligen neuen Heimat Forks, Washington, einfach nicht –, und zweitens sah ich meine Oma Marie. Sie war schon seit sechs Jahren tot, ein schlagendes Argument dafür, dass es sich um einen Traum handelte.

Oma hatte sich kaum verändert; ihr Gesicht sah genauso aus, wie ich es in Erinnerung hatte. Die Haut war weich und runzelig, mit tausend Fältchen, die sich sanft um die Wangenknochen schmiegten. Wie eine getrocknete Aprikose, die von einem wolkengleichen Büschel dicker weißer Haare umgeben war.

Unsere Münder – ihrer klein und knittrig – verzogen sich im selben Moment zu derselben Andeutung eines überraschten Lächelns. Offenbar hatte auch sie nicht damit gerechnet, mich zu sehen.

Ich wollte sie gerade etwas fragen; ich hatte so viele Fragen: Was machte sie hier in meinem Traum? Was hatte sie die letzten sechs Jahre getan? Ging es Opa gut und hatten sie einander dort, wo sie jetzt waren, gefunden? Doch sie öffnete den Mund im selben Moment wie ich, also hielt ich inne, um sie zuerst reden zu lassen. Auch sie stockte und dann lächelten wir beide über die kleine Ungeschicklichkeit.

»Bella?«

Das war nicht die Stimme meiner Oma, und wir drehten uns beide um. Ich brauchte nicht hinzuschauen, um zu wissen, wer da zu uns gestoßen war; diese Stimme würde ich überall erkennen – würde sie erkennen und ihr antworten, ob ich wach war oder schlief ... selbst wenn ich tot wäre, garantiert. Die Stimme, für die ich durchs Feuer gehen oder, weniger dramatisch, für die ich tagtäglich durch den kalten, niemals endenden Regen waten würde.

Edward.

Obwohl ich mich immer wahnsinnig freute, ihn zu sehen – ob ich wach war oder nicht –, und obwohl ich mir *fast* sicher war zu träumen, geriet ich in Panik, als Edward durch das grelle Sonnenlicht auf uns zukam.

In Panik geriet ich deshalb, weil Oma nicht wusste, dass ich einen Vampir liebte – niemand wusste davon –, wie also sollte ich den Umstand erklären, dass die leuchtenden Sonnenstrahlen auf seiner Haut in tausend Regenbogenscherben zersplitterten, als wäre er ein Kristall oder ein Diamant?

Oma, vielleicht ist dir aufgefallen, dass mein Freund glitzert. Das ist bei ihm immer so in der Sonne. Mach dir deswegen keine Gedanken ...

Was machte er hier bloß? Der einzige Grund dafür, dass er in Forks, der verregnetsten Stadt der Welt lebte, war der, dass er sich dort im Freien aufhalten konnte, ohne das Geheimnis seiner Familie preiszugeben. Doch jetzt war er hier und kam anmutig auf mich zugeschlendert – mit diesem wunderschönen Lächeln auf seinem Engelsgesicht –, so als wären wir allein.

In diesem Moment wäre ich sehr gern *nicht* die Einzige gewesen, bei der seine geheimnisvolle Gabe nicht wirkte, während ich normalerweise dankbar dafür war, dass er meine Gedanken nicht hören konnte, als würde ich sie laut aussprechen. Doch jetzt wäre es mir sehr lieb gewesen, wenn er die Warnung hören könnte, die ich ihm in Gedanken zuschrie.

Ich schaute panisch zu Oma und sah, dass es zu spät war. Sie drehte sich gerade um und starrte mich an, und sie sah genauso erschrocken aus wie ich.

Edward, der immer noch so schön lächelte, dass mir das Herz in der Brust zu zerspringen schien, legte mir den Arm um die Schultern und wandte sich zu meiner Großmutter.

Ich wunderte mich darüber, wie Oma guckte. Sie sah gar nicht entsetzt aus, stattdessen schaute sie mich verlegen an, als ob sie darauf wartete, dass ich sie ausschimpfte. Und sie stand ganz merkwürdig da – sie hielt einen Arm gebeugt in die Luft. Als würde sie jemandem, den ich nicht sehen konnte, ihren Arm umlegen, jemand Unsichtbarem …

Erst jetzt, als ich das Gesamtbild erfasste, fiel mir der riesige Goldrahmen auf, der die Gestalt meiner Großmutter umgab. Immer noch verständnislos, hob ich die Hand, die nicht um Edwards Mitte lag, um Oma zu berühren. Sie ahmte die Bewegung exakt nach, wie ein Spiegelbild. Doch dort, wo unsere Finger sich hatten berühren müssen, war nur kaltes Glas …

Mit einem Mal wurde der Traum zu einem Albtraum.

Das war nicht meine Oma.

Das war *ich*. Ich im Spiegel. Ich – uralt, welk und faltig.

Edward stand neben mir, er hatte kein Spiegelbild, war quälend schön und für immer siebzehn.

Er drückte seine eiskalten, perfekten Lippen an meine runzlige Wange.

»Herzlichen Glückwunsch zum Geburtstag«, flüsterte er.

Ich schrak hoch, riss die Augen auf und schnappte nach Luft. Dumpfes graues Licht, das vertraute Licht eines trüben Morgens, schob sich vor das gleißende Sonnenlicht aus meinem Traum.

Nur ein Traum, sagte ich mir. *Es war nur ein Traum.* Ich atmete tief ein und zuckte sofort wieder zusammen, als der Wecker losging. Der kleine Kalender in der Ecke des Displays verriet mir, dass heute der dreizehnte September war.

Nur ein Traum, aber in gewisser Hinsicht doch ziemlich prophetisch. Heute war mein Geburtstag, ich war offiziell achtzehn Jahre alt.

Diesen Tag hatte ich schon seit Monaten gefürchtet.

Während des ganzen traumhaften Sommers – es war der schönste Sommer meines Lebens, der schönste Sommer der gesamten Menschheit und der verregnetste Sommer in der Geschichte der Halbinsel Olympic – hatte dieses trostlose Datum im Hinterhalt gelauert und nur darauf gewartet, mich einzuholen.

Und jetzt, wo es so weit war, fand ich es noch schlimmer als erwartet. Ich spürte, dass ich älter war. Ich wurde jeden Tag älter, aber das hier war anders, schlimmer, quantifizierbar. Ich war achtzehn.

Und Edward würde nie achtzehn sein.

Als ich mir die Zähne putzte, war ich fast überrascht, dass sich das Gesicht im Spiegel nicht verändert hatte. Ich starrte mich an und suchte nach Anzeichen drohender Falten in meiner alabasterglatten Haut. Doch die einzigen Falten hatte ich auf der Stirn, und ich wusste, dass sie verschwinden würden, wenn ich mich entspannen könnte. Aber das gelang mir nicht. Meine Augenbrauen standen in einer sorgenvollen Linie über meinen ängstlichen braunen Augen.

Es war nur ein Traum, sagte ich mir wieder. Nur ein Traum … aber auch mein schlimmster Albtraum.

Das Frühstück ließ ich ausfallen, weil ich so schnell wie möglich aus dem Haus wollte. Ich schaffte es nicht, meinem Vater ganz aus dem Weg zu gehen, deshalb musste ich ein paar Minuten gute Laune spielen. Ich gab mir alle Mühe, mich über die Geschenke, die ich mir ausdrücklich verbeten hatte, zu freuen, doch jedes Mal, wenn ich lächeln musste, hätte ich auf der Stelle losheulen können.

Auf der Fahrt zur Schule versuchte ich mich wieder zusammenzureißen. Aber die Vision meiner Großmutter – ich weigerte mich, darin mich selbst zu sehen – ließ sich nicht so leicht verscheuchen. Ich war richtig verzweifelt, bis ich auf den vertrauten Parkplatz hinter der Forks High School fuhr und Edward entdeckte, der reglos an seinem blitzblanken Volvo lehnte wie die Marmorstatue irgendeines vergessenen heidnischen Schönheitsgottes. Er war noch unvergleichlich viel schöner als in meinem Traum. Und er wartete dort auf *mich*, genau wie jeden Tag.

Auf der Stelle schwand meine Verzweiflung und machte ungläubigem Staunen Platz. Nach einem halben Jahr mit ihm konnte ich es noch immer nicht fassen, dass ich ein solches Glück verdiente.

Seine Schwester Alice stand neben ihm, auch sie wartete auf mich.

Natürlich waren Edward und Alice nicht richtig miteinander verwandt (in Forks hieß es, alle Cullen-Geschwister seien von Dr. Carlisle Cullen und seiner Frau Esme adoptiert worden, da die beiden eindeutig zu jung waren, um fast erwachsene Kinder zu haben), doch ihre Haut war von genau der gleichen Blässe, ihre Augen hatten den gleichen eigenartigen Goldschimmer und die gleichen tiefen bläulichen Schatten darunter. Ebenso wie Edwards Gesicht war auch ihres auffallend schön. Für jemanden, der, wie ich, Bescheid wusste, verrieten diese Ähnlichkeiten, was sie waren.

Als ich Alice dort warten sah – ihre bernsteinfarbenen Augen leuchteten erwartungsvoll und sie hielt ein kleines silbernes Päckchen in den Händen –, runzelte ich die Stirn. Ich hatte Alice gesagt, dass ich *absolut nichts* zum Geburtstag haben wollte und dass sie ihn auch nicht weiter beachten sollte. Offenbar ignorierte sie meine Wünsche.

Ich schlug die Tür meines Chevy-Transporters, Baujahr 53, zu – ein Rostregen schwebte auf den nassen Asphalt – und ging langsam zu den beiden hinüber. Alice stürmte mir entgegen, ihr Elfengesicht glühte unter den schwarzen Stachelhaaren.

»Herzlichen Glückwunsch zum Geburtstag, Bella!«

»Scht!«, zischte ich und schaute mich auf dem Parkplatz um, ob es auch niemand gehört hatte. Auf gar keinen Fall wollte ich an diesem schwarzen Tag gefeiert werden.

Sie achtete gar nicht darauf. »Möchtest du das Geschenk lieber jetzt auspacken oder später?«, fragte sie eifrig, während wir zusammen zu Edward gingen.

»Keine Geschenke«, murmelte ich protestierend.

Endlich schien sie zu kapieren, in welcher Stimmung ich war. »Na gut … dann also später. Hat dir das Album gefallen, das deine Mutter dir geschickt hat? Und der Fotoapparat von Charlie?«

Ich seufzte. Natürlich wusste sie, was ich zum Geburtstag bekommen hatte. Edward war in seiner Familie nicht der Einzige mit außergewöhnlichen Talenten. Sobald meine Eltern sich ein Geschenk überlegt hatten, wusste Alice es auch schon.

»Ja. Ganz super.«

»Also, ich finde, es ist eine schöne Idee. Dein letztes Jahr an der Highschool hast du nur einmal. Das ist doch Grund genug, alles festzuhalten.«

»Wie oft hattest *du* schon dein letztes Jahr?«

»Das kann man nicht vergleichen.«

Jetzt waren wir bei Edward angelangt, der mir eine Hand hinhielt. Ich ergriff sie ungeduldig und vergaß für einen Moment meine trübe Stimmung. Seine Haut war so glatt, hart und eiskalt wie immer. Er drückte leicht meine Hand. Ich schaute in seine klaren Topasaugen, und mein Herz zog sich ziemlich unsanft zusammen. Als er die Aussetzer in meinem Herzschlag hörte, lächelte er wieder.

Er hob die freie Hand und zeichnete mit der kühlen Fingerspitze die Konturen meiner Lippen nach. »Dann ist es also wie besprochen und ich darf dir nicht zum Geburtstag gratulieren, habe ich das recht verstanden?«

»Ja. Das hast du recht verstanden.« Ich konnte nie so ganz seinen perfekten, formellen Tonfall nachahmen. Man merkte, dass er ihn aus einem anderen Jahrhundert hatte.

»Ich wollte nur noch einmal nachfragen.« Er fuhr sich mit der Hand durch das zerzauste bronzefarbene Haar. »Es hätte ja sein können, dass du deine Meinung geändert hast. Die meisten Leute freuen sich über solche Sachen wie Geburtstage und Geschenke.«

Alice lachte, ein silbriges Lachen, wie ein Windspiel. »Natürlich wirst du dich freuen. Heute werden alle nett zu dir sein und versuchen, es dir recht zu machen, Bella. Was kann schon Schlimmes passieren?« Das war eine rein rhetorische Frage.

»Dass ich älter werde«, antwortete ich, und meine Stimme war nicht so fest, wie sie sein sollte.

Edwards Lächeln wurde zu einer harten Linie.

»Achtzehn ist nicht besonders alt«, sagte Alice. »Warten Frauen für gewöhnlich nicht, bis sie neunundzwanzig sind, bevor sie sich über Geburtstage aufregen?«

»Ich bin älter als Edward«, murmelte ich.

Er seufzte.

»Rein formal betrachtet«, sagte sie, immer noch in leichtem Ton. »Aber nur ein kleines Jährchen.«

Und ich dachte … wenn ich mir der Zukunft sicher sein könnte, wenn ich sicher wäre, dass ich für immer mit Edward zusammenbleiben könnte und mit Alice und den restlichen Cullens (und das vorzugsweise nicht als verschrumpelte alte Dame) … dann würden mir ein oder zwei Jahre Altersunterschied nicht so viel ausmachen. Aber Edward schloss die Möglichkeit, dass ich verwandelt werden könnte, kategorisch aus. Die Möglichkeit, dass ich so werden könnte wie er – unsterblich.

Eine Sackgasse, wie er es nannte.

Ehrlich gesagt verstand ich nicht so recht, was Edward dagegen hatte. Was war so toll daran, sterblich zu sein? Es kam mir nicht so schrecklich vor, ein Vampir zu sein – jedenfalls nicht, wenn man es so machte wie die Cullens.

»Um wie viel Uhr kommst du zu uns?«, fragte Alice, um das Thema zu wechseln. Ich sah ihr an, dass sie genau das plante, was ich auf keinen Fall wollte.

»Ich wüsste nicht, dass ich euch besuchen wollte.«

»Ach, komm schon, Bella!«, sagte sie. »Du willst doch keine Spielverderberin sein, oder?«

»Ich dachte, an meinem Geburtstag machen wir, was *ich* will.«

»Ich hole sie gleich nach der Schule von zu Hause ab«, sagte Edward. Er ignorierte mich einfach.

»Ich muss arbeiten«, protestierte ich.

»Musst du nicht«, sagte Alice selbstzufrieden. »Ich habe schon mit Mrs Newton gesprochen. Sie tauscht mit dir den Freitag. Ich soll dir einen herzlichen Glückwunsch bestellen.«

»Ich … ich kann trotzdem nicht kommen«, stammelte ich und suchte nach einer Ausrede. »Ich, also ich muss mir für Englisch *Romeo und Julia* ansehen.«

Alice rümpfte die Nase. »*Romeo und Julia* kennst du doch auswendig.«

»Aber Mr Berty hat gesagt, man kann das Stück erst richtig einschätzen, wenn man es aufgeführt sieht – so war es von Shakespeare gedacht.«

Edward verdrehte die Augen.

»Du hast doch den Film gesehen«, sagte Alice vorwurfsvoll.

»Aber nicht die Fassung aus den Sechzigern. Mr Berty hat gesagt, das ist die beste.«

Schließlich legte Alice das selbstzufriedene Lächeln ab und schaute mich zornig an.

»Du kannst dir aussuchen, ob du es uns leicht- oder schwermachen willst, Bella, so oder so …«

Edward fiel ihr ins Wort. »Immer mit der Ruhe, Alice. Wenn Bella einen Film sehen will, kann sie das tun. Es ist ihr Geburtstag.«

»Eben«, sagte ich.

»Ich hole sie gegen sieben ab«, fuhr er fort. »So hast du auch mehr Zeit für die Vorbereitungen.«

Alice ließ wieder ihr glockenhelles Lachen ertönen. »Das hört sich gut an. Bis heute Abend, Bella! Es wird toll, du wirst schon sehen.« Sie lächelte so breit, dass man all ihre ebenmäßigen, strahlenden Zähne sah, dann gab sie mir einen Kuss auf die Wange, und ehe ich etwas erwidern konnte, war sie schon zu ihrer ersten Stunde getänzelt.

»Edward, bitte …«, begann ich, aber er legte mir einen kühlen Finger auf die Lippen.

»Lass uns später darüber reden. Wir kommen zu spät zum Unterricht.«

Keiner starrte uns an, als wir uns auf unsere Plätze in der letzten Reihe setzten. Edward und ich waren jetzt so lange zusammen, dass nicht mehr über uns getratscht wurde. Nicht mal Mike Newton bedachte mich mit dem niedergeschlagenen Blick, der mir sonst immer ein etwas schlechtes Gewissen machte. Stattdessen lächelte er, offenbar hatte er sich endlich damit abgefunden, dass wir nur Freunde sein konnten. Mike hatte sich in den Sommerferien verändert – sein Gesicht war nicht mehr so rund, die Wangenknochen traten stärker hervor und er hatte eine neue Frisur. Früher hatte er die aschblonden Haare immer in einem Bürstenschnitt getragen; jetzt waren sie länger, und er hatte sie mit Gel gekonnt wirr gestylt. Es war unverkennbar, von wem er sich dabei hatte inspirieren lassen – aber Edwards Aussehen konnte man nicht einfach so kopieren.

Im Laufe des Tages überlegte ich immer wieder, wie ich mich dem entziehen könnte, was am Abend im Haus der Cullens stattfinden sollte. Es war schon schlimm genug, dass ich feiern sollte, wenn ich eigentlich in Trauerstimmung war. Noch schlimmer war jedoch, dass ich dabei im Mittelpunkt der Aufmerksamkeit stehen und Geschenke bekommen würde.

Im Mittelpunkt zu stehen ist nie gut, da würde mir wohl jeder zustimmen, der so ein unfallgefährdeter Tollpatsch ist wie ich. Niemand möchte im Rampenlicht stehen, wenn er höchstwahrscheinlich auf die Nase fällt.

Und ich hatte ausdrücklich darum gebeten – eigentlich sogar befohlen –, mir dieses Jahr nichts zu schenken. Charlie und Renée waren offenbar nicht die Einzigen, die diesen Wunsch einfach ignorierten.

Ich hatte nie viel Geld gehabt, und das hatte mir auch nie viel ausgemacht. Renée hatte uns von ihrem Gehalt als Erzieherin durchgebracht, und Charlie wurde mit seinem Job auch nicht gerade reich – er war Polizeichef im winzigen Forks. Etwas eigenes Geld verdiente ich mir an drei Tagen in der Woche im einzigen Sportgeschäft hier. In einer so kleinen Stadt konnte ich von Glück sagen, dass ich einen Job hatte. Jeder Cent, den ich verdiente, floss in meinen mikroskopisch kleinen College-Fonds. (College war Plan B. Ich hoffte immer noch auf Plan A, aber Edward bestand ja hartnäckig darauf, dass ich ein Mensch bleiben sollte ...)

Edward hatte *sehr viel* Geld – ich wollte noch nicht mal darüber nachdenken, wie viel. Geld bedeutete Edward und den anderen Cullens praktisch nichts. Es war einfach etwas, das sich akkumulierte, wenn man unbegrenzte Zeit zur Verfügung hatte und eine Schwester mit der unheimlichen Fähigkeit, die Entwicklungen am Börsenmarkt vorherzusagen. Edward schien nicht zu verstehen, weshalb ich nicht wollte, dass er Geld für mich ausgab – weshalb es mir unangenehm war, wenn er mich in ein teures Restaurant in Seattle ausführte, weshalb er mir kein Auto kaufen durfte, das schneller fuhr als neunzig Stundenkilometer, oder weshalb ich ihm nicht erlaubte, meine Studiengebühren zu bezahlen (er war auf absurde Weise begeistert von Plan B). Edward fand, dass ich die Dinge unnötig kompliziert machte.

Aber wie konnte ich mich von ihm beschenken lassen, wenn ich mich nie revanchieren konnte? Aus irgendeinem unerfindlichen Grund wollte er mit mir zusammen sein. Alles, was er mir darüber hinaus noch gab, verstärkte das Ungleichgewicht zwischen uns.

Weder Edward noch Alice erwähnten meinen Geburtstag weiter, und meine Anspannung legte sich ein wenig.

In der Mittagspause setzten wir uns an unseren üblichen Tisch. An diesem Tisch herrschte ein merkwürdiger Waffenstillstand. Wir drei – Edward, Alice und ich – saßen am einen Tischende. Meine anderen Freunde, Mike und Jessica (die sich in der unangenehmen Phase nach der Trennung befanden), Angela und Ben (deren Beziehung die Sommerferien überlebt hatte), Eric, Conner, Tyler und Lauren (obwohl Letztere streng genommen nicht zu meinen Freunden zählte), saßen mit am selben Tisch, jenseits einer unsichtbaren Trennlinie. An sonnigen Tagen, wenn Edward und Alice nicht zur Schule kamen, löste sich die Trennlinie problemlos auf, und dann wurde ich wie selbstverständlich in die Unterhaltung einbezogen.

Edward und Alice empfanden diese milde Form der Ächtung nicht als so seltsam oder verletzend, wie ich es an ihrer Stelle empfunden hätte. Sie bemerkten es kaum. Die Leute fühlten sich in Gegenwart der Cullens immer eigenartig unwohl, sie fürchteten sich aus einem Grund, den sie sich selbst nicht erklären konnten. Ich war eine merkwürdige Ausnahme von dieser Regel. Manchmal machte Edward sich Sorgen, weil ich mich in seiner Nähe so wohl fühlte. Er selbst meinte, er sei eine Gefahr für mein Leben – was ich jedes Mal, wenn er davon anfing, vehement bestritt.

Der Nachmittag war schnell vorüber. Nach Schulschluss begleitete Edward mich wie üblich zu meinem Transporter. Aber diesmal hielt er mir die Beifahrertür auf. Offenbar war Alice mit seinem Wagen nach Hause gefahren, damit er verhindern konnte, dass ich mich davonstahl.

Ich verschränkte die Arme und machte keine Anstalten, einzusteigen. »Darf ich an meinem Geburtstag nicht selber fahren?«

»Ich tue so, als hättest du nicht Geburtstag, ganz wie du wolltest.«

»Wenn ich nicht Geburtstag habe, muss ich heute Abend ja auch nicht zu euch kommen ...«

»Na gut.« Er schlug die Beifahrertür zu, ging an mir vorbei und hielt mir die Fahrertür auf. »Herzlichen Glückwunsch zum Geburtstag.«

»Scht«, machte ich halbherzig. Ich stieg auf der Fahrerseite ein. Es wäre mir lieber gewesen, er hätte sich anders entschieden.

Während ich fuhr, spielte Edward am Radio herum und schüttelte missbilligend den Kopf.

»Dein Radio hat einen miserablen Empfang.«

Ich runzelte die Stirn. Ich konnte es nicht leiden, wenn er an meinem Wagen herummäkelte. Der Transporter war super – er hatte Persönlichkeit.

»Wenn du eine tolle Musikanlage willst, fahr doch mit deinem eigenen Auto.« Zu meiner sowieso düsteren Stimmung kam noch hinzu, dass ich wegen der bevorstehenden Geburtstagsparty nervös war, und die Worte kamen schärfer heraus als beabsichtigt. Ich ließ meine schlechte Laune sonst nie an Edward aus, und er presste die Lippen zusammen, um nicht zu grinsen.

Als ich vor Charlies Haus parkte, beugte Edward sich zu mir herüber und nahm mein Gesicht in die Hände. Er berührte mich ganz sanft, legte mir nur leicht die Fingerspitzen an die Wangen und Schläfen. Als wäre ich ganz zerbrechlich. Und das war ich ja auch – jedenfalls im Vergleich zu ihm.

»Gerade heute solltest du besonders gute Laune haben«, flüsterte er. Ich spürte seinen süßen Atem auf dem Gesicht.

»Und wenn ich keine gute Laune haben will?«, fragte ich. Mein Atem ging unregelmäßig.

Seine goldenen Augen glühten. »Zu schade.«

Als er sich noch weiter über mich beugte und seine eiskalten Lippen auf meine presste, schwirrte mir schon der Kopf. Wie zweifellos von ihm beabsichtigt, vergaß ich alle Sorgen und konzentrierte mich darauf, das Ein- und Ausatmen nicht zu vergessen.

Kalt und weich und sanft lag sein Mund auf meinem, bis ich ihm die Arme um den Hals schlang und mich dem Kuss etwas zu leidenschaftlich hingab. Ich spürte, wie er die Lippen zu einem Lächeln verzog, als er mein Gesicht losließ und meinen Griff in seinem Nacken löste.

Edward hatte für die körperliche Seite unserer Beziehung sorgfältige Regeln aufgestellt, die mein Überleben gewährleisten sollten. Zwar sah ich ein, dass ein Sicherheitsabstand zwischen meiner Haut und seinen messerscharfen Giftzähnen gewahrt werden musste, doch wenn er mich küsste, vergaß ich solche Nebensächlichkeiten leicht.

»Ein bisschen Rücksicht bitte«, hauchte er an meiner Wange. Noch einmal legte er die Lippen behutsam auf meine, dann richtete er sich auf und gab meine Arme sanft frei.

Der Puls hämmerte mir in den Ohren. Ich legte mir eine Hand aufs Herz und spürte, wie es raste.

»Ob sich das irgendwann mal gibt?« Die Frage war mehr an mich selbst gerichtet. »Dass mir das Herz nicht mehr jedes Mal aus der Brust springen will, wenn du mich berührst?«

»Das will ich doch nicht hoffen«, sagte er ein wenig selbstgefällig.

Ich verdrehte die Augen. »Komm, wir gucken uns an, wie die Capulets und die Montagues sich zerfleischen, okay?«

»Dein Wunsch ist mir Befehl.«

Edward streckte sich auf dem Sofa aus, während ich den Videorecorder einschaltete und den Vorspann vorspulte. Als ich mich vor ihn aufs Sofa hockte, schlang er die Arme um meine Taille und zog mich an seine Brust. Sie war hart und kalt und vollkommen wie eine Eisskulptur – zwar nicht ganz so bequem wie ein Sofakissen, aber diesem doch eindeutig vorzuziehen. Er nahm die alte Decke von der Rückenlehne und legte sie mir um, damit ich so nah an seinem Körper nicht fror.

»Also, Romeo geht mir immer ganz schön auf die Nerven«, sagte er, als der Film begann.

»Was hast du denn gegen Romeo?«, fragte ich etwas beleidigt. Romeo war einer meiner Lieblingshelden in der Literatur. Ehe ich Edward kennenlernte, hatte ich ein bisschen für ihn geschwärmt.

»Na ja, zuerst war er in diese Rosalind verliebt – findest du nicht, dass ihn das ein wenig wankelmütig erscheinen lässt? Und dann ermordet er wenige Minuten nach der Hochzeit Julias Cousin. Das ist nicht besonders klug. Er macht einen Fehler nach dem anderen. Er hätte sein Glück wohl kaum noch gründlicher zerstören können, oder?«

Ich seufzte. »Soll ich den Film lieber alleine gucken?«

»Nein, ich werde ohnehin hauptsächlich dich anschauen.« Er zeichnete mit den Fingern Muster auf meinen Arm und ich bekam eine Gänsehaut. »Wirst du weinen?«

»Wahrscheinlich«, gestand ich. »Wenn ich aufpasse.«

»Dann will ich dich nicht ablenken.« Doch ich spürte seine Lippen auf meinem Haar, und das lenkte mich ziemlich ab.

Nach einer Weile fesselte mich der Film dann doch, zum großen Teil deshalb, weil Edward mir Romeos Text ins Ohr flüsterte – gegen seine unwiderstehliche Samtstimme wirkte die Stimme des Schauspielers schwach und grob. Und zu Edwards Belustigung weinte ich tatsächlich, als Julia erwachte und feststellen musste, dass ihr junger Gemahl tot war.

»Ich muss zugeben, dass ich ihn darum ein wenig beneide«, sagte Edward und trocknete meine Tränen mit einer Locke meiner Haare.

»Sie ist sehr hübsch.«

Er schnaubte verächtlich. »Ich beneide ihn nicht um das *Mädchen* – sondern um die Tatsache, dass er so mühelos Selbstmord begehen kann.« Sein Tonfall war neckend. »Ihr Menschen habt es so leicht! Ihr braucht nur ein kleines Röhrchen mit Pflanzenextrakten hinunterzukippen ...«

»Was?«, sagte ich erschrocken.

»Einmal gab es eine Situation, in der ich das erwog, und nach Carlisles Erfahrung wusste ich, dass es nicht leicht sein würde. Ich weiß nicht genau, auf wie viele Arten Carlisle versucht hat, sich zu töten ... ganz am Anfang, als ihm klarwurde, was aus ihm geworden war ...« Sein Tonfall war ernst geworden, jetzt wurde er wieder leichter. »Und er erfreut sich immer noch bester Gesundheit.«

Ich drehte mich um und schaute ihm ins Gesicht. »Wovon redest du?«, fragte ich. »Was meinst du damit, ›es gab eine Situation, in der ich das erwog‹?«

»Im letzten Frühling, als du ... fast ums Leben gekommen wärest ...« Er verstummte und holte tief Luft. Er gab sich alle Mühe, zu dem neckenden Ton zurückzufinden. »Natürlich habe ich alles darangesetzt, dich lebend zu finden, doch ein Teil meines Hirns schmiedete Pläne für den Fall, dass ich es nicht schaffe. Wie gesagt, für mich ist es nicht so einfach wie für einen Menschen.«

Eine Sekunde lang rauschte mir die Erinnerung an meine letzte Reise nach Phoenix durch den Kopf und mir wurde schwindelig. Ich sah alles genau vor mir – die blendende Sonne, die Hitzewellen über dem Zement, als ich in rasender Hast den sadistischen Vampir aufzuspüren versuchte, der mich zu Tode quälen wollte. James, der mit meiner Mutter als Geisel in dem verspiegelten Raum wartete – das hatte ich jedenfalls geglaubt. Ich wusste nicht, dass es nur ein Trick war. Genau wie James nicht wusste, dass Edward zu meiner Rettung eilte. Edward war rechtzeitig gekommen, aber es war knapp gewesen. Gedankenverloren zeichnete ich die sichelförmige Narbe auf meiner Hand nach, die immer ein paar Grad kälter war als die übrige Haut.

Ich schüttelte den Kopf – als könnte ich damit die schlechten Erinnerungen abschütteln – und versuchte zu begreifen, was Edward meinte. Mein Magen sackte ein Stück tiefer. »Pläne für den Fall, dass du es nicht schaffst?«, wiederholte ich.

»Nun ja, ich hatte nicht vor, ohne dich weiterzuleben.« Er verdrehte die Augen, als läge das auf der Hand. »Aber ich wusste nicht, wie ich es anstellen sollte – ich wusste, dass Emmett und Jasper mir niemals dabei helfen würden ... daher erwog ich, nach Italien zu reisen und die Volturi herauszufordern.«

Ich wollte nicht glauben, dass er es ernst meinte, aber der Blick seiner goldenen Augen war abwesend, schien auf etwas weit Entferntes gerichtet, während Edward darüber nachdachte, wie er sein Leben beenden könnte. Auf einmal wurde ich wütend.

»Was ist ein Volturi?«, wollte ich wissen.

»Die Volturi sind eine Familie«, erklärte er, noch immer mit abwesendem Blick. »Eine sehr alte, sehr mächtige Familie unserer Art. Wenn es in unserer Welt eine königliche Familie gäbe, dann wären sie es wohl. In seinen frühen Jahren in Italien lebte Carlisle eine Weile bei ihnen, ehe er sich in Amerika niederließ – erinnerst du dich an die Geschichte?«

»Natürlich erinnere ich mich daran.«

Ich würde nie das erste Mal vergessen, als ich bei Edward zu

Hause gewesen war, das riesige weiße Herrenhaus, das tief im Wald am Fluss lag, und das Zimmer, in dem Carlisle – der in so vielerlei Hinsicht tatsächlich Edwards Vater war – eine Wand mit Gemälden hatte, die seine Lebensgeschichte erzählten. Das lebendigste, bunteste und größte Bild stammte aus Carlisles Zeit in Italien. Natürlich erinnerte ich mich an die ruhige Gruppe von vier Männern mit den feinen Gesichtern von Seraphim, die von dem höchsten Balkon aus auf das wilde Farbengewirr hinabschauten. Obwohl das Bild mehrere Jahrhunderte alt war, hatte Carlisle – der blonde Engel – sich nicht verändert. Und ich erinnerte mich an die drei anderen, Carlisles Freunde aus frühen Jahren. Edward hatte das schöne Trio, zwei schwarzhaarig, einer schlohweiß, noch nie die Volturi genannt. Er nannte sie Aro, Caius und Marcus, die nächtlichen Schutzheiligen der Künste …

»Jedenfalls sollte man die Volturi nicht verärgern«, fuhr Edward fort und unterbrach damit meinen Gedankengang. »Es sei denn, man will sterben – oder was auch immer unsereins dann tut.« Er sagte es so ruhig, dass man fast hätte meinen können, die Vorstellung langweile ihn.

Meine Wut ging in Entsetzen über. Ich nahm sein marmornes Gesicht fest in die Hände.

»So was darfst du nie wieder denken, niemals!«, sagte ich. »Ganz egal, was mir zustoßen sollte, du hast nicht *das Recht*, dir etwas anzutun!«

»Ich werde dich nie wieder in Gefahr bringen, das ist also ein müßiges Thema.«

»Mich in Gefahr bringen! Wir waren uns doch einig, dass ich an der ganzen Sache schuld war!?« Jetzt wurde ich richtig wütend. »Wie kannst du nur so etwas denken?« Die Vorstellung, Edward könnte aufhören zu existieren, selbst wenn ich tot wäre, war unerträglich.

»Was würdest du denn tun, wenn es umgekehrt wäre?«, fragte er.

»Das kann man nicht vergleichen.«

Er schien den Unterschied nicht zu verstehen. Er lachte in sich hinein.

»Und wenn dir wirklich etwas zustoßen würde?« Bei dem bloßen Gedanken wurde ich blass. »Würdest du dann wollen, dass ich auch sterbe?«

Der Schmerz spiegelte sich in seinem schönen Gesicht.

»Ich glaube, ich verstehe, was du meinst ... ein wenig«, gab er zu. »Doch was sollte ich ohne dich tun?«

»Dasselbe, was du getan hast, bevor ich gekommen bin und dein Leben durcheinandergebracht habe.«

Er seufzte. »Als ob das so einfach wäre.«

»Das sollte es sein. So interessant bin ich nun wirklich nicht.«

Er wollte widersprechen, doch dann ließ er es auf sich beruhen. »Ein müßiges Thema«, sagte er wieder. Plötzlich setzte er sich ordentlich hin und schob mich zur Seite, so dass wir uns nicht mehr berührten.

»Charlie?«, fragte ich.

Edward lächelte. Kurz darauf hörte ich, wie der Streifenwagen in die Einfahrt fuhr. Ich nahm Edwards Hand und hielt sie ganz fest. So viel konnte man meinem Vater schon zumuten.

Charlie kam mit einer Pizzaschachtel herein.

»Hallo, ihr zwei.« Er grinste mich an. »Ich dachte mir, an deinem Geburtstag hättest du bestimmt gern mal eine Pause vom Kochen und Geschirrspülen. Hunger?«

»O ja. Danke, Dad.«

Wir folgten ihm in die Küche.

Charlie sagte nichts zu Edwards offensichtlichem Mangel an Appetit. Er war es gewohnt, dass Edward das Abendessen ausließ.

»Haben Sie etwas dagegen, wenn ich Bella heute Abend entführe?«, fragte Edward, als Charlie und ich aufgegessen hatten.

Ich schaute Charlie hoffnungsvoll an. Vielleicht stellte er sich vor, dass man den Geburtstag zu Hause mit der Familie verbrachte – das hier war mein erster Geburtstag bei ihm, der erste Geburtstag, seit meine Mutter Renée wieder geheiratet hatte und nach Florida gezogen war. Ich wusste also nicht, was für Vorstellungen er hatte.

»Kein Problem – die Mariners spielen heute Abend gegen die Sox«, sagte Charlie, und meine Hoffnung schwand. »Ich könnte dir also sowieso keine Gesellschaft leisten … Hier.« Er nahm die Kamera, die er mir auf Renées Empfehlung geschenkt hatte (weil ich ja Fotos brauchte, mit denen ich das Album füllen konnte), und warf sie mir zu.

Er hätte es besser wissen sollen – ich war noch nie berühmt für meine Geschicklichkeit. Die Kamera glitt mir aus den Händen und wollte schon zu Boden trudeln. Edward fing sie gerade noch rechtzeitig auf, bevor sie auf den Linoleumboden knallen konnte.

»Gut reagiert«, sagte Charlie. »Wenn die Cullens heute Abend etwas Besonderes organisieren, musst du Fotos machen, Bella. Du kennst ja deine Mutter – sie will die Bilder bestimmt schneller sehen, als du fotografieren kannst.«

»Gute Idee, Charlie«, sagte Edward und reichte mir die Kamera.

Ich richtete die Kamera auf Edward und schoss das erste Foto. »Sie funktioniert.«

»Super. Und grüß Alice von mir. Sie war lange nicht mehr hier.« Charlie verzog den Mund.

»Drei Tage, Dad«, sagte ich. Charlie hatte einen Narren an Alice gefressen. Seit dem letzten Frühjahr war das so, als sie mir in der anstrengenden Zeit nach dem Unfall geholfen hatte. Charlie würde ihr immer dankbar dafür sein, dass sie ihn davor bewahrt hatte, seiner fast erwachsenen Tochter beim Duschen helfen zu müssen. »Ich werd's ihr ausrichten.«

»Na dann viel Spaß heute Abend.« Das war deutlich. Charlie machte sich schon auf den Weg ins Wohnzimmer, wo der Fernseher stand.

Edward lächelte triumphierend, nahm meine Hand und zog mich aus der Küche. Als wir bei meinem Wagen ankamen, hielt er mir wieder die Beifahrertür auf, und diesmal widersprach ich nicht. Im Dunkeln hatte ich immer noch Mühe, die versteckte Abzweigung zu seinem Haus zu finden.

Edward fuhr Richtung Norden durch Forks. Er ärgerte sich sichtlich darüber, dass die Geschwindigkeit meines prähistorischen Chevys begrenzt war. Als Edward ihn über achtzig trieb, röhrte der Motor noch lauter.

»Keine Hektik«, warnte ich ihn.

»Weißt du, was dir gefallen würde? Ein schönes kleines Audi Coupé. Sehr leise, starker Motor …«

»Mit meinem Transporter ist alles in Ordnung. Und apropos unnötige Ausgaben, ich hoffe sehr für dich, dass du kein Geld für Geburtstagsgeschenke ausgegeben hast.«

»Keinen Cent«, sagte er treuherzig.

»Dann ist es ja gut.«

»Kannst du mir einen Gefallen tun?«

»Kommt drauf an.«

Er seufzte, sein schönes Gesicht wurde ernst. »Bella, der letzte richtige Geburtstag, den bei uns jemand hatte, war der von Emmett 1935. Sei nachsichtig mit uns und nimm dich heute Abend ein bisschen zusammen. Sie sind alle furchtbar aufgeregt.«

Ich erschrak immer ein wenig, wenn er mit so was anfing. »Okay, ich werd mich beherrschen.«

»Es ist wohl besser, wenn ich dich warne ...«

»O ja, ich bitte darum.«

»Wenn ich sage, sie sind alle aufgeregt ... dann meine ich wirklich alle.«

»Alle?«, brachte ich mühsam heraus. »Ich dachte, Emmett und Rosalie sind in Afrika.« In Forks glaubte man, die ältesten Cullens seien in diesem Jahr nach Dartmouth aufs College gegangen, aber ich wusste es besser.

»Emmett wollte unbedingt kommen.«

»Aber ... Rosalie?«

»Ich weiß, Bella. Mach dir keine Sorgen, sie wird sich benehmen.«

Ich gab keine Antwort. So einfach war es nicht, sich keine Sorgen zu machen. Im Gegensatz zu Alice konnte Edwards andere »Adoptivschwester«, die goldblonde, wunderschöne Rosalie, mich nicht besonders gut leiden. Genau genommen war das Gefühl noch etwas stärker als bloße Abneigung. Für Rosalie war ich ein unwillkommener Eindringling in das geheime Leben ihrer Familie.

Ich hatte schreckliche Schuldgefühle, denn ich schrieb es mir zu, dass Rosalie und Emmett so lange fort waren. Auf der anderen Seite war ich insgeheim froh, Rosalie nicht sehen zu müssen. Emmett dagegen, Edwards witzigen, bärenhaften Bruder, vermisste ich sehr wohl. Er war in vielerlei Hinsicht wie der große Bruder, den ich mir immer gewünscht hatte ... nur sehr viel gefährlicher.

Edward beschloss, das Thema zu wechseln. »Also, wenn ich dir keinen Audi schenken darf, gibt es nicht vielleicht irgendwas anderes, das du dir zum Geburtstag wünschst?«

»Du weißt, was ich mir wünsche«, flüsterte ich.

Er runzelte die marmorne Stirn. Wahrscheinlich bereute er jetzt, dass er das Thema gewechselt hatte.

Ich hatte das Gefühl, dass wir darüber heute schon mehrfach gestritten hatten.

»Nicht heute Abend, Bella. Bitte.«

»Tja, vielleicht erfüllt Alice mir ja meinen Wunsch.«

Edward grollte – ein tiefer, drohender Laut. »Dies wird nicht dein letzter Geburtstag sein, Bella«, schwor er.

»Das ist gemein!«

Ich glaubte zu hören, wie er mit den Zähnen knirschte.

Jetzt fuhren wir auf das Haus zu. Helles Licht schien aus allen Fenstern in den unteren beiden Stockwerken. Unterm Dach der Veranda hing eine lange Reihe leuchtender japanischer Laternen und tauchte die riesigen Zedern, die das Haus umgaben, in einen warmen Glanz. Große Blumenschalen – rosa Rosen – standen zu beiden Seiten der Eingangstreppe.

Ich stöhnte.

Edward atmete ein paarmal tief ein und aus, um sich zu beruhigen. »Das ist eine Geburtstagsparty«, erinnerte er mich. »Versuch, kein Spielverderber zu sein.«

»Klar«, murmelte ich.

Er ging um den Wagen herum, öffnete mir die Tür und reichte mir die Hand.

»Darf ich dich mal was fragen?«

Er wartete misstrauisch.

»Wenn ich den Film entwickele«, sagte ich und spielte mit der Kamera in meinen Händen, »bist du dann auf den Fotos drauf?«

Edward prustete los. Er half mir aus dem Wagen und führte mich die Treppe hinauf. Als er die Tür öffnete, lachte er immer noch.

Sie erwarteten uns alle in dem riesigen weißen Wohnzimmer;

als ich zur Tür hereinkam, riefen sie laut im Chor: »Herzlichen Glückwunsch zum Geburtstag, Bella!« Ich wurde rot und schaute zu Boden. Irgendjemand, vermutlich Alice, hatte überall rosa Kerzen und unzählige Kristallschalen mit Hunderten von Rosen hingestellt. Neben Edwards Flügel stand ein Tisch mit weißem Tischtuch, darauf standen eine rosa Geburtstagstorte, noch mehr Rosen, ein Stapel Glasteller und ein kleiner Haufen silbern verpackter Geschenke.

Es war noch tausendmal schlimmer, als ich es mir vorgestellt hatte.

Edward, der meine Qual spürte, legte mir aufmunternd einen Arm um die Taille und gab mir einen Kuss aufs Haar.

Edwards Eltern, Carlisle und Esme – unglaublich jugendlich und reizend wie immer –, waren die Ersten hinter der Tür. Esme umarmte mich leicht, ihr weiches, karamellfarbenes Haar streifte meine Wange, als sie mich auf die Stirn küsste. Dann legte Carlisle mir einen Arm um die Schultern.

»Tut mir leid, Bella«, flüsterte er für alle hörbar. »Alice war nicht zu bremsen.«

Rosalie und Emmett standen hinter den beiden. Rosalie lächelte nicht, aber immerhin schaute sie mich nicht hasserfüllt an. Auf Emmetts Gesicht lag ein breites Grinsen. Wir hatten uns seit Monaten nicht gesehen; ich hatte vergessen, wie unbeschreiblich schön Rosalie war – es tat fast weh, sie anzusehen. Und war Emmett immer so … groß und breit gewesen?

»Du siehst noch genauso aus wie vorher«, sagte Emmett mit gespielter Enttäuschung. »Ich hatte mit irgendeiner Veränderung gerechnet, aber du bist rotgesichtig wie eh und je.«

»Vielen Dank, Emmett«, sagte ich und wurde noch röter.

Er lachte. »Ich muss mal kurz austreten« – er zwinkerte Alice verschwörerisch zu –, »stell bitte nichts an, solange ich weg bin.«

»Ich werd's versuchen.«

Alice ließ Jaspers Hand los und stürmte auf mich zu, ihre Zähne funkelten im Licht. Auch der große, blonde Jasper, der an einer Säule unten an der Treppe lehnte, lächelte, doch er hielt Abstand. Ich dachte, er hätte in den Tagen, die wir zusammen eingesperrt in Phoenix verbringen mussten, seine Abneigung gegen mich überwunden. Doch als er mich nicht mehr beschützen musste, war er sofort wieder zu seinem früheren Verhalten zurückgekehrt: Er ging mir so weit wie möglich aus dem Weg. Ich wusste, dass das nicht persönlich gemeint war, es war nur eine Vorsichtsmaßnahme, und ich versuchte, mir sein Verhalten nicht zu Herzen zu nehmen. Jasper fiel es schwerer als den anderen, sich an die Ernährungsweise der Cullens zu halten; er konnte dem Geruch menschlichen Bluts kaum widerstehen – er hatte noch nicht so viel Übung.

»Jetzt geht's ans Geschenkeauspacken«, verkündete Alice. Sie schob ihre kühle Hand unter meinen Ellbogen und zog mich zu dem Tisch mit der Torte und den glänzenden Geschenken.

Ich setzte eine übertriebene Leidensmiene auf. »Alice, ich hatte dir doch gesagt, dass ich nichts haben will ...«

»Aber ich hab nicht auf dich gehört«, unterbrach sie mich fröhlich. »Mach schon auf.« Sie nahm mir die Kamera aus der Hand und reichte mir stattdessen ein großes würfelförmiges Päckchen.

Das Päckchen war so leicht, als wäre es leer. Auf einem Zettel obendrauf stand, dass es von Emmett, Rosalie und Jasper kam. Unsicher riss ich das Papier ab und starrte dann auf die Schachtel darin.

Es war irgendetwas Elektronisches, mit vielen Zahlen im Namen. Ich öffnete die Schachtel und hoffte, aus dem Inhalt schlauer zu werden. Aber die Schachtel war tatsächlich leer.

»Ähm … danke.«

Rosalie brachte tatsächlich ein Lächeln zu Stande. Jasper lachte. »Das ist eine Stereoanlage für deinen Transporter«, erklärte er. »Emmett baut sie gerade ein, damit du sie nicht umtauschen kannst.«

Alice war mir immer einen Schritt voraus.

»Danke, Jasper, danke, Rosalie«, sagte ich und grinste, als ich daran dachte, wie Edward heute Nachmittag über mein Radio gemeckert hatte – offenbar alles inszeniert. »Danke, Emmett!«, rief ich lauter.

Ich hörte sein dröhnendes Lachen von meinem Transporter her und jetzt musste ich selber lachen.

»Jetzt mach das von Edward und mir auf«, sagte Alice. Sie war so aufgeregt, dass ihre Stimme wie ein hohes Trällern klang. Sie hielt ein kleines, flaches Päckchen in der Hand.

Ich drehte mich zu Edward um und warf ihm einen bösen Blick zu. »Du hattest es versprochen.«

Ehe Edward etwas sagen konnte, kam Emmett hereingesprungen. »Gerade noch rechtzeitig!«, jubelte er. Er drängte sich hinter Jasper, der näher gekommen war als sonst, um besser sehen zu können.

»Ich hab keinen Cent ausgegeben«, versicherte Edward. Er strich mir eine Haarsträhne aus dem Gesicht. Meine Haut brannte von seiner Berührung.

Ich holte tief Luft und wandte mich an Alice. »Dann gib schon her«, sagte ich seufzend.

Emmett kicherte.

Ich nahm das Päckchen, sah Edward an und verdrehte die Augen. Ich ging mit einem Finger unter den Rand des Papiers und fuhr mit einem Ruck unter dem Klebestreifen entlang.

»Verflucht«, murmelte ich, als ich mir den Finger am Papier

schnitt; ich zog es weg, um mir die Wunde anzusehen. Ein kleiner Blutstropfen quoll aus dem winzigen Schnitt.

Dann ging alles ganz schnell.

»Nein!«, brüllte Edward.

Er warf sich auf mich und schleuderte mich über den Tisch. Der Tisch fiel um und ich mit ihm. Alles wurde über den Boden verstreut, die Torte und die Geschenke, die Blumen und Teller. Ich landete in einem Durcheinander von zerbrochenem Kristall.

Jasper stürzte sich auf Edward, und es klang wie ein Steinschlag.

Da war noch ein anderes Geräusch, ein fürchterliches Knurren, das tief aus Jaspers Brust zu kommen schien. Jasper versuchte sich an Edward vorbeizudrängen, nur knapp neben Edwards Gesicht schnappte er mit den Zähnen.

Im nächsten Moment umfasste Emmett Jasper von hinten und hielt ihn mit festem Stahlgriff umklammert, aber Jasper wehrte sich, den wilden, leeren Blick nur auf mich gerichtet.

Abgesehen von dem Schreck spürte ich auch Schmerzen. Ich war neben dem Flügel zu Boden gestürzt – die Arme instinktiv ausgestreckt, um mich abzufangen –, direkt in die spitzen Scherben hinein. Erst jetzt spürte ich den brennenden, stechenden Schmerz vom Handgelenk bis zur Armbeuge.

Benommen schaute ich von dem hellroten Blut auf, das aus meinem Arm strömte – und traf auf die fiebrigen Blicke von sechs ausgehungerten Vampiren.

$\mathcal{N}$ADELSTICHE

Carlisle bewahrte als Einziger die Ruhe. Seine leise, gebieterische Stimme sprach von jahrhundertelanger Erfahrung in der Notaufnahme.

»Emmett, Rose, bringt Jasper hinaus.«

Emmett lächelte ausnahmsweise einmal nicht und nickte. »Komm, Jasper.«

Jasper wehrte sich gegen Emmetts unnachgiebigen Griff, er wand sich und versuchte nun, seinen Bruder zu erwischen. Er sah immer noch nicht zurechnungsfähig aus.

Edward war kalkweiß, als er herumfuhr und sich schützend über mich warf. Zwischen den Zähnen entfuhr ihm ein tiefes, warnendes Knurren. Ich war mir sicher, dass er nicht atmete.

Ein eigenartig selbstgefälliger Ausdruck lag auf Rosalies überirdisch schönem Gesicht. Sie stellte sich vor Jasper, wobei sie eine sichere Entfernung zu seinen Zähnen wahrte, und half Emmett, ihn durch die Glastür zu bugsieren, die Esme ihnen aufhielt, eine Hand vor Mund und Nase gepresst.

Scham spiegelte sich in Esmes herzförmigem Gesicht. »Es tut mir so leid, Bella«, rief sie, als sie den anderen in den Garten folgte.

»Lass mich durch, Edward«, murmelte Carlisle.

Eine Sekunde verging, dann nickte Edward langsam und nahm eine entspanntere Haltung ein.

Carlisle kniete neben mir nieder und beugte sich über meinen Arm, um ihn zu untersuchen. Ich merkte, dass mein Gesicht vor Schreck erstarrt war, und versuchte meine Züge zu entspannen.

»Hier, Carlisle«, sagte Alice und reichte ihm ein Handtuch.

Er schüttelte den Kopf. »Zu viele Splitter in der Wunde.« Er langte zum Tisch und riss einen langen schmalen Streifen von der Tischdecke ab. Damit umwickelte er meinen Arm über dem Ellbogen, um das Blut zu stoppen. Vom Geruch des Bluts wurde mir schwindelig und in meinen Ohren rauschte es.

»Bella«, sagte Carlisle sanft. »Soll ich dich ins Krankenhaus fahren oder dich hier behandeln?«

»Hier, bitte«, flüsterte ich. Wenn er mich ins Krankenhaus brachte, könnte ich das nicht vor Charlie geheim halten.

»Ich hole dir deine Tasche«, sagte Alice.

»Komm, wir bringen sie zum Küchentisch«, sagte Carlisle zu Edward.

Mühelos hob Edward mich hoch, während Carlisle weiter auf meinen Arm drückte.

»Wie geht es dir, Bella?«, fragte Carlisle.

»Ganz gut.« Meine Stimme war einigermaßen fest, und darüber war ich froh.

Edwards Gesicht war wie versteinert.

Alice war da. Carlisles schwarze Tasche stand schon auf dem Tisch, und eine kleine, aber lichtstarke Schreibtischlampe brannte. Edward drückte mich sanft auf einen Stuhl, und Carlisle zog sich einen weiteren heran. Er machte sich sofort an die Arbeit.

Edward stand schützend über mir, er atmete immer noch nicht.

»Geh doch, Edward«, sagte ich leise.

»Ich werde schon damit fertig«, sagte er. Doch sein Kiefer war angespannt, und seine Augen brannten, weil er gegen ein Verlangen ankämpfte, das bei ihm noch viel stärker war als bei den anderen.

»Du brauchst hier nicht den Helden zu spielen«, sagte ich. »Carlisle kann mich auch ohne deine Hilfe verarzten. Geh lieber an die frische Luft.«

Ich zuckte zusammen, als Carlisle irgendetwas mit meinem Arm machte und ich einen stechenden Schmerz verspürte.

»Ich bleibe«, sagte Edward entschlossen.

»Warum bist du so masochistisch?«, murmelte ich.

Jetzt mischte Carlisle sich ein. »Edward, du könntest dich ebenso gut auf die Suche nach Jasper machen, sonst ist er bald zu weit weg. Sicher ist er wütend auf sich selbst, und ich bezweifle, dass er im Augenblick auf jemand anders als dich hören wird.«

»Ja«, stimmte ich sofort ein. »Such Jasper.«

»Genau, mach dich mal nützlich«, fügte Alice hinzu.

Edwards Augen wurden schmal, als wir so auf ihn einstürmten, dann nickte er kurz und rannte schnell durch die Hintertür nach draußen. Ich war mir sicher, dass er seit meinem Missgeschick kein einziges Mal geatmet hatte.

Ein dumpfes, taubes Gefühl breitete sich in meinem Arm aus. Zwar löschte es den stechenden Schmerz aus, doch jetzt erinnerte ich mich wieder an die Schnittwunde, und ich konzentrierte mich voll auf Carlisles Gesicht, um mir nicht vorzustellen, was seine Hände machten. Sein Haar leuchtete golden im Lampenlicht, während er sich über meinen Arm beugte. Ich spürte ein leichtes Unwohlsein in der Magengrube, aber ich wollte mich auf keinen Fall so zimperlich anstellen wie sonst. Es tat nicht weh, ich merkte nur ein leichtes Ziehen, das ich zu ignorieren versuchte. Kein Grund für Übelkeit, schließlich war ich kein kleines Kind mehr.

Hätte Alice nicht direkt hinter Carlisle gestanden, hätte ich nicht bemerkt, dass sie aufgab und sich aus dem Zimmer stahl. Mit einem kleinen entschuldigenden Lächeln auf den Lippen verschwand sie durch die Küchentür.

»Na, das wären dann alle«, sagte ich seufzend. »Ein Zimmer leer fegen kann ich immerhin.«

»Es ist nicht deine Schuld«, versuchte Carlisle mich zu trösten. Er lachte in sich hinein. »Das hätte jedem passieren können.«

»*Hätte*«, sagte ich. »Aber normalerweise passiert so was nur mir.«

Er lachte wieder.

Seine Gelassenheit war verblüffend, zumal sie im völligen Gegensatz zu der Reaktion der anderen stand. Ich konnte keine Spur von Nervosität in seinem Gesicht ausmachen. Seine Bewegungen bei der Arbeit waren schnell und sicher. Das einzige Geräusch außer unserem ruhigen Atem war das leise Pling, Pling, als die winzigen Glassplitter einer nach dem anderen auf den Tisch fielen.

»Wie schaffst du das?«, wollte ich wissen. »Selbst Alice und Esme …« Ich ließ den Satz in der Luft hängen und schüttelte verwundert den Kopf. Obwohl die anderen der üblichen Ernährungsweise von Vampiren ebenso radikal abgeschworen hatten wie Carlisle, war er doch der Einzige, der den Geruch meines Bluts ertragen konnte, ohne unter der enormen Versuchung zu leiden. Garantiert war die Situation für ihn sehr viel schwieriger, als es den Anschein hatte.

»Jahrelange Übung«, sagte er. »Ich nehme den Geruch kaum noch wahr.«

»Glaubst du, es wäre schwerer, wenn du länger nicht im Krankenhaus wärst und nichts mit Blut zu tun hättest?«

»Vielleicht.« Er zuckte die Schultern, aber seine Hände blieben ruhig. »Ich hatte noch nie das Bedürfnis nach einem längeren Urlaub.« Er lächelte mich strahlend an. »Dafür macht mir meine Arbeit zu viel Spaß.«

Pling, pling, pling. Ich war erstaunt, wie viele Splitter in meinem Arm steckten. Ich hätte gern einmal kurz geguckt, wie das Häufchen anwuchs, aber ich wollte mich ja nicht übergeben, und da wäre das auf jeden Fall kontraproduktiv gewesen.

»Was macht dir daran denn Spaß?«, fragte ich. Mir kam das absurd vor – wie viele Jahre Kampf und Selbstverleugnung musste es ihn gekostet haben, bis er diese Arbeit so mühelos ertragen konnte! Außerdem wollte ich, dass er weiterredete; die Unterhaltung lenkte mich von dem mulmigen Gefühl im Magen ab.

Als er antwortete, war sein Blick ruhig und nachdenklich. »Hmm. Das Schönste ist für mich, wenn meine … besonderen Fähigkeiten es mir erlauben, jemanden zu retten, der sonst verloren wäre. Es tut gut zu wissen, dass ich dazu beitragen kann, das Leben mancher Menschen zu verbessern. Und mein Geruchssinn ist bisweilen sogar sehr hilfreich bei der Diagnose.« Er verzog einen Mundwinkel zu einem halben Lächeln.

Während er meinen Arm noch einmal ganz genau untersuchte, um sicherzugehen, dass er alle Splitter entfernt hatte, grübelte ich über seine Worte nach. Dann kramte er in seiner Tasche nach weiteren Instrumenten und ich versuchte nicht an Nadel und Faden zu denken.

»Du gibst dir große Mühe, etwas wiedergutzumachen, an dem du gar nicht schuld bist«, sagte ich, während ich ein neues schmerzhaftes Ziehen an der Haut spürte. »Ich meine, du wolltest doch gar nicht so sein.«

»Ich wüsste nicht, dass ich versuche etwas wiedergutzumachen«, widersprach er. »Ich musste mich einfach entscheiden, was ich mit dem, was mir gegeben war, anfangen wollte, so ist das im Leben.«

»Das klingt aber zu einfach.«

Er untersuchte meinen Arm noch einmal. »So«, sagte er und durchtrennte einen Faden. »Fertig.« Er strich mit einem überdimensionierten Wattestäbchen, das mit einer sirupfarbenen Flüssigkeit getränkt war, gründlich über die Wunde. Es roch merkwürdig und mir wurde schwindlig. Der Sirup brannte auf der Haut.

»Jedenfalls am Anfang«, bohrte ich nach, während er ein langes Stück Mull auf die Wunde drückte und festklebte. »Wie bist du überhaupt darauf gekommen, einen anderen Weg einzuschlagen als den naheliegendsten?«

Seine Lippen formten sich zu einem feinen Lächeln. »Hat Edward dir die Geschichte nicht erzählt?«

»Doch. Aber ich versuche zu verstehen, was du gedacht hast ...«

Plötzlich war seine Miene wieder ernst, und ich fragte mich, ob er an dasselbe dachte wie ich. Daran, was ich wohl denken würde, wenn ich in derselben Situation wäre – ich weigerte mich, *war* zu denken.

»Du weißt, dass mein Vater ein Geistlicher war«, sagte er nachdenklich, während er den Tisch zweimal gründlich mit nassem Mull abwischte. Der Geruch von Alkohol brannte mir in der Nase. »Er hatte eine recht strenge Weltanschauung, die ich bereits vor meiner Verwandlung in Zweifel zu ziehen begann.« Carlisle sammelte den blutigen Mull und die Glassplitter in einer leeren Kristallschale. Selbst als er ein Streichholz anzündete, begriff ich noch nicht, was er vorhatte. Dann ließ er das

Streichholz auf den alkoholgetränkten Stoff fallen. Eine kleine Stichflamme schoss empor, und ich zuckte zusammen.

»Entschuldigung«, sagte er. »Das sollte genügen … Mit dem Glauben, wie mein Vater ihn pflegte, hatte ich also nie übereingestimmt. Und doch hat mich in den nahezu vierhundert Jahren seit meiner Geburt nichts je daran zweifeln lassen, dass es Gott in der einen oder anderen Form gibt. Nicht einmal meine eigene Existenz.«

Ich tat so, als würde ich meinen Verband betrachten, um meine Überraschung über die Wendung des Gesprächs zu verbergen. Religion hätte ich in Anbetracht der Umstände am wenigsten erwartet. In meinem eigenen Leben spielte der Glaube eigentlich keine Rolle. Charlie betrachtete sich als Lutheraner, weil seine Eltern das auch gewesen waren, aber sonntags hielt er Gottesdienst am Fluss mit einer Angel in der Hand. Renée versuchte es hin und wieder mit der Kirche, aber ebenso wie ihre flüchtigen Affären mit Tennis, Töpfern, Yoga und Französisch war diese Laune auch schon wieder vorüber, ehe ich sie mitbekommen hatte.

»Das alles klingt aus dem Munde eines Vampirs gewiss etwas absurd.« Er grinste, weil er wusste, dass es mich immer noch schockierte, wenn sie das Wort so beiläufig benutzten. »Doch ich hoffe, dass dieses Leben noch einen Sinn hat, selbst für uns. Es ist sehr gewagt, das gebe ich zu«, fuhr er leichthin fort. »Wir sind vermutlich ohnehin verdammt. Doch auch, wenn es vielleicht töricht ist, so hoffe ich, dass man uns den Versuch bis zu einem gewissen Grad anrechnen wird.«

»Ich glaube nicht, dass das töricht ist«, murmelte ich. Ich konnte mir niemanden vorstellen, Gott eingeschlossen, der von Carlisle nicht beeindruckt wäre. Außerdem könnte ich nur einen Himmel akzeptieren, zu dem auch Edward Zutritt hätte. »Und das glaubt bestimmt auch sonst keiner.«

»Ehrlich gesagt bist du die Allererste, die meiner Meinung ist.«

»Sehen die anderen das nicht so?«, fragte ich überrascht und dachte dabei nur an einen Bestimmten.

Wieder erriet Carlisle, in welche Richtung meine Gedanken gingen. »Edward stimmt mir bis zu einem bestimmten Punkt zu. Es gibt einen Gott und einen Himmel ... und eine Hölle. Aber er glaubt nicht, dass es für unseresgleichen ein Leben nach dem Tod gibt.« Carlisle sprach sehr leise, er starrte aus dem großen Fenster über dem Waschbecken in die Finsternis. »Verstehst du, er glaubt, wir hätten unsere Seele verloren.«

Sofort dachte ich an Edwards Worte von heute Nachmittag: *Es sei denn, man will sterben – oder was auch immer unsereins dann tut.* Die Glühbirne über meinem Kopf wurde eingeschaltet.

»Darum geht es ihm eigentlich, oder?«, sagte ich. »Deshalb macht er solche Probleme, was mich angeht.«

Carlisle sprach langsam. »Ich schaue ihn an, meinen ... *Sohn.* Seine Kraft, seine Güte, was für einen Geist er versprüht ... und das bestärkt mich umso mehr in meiner Hoffnung und meinem Glauben. Es ist undenkbar, dass für jemanden wie Edward danach nichts mehr kommen sollte.«

Ich nickte heftig.

»Aber wenn ich glauben würde, was er glaubt ...« Sein Blick war unergründlich, als er mich ansah. »Wenn du das glauben würdest – könntest du ihm *seine* Seele rauben?«

Dass er die Frage so stellte, machte eine Antwort unmöglich. Hätte er gefragt, ob ich meine Seele für Edward aufs Spiel setzen würde, wäre die Antwort einfach gewesen. Aber würde ich Edwards Seele aufs Spiel setzen? Ich verzog unglücklich den Mund. Das war eine gemeine Frage.

»Du siehst, wo das Problem liegt.«

Ich schüttelte den Kopf und merkte, dass ich das Kinn eigensinnig vorgereckt hatte.

Carlisle seufzte.

»Es ist meine Entscheidung«, beharrte ich.

»Es ist auch die seine.« Er hob die Hand, als ich widersprechen wollte. »Er trägt die Verantwortung, wenn er dir das antut.«

»Er ist nicht der Einzige, der es machen kann.« Ich sah Carlisle forschend an.

Er lachte, und die ernste Stimmung war augenblicklich durchbrochen. »O nein! Das musst du schon mit ihm aushandeln.« Aber dann seufzte er. »Das ist die Frage, die ich mir nie eindeutig beantworten kann. Ich glaube, dass ich aus dem, was mir zur Verfügung stand, größtenteils das Beste gemacht habe. Aber war es richtig, die anderen zu diesem Leben zu verdammen? Das vermag ich nicht zu sagen.«

Ich gab keine Antwort. Ich stellte mir vor, wie mein Leben aussähe, wenn Carlisle der Versuchung widerstanden hätte, sein einsames Leben zu verändern ... und schauderte.

»Mein Entschluss ist Edwards Mutter geschuldet.« Carlisles Stimme war jetzt kaum mehr als ein Flüstern. Er starrte zum Fenster hinaus ins Leere.

»Seiner Mutter?« Wenn ich Edward nach seinen Eltern fragte, sagte er immer nur, dass sie vor langer Zeit gestorben seien und dass er sich kaum noch an sie erinnern könnte. Jetzt begriff ich, dass Carlisle sich sehr wohl an sie erinnerte, obwohl er sie nur kurz gekannt hatte.

»Ja. Sie hieß Elizabeth. Elizabeth Masen. Sein Vater, Edward senior, kam im Krankenhaus nicht mehr zu sich. Er starb an der ersten Grippewelle. Doch Elizabeth war fast bis zum Ende bei vollem Bewusstsein. Edward ähnelt ihr sehr – ihre Haare hatten denselben eigenartigen Bronzeton, und ihre Augen waren genauso grün wie seine.«

»Er hatte grüne Augen?«, murmelte ich und versuchte es mir vorzustellen.

»Ja …« Carlisles Blick war jetzt hundert Jahre weit weg. »Elizabeth war wahnsinnig vor Sorge um ihren Sohn. Sie nahm ihre letzten Kräfte zusammen, um ihn vom Krankenbett aus zu pflegen. Ich hatte gedacht, er würde vor ihr sterben, er war so viel schlimmer dran. Doch dann ging es ganz schnell mit ihr zu Ende. Es war kurz nach Sonnenuntergang, und ich kam, um die Ärzte abzulösen, die den ganzen Tag gearbeitet hatten. In dieser Zeit fiel es mir besonders schwer, mich zu verstellen – es gab so viel zu tun, und ich hätte keine Ruhepausen gebraucht. Es war mir unerträglich, nach Hause zu gehen, mich im Dunkeln zu verstecken und so zu tun, als schliefe ich, während so viele starben.

Als Erstes sah ich nach Elizabeth und ihrem Sohn. Ich hatte sie ins Herz geschlossen – das ist immer gefährlich, wenn man bedenkt, wie zerbrechlich Menschen sind. Ich sah sofort, dass es schlecht um sie stand. Das Fieber tobte und ihr Körper war zu schwach, um noch länger zu kämpfen. Doch als sie von ihrem Bett zu mir aufschaute, sah sie gar nicht schwach aus.

›Retten Sie ihn!‹, befahl sie mit heiserer Stimme – mehr ließen ihre Kräfte nicht zu.

›Ich werde alles tun, was in meiner Macht steht‹, versprach ich und nahm ihre Hand. Das Fieber war so hoch, dass sie vermutlich nicht mehr spürte, wie unnatürlich kalt die meine war. Für sie fühlte sich jetzt alles kalt an.

›Sie müssen‹, drängte sie und klammerte sich so fest an meine Hand, dass ich mich fragte, ob sie diese Krise nicht vielleicht doch überstehen konnte. Ihre Augen waren hart wie Stein, wie

Smaragde. ›Sie müssen alles tun, was in Ihrer Macht steht. Was andere nicht tun können, das müssen Sie für meinen Edward tun.‹

Sie machte mir Angst. Sie durchbohrte mich mit ihrem Blick und einen Augenblick war ich mir sicher, dass sie mein Geheimnis durchschaut hatte. Dann übermannte das Fieber sie und sie kam nicht wieder zu Bewusstsein. Eine Stunde nach ihrer Bitte starb sie.

Jahrzehntelang hatte ich darüber nachgedacht, mir einen Gefährten zu schaffen. Nur ein einziges Wesen, das mich richtig kennen würde, nicht nur das, was ich zu sein vorgab. Doch ich konnte es nie vor mir selbst rechtfertigen – einem anderen das anzutun, was man mir angetan hatte.

Da lag Edward, und er würde sterben. Es stand außer Zweifel, dass er nur noch wenige Stunden zu leben hatte. Neben ihm seine Mutter, deren Gesicht noch nicht richtig friedlich war, selbst im Tode nicht.«

Carlisle schien alles vor sich zu sehen, das vergangene Jahrhundert hatte seine Erinnerung nicht getrübt. Auch ich sah alles deutlich vor mir, während er erzählte – die Verzweiflung im Krankenhaus, die überwältigende Gegenwart des Todes. Edward, wie er glühend vor Fieber dalag, mit jeder Sekunde wich mehr Leben aus ihm … Ich schauderte wieder und drängte die Vorstellung beiseite.

»Elizabeths Worte hallten in meinem Kopf wider. Wie konnte sie erraten, was ich vermochte? War es wirklich möglich, dass sie sich das für ihren Sohn wünschte?

Ich sah Edward an. Trotz seiner Krankheit war er immer noch schön. Sein Gesicht hatte etwas Gutes und Reines. Ein Gesicht, wie ich es mir für meinen Sohn gewünscht hätte …

Nach all den Jahren der Unschlüssigkeit handelte ich jetzt aus

46

einem bloßen Impuls heraus. Erst fuhr ich seine Mutter ins Leichenschauhaus, dann kam ich wieder, um ihn zu holen. Niemand bemerkte, dass er noch atmete. Nicht einmal für die Hälfte der Patienten waren genug Hände und Augen da. Im Leichenschauhaus war niemand – jedenfalls kein Lebender. Ich schlich mich mit ihm zur Hintertür hinaus und trug ihn über die Dächer zu mir nach Hause.

Ich wusste nicht genau, was zu tun war. Ich entschied mich dafür, ihm dieselben Wunden beizubringen, die man mir damals, vor so vielen Jahrhunderten in London, beigebracht hatte. Im Nachhinein tat mir das leid. Es war schmerzhafter und langwieriger als nötig.

Doch ich habe es nicht bereut. Ich habe nie bereut, dass ich Edward gerettet habe.« Er schüttelte den Kopf und landete wieder in der Gegenwart. Er lächelte mich an. »Ich glaube, ich sollte dich jetzt nach Hause bringen.«

»Das mache ich schon.« Edward kam langsam durch das düstere Wohnzimmer zu uns. Sein Gesicht war glatt und unergründlich, doch mit seinen Augen stimmte etwas nicht – etwas, was er angestrengt zu verbergen suchte. Mein Magen krampfte sich in einem unguten Gefühl zusammen.

»Carlisle kann mich bringen«, sagte ich. Ich schaute an mir herunter; mein hellblaues T-Shirt war über und über mit Blut befleckt. Meine rechte Schulter war mit dickem rosa Zuckerguss bekleckert.

»Für mich ist es kein Problem«, sagte Edward unbeteiligt. »Du musst dich sowieso umziehen. Charlie würde einen Herzinfarkt bekommen, wenn er dich so sähe. Ich sage Alice Bescheid.« Er verschwand wieder durch die Küchentür.

Ich sah Carlisle ängstlich an. »Er ist völlig außer sich.«

»Ja«, sagte Carlisle. »Heute ist genau das passiert, was er immer am meisten gefürchtet hat. Dass du in Gefahr gerätst, weil wir sind, was wir sind.«

»Er kann doch nichts dafür.«

»Du aber auch nicht.«

Ich wich dem Blick seiner schönen, klugen Augen aus. Ich war nicht seiner Meinung.

Carlisle reichte mir die Hand und half mir vom Stuhl auf. Ich folgte ihm ins Wohnzimmer. Esme war wieder da, sie wischte den Boden dort, wo ich gefallen war. Mit Salmiak, dem Geruch nach zu urteilen.

»Esme, das kann ich doch machen.« Ich merkte, dass ich schon wieder knallrot war.

»Ich bin schon fertig.« Sie lächelte mich an. »Wie geht es dir?«

»Alles okay«, sagte ich. »So schnell wie Carlisle hat mich noch keiner genäht.«

Sie kicherten beide.

Alice und Edward kamen zur Hintertür herein. Alice kam zu mir gerannt, doch Edward blieb zurück. Ich wurde aus seiner Miene nicht schlau.

»Komm mit«, sagte Alice. »Wir suchen dir was Unblutiges zum Anziehen raus.«

Sie gab mir ein T-Shirt von Esme, das eine ganz ähnliche Farbe hatte wie meins. Charlie würde garantiert nichts merken. Und der weiße Verband an meinem Arm sah, als ich nicht mehr blutbespritzt war, längst nicht mehr so besorgniserregend aus. Charlie wunderte sich nie, wenn ich einen Verband trug.

»Alice«, flüsterte ich, als sie wieder zur Tür ging.

»Ja?« Auch sie sprach gedämpft und sah mich mit schräggelegtem Kopf neugierig an.

»Wie schlimm ist es?« Ich wusste nicht, ob es Sinn hatte zu

48

flüstern. Obwohl wir oben waren und die Tür geschlossen war, konnte er mich vielleicht hören.

Ihre Züge spannten sich an. »Das weiß ich noch nicht.«

»Wie geht es Jasper?«

Sie seufzte. »Er ist wütend auf sich selbst. Für ihn ist es eine so viel größere Anstrengung als für uns, und er leidet unter dem Gefühl, schwach zu sein.«

»Er kann nichts dafür. Sag ihm, dass ich nicht sauer auf ihn bin, okay?«

»Mach ich.«

Edward wartete an der Haustür auf mich. Als ich die Treppe hinunterkam, hielt er mir wortlos die Tür auf.

»Vergiss deine Sachen nicht!«, rief Alice, als ich langsam auf Edward zuging. Sie nahm die beiden Päckchen, eins davon halb geöffnet, holte die Kamera unter dem Flügel hervor und legte mir alles in meinen unversehrten Arm. »Du kannst mir später danken, wenn du es ausgepackt hast.«

Esme und Carlisle wünschten mir beide still eine gute Nacht. Sie warfen dem völlig teilnahmslosen Edward ebenso verstohlene Blicke zu wie ich.

Ich war erleichtert, als ich draußen war, hastig ging ich an den Laternen und den Rosen vorbei, die jetzt nur unangenehme Erinnerungen weckten. Edward ging schweigend neben mir her. Er hielt mir die Beifahrertür auf, und ich stieg widerspruchslos ein.

Auf dem Armaturenbrett prangte eine große rote Schleife an der neuen Stereoanlage. Ich riss sie ab und warf sie auf den Boden. Als Edward auf den Fahrersitz glitt, kickte ich sie unter meinen Sitz.

Er schaute weder zu mir noch zu der Anlage. Keiner von uns schaltete sie ein, und die Stille wurde durch das plötzliche Aufheulen des Motors noch deutlicher. Viel zu schnell fuhr Edward die dunkle Serpentinenstraße entlang.

Das Schweigen machte mich wahnsinnig.

»Sag doch was«, flehte ich, als er auf die Schnellstraße fuhr.

»Was soll ich denn sagen?«, fragte er abweisend.

Ich zuckte zusammen, er klang so weit weg. »Sag, dass du mir verzeihst.«

Jetzt kam eine Spur von Leben in sein Gesicht – eine Spur von Wut. »Ich dir verzeihen? Und was bitte?«

»Wenn ich besser aufgepasst hätte, wäre nichts passiert.«

»Bella, du hast dich am Papier geschnitten – darauf steht wohl kaum die Todesstrafe.«

»Trotzdem ist es meine Schuld.«

Jetzt gab es kein Halten mehr.

»Deine Schuld? Wenn du dich bei Mike Newton zu Hause geschnitten hättest, mit Jessica und Angela und deinen anderen normalen Freunden zusammen, was hätte da schlimmstenfalls passieren können? Vielleicht hätten sie kein Pflaster gefunden? Wenn du einen Stapel Glasteller umgeworfen hättest, ohne dass dich jemand hineingestoßen hätte, was hätte da passieren können? Dass du auf der Fahrt zur Notaufnahme die Autositze mit Blut befleckt hättest? Mike Newton hätte deine Hand halten können, während du genäht wurdest – ohne die ganze Zeit gegen den Drang ankämpfen zu müssen, dich umzubringen. Versuch nicht, irgendetwas davon auf deine Kappe zu nehmen, Bella – das würde meinen Ekel vor mir selbst nur noch verstärken.«

»Wie zum Teufel kommst du jetzt auf Mike Newton?«, fragte ich.

»Weil es für dich tausendmal gesünder wäre, mit Mike Newton zusammen zu sein als mit mir«, grollte er.

»Ich würde lieber sterben, als mit Mike Newton zusammen zu sein«, sagte ich. »Lieber sterben, als mit irgendwem anders zusammen zu sein als mit dir.«

»Jetzt werd bitte nicht melodramatisch.«

»Dann sag du nicht so abwegige Sachen.«

Er antwortete nicht. Mit finsterer Miene starrte er durch die Windschutzscheibe.

Ich überlegte verzweifelt, wie ich den Abend noch retten könnte. Als wir vor meinem Haus hielten, war mir immer noch nichts eingefallen.

Er schaltete den Motor aus, doch seine Hände hielten noch immer das Lenkrad umklammert.

»Bleibst du heute Nacht?«, fragte ich.

»Es ist besser, wenn ich nach Hause fahre.«

Auf keinen Fall wollte ich, dass er sich mit Gewissensbissen quälte.

»Zu meinem Geburtstag«, drängte ich.

»Du musst dich schon entscheiden – entweder willst du, dass die Leute deinen Geburtstag ignorieren, oder nicht. Es geht nur eins von beidem.« Seine Stimme war hart, aber nicht mehr so unerbittlich wie vorhin. Ich seufzte leise vor Erleichterung.

»Na gut. Ich habe mich entschieden. Ich will nicht, dass du meinen Geburtstag ignorierst. Bis gleich, oben bei mir.«

Ich sprang aus dem Wagen und wollte dann meine Päckchen herausholen. Er runzelte die Stirn.

»Du musst die nicht mitnehmen.«

»Will ich aber«, sagte ich automatisch und fragte mich, ob er mich jetzt provozieren wollte.

»Nein, willst du nicht. Carlisle und Esme haben Geld für dich ausgegeben.«

»Ich werd's überleben.« Ungeschickt klemmte ich die Päckchen unter den gesunden Arm und schlug die Beifahrertür zu. In weniger als einer Sekunde war Edward aus dem Transporter gestiegen und an meiner Seite.

»Dann lass mich sie wenigstens für dich tragen«, sagte er und nahm sie mir ab. »Ich warte in deinem Zimmer auf dich.«

Ich lächelte. »Danke.«

»Herzlichen Glückwunsch.« Er seufzte und beugte sich herab, um meine Lippen mit seinen zu berühren.

Ich stellte mich auf die Zehenspitzen und wollte den Kuss ausdehnen, doch er befreite sich. Er lächelte das schiefe Lächeln, das ich so liebte, und verschwand in die Dunkelheit.

Das Spiel lief immer noch; kaum war ich durch die Haustür, hörte ich auch schon den Kommentator über die Menge hinwegquasseln.

»Bella?«, rief Charlie.

»Hallo, Dad«, sagte ich, als ich um die Ecke bog. Ich hielt den Arm eng an die Seite gepresst. Der leichte Druck erzeugte einen brennenden Schmerz, und ich zog die Nase kraus. Offenbar ließ die Wirkung des Schmerzmittels nach.

»Wie war's?« Charlie lag ausgestreckt auf dem Sofa, die nackten Füße auf die Lehne gestützt. Seine wenigen braunen Locken waren auf einer Seite platt gelegen.

»Alice hat sich selbst übertroffen. Blumen, Torte, Kerzen, Geschenke – das volle Programm.«

»Was hast du gekriegt?«

»Eine Stereoanlage für meinen Transporter.« Und noch diverse Unbekannte.

»Wow.«

»Das kannst du wohl sagen«, sagte ich. »Ich geh schlafen.«

»Bis morgen.«

Ich winkte. »Ja, bis morgen.«

»Was hast du da am Arm?«

Ich wurde rot und fluchte innerlich. »Ich bin gestolpert. Ist nicht weiter schlimm.«

»Bella«, sagte er seufzend und schüttelte den Kopf.

»Gute Nacht, Dad.«

Schnell lief ich die Treppe hoch ins Bad, wo ich für solche Nächte meinen Schlafanzug aufbewahrte. Ich hatte ihn mir an Stelle der löchrigen Sweatshirts gekauft, in denen ich sonst immer schlief. Ich schlüpfte in die Baumwollhose und das dazu passende Tank-Top und zuckte zusammen, als es an der Wunde zog. Einhändig wusch ich mir das Gesicht, putzte mir die Zähne und hüpfte dann in mein Zimmer.

Er saß mitten auf dem Bett und spielte mit einem der silbernen Päckchen herum.

»Hallo«, sagte er. Seine Stimme klang traurig. Er machte sich also immer noch Vorwürfe.

Ich lief zum Bett, schob die Geschenke weg und kletterte auf seinen Schoß.

»Hallo.« Ich schmiegte mich an seine steinerne Brust. »Kann ich jetzt meine Geschenke auspacken?«

»Woher auf einmal diese Begeisterung?«, fragte er erstaunt.

»Du hast mich neugierig gemacht.«

Ich nahm das längliche flache Päckchen, das von Carlisle und Esme sein musste.

»Darf ich?«, sagte er. Er nahm mir das Geschenk aus der Hand und zog das silberne Papier mit einer fließenden Bewegung ab. Dann gab er mir die rechteckige weiße Schachtel zurück.

»Traust du mir wirklich zu, den Deckel hochzuheben?«, murmelte ich, aber er überging die Frage.

In der Schachtel war eine längliche dicke Karte mit einer

Menge Kleingedrucktem darauf. Es dauerte eine Weile, bis ich kapierte, was es war.

»Wir fliegen nach Jacksonville?« Gegen meinen Willen war ich aufgeregt. Es war ein Gutschein für Flugtickets, für Edward und mich.

»So ist es gedacht.«

»Ich fasse es nicht. Renée wird ausflippen! Aber meinst du, du hältst das aus? Da scheint die Sonne, du musst den ganzen Tag im Haus bleiben.«

»Das wird schon gehen«, sagte er, dann runzelte er die Stirn. »Hätte ich geahnt, dass du auf ein solches Geschenk angemessen reagieren kannst, hätte ich darauf bestanden, dass du es vor Carlisle und Esme auspackst. Aber ich dachte, du würdest dich beschweren.«

»Na ja, natürlich ist es zu viel. Aber ich kann ja dich mitnehmen!«

Er lachte in sich hinein. »Jetzt tut es mir leid, dass ich kein Geld für dein Geschenk ausgegeben habe. Ich hatte keine Ahnung, dass du vernünftig sein kannst.«

Ich legte die Tickets beiseite und nahm sein Geschenk. Jetzt war meine Neugier ganz entfacht. Er nahm es mir ab und packte es genauso aus wie das erste.

Er überreichte mir eine durchsichtige CD-Hülle mit einer unbedruckten CD darin.

»Was ist das?«, fragte ich verblüfft.

Statt einer Antwort nahm er die CD, langte um mich herum und schob sie in den CD-Player, der auf dem Nachttisch stand. Er schaltete das Gerät ein und wir warteten schweigend. Dann begann die Musik.

Ich lauschte sprachlos und mit großen Augen. Ich wusste, dass er auf eine Reaktion wartete, aber ich konnte nichts sagen. Tränen stiegen mir in die Augen und ich wischte sie weg, bevor sie mir über die Wangen liefen.

»Tut dein Arm weh?«, fragte er besorgt.

»Nein, es ist nicht mein Arm. Die Musik ist wunderschön, Edward. Das ist die größte Freude, die du mir machen konntest. Ich kann es gar nicht glauben.« Ich verstummte, damit ich zuhören konnte.

Es war seine Musik, seine Kompositionen. Das erste Stück auf der CD war mein Schlaflied.

»Ich dachte, du erlaubst es mir bestimmt nicht, dass ich ein Klavier kaufe, auf dem ich dir hier etwas vorspielen könnte«, erklärte er.

»Da hast du Recht.«

»Wie geht es deinem Arm?«

»Ganz gut.« In Wirklichkeit fing es unter dem Verband höllisch zu brennen an. Ich hätte gern Eis zum Kühlen gehabt. Ich hätte mich auch mit seiner Hand begnügt, aber dann hätte ich mich verraten.

»Ich hole dir ein Paracetamol.«

»Ich brauche nichts«, protestierte ich, aber er schob mich von seinem Schoß und ging zur Tür.

»Charlie«, zischte ich. Charlie wusste nicht, dass Edward häufig über Nacht blieb. Genauer gesagt, hätte ihn vermutlich der Schlag getroffen, wenn er es erfahren hätte. Aber ich hatte keine allzu großen Schuldgefühle, dass ich ihn hinterging. Wir taten ja nichts, worüber Charlie sich hätte aufregen können. Dank Edward und seiner Prinzipien …

»Ich lasse mich nicht erwischen«, versprach Edward, verschwand leise zur Tür hinaus … und war zurück, noch ehe die Tür wieder zugefallen war. Er hielt das Glas aus dem Badezimmer und das Röhrchen mit den Tabletten in der Hand.

Ohne zu widersprechen, nahm ich die Tablette, die er mir gab – ich wusste, dass ich bei einem Streit nur verlieren konnte. Außerdem fing mein Arm jetzt wirklich an wehzutun.

Im Hintergrund war immer noch leise mein Schlaflied zu hören, es war wunderschön.

»Es ist spät«, bemerkte Edward. Mit einem Arm hob er mich vom Bett, mit dem anderen zog er die Bettdecke zurück. Er legte mich hin und deckte mich sorgfältig zu. Dann legte er sich neben mich – auf die Decke, damit mir nicht kalt wurde – und legte einen Arm um mich.

Ich lehnte den Kopf an seine Schulter und seufzte glücklich.

»Noch mal danke«, flüsterte ich.

»Keine Ursache.«

Lange Zeit schwiegen wir, während ich lauschte, wie mein Schlaflied langsam ausklang. Jetzt kam ein anderes Lied. Ich erkannte Esmes Lieblingslied.

»Woran denkst du?«, flüsterte ich.

Er zögerte einen Augenblick, bevor er sagte: »Ich denke darüber nach, was richtig und was falsch ist.«

Ich spürte, wie es mir kalt über den Rücken lief.

»Weißt du noch, dass ich gesagt hab, du sollst meinen Geburtstag *nicht* ignorieren?«, sagte ich schnell und hoffte, dass der Ablenkungsversuch nicht allzu auffällig war.

»Ja«, sagte er misstrauisch.

»Na, und jetzt denke ich, wo doch noch mein Geburtstag ist, fände ich es schön, wenn du mich noch mal küssen würdest.«

»Du bist heute ja unersättlich.«

»Stimmt – aber tu bitte nichts, was du nicht willst«, sagte ich pikiert.

Er lachte, dann seufzte er. »Möge der Himmel verhüten, dass ich etwas tue, was ich nicht will«, sagte er in einem eigenartig verzweifelten Ton, als er mir eine Hand unters Kinn legte und mein Gesicht zu seinem heranzog.

Am Anfang war der Kuss wie immer – Edward war vorsichtig wie immer, und mein Herz reagierte so heftig wie immer. Und dann war etwas anders. Seine Lippen wurden plötzlich drängender, er fasste mir ins Haar und drückte mein Gesicht fest an seins. Und obwohl ich ihm jetzt auch in den Haaren wühlte und eindeutig dabei war, seine Grenzen zu überschreiten, hielt er mich ausnahmsweise nicht zurück. Durch die Decke spürte ich die Kälte seines Körpers, doch ich presste mich gierig an ihn.

Das Ende kam abrupt; sanft, aber bestimmt schob er mich von sich.

Keuchend fiel ich zurück aufs Kissen, in meinem Kopf drehte sich alles. Irgendetwas schob sich in meine Erinnerung, ganz schwach nur, schemenhaft …

»Entschuldige«, sagte er, auch er außer Atem. »Das war gegen die Regeln.«

»*Ich* hab damit kein Problem«, sagte ich keuchend.

Stirnrunzelnd sah er mich in der Dunkelheit an. »Versuch jetzt zu schlafen, Bella.«

»Nein, ich will noch einen Kuss.«

»Du überschätzt meine Selbstbeherrschung.«

»Was findest du verführerischer, mein Blut oder meinen Körper?«, fragte ich neckend.

»Unentschieden.« Gegen seinen Willen musste er grinsen. Dann wurde er wieder ernst. »Aber jetzt hör lieber auf, dein Schicksal herauszufordern, und leg dich schlafen.«

»Okay«, sagte ich und kuschelte mich noch enger an ihn. Ich war restlos erschöpft. Es war in vielerlei Hinsicht ein langer Tag gewesen, und doch war ich nicht erleichtert darüber, dass ich ihn hinter mir hatte. Als sollte morgen etwas noch Schlimmeres kommen. Was für eine alberne Vorahnung – was könnte schlimmer sein als der heutige Tag? Es war bestimmt nur der Schock, der mich jetzt einholte.

Ich versuchte mir nichts anmerken zu lassen und legte den verletzten Arm an Edwards Schulter, damit seine kühle Haut den brennenden Schmerz linderte. Sofort ging es mir besser.

Ich schlief schon mindestens halb, als mir einfiel, woran der Kuss mich erinnert hatte: Im letzten Frühling, als er mich verlassen musste, um James von meiner Spur abzulenken, hatte er mich zum Abschied geküsst. Da hatte er nicht gewusst, wann – oder ob – wir uns wiedersehen würden. Aus irgendeinem Grund, den ich mir nicht erklären konnte, hatte in dem Kuss vorhin etwas ebenso Schmerzliches gelegen. Schaudernd glitt ich in den Schlaf, als wäre ich schon mitten in einem Albtraum.

DAS ENDE

Am nächsten Morgen fühlte ich mich abscheulich. Ich hatte nicht gut geschlafen, mein Arm brannte und der Kopf tat mir weh. Es half auch nicht gerade, dass Edward kühl und distanziert aussah, als er mir schnell einen Kuss auf die Stirn drückte und durchs Fenster verschwand. Der Gedanke an die Zeit, die ich schlafend verbracht hatte, machte mir Angst; ich fürchtete, dass er wieder über Richtig und Falsch nachgedacht hatte, während er mich betrachtet hatte. Durch die Angst wurde das Pochen in meinem Kopf noch heftiger.

Wie üblich wartete Edward vor der Schule auf mich, aber irgendetwas stimmte immer noch nicht. In seinem Blick lag etwas, das ich nicht einordnen konnte und das mir Angst machte. Einerseits wollte ich nicht über den vergangenen Abend reden, andererseits fürchtete ich, dass es vielleicht noch schlimmer war, das Thema zu meiden.

Er öffnete mir die Autotür.

»Wie geht es dir?«

»Super«, log ich und zuckte zusammen, als das Geräusch der zuschlagenden Tür in meinem Kopf widerhallte.

Schweigend gingen wir nebeneinanderher, er passte sich meinen kürzeren Schritten an. Es gab so viele Fragen, die ich gern gestellt hätte, aber die meisten mussten warten, weil sie sich an Alice richteten: Wie ging es Jasper heute Morgen? Was hatten sie besprochen, als ich weg war? Was hatte Rosalie gesagt? Und das Wichtigste, was sah Alice jetzt in ihren merkwürdigen, unvollkommenen Zukunftsvisionen? Konnte sie erraten, was Edward dachte, weshalb er so trübsinnig war? Gab es irgendeine Grundlage für die unbestimmten Ängste, die ich nicht abschütteln konnte?

Der Vormittag zog sich in die Länge. Ich konnte es kaum erwarten, Alice zu sehen, obwohl kein richtiges Gespräch möglich sein würde, solange Edward dabei war. Edward blieb die ganze Zeit reserviert. Ab und zu fragte er nach meinem Arm, und dann log ich.

Normalerweise war Alice mittags vor uns in der Cafeteria, sie musste ja nicht mit einer lahmen Ente wie mir Schritt halten. Aber heute war sie nicht an unserem Tisch, wartete nicht wie sonst mit einem Tablett voller Essen, das sie dann doch nicht anrührte.

Edward sagte nichts dazu, dass sie nicht da war. Ich fragte mich, ob ihr Unterricht länger dauerte – bis ich Conner und Ben sah, die mit ihr in der vierten Stunde Französisch hatten.

»Wo ist Alice?«, fragte ich besorgt.

Edward schaute auf den Müsliriegel, den er langsam zwischen den Fingerspitzen zerrieb, während er antwortete: »Sie ist bei Jasper.«

»Wie geht es ihm?«

»Er ist für eine Weile weggefahren.«

»Was? Wohin?«

Edward zuckte die Schultern. »Irgendwohin.«

»Und Alice auch«, sagte ich in stiller Verzweiflung. Natürlich ging sie mit, wenn Jasper sie brauchte.

»Ja. Sie wird eine Weile fort sein. Sie hat versucht, ihn zu überreden, nach Denali zu fahren.«

In Denali lebte die andere Gruppe außergewöhnlicher Vampire – guter Vampire wie die Cullens. Tanya und ihre Familie. Ich hatte hin und wieder von ihnen gehört. Edward war im letzten Winter zu ihnen geflüchtet, als er es nach meiner Ankunft nicht in Forks aushielt. Und Laurent, der Zivilisierteste aus James' kleinem Zirkel, war dorthin gefahren, anstatt sich mit James gegen die Cullens zu verbünden. Es war nur logisch, dass Alice Jasper ermutigt hatte, dorthin zu reisen.

Ich schluckte, um den Kloß loszuwerden, den ich auf einmal im Hals hatte. Ich senkte den Kopf und ließ die Schultern hängen. Ich hatte schreckliche Schuldgefühle. Jetzt hatte ich sie auch noch vertrieben, genau wie Rosalie und Emmett. Ich war eine Zumutung.

»Tut dein Arm noch weh?«, fragte er besorgt.

»Wen interessiert schon mein bescheuerter Arm?«, murmelte ich verärgert.

Er antwortete nicht und ich vergrub den Kopf in den Händen.

Gegen Ende des Schultages wurde unser Schweigen langsam albern. Ich hatte wenig Lust, als Erste zu reden, aber offenbar hatte ich keine andere Wahl, wenn ich wollte, dass er wieder mit mir sprach.

»Kommst du später noch vorbei?«, fragte ich, als er mich – schweigend – zu meinem Transporter begleitete. Er kam immer vorbei.

»Später?«

Ich war erleichtert darüber, dass er überrascht wirkte. »Ich muss arbeiten. Mrs Newton hat doch gestern mit mir getauscht, damit ich freihatte.«

»Ach ja«, murmelte er.

»Du kommst doch vorbei, wenn ich zu Hause bin, oder?« Ich

war mir plötzlich nicht mehr sicher, und das war ein schreckliches Gefühl.

»Wenn du willst.«

»Ich will immer«, erinnerte ich ihn, vielleicht mit etwas mehr Nachdruck, als es der Situation angemessen war.

Ich rechnete damit, dass er lachen oder zumindest über meine Worte lächeln würde. Aber er reagierte gar nicht.

»Na gut«, sagte er unbeteiligt.

Er gab mir noch einen Kuss auf die Stirn, bevor er die Autotür zuschlug. Dann kehrte er mir den Rücken zu und schritt würdevoll zu seinem Wagen.

Erst als ich vom Parkplatz heruntergefahren war, erfasste mich Panik, und als ich beim Sportgeschäft ankam, konnte ich kaum normal atmen.

Er braucht nur Zeit, sagte ich mir. Er kommt schon darüber hinweg. Er war einfach traurig, dass jetzt alle vier weg waren. Aber Alice und Jasper würden bald wiederkommen und Rosalie und Emmett sicher auch. Wenn es sein musste, würde ich mich in Zukunft von dem großen weißen Haus am Fluss fernhalten – ich würde keinen Fuß mehr dorthin setzen. Das wäre nicht schlimm. Alice könnte ich weiterhin in der Schule sehen. Sie musste ja wieder zur Schule gehen, oder? Und zweifellos würde ich Carlisle regelmäßig in der Notaufnahme begegnen.

Eigentlich war das, was gestern Abend passiert war, nicht der Rede wert. Es war nichts passiert. Ich war hingefallen – das passierte mir ständig. Im Vergleich zu den Ereignissen im letzten Frühjahr war es eine absolute Bagatelle. James hatte mich übel zugerichtet, ich hatte so viel Blut verloren, dass ich fast gestorben wäre – und doch hatte Edward die endlosen Wochen im Krankenhaus viel besser weggesteckt als das hier. Lag es daran, dass es diesmal kein Feind war, vor dem er mich beschützen musste? Dass es sein eigener Bruder war?

Vielleicht wäre es besser, wenn er mit mir fortginge, bevor seine Familie ganz auseinanderbrach. Als ich mir vorstellte, wie viel Zeit wir dann für uns allein haben würden, war ich schon etwas weniger deprimiert. Wenn er dieses Schuljahr noch durchhielt, könnte Charlie nichts dagegen sagen. Wir könnten zusammen aufs College gehen oder zumindest so tun, als ob, wie Rosalie und Emmett. Bestimmt konnte Edward noch ein Jahr warten. Was war für einen Unsterblichen schon ein Jahr? Selbst mir kam es nicht besonders lang vor.

Ich sprach mir so lange Mut zu, bis ich in der Lage war, aus dem Wagen zu steigen und ins Geschäft zu gehen. Mike Newton war heute vor mir da, und er lächelte und winkte, als ich hereinkam. Ich nahm meine Arbeitsweste und nickte unbestimmt in seine Richtung. Ich träumte immer noch davon, mit Edward an irgendeinen exotischen Ort zu fliehen.

Mike riss mich aus meinen Träumereien. »Wie war dein Geburtstag?«

»Hmpf«, murmelte ich. »Ich bin froh, dass er vorbei ist.«

Mike schaute mich aus dem Augenwinkel an, als wäre ich verrückt.

Die Arbeit zog sich hin. Ich dachte nur daran, Edward wiederzusehen, und betete, dass er das Schlimmste an dieser Sache, worin sie auch genau bestehen mochte, bis dahin überwunden hätte. Es ist nichts, sagte ich mir immer wieder. Alles wird wieder wie vorher.

Die Erleichterung, die ich empfand, als ich in unsere Straße einbog und Edwards silbernen Wagen vor unserem Haus sah, war überwältigend und berauschend. Und es beunruhigte mich sehr, dass ich so empfand.

Schnell ging ich ins Haus, und noch bevor ich ganz durch die Tür war, rief ich: »Dad? Edward?«

In diesem Moment hörte ich die unverkennbare Titelmelodie einer Sportsendung aus dem Wohnzimmer.

»Wir sind hier«, rief Charlie.

Ich hängte meinen Regenmantel an den Haken und ging schnell um die Ecke.

Edward saß im Sessel, mein Vater auf dem Sofa. Beide hatten den Blick auf den Fernseher geheftet. Bei meinem Vater war das normal. Nicht so bei Edward.

»Hallo«, sagte ich schwach.

»Hallo, Bella«, sagte mein Vater, ohne den Blick vom Bildschirm zu wenden. »Wir haben gerade kalte Pizza gegessen. Ich glaube, es steht noch was auf dem Tisch.«

»Gut.«

Ich wartete in der Tür. Endlich schaute Edward mit einem höflichen Lächeln zu mir herüber. »Ich komme gleich nach«, versprach er. Dann schaute er wieder zum Fernseher.

Ich blieb noch einen Moment stehen und starrte ihn geschockt an. Keiner von beiden schien es zu bemerken. Ich spürte so etwas wie Panik in mir aufsteigen und floh in die Küche.

Die Pizza interessierte mich nicht. Ich setzte mich auf einen Stuhl, zog die Knie ans Kinn und schlang die Arme um die Beine. Irgendetwas war völlig verkehrt, vielleicht noch verkehrter, als ich ahnte. Immer noch hörte man den Fernseher im Hintergrund laufen.

Ich versuchte die Fassung zurückzugewinnen und ruhig nachzudenken. *Was ist das Schlimmste, was passieren kann?*, dachte ich. Bei der Vorstellung zuckte ich zusammen. Das war eindeutig die falsche Frage. Es kostete mich große Anstrengung, richtig zu atmen.

64

Okay, dachte ich, *was ist das Schlimmste, was ich überleben kann?* Diese Frage gefiel mir auch nicht besonders. Aber ich ging die Alternativen durch, die ich heute erwogen hatte.

Mich von Edwards Familie fernhalten. Er würde sicher nicht erwarten, dass das auch Alice betraf. Aber wenn Jasper tabu war, könnte ich auch nicht mehr so viel Zeit mit ihr verbringen. Ich nickte – damit könnte ich leben.

Oder weggehen. Vielleicht wollte er nicht bis zum Ende des Schuljahrs warten, vielleicht musste es sofort sein.

Vor mir auf dem Tisch lagen die Geschenke von Charlie und Renée noch so, wie ich sie ausgepackt hatte; die Kamera von Charlie, die ich bei den Cullens gar nicht hatte ausprobieren können, und daneben das Album von meiner Mutter. Ich strich über den schönen Einband und seufzte beim Gedanken an sie. Die lange Zeit ohne sie, die schon hinter mir lag, machte den Gedanken an eine noch längere Trennung keineswegs leichter. Und Charlie würde ganz einsam und allein zurückbleiben. Beide wären schrecklich verletzt …

Aber wir würden doch wiederkommen, oder? Wir würden sie natürlich besuchen, nicht wahr?

Ich war mir nicht sicher, wie die Antwort auf diese Fragen lautete.

Ich legte eine Wange ans Knie und starrte auf die Geschenke meiner Eltern. Ich hatte ja von Anfang an gewusst, dass es nicht immer einfach sein würde, mit Edward zusammen zu sein. Und schließlich dachte ich gerade über das Worst-Case-Szenario nach, über das Allerschlimmste, was ich überleben könnte …

Wieder berührte ich das Album und schlug die erste Seite auf. Dort waren schon kleine Fotoecken für das erste Bild eingeklebt. So schlecht war die Idee gar nicht, ein paar Erinnerungen an mein Leben hier festzuhalten. Ich verspürte den seltsamen

Drang, direkt loszulegen. Vielleicht blieb ich ja nicht mehr lange in Forks.

Ich spielte mit der Handschlaufe an der Kamera und dachte über das erste Foto auf dem Film nach. War es möglich, dass es ihm ähnlich sah? Ich konnte es mir kaum vorstellen. Aber er schien nicht zu befürchten, dass nichts drauf sein könnte. Ich kicherte beim Gedanken an sein sorgloses Lachen gestern Abend. Doch dann blieb mir das Kichern im Hals stecken. So vieles hatte sich geändert, so plötzlich. Mir wurde ein bisschen schwindlig davon, als stünde ich am Rand einer viel zu hohen Klippe.

Ich wollte nicht mehr darüber nachdenken. Ich schnappte mir die Kamera und ging die Treppe hoch.

Eigentlich hatte sich mein Zimmer in den siebzehn Jahren, die meine Mutter jetzt schon weg war, nicht sonderlich verändert. Die Wände waren immer noch hellblau, vor dem Fenster hingen dieselben vergilbten Spitzengardinen. Statt des Kinderbettchens stand da jetzt ein richtiges Bett, aber meine Mutter würde die Decke wiedererkennen, die nachlässig darübergeworfen war – ein Geschenk meiner Großmutter.

Trotzdem machte ich ein Foto von meinem Zimmer. Heute Abend konnte ich nicht viel anderes aufnehmen – draußen war es zu dunkel –, und das Gefühl wurde immer stärker, es war jetzt fast ein Zwang. Bevor ich Forks verlassen musste, wollte ich alles festhalten.

Etwas würde sich verändern. Das spürte ich genau. Es war keine angenehme Aussicht, nicht jetzt, da alles gerade genau so war, wie es sein sollte.

Ich ließ mir Zeit, als ich mit der Kamera in der Hand wieder hinunterging. Ich versuchte das Flattern im Bauch zu ignorieren, das sich einstellte, als ich an die eigenartige Distanz in Edwards Blick dachte. Er würde darüber hinwegkommen. Wahrscheinlich machte er sich Sorgen, dass ich mich aufregen würde, wenn er mich bat, mit ihm wegzugehen. Ich würde ihm Zeit lassen, alles zu verarbeiten, ohne mich einzumischen. Und wenn er mich dann fragte, war ich vorbereitet.

Ich hatte die Kamera gezückt, als ich heimlich um die Ecke schaute. Ich war mir sicher, dass ich Edward nicht überrumpeln konnte, doch er schaute nicht auf. Ich schauderte kurz, als ob eine eiskalte Hand nach meinem Herzen griffe, ich versuchte sie zu ignorieren und knipste das Foto.

In dem Moment schauten sie beide zu mir. Charlie runzelte die Stirn. Edwards Miene war leer und ausdruckslos.

»Was soll das, Bella?«, beschwerte sich Charlie.

»Ach, komm schon.« Ich zwang mich zu lächeln, als ich mich vor dem Sofa auf den Boden setzte. »Du kennst doch Mom. Bestimmt ruft sie bald an und will wissen, ob ich meine Geschenke auch benutze. Also muss ich schnell loslegen, damit sie nicht beleidigt ist.«

»Aber warum musst du unbedingt mich fotografieren?«, grummelte er.

»Weil du so gut aussiehst«, sagte ich betont locker. »Außerdem hast du mir die Kamera geschenkt, da musst du dich auch als Objekt zur Verfügung stellen.«

Er nuschelte irgendwas Unverständliches.

»Hey, Edward«, sagte ich scheinbar gleichgültig. »Mach doch mal eins von Dad und mir zusammen.«

Ich warf ihm die Kamera zu, wobei ich seinem Blick angestrengt auswich, und kniete mich neben die Sofalehne. Charlie seufzte.

»Dann musst du aber mal lächeln, Bella«, murmelte Edward.

Ich gab mein Bestes, und dann leuchtete der Blitz auf.

»Los, ich mach mal eins von euch beiden«, schlug Charlie vor. Ich wusste, dass er nur von sich selbst ablenken wollte.

Edward stand auf und warf ihm lässig die Kamera zu.

Ich stellte mich neben Edward, und es kam mir merkwürdig gezwungen vor. Er legte mir eine Hand leicht auf die Schulter und ich legte ihm den Arm fest um die Mitte. Ich hätte ihm gern ins Gesicht gesehen, aber ich traute mich nicht.

»Lächeln, Bella«, mahnte Charlie mich wieder.

Ich holte tief Luft und lächelte. Dann wurde ich vom Blitz geblendet.

»Das reicht für heute Abend«, sagte Charlie, schob die Kamera in eine Ritze zwischen den Sofakissen und setzte sich darauf. »Du musst heute ja nicht den ganzen Film vollknipsen.«

Edward ließ die Hand von meiner Schulter sinken und wand sich beiläufig aus meiner Umarmung. Dann setzte er sich wieder in den Sessel.

Ich zögerte und setzte mich wieder neben das Sofa. Plötzlich hatte ich solche Angst, dass meine Hände zitterten. Ich presste sie an den Bauch, um sie zu verstecken, legte das Kinn auf die Knie und starrte auf den Bildschirm, ohne etwas zu sehen.

Als die Sendung zu Ende war, hatte ich mich keinen Millimeter vom Fleck bewegt. Aus dem Augenwinkel sah ich, wie Edward sich erhob.

»Ich fahre dann mal«, sagte er.

Charlie schaute nicht von der Werbung auf. »Tschüss.«

Ungelenk stand ich auf – ich war steif vom langen Stillsitzen – und begleitete Edward zur Tür hinaus. Er steuerte direkt auf seinen Wagen zu.

»Bleibst du noch?«, fragte ich ohne Hoffnung in der Stimme.

Ich hatte mit seiner Antwort gerechnet, deshalb tat es nicht ganz so weh.

»Heute nicht.«

Ich fragte nicht, warum.

Er stieg ein und fuhr davon, während ich reglos dastand. Ich merkte kaum, dass es regnete. Ich wartete, ohne zu wissen, worauf, bis die Tür hinter mir aufging.

»Bella, was machst du denn da?«, fragte Charlie, der sich wunderte, dass ich allein und triefnass dastand.

»Nichts.« Ich drehte mich um und schlich zurück ins Haus.

Es war eine lange Nacht, in der ich kaum Ruhe fand.

Sobald es anfing zu dämmern, stand ich auf. Mechanisch zog ich mich für die Schule an und wartete darauf, dass die Wolken heller wurden. Als ich eine Schale Cornflakes gegessen hatte, entschied ich, dass es hell genug war, um Fotos zu machen. Ich knipste meinen Transporter und die Vorderseite des Hauses. Dann machte ich noch ein paar Aufnahmen von dem Wald hinterm Haus. Komischerweise kam er mir heute gar nicht so düster vor wie sonst. Mir wurde klar, dass er mir fehlen würde – das Grün, die Zeitlosigkeit, das Geheimnis des Waldes. All das.

Ich packte die Kamera in die Schultasche und fuhr los. Ich versuchte mich auf mein neues Projekt zu konzentrieren und nicht darüber nachzudenken, ob Edward in der vergangenen Nacht über die Sache hinweggekommen war oder nicht.

Ich hatte nicht nur Angst, ich war auch ungeduldig. Wie lange sollte das dauern?

Es dauerte den ganzen Vormittag. Er ging schweigend neben mir her, ohne mich richtig anzuschauen. Ich versuchte mich auf den Unterricht zu konzentrieren, aber selbst Englisch konnte mich nicht fesseln. Mr Berty musste seine Frage nach Lady Capulet zweimal wiederholen, bis ich merkte, dass ich dran war. Edward sagte mir die richtige Antwort vor, dann ignorierte er mich wieder.

Beim Mittagessen ging das Schweigen weiter. Ich hätte jeden Moment losschreien können, und um mich abzulenken, beugte ich mich über die unsichtbare Grenze am Tisch und sprach Jessica an.

»He, Jess!«

»Was gibt's, Bella?«

»Kannst du mir einen Gefallen tun?«, fragte ich und fasste in meine Tasche. »Meine Mutter möchte, dass ich Fotos von meinen Freunden mache. Knips mal ein paar Bilder von allen Leuten, ja?«

Ich reichte ihr die Kamera.

»Klar.« Grinsend drehte sie sich um und machte einen Schnappschuss von Mike mit vollem Mund.

Wie zu erwarten, folgte nun die reinste Fotoschlacht. Ich sah, wie sie die Kamera herumreichten, wie sie kicherten und flirteten und sich darüber beschwerten, dass sie fotografiert wurden. Es kam mir ziemlich kindisch vor. Aber vielleicht war ich heute nur nicht in der Stimmung für Leute, die sich ganz normal benahmen.

»Oh-oh«, sagte Jessica entschuldigend, als sie mir die Kamera wiedergab. »Ich glaub, wir haben den ganzen Film verballert.«

»Schon in Ordnung. Ich hatte schon alles fotografiert, was ich wollte.«

Nach der Schule begleitete Edward mich schweigend zum Parkplatz. Ich musste heute wieder arbeiten, und ausnahmsweise war ich froh darüber. Offenbar half es ihm nicht, Zeit mit mir zu verbringen. Vielleicht half es, wenn er allein war.

Auf dem Weg zu Newton's brachte ich den Film zum Fotogeschäft und holte die Abzüge nach der Arbeit ab. Zu Hause begrüßte ich Charlie nur flüchtig, schnappte mir einen Müsliriegel aus der Küche und sauste mit den Fotos unterm Arm in mein Zimmer.

Ich setzte mich aufs Bett und öffnete den Umschlag mit einer Mischung aus Neugier und Misstrauen. Es war albern, aber irgendwie war ich immer noch halb darauf gefasst, dass auf dem ersten Foto nichts zu sehen sein würde.

Als ich es herausnahm, schnappte ich laut nach Luft. Edward sah genauso schön aus wie in Wirklichkeit. Auf dem Foto schaute er mich mit dem warmen Blick an, den ich in den letzten Tagen vermisst hatte. Es war fast unheimlich, dass jemand so gucken konnte. Nicht mit tausend Worten könnte man dieses Foto beschreiben.

Schnell ging ich den ganzen Stapel einmal durch, dann legte ich drei Fotos nebeneinander aufs Bett.

Das erste Bild war das von Edward in der Küche, nachsichtige Belustigung lag in seinem warmen Blick. Das zweite war das von Edward und Charlie, wie sie die Sportsendung anschauten. Edward sah extrem verändert aus. Sein Blick war vorsichtig, reserviert. Sein Gesicht war immer noch atemberaubend schön, aber kälter, lebloser, eher wie eine Skulptur.

Das letzte war das Bild von Edward und mir, wie wir steif nebeneinanderstanden. Edwards Gesicht war wie auf dem zweiten Bild, kalt und statuenhaft. Aber das war nicht das Schlimmste an diesem Foto. Der Gegensatz zwischen uns beiden stach schmerzlich ins Auge. Er sah aus wie ein junger Gott. Ich sah völlig durchschnittlich aus, selbst für ein menschliches Wesen fast beschämend unauffällig. Angewidert drehte ich das Foto um.

Anstatt Hausaufgaben zu machen, steckte ich die Fotos ins Album. Mit Kugelschreiber schrieb ich Namen und Datum unter jedes Foto. Als ich bei dem Bild von Edward und mir angelangt war, faltete ich es, ohne allzu lange hinzusehen, in der Mitte und steckte es dann ein, mit der Edward-Seite nach oben.

Als ich fertig war, tat ich die übrigen Abzüge – ich hatte alle Fotos zweimal abziehen lassen – in einen Umschlag und schrieb einen langen Dankesbrief an Renée.

Edward war immer noch nicht gekommen. Ich wollte mir nicht eingestehen, dass ich seinetwegen so lange aufblieb, aber natürlich war es so. Ich versuchte mich zu erinnern, wann er das letzte Mal weggeblieben war, ohne sich zu entschuldigen, ohne anzurufen … Es war noch nie vorgekommen.

Wieder eine Nacht, in der ich schlecht schlief.

In der Schule wiederholte sich das stumme, frustrierende, grässliche Muster der letzten beiden Tage. Als ich Edward auf dem Parkplatz warten sah, war ich noch erleichtert, aber das legte sich schnell. Er war unverändert, womöglich noch distanzierter.

Ich konnte mich kaum noch an den Grund für diese verkorkste Situation erinnern. Mein Geburtstag kam mir endlos lang her vor. Wenn Alice bloß wiederkommen würde, und zwar bald. Bevor die Sache noch mehr aus dem Ruder lief.

Aber darauf konnte ich nicht zählen. Wenn ich heute nicht endlich richtig mit Edward reden konnte, würde ich morgen zu Carlisle gehen, beschloss ich. Irgendwas musste ich einfach unternehmen.

Nach der Schule würden Edward und ich uns aussprechen, das nahm ich mir fest vor. Ich würde keine Ausrede akzeptieren.

Er begleitete mich zu meinem Transporter, und ich bereitete mich innerlich darauf vor, eine Aussprache zu verlangen.

»Hast du etwas dagegen, wenn ich heute vorbeikomme?«, fragte er, kurz bevor wir bei meinem Wagen waren, und kam mir damit zuvor.

»Natürlich nicht.«

»Jetzt gleich?«, fragte er und hielt mir die Tür auf.

»Klar.« Ich versuchte gelassen zu bleiben, obwohl mir sein drängender Ton nicht gefiel. »Ich wollte nur unterwegs noch einen Brief an Renée einwerfen. Wir treffen uns dann bei mir.«

Er schaute auf den dicken Briefumschlag, der auf dem Beifahrersitz lag. Plötzlich langte er über meinen Sitz und schnappte sich den Umschlag.

»Ich mache das«, sagte er ruhig. »Dann bin ich immer noch vor dir da.« Er lächelte das schiefe Lächeln, das ich so liebte, aber es war verkehrt. Es erreichte seine Augen nicht.

»Okay«, sagte ich. Es gelang mir nicht, das Lächeln zu erwidern. Er machte die Autotür zu und ging zu seinem Wagen.

Er war tatsächlich schneller als ich. Als ich in die Einfahrt fuhr, parkte er auf Charlies Platz. Das war ein schlechtes Zeichen. Er hatte also nicht vor zu bleiben. Ich schüttelte den Kopf, holte einmal tief Luft und versuchte mir Mut zu machen.

Als ich ausstieg, kam auch er aus seinem Wagen und ging auf mich zu. Er nahm mir die Schultasche ab. Das war normal. Aber dann legte er sie wieder auf den Sitz. Das war nicht normal.

»Komm, wir machen einen Spaziergang«, schlug er mit unbewegter Stimme vor und nahm meine Hand.

Ich antwortete nicht. Mir fiel nicht ein, wie ich hätte widersprechen können, obwohl das mein erster Impuls war. Der Vorschlag gefiel mir nicht. *Das ist falsch, das ist vollkommen falsch*, sagte die Stimme in meinem Kopf.

Aber er wartete meine Antwort gar nicht ab. Er zog mich zum östlichen Rand des Grundstücks, dorthin, wo es an den Wald grenzte. Widerstrebend folgte ich ihm und versuchte trotz der aufsteigenden Panik klar zu denken. Genau das wollte ich doch, sagte ich mir. Eine Gelegenheit, über alles zu reden. Warum also schnürte die Angst mir die Kehle zu?

Wir waren kaum ein paar Schritte in den Wald gegangen, als

73

er stehen blieb. Wir waren noch gar nicht richtig auf dem Weg – ich konnte das Haus noch sehen. Schöner Spaziergang.

Edward lehnte sich an einen Baum und starrte mich an. Seine Miene war unergründlich.

»Na gut, reden wir«, sagte ich. Das kam entschlossener heraus, als mir zu Mute war.

Er holte tief Luft.

»Bella, wir müssen abreisen.«

Jetzt holte ich auch tief Luft. Das war eine annehmbare Möglichkeit. Darauf war ich vorbereitet. Trotzdem musste ich noch einmal nachfragen.

»Warum jetzt? Noch ein Jahr …«

»Bella, es ist an der Zeit. Wie lange könnten wir noch in Forks bleiben? Carlisle geht kaum für dreißig durch, und jetzt muss er sich schon für dreiunddreißig ausgeben. Wir hätten ohnehin bald wieder neu anfangen müssen.«

Seine Antwort verwirrte mich. Ich dachte, wir müssten abreisen, damit seine Familie in Frieden leben konnte. Wieso mussten wir fort, wenn sie auch wegzogen? Ich starrte ihn an und versuchte seine Worte zu begreifen.

Er starrte mit kaltem Blick zurück.

Als ich begriff, dass ich ihn falsch verstanden hatte, wurde mir übel.

»Wenn du *wir* sagst …«, flüsterte ich.

»Ich rede von mir und meiner Familie.« Jedes Wort klar und deutlich.

Mechanisch schüttelte ich den Kopf hin und her, als könnte ich ihn auf diese Weise frei bekommen. Er wartete ohne ein Anzeichen von Ungeduld. Es dauerte ein paar Minuten, bis ich wieder etwas sagen konnte.

»Gut«, sagte ich. »Dann komme ich mit euch.«

74

»Das geht nicht, Bella. Da, wo wir hingehen … das ist nicht der richtige Ort für dich.«

»Wo du bist, ist immer der richtige Ort für mich.«

»Ich bin nicht gut für dich, Bella.«

»Sei nicht albern.« Das sollte wütend klingen, aber es klang nur flehend. »Du bist das Beste in meinem Leben.«

»Meine Welt ist nichts für dich«, sagte er grimmig.

»Was mit Jasper passiert ist – das war nichts, Edward! Gar nichts!«

»Hm, man hätte auf jeden Fall damit rechnen müssen«, sagte er.

»Du hast es versprochen! In Phoenix hast du versprochen zu bleiben …«

»Solange es gut für dich ist«, korrigierte er mich.

»Nein! Dir geht es um meine Seele, stimmt's?«, rief ich zornig, die Worte platzten aus mir heraus – aber irgendwie hörte es sich immer noch flehend an. »Carlisle hat mir davon erzählt, aber das ist mir egal, Edward. Es ist mir egal! Du kannst meine Seele haben. Ohne dich will ich sie nicht – sie gehört dir schon jetzt!«

Er holte tief Luft und starrte lange zu Boden. Sein Mund verzog sich ein ganz kleines bisschen. Als er schließlich aufschaute, hatte sein Blick sich verändert, er war jetzt noch härter – als wäre das flüssige Gold gefroren.

»Bella, ich möchte dich nicht dabeihaben.« Er sagte es langsam und betonte jedes einzelne Wort, und dabei sah er mich mit seinem kalten Blick an, während ich die Bedeutung seiner Worte erfasste.

Eine Weile schwiegen wir beide, während ich die Worte in Gedanken mehrmals wiederholte und sie nach ihrem eigentlichen Sinn durchforstete.

»Du … willst mich nicht … haben?« Ich probierte die Worte aus, und es verwirrte mich, wie sie in dieser Reihenfolge klangen.

»Nein.«

Verständnislos starrte ich ihm in die Augen. Er starrte zurück, und nichts Entschuldigendes lag in seinem Blick. Seine Augen waren wie aus Topas – hart und klar und sehr tief. Es kam mir vor, als könnte ich meilenweit in sie hinabblicken, doch nirgends in den bodenlosen Tiefen sah ich etwas, das im Widerspruch zu seinen Worten gestanden hätte.

»Tja, das ändert die Lage.« Es wunderte mich selbst, wie ruhig und vernünftig das herauskam. Wahrscheinlich, weil ich wie betäubt war. Ich begriff nicht, was er mir da sagte. Es war völlig absurd.

Er wandte den Blick ab und schaute in die Bäume, dann sagte er: »Natürlich werde ich dich immer in gewisser Weise lieben. Doch was neulich geschehen ist, hat mir gezeigt, dass sich etwas ändern muss. Denn ich bin … ich bin es leid, immerzu etwas vorgeben zu müssen, was ich nicht bin. Ich bin kein Mensch.« Jetzt schaute er mich wieder an, und die eisige Glätte seines perfekten Gesichts war tatsächlich unmenschlich. »Ich habe das viel zu lange zugelassen, und das tut mir leid.«

»Nein.« Meine Stimme war nur noch ein Flüstern; jetzt drang mir die Wahrheit allmählich ins Bewusstsein und tröpfelte wie Säure durch meine Adern. »Tu das nicht.«

Er sah mich nur an, und sein Blick verriet mir, dass meine Worte viel zu spät kamen. Er hatte es schon getan.

»Du bist nicht gut für mich, Bella.« Jetzt drehte er das, was er vorhin gesagt hatte, um, und darauf konnte ich nichts mehr erwidern. Niemand wusste besser als ich, dass ich nicht gut genug für ihn war.

Ich öffnete den Mund zu einer Antwort und schloss ihn dann

wieder. Er wartete geduldig, das Gesicht frei von jeder Gefühls-
regung. Ich versuchte es noch einmal.

»Wenn ... wenn du es so willst.«

Er nickte.

Mein ganzer Körper wurde taub. Vom Hals an abwärts hatte
ich überhaupt kein Gefühl mehr.

»Aber um einen Gefallen möchte ich dich noch bitten, wenn
es nicht zu viel verlangt ist«, sagte er.

Ich wusste nicht, was er in meinem Blick gesehen hatte, denn
als Reaktion darauf flackerte ganz kurz etwas über sein Gesicht.
Doch bevor ich es deuten konnte, waren seine Züge schon wieder zu der unbewegten Maske erstarrt.

»Was du willst«, versprach ich, jetzt mit etwas kräftigerer
Stimme.

Als ich ihn ansah, schmolzen seine eisigen Augen. Das Gold
wurde wieder flüssig, mit überwältigender Intensität brannte
sich sein Blick in meinen.

»Tu nichts Dummes oder Waghalsiges«, befahl er und war auf
einmal gar nicht mehr distanziert. »Begreifst du, was ich sage?«

Ich nickte hilflos.

Sein Blick wurde wieder kühl und unnahbar. »Ich denke
selbstverständlich an Charlie. Er braucht dich. Pass auf dich
auf – ihm zuliebe.«

Wieder nickte ich. »Ja«, flüsterte ich.

Jetzt wirkte er ein kleines bisschen entspannter.

»Und ich verspreche dir im Gegenzug auch etwas«, sagte er.
»Ich verspreche dir, dass du mich heute zum letzten Mal siehst.
Ich werde nicht zurückkehren. Ich werde dich nicht noch einmal
einer solchen Gefahr aussetzen. Du kannst dein Leben ungestört von mir weiterleben. Es wird so sein, als hätte es mich nie
gegeben.«

Offenbar hatten meine Knie angefangen zu zittern, denn plötzlich schwankten die Bäume. Ich hörte, dass das Blut schneller als sonst hinter meinen Ohren pulsierte. Seine Stimme klang jetzt weiter weg.

Er lächelte sanft. »Keine Sorge. Du bist ein Mensch – deine Erinnerung ist löchrig wie ein Sieb. Bei euch heilt die Zeit alle Wunden.«

»Und deine Erinnerungen?«, fragte ich. Es hörte sich an, als wäre mir etwas im Hals stecken geblieben, als würde ich ersticken.

»Nun ja« – er zögerte einen kurzen Moment –, »ich werde nichts vergessen. Aber wir … wir finden immer schnell Zerstreuung.« Er lächelte, es war ein stilles Lächeln, das seine Augen nicht erreichte.

Er ging einen Schritt zurück. »Das wäre dann wohl alles. Wir werden dich nicht mehr belästigen.«

Die Tatsache, dass er in der Mehrzahl sprach, ließ mich aufhorchen – dabei hätte ich nicht gedacht, dass ich überhaupt noch irgendetwas bemerken würde.

»Alice kommt nicht mehr wieder«, sagte ich. Ich wusste nicht, wie er mich hören konnte – die Worte kamen lautlos heraus –, doch er schien zu verstehen.

Langsam schüttelte er den Kopf und ließ mein Gesicht dabei nicht aus den Augen.

»Nein. Sie sind alle fort. Ich bin geblieben, um mich von dir zu verabschieden.«

»Alice ist weg?«, fragte ich ungläubig.

»Sie wollte dir auf Wiedersehen sagen, aber ich konnte sie überzeugen, dass ein glatter Bruch besser für dich ist.«

Mir war schwindlig und ich konnte mich kaum konzentrieren. Seine Worte wirbelten in meinem Kopf herum, und ich hatte die Stimme des Arztes im Krankenhaus von Phoenix im Ohr, als er mir im letzten Frühjahr die Röntgenbilder gezeigt hatte. *Hier sehen Sie, dass es ein glatter Bruch ist.* Dabei war er mit dem Finger über die Aufnahme von meinem verletzten Knochen gefahren. *Das ist gut. Heilt leichter und schneller.*

Ich versuchte normal zu atmen. Ich musste mich konzentrieren, um aus diesem Albtraum herauszufinden.

»Leb wohl, Bella«, sagte er mit derselben ruhigen, friedlichen Stimme.

»Warte!«, brachte ich mühsam heraus. Ich streckte die Arme nach ihm aus und zwang meine gefühllosen Beine vorwärts.

Einen Moment lang dachte ich, auch er würde die Arme nach mir ausstrecken. Doch seine kalten Hände umfassten meine Handgelenke und drückten meine Arme sanft herunter. Er beugte sich zu mir herab und drückte mir einen ganz leichten, flüchtigen Kuss auf die Stirn. Ich schloss die Augen.

»Pass auf dich auf.« Die Worte waren ein kühler Hauch auf meiner Haut.

Dann erhob sich eine leichte, unnatürliche Brise. Ich riss die Augen auf. Die Blätter eines kleinen Weinblattahorns bebten von dem leichten Wind, den Edward aufgewirbelt hatte.

Er war weg.

Obwohl ich wusste, dass es keinen Sinn hatte, folgte ich ihm mit wackligen Beinen in den Wald. Seine Spur war augenblicklich ausgelöscht worden. Es gab keine Fußabdrücke, die Blätter waren wieder unbewegt, doch ohne nachzudenken, ging ich weiter. Ich konnte nichts anderes tun, ich musste weitergehen. Wenn ich aufhörte, nach ihm zu suchen, wäre es vorbei.

Die Liebe, das Leben … alles vorbei.

Immer weiter ging ich. Zeit spielte keine Rolle, während ich mich langsam durch das dichte Unterholz zwängte. Stunden schienen zu vergehen, dann wieder nur Sekunden. Die Zeit war wie eingefroren, weil der Wald immer gleich aussah, ganz egal, wie weit ich ging. Ich befürchtete allmählich, dass ich im Kreis lief, noch dazu in einem sehr kleinen Kreis, doch ich ging weiter. Immer wieder strauchelte ich, und je dunkler es wurde, desto häufiger fiel ich hin.

Schließlich stolperte ich – um mich herum war es jetzt so schwarz, dass ich keine Ahnung hatte, woran mein Fuß hängengeblieben war – und blieb liegen. Ich drehte mich auf die Seite, so dass ich atmen konnte, und rollte mich auf dem nassen Farngestrüpp zusammen.

Als ich da lag, hatte ich das Gefühl, dass mehr Zeit vergangen war, als mir bewusst war. Ich hatte keine Ahnung, wie lange der Einbruch der Dunkelheit her war. War es hier nachts immer so dunkel? Bestimmt fand normalerweise ein wenig Mondlicht den Weg durch die Wolken und die Lücken im Blätterdach zum Waldboden.

Nicht so in dieser Nacht. Heute war der Himmel tiefschwarz. Vielleicht gab es heute keinen Mond – eine Mondfinsternis, Neumond.

Neumond. Ich zitterte, obwohl mir nicht kalt war.

Es war lange Zeit schwarz, ehe ich sie rufen hörte.

Jemand rief meinen Namen. Die Rufe wurden durch das nasse Dickicht um mich herum gedämpft, aber ich hörte eindeutig meinen Namen. Die Stimme erkannte ich nicht. Ich überlegte, ob ich antworten sollte, aber ich war zu benommen und es dauerte lange, bis mir klarwurde, dass ich eigentlich antworten *müsste*. Und da waren die Rufe schon wieder verstummt.

Irgendwann später wurde ich vom Regen geweckt. Ich war wohl nicht richtig eingeschlafen; ich befand mich in einer Art gefühlloser Starre. Ich hielt mit aller Kraft an dem tauben Gefühl fest, das mich davor bewahrte zu begreifen, was ich nicht verstehen wollte.

Der Regen war etwas lästig. Er war kalt. Ich löste die Arme von den Beinen und hielt sie mir übers Gesicht.

In dem Moment hörte ich wieder die Rufe. Diesmal waren sie weiter entfernt, und manchmal klang es, als würden mehrere Stimmen gleichzeitig rufen. Ich versuchte tief zu atmen. Mir fiel wieder ein, dass ich antworten müsste, aber bestimmt würden sie mich gar nicht hören. Ob ich überhaupt laut genug rufen konnte?

Plötzlich war da noch ein anderes Geräusch, erschreckend nah. Eine Art Schnüffeln, das Geräusch eines Tiers. Es hörte sich nach einem großen Tier an. Ich überlegte, ob ich Angst haben müsste. Ich hatte keine Angst, ich war immer noch wie betäubt. Es spielte keine Rolle. Das Schnüffeln verschwand.

Der Regen hörte nicht auf, und ich spürte, wie sich das Wasser unter meiner Wange sammelte. Ich versuchte genug Kraft aufzubringen, um den Kopf zu drehen, als ich das Licht sah.

Zuerst war es nur ein schwacher Schein im fernen Gebüsch. Dann wurde es immer heller, es leuchtete breitflächig, anders als der schmale Strahl einer Taschenlampe. Jetzt drang das Licht durch den nächsten Busch, und ich sah, dass es eine Gaslaterne war, aber mehr sah ich nicht – das helle Licht blendete mich einen Augenblick lang.

»Bella.«

Es war eine tiefe Stimme, die ich noch nie gehört hatte, aber es lag ein Erkennen darin. Der Mann rief meinen Namen nicht suchend; er sprach nur aus, dass er mich gefunden hatte.

Ich schaute nach oben – unendlich hoch kam es mir vor – in das dunkle Gesicht, das ich jetzt über mir sah. Mir war nur undeutlich bewusst, dass der Fremde wahrscheinlich bloß deshalb so groß wirkte, weil ich immer noch am Boden lag.

»Hat dich jemand verletzt?«

Ich wusste, dass die Worte etwas bedeuteten, aber ich konnte nur verwirrt gucken. Was spielte das jetzt für eine Rolle?

»Bella, ich bin Sam Uley.«

Der Name sagte mir nichts.

»Charlie hat mich geschickt, um nach dir zu suchen.«

Charlie? Das erinnerte mich an etwas, und ich versuchte mich zu konzentrieren. Auch wenn alles andere egal war, Charlie nicht.

Der große Mann reichte mir eine Hand. Ich starrte sie an und wusste nicht, was ich damit machen sollte.

Seine schwarzen Augen sahen mich einen Moment lang prüfend an, dann zuckte er die Schultern. Mit einer schnellen, geschmeidigen Bewegung zog er mich hoch und hob mich auf.

Schlaff hing ich in seinen Armen, als er mit schnellen Schritten durch den nassen Wald ging. Ein Teil von mir wusste, dass ich mich darüber aufregen müsste, dass ein Fremder mich wegtrug. Aber in meinem Innern war nichts mehr, das sich hätte aufregen können.

Es kam mir nicht lange vor, bis Lichter da waren und ein Gewirr von tiefen männlichen Stimmen. Sam Uley verlangsamte seinen Schritt, als er sich der Gruppe näherte.

»Ich hab sie!«, rief er dröhnend.

Das Stimmengewirr verstummte, um sich gleich darauf noch heftiger zu erheben. Gesichter beugten sich in einem schwindelerregenden Wirbel über mich. In dem Durcheinander konnte ich nur Sams Stimme einigermaßen verstehen, denn mein Ohr lag an seiner Brust.

»Nein, ich glaube nicht, dass sie verletzt ist«, sagte er zu jemandem. »Sie sagt immer nur ›Er ist weg‹.«

82

Hatte ich das laut gesagt? Ich biss mir auf die Lippe.

»Bella, Schatz, wie geht es dir?«

Das war die Stimme, die ich überall erkannt hätte – selbst so, vor Sorge verzerrt.

»Charlie?« Meine Stimme klang merkwürdig und klein.

»Ich bin hier, Kleines.«

Etwas Kühles wurde unter mich geschoben, und dann roch ich das Leder der Sheriffjacke meines Vaters. Charlie schwankte unter meinem Gewicht.

»Vielleicht ist es besser, wenn ich sie trage«, schlug Sam Uley vor.

»Ich hab sie schon«, sagte Charlie ein wenig außer Atem.

Er ging langsam und angestrengt. Ich hätte ihn gern gebeten, mich abzusetzen, damit ich selbst gehen könnte, aber ich fand meine Stimme nicht.

Überall waren Laternen, die von den anderen Leuten getragen wurden. Es kam mir vor wie ein Umzug. Oder ein Trauermarsch. Ich schloss die Augen.

»Jetzt sind wir gleich zu Hause, Schatz«, murmelte Charlie von Zeit zu Zeit.

Ich schlug die Augen wieder auf, als ich hörte, wie eine Tür aufgeschlossen wurde. Wir waren auf der Veranda unseres Hauses, und der große dunkle Mann namens Sam hielt Charlie die Tür auf, einen Arm zu uns ausgestreckt, als wollte er mich notfalls auffangen, falls Charlie die Kräfte verließen.

Aber Charlie schaffte es, mich durch die Tür zu tragen und mich aufs Sofa im Wohnzimmer zu legen.

»Dad, ich bin doch klatschnass«, protestierte ich schwach.

»Das macht nichts«, sagte er mit rauer Stimme. Dann sprach er zu jemand anders. »Decken sind im Schrank oben auf der Treppe.«

»Bella?«, sagte eine neue Stimme. Ich sah den grauhaarigen Mann an, der sich über mich beugte, und nach einigen zähen Sekunden erkannte ich ihn.

»Dr. Gerandy?«, murmelte ich.

»Ja«, sagte er. »Bist du verletzt, Bella?«

Ich brauchte eine Weile, um darüber nachzudenken. Die Erinnerung an die Frage von Sam Uley im Wald verwirrte mich. Sams Frage war ähnlich, aber nicht ganz genauso gewesen: *Hat dich jemand verletzt?*, hatte er gesagt. Der Unterschied kam mir irgendwie bedeutsam vor.

Dr. Gerandy wartete. Eine seiner grauen Augenbrauen hob sich und die Falten auf seiner Stirn vertieften sich.

»Ich bin nicht verletzt«, log ich. So, wie er es meinte, war die Antwort ja richtig.

Er legte mir eine warme Hand auf die Stirn und hielt die Finger an meinen Puls. Ich beobachtete seine Lippen, als er stumm zählte, den Blick auf die Armbanduhr gerichtet.

»Was war los?«, fragte er beiläufig.

Ich erstarrte unter seiner Hand und spürte Panik aufsteigen.

»Hast du dich im Wald verlaufen?«, half er nach. Mir war bewusst, dass noch andere Leute zuhörten. Drei große Männer mit dunklen Gesichtern – vermutlich kamen sie aus La Push, dem Quileute-Indianerreservat an der Küste –, darunter Sam Uley, standen nah beisammen und starrten mich an. Mr Newton war da mit Mike und auch Angelas Vater, Mr Weber; sie schauten mich weniger auffällig an als die Fremden. Aus der Küche und von draußen waren noch mehr tiefe Stimmen zu hören. Offenbar hatte die halbe Stadt nach mir gesucht.

Charlie war mir am nächsten. Er beugte sich vor, um meine Antwort zu hören.

»Ja«, flüsterte ich. »Ich hab mich verlaufen.«

Der Arzt nickte nachdenklich und tastete vorsichtig die Drüsen unter meinem Kinn ab. Charlies Miene wurde hart.

»Bist du müde?«, fragte Dr. Gerandy.

Ich nickte und schloss gehorsam die Augen.

»Ich glaube nicht, dass ihr etwas fehlt«, sagte der Arzt kurz darauf gedämpft zu Charlie. »Sie ist nur erschöpft. Sie soll sich ausschlafen; morgen komme ich dann noch mal vorbei und untersuche sie.« Er schwieg einen Augenblick. Er hatte wohl auf die Uhr geschaut, denn er fügte hinzu: »Oder genauer gesagt heute.«

Das Sofa quietschte, als sie beide aufstanden.

»Stimmt es?«, flüsterte Charlie. Ihre Stimmen waren jetzt weiter weg und schwer zu verstehen. »Sind sie weggezogen?«

»Dr. Cullen hat uns gebeten, nichts zu sagen«, antwortete Dr. Gerandy. »Das Angebot kam ganz überraschend, sie mussten sich sofort entscheiden. Carlisle wollte kein großes Aufheben um seinen Weggang machen.«

»Eine kleine Vorwarnung hätte aber nicht geschadet«, grummelte Charlie.

Dr. Gerandy klang schuldbewusst, als er antwortete: »Ja, hm, in dieser Situation wäre das nicht schlecht gewesen.«

Ich wollte nichts mehr hören. Ich tastete nach dem Rand der Decke, die jemand über mich gelegt hatte, und zog sie mir über die Ohren.

Die Nacht verbrachte ich zwischen Schlafen und Wachen. Ich hörte, wie Charlie sich im Flüsterton bei den freiwilligen Helfern bedankte, die sich einer nach dem anderen verabschiedeten. Ich spürte seine Hand auf meiner Stirn und dann das Gewicht einer zusätzlichen Decke. Mehrmals klingelte das Telefon und er beeilte sich abzunehmen, bevor es mich stören konnte. In gedämpftem Ton beruhigte er die Anrufer.

»Ja, wir haben sie gefunden. Sie hatte sich verlaufen. Jetzt geht es ihr gut«, sagte er immer wieder.

Ich hörte die Sprungfedern des Sessels ächzen, als er sich darin für die Nacht einrichtete.

Ein paar Minuten später klingelte wieder das Telefon.

Stöhnend erhob Charlie sich, und dann stolperte er schnell in die Küche. Ich zog mir die Decke noch weiter über den Kopf, weil ich dasselbe Gespräch nicht noch einmal mit anhören wollte.

»Ja?«, sagte Charlie und gähnte.

Dann veränderte sich seine Stimme; als er jetzt wieder sprach, klang er deutlich wacher. »Wo?« Es folgte eine Pause. »Sind Sie sich sicher, dass es außerhalb des Reservats ist?« Wieder eine kurze Pause. »Aber was soll da denn brennen?« Das klang besorgt und verwundert zugleich. »Wissen Sie was, ich rufe da mal an und erkundige mich, was los ist.«

Als er jetzt eine Nummer wählte, lauschte ich aufmerksamer.

»Hallo, Billy, hier ist Charlie – tut mir leid, dass ich so früh anrufe … nein, es geht ihr gut. Sie schläft … Danke, aber deshalb rufe ich nicht an. Grad hat mich Mrs Stanley angerufen, sie sagt, dass sie aus ihrem Zimmer im ersten Stock Feuer über den Klippen gesehen hat, aber ich hab ihr nicht so richtig … Was!« Plötzlich klang er gereizt, vielleicht sogar verärgert. »Und warum machen die das? Hm-hm. Ach, wirklich?« Das klang sarkastisch. »Na, bei *mir* brauchst du dich nicht zu entschuldigen. Ja, ja. Stellt einfach sicher, dass sich das Feuer nicht ausbreitet … Ich weiß, ich weiß, es wundert mich, dass sie es bei diesem Wetter überhaupt geschafft haben, die anzuzünden.«

Charlie zögerte, dann fügte er widerstrebend hinzu: »Danke, dass du Sam und die anderen Jungs hochgeschickt hast. Du hattest Recht – sie kennen den Wald wirklich besser als wir. Sam hat sie gefunden, dafür hast du was gut bei mir … Ja, bis später«, sagte er, immer noch aufgebracht, dann legte er auf.

Als er wieder ins Wohnzimmer schlurfte, murmelte Charlie wütend vor sich hin.

»Was ist los?«, fragte ich.

Schnell kam er zu mir.

»Tut mir leid, dass ich dich geweckt hab, Schatz.«

»Brennt es irgendwo?«

»Es ist nichts«, versicherte er mir. »Da haben nur ein paar Leute auf den Klippen Feuer gemacht.«

»Feuer?«, fragte ich. Meine Stimme klang nicht neugierig. Sie klang tot.

Charlie runzelte die Stirn. »Ein paar jugendliche Rowdys aus dem Reservat«, erklärte er.

»Warum?«, fragte ich tonlos.

Ich merkte, dass er nicht antworten wollte. Er schaute zu Boden. »Sie feiern die Neuigkeit.« Bitterkeit lag in seiner Stimme.

Es gab nur eine Neuigkeit, an die ich denken konnte, sosehr ich mich auch dagegen sträubte. Und dann kapierte ich plötzlich. »Weil die Cullens weg sind«, flüsterte ich. »In La Push können sie die Cullens nicht leiden – daran hatte ich nicht mehr gedacht.«

Die Quileute pflegten ihren Aberglauben, und sie betrachteten die *kalten Wesen*, die Bluttrinker, als Feinde ihres Stammes. Es gab auch Legenden über die Sintflut und über Werwölfe, die ihre Vorfahren gewesen waren. Für die meisten waren das nur Geschichten, Folklore. Aber es gab auch ein paar, die daran glaubten. Charlies guter Freund Billy Black gehörte dazu, obwohl sogar sein Sohn Jacob das Ganze als dummen Aberglauben abtat. Billy hatte mir geraten, mich von den Cullens fernzuhalten …

Der Name wühlte etwas in mir auf, und das Etwas begann sich an die Oberfläche zu graben, doch ich wollte mich ihm nicht stellen.

»Es ist lächerlich«, stieß Charlie hervor.

Eine Weile saßen wir schweigend da. Der Himmel draußen war nicht mehr schwarz. Irgendwo hinter dem Regen ging die Sonne wieder auf.

»Bella?«, sagte Charlie.

Unbehaglich schaute ich ihn an.

»Er hat dich im Wald alleingelassen?«, fragte er.

Ich überging die Frage. »Woher wusstest du, wo du mich findest?« Ich versuchte noch immer vor der unausweichlichen Wahrheit zu fliehen, die mich jetzt schnell einholte.

»Von deinem Zettel«, antwortete Charlie verdutzt. Er fasste in die Hintertasche seiner Jeans und holte ein abgenutztes Stück Papier heraus. Es war schmutzig und feucht und zerknittert vom vielen Auseinander- und wieder Zusammenfalten. Charlie hielt es mir hin. Die krakelige Handschrift sah meiner zum Verwechseln ähnlich.

Bin mit Edward spazieren, auf dem Waldweg, stand darauf. *Komme bald wieder, B.*

»Als du nicht wiederkamst, hab ich bei den Cullens angerufen, aber da ist niemand ans Telefon gegangen«, sagte Charlie leise. »Dann hab ich im Krankenhaus angerufen, und Dr. Gerandy hat mir erzählt, dass Carlisle weg ist.«

»Wo sind sie hin?«, murmelte ich.

Er starrte mich an. »Hat Edward dir das nicht erzählt?«

Ich schüttelte den Kopf und schauderte. Der Klang seines Namens ließ das Etwas frei, das in meinem Innern wühlte – einen Schmerz, dessen Wucht mich kalt erwischte und der mir schlagartig den Atem raubte.

Charlie schaute mich zweifelnd an. »Carlisle hat eine Stelle an einem großen Krankenhaus in Los Angeles angenommen. Sie haben ihm bestimmt einen Haufen Kohle geboten.«

Das sonnige L.A. Die letzte Stadt, in die sie in Wirklichkeit ziehen würden. Mein Albtraum von dem Spiegel fiel mir wieder ein ... das helle Sonnenlicht, das von seiner Haut abstrahlte ...

Der Schmerz zerriss mich, als ich sein Gesicht vor mir sah.

»Ich möchte wissen, ob Edward dich mitten im Wald alleingelassen hat«, wiederholte Charlie.

Sein Name ließ mich innerlich wieder vor Qual erbeben. Panisch schüttelte ich den Kopf und versuchte verzweifelt, dem Schmerz zu entkommen. »Es war meine Schuld. Er ist gegangen, als wir auf dem Weg waren, ganz nah am Haus ... aber ich wollte ihm hinterhergehen.«

Charlie setzte zu einer Antwort an; wie ein kleines Kind hielt ich mir die Ohren zu. »Ich kann darüber nicht sprechen, Dad. Ich möchte in mein Zimmer.«

Bevor er etwas sagen konnte, rappelte ich mich vom Sofa auf und taumelte zur Treppe.

Jemand war im Haus gewesen und hatte einen Zettel für Charlie geschrieben, damit er mich finden konnte. Als mir das klarwurde, kam mir ein furchtbarer Verdacht. Ich rannte in mein Zimmer, schloss die Tür hinter mir ab und lief zu meinem CD-Player.

Alles sah genauso aus, wie ich es verlassen hatte. Ich drückte oben auf den CD-Player. Der Verschluss ging auf, und langsam hob sich der Deckel des Geräts.

Darin war nichts.

Das Fotoalbum von Renée lag neben dem Bett auf dem Boden, wo ich es zuletzt hingelegt hatte. Mit zitternder Hand schlug ich die erste Seite auf.

Ich brauchte nicht weiterzublättern. Kein Foto steckte mehr in den kleinen Ecken. Die Seite war leer bis auf das, was ich an den unteren Rand geschrieben hatte: Edward Cullen in Charlies Küche, 13. Sept.

Da hörte ich auf. Ich war mir sicher, dass er gründliche Arbeit geleistet hatte.

Es wird so sein, als hätte es mich nie gegeben, das hatte er mir versprochen.

Ich spürte den glatten Holzboden unter den Knien, dann unter den Handflächen und dann an der Wange. Ich hoffte ohnmächtig zu werden, aber zu meiner Enttäuschung verlor ich nicht das Bewusstsein. Die Wellen des Schmerzes, die bis jetzt nur an mir geleckt hatten, erhoben sich jetzt turmhoch, überspülten mich und zogen mich unter Wasser.

Ich tauchte nicht wieder auf.

KTOBER

NOVEMBER

DEZEMBER

JANUAR

DAS ERWACHEN

Die Zeit vergeht. Selbst wenn es unmöglich erscheint. Selbst wenn das Ticken jeder Sekunde schmerzt wie das pochende Blut hinter einer Prellung. Sie vergeht ungleichmäßig, in merkwürdigen Schlangenlinien und mit zähen Pausen, aber sie vergeht. Sogar für mich.

Charlie schlug mit der Faust auf den Tisch. »Mir reicht's jetzt, Bella! Ich schicke dich nach Hause.«

Ich schaute von meinen Cornflakes auf, die ich eher betrachtete, als dass ich sie aß, und starrte Charlie erschrocken an. Ich hatte ihm nicht zugehört – genauer gesagt war mir gar nicht bewusst, dass wir uns unterhalten hatten – und wusste nicht, wovon er sprach.

»Ich bin doch zu Hause«, murmelte ich verwirrt.

»Ich schickte dich zu Renée, nach Jacksonville«, erklärte er.

Wütend sah er mich an, während ich langsam begriff, was er gesagt hatte.

»Was hab ich denn gemacht?« Ich merkte, dass ich kurz davor war, loszuheulen. Das war einfach ungerecht. Mein Verhalten in den letzten vier Monaten war tadellos gewesen. Seit der ersten Woche, über die keiner von uns beiden je ein Wort verlor, hatte ich keinen einzigen Schultag versäumt. Meine Noten waren ausgezeichnet. Nie blieb ich länger aus als erlaubt – ich ging erst gar nicht irgendwohin. Und nur ganz selten gab es Reste-essen.

Charlie schaute mich finster an.

»Du hast *nichts* gemacht. Das ist es ja gerade. Du machst nie irgendwas.«

»Willst du, dass ich irgendwas anstelle?«, fragte ich und zog verwundert die Augenbrauen zusammen. Ich strengte mich sehr an, ihm zuzuhören. Das war gar nicht so einfach. Ich hatte mich so daran gewöhnt, alles auszublenden, dass meine Ohren sich anfühlten wie verstopft.

»Etwas anstellen wäre besser als dieses ... dieses ewige Trüb-salblasen!«

Das versetzte mir einen leichten Stich. Ich hatte mir solche Mühe gegeben, nicht mürrisch zu sein und keine Trübsal zu blasen.

»Das tue ich doch gar nicht.«

»Das trifft es nicht ganz«, gab er widerstrebend zu. »Trübsal blasen wäre nicht so schlimm – dann würdest du ja wenigstens *irgendwas* tun. Du bist einfach ... leblos, Bella. Ich glaube, das ist das richtige Wort.«

Damit hatte er ins Schwarze getroffen. Ich seufzte und ver-suchte etwas Leben in meine Antwort zu legen.

»Tut mir leid, Dad.« Ich merkte selbst, dass das eine ziemlich lahme Entschuldigung war. Ich dachte, es hätte funktioniert. Nur deshalb hatte ich die ganze Zeit Theater gespielt, Charlie sollte nicht leiden. Es war deprimierend, dass alle Anstrengung umsonst gewesen sein sollte.

»Du sollst dich nicht entschuldigen.«

Ich seufzte. »Dann sag mir, was ich tun soll.«

»Bella.« Er zögerte und beobachtete mich ganz genau, als er fortfuhr. »Schatz, weißt du, du bist nicht die Erste, die so etwas durchmacht.«

»Ich weiß.« Ich sah ihn matt und ausdruckslos an.

»Hör mal, Schatz. Ich glaube, du … könntest Hilfe gebrauchen.«

»Hilfe?«

Er schwieg einen Moment und suchte wieder nach Worten. »Als deine Mutter mich damals verlassen hat«, begann er und zog die Stirn in Falten. »Und dich mitgenommen hat.« Er atmete tief ein. »Also, da ging es mir richtig dreckig.«

»Ich weiß, Dad«, murmelte ich.

»Aber ich hab's in den Griff bekommen«, fuhr er fort. »Schatz, du kriegst es nicht in den Griff. Ich hab gewartet. Ich hab gehofft, dass es besser wird.« Er sah mich an und ich senkte schnell den Blick. »Ich glaube, wir wissen beide, dass es nicht besser wird.«

»Mir geht's gut.«

Er tat so, als hätte er nichts gehört. »Vielleicht … also, wenn du mit jemandem darüber reden würdest. Jemand Professionellem.«

»Ich soll zu einem Therapeuten gehen?« Mein Ton wurde etwas schärfer, als ich begriff, worauf er hinauswollte.

»Vielleicht würde dir das helfen.«

»Aber vielleicht würde es auch überhaupt nicht helfen.«

Ich wusste nicht viel über Psychotherapie, aber ich war mir ziemlich sicher, dass sie nur funktionieren konnte, wenn der Patient halbwegs ehrlich war. Ich könnte natürlich die Wahrheit erzählen – um dann den Rest meines Lebens in einer Gummizelle zu verbringen.

Er sah meinen ablehnenden Gesichtsausdruck und versuchte es anders.

»Ich weiß nicht mehr weiter, Bella. Vielleicht kann deine Mutter …«

»Also gut«, sagte ich tonlos. »Heute Abend gehe ich aus, wenn du willst. Ich rufe Jess oder Angela an.«

»Das ist es nicht«, sagte er frustriert. »Ich halte es nicht aus zu sehen, wie du dich *noch mehr* anstrengst. Ich hab noch nie jemanden gesehen, der sich so angestrengt hat. Es tut weh, das mit anzusehen.«

Ich tat so, als wüsste ich nicht, wovon er redete, und starrte auf den Tisch. »Ich verstehe dich nicht, Dad. Erst bist du sauer, weil ich nichts mache, und wenn ich dann ausgehen will, ist es dir auch nicht recht.«

»Ich möchte, dass du glücklich bist – nein, so viel verlange ich gar nicht. Ich möchte nur, dass du nicht mehr unglücklich bist. Ich glaube, wenn du Forks verlassen würdest, wäre es einfacher für dich.«

Ich spürte, wie in meinen Augen zum ersten Mal seit langem wieder ein kleiner Funken Leben aufblitzte.

»Ich gehe nicht weg«, sagte ich.

»Warum nicht?«, wollte er wissen.

»Ich bin im letzten Schuljahr – das würde alles vermasseln.«

»Du bist doch gut in der Schule – du würdest das schon hinkriegen.«

»Ich will Mom und Phil aber nicht auf der Pelle hocken.«

»Deine Mutter hätte dich liebend gern wieder bei sich.«

»In Florida ist es zu heiß.«

Wieder schlug er mit der Faust auf den Tisch. »Wir wissen beide, worum es hier eigentlich geht, Bella, und es tut dir nicht gut.« Er holte tief Luft. »Es ist jetzt Monate her. Kein Anruf, kein Brief, kein Lebenszeichen. Du kannst nicht länger auf ihn warten.«

Ich sah ihn finster an. Beinahe, aber nur beinahe, wäre ich rot vor Wut geworden. Ich hatte schon lange nicht mehr genug empfunden, um zu erröten.

Dieses Thema war absolut tabu, und das wusste er sehr gut.

»Ich warte auf gar nichts. Ich erwarte überhaupt nichts«, sagte ich mit leiser, monotoner Stimme.

»Bella ...«, setzte Charlie mit belegter Stimme an.

»Ich muss jetzt zur Schule«, unterbrach ich ihn, stand auf und nahm das unberührte Frühstück mit einem Ruck vom Tisch. Ich kippte die Schale ins Spülbecken, ohne sie auszuwaschen. Jeder weitere Satz wäre zu viel.

»Ich gehe heute Abend mit Jessica aus«, rief ich über die Schulter, während ich mir die Schultasche umhängte. Ich schaute ihm nicht in die Augen. »Kann sein, dass ich nicht zum Abendessen komme. Wir fahren nach Port Angeles und gehen ins Kino.«

Bevor er etwas sagen konnte, war ich schon zur Tür hinaus.

Weil ich es so eilig hatte, von Charlie wegzukommen, war ich als eine der Ersten in der Schule. Das hatte den Vorteil, dass ich einen richtig guten Parkplatz bekam. Der Nachteil war, dass ich freie Zeit zur Verfügung hatte, und das versuchte ich um jeden Preis zu vermeiden.

Bevor ich anfangen konnte, über Charlies Vorwürfe nachzudenken, holte ich schnell mein Mathebuch heraus. Ich schlug es an der Stelle auf, die heute dran war, und versuchte die Aufgaben zu verstehen. Sich Mathe selber beizubringen war noch schlimmer, als dem Mathelehrer zuzuhören, aber ich machte Fortschritte. In den letzten Monaten hatte ich zehnmal so viel von Mathe verstanden wie in meinem ganzen bisherigen Leben. Inzwischen stand ich auf Eins minus. Mr Varner führte meine Fortschritte natürlich auf seinen großartigen Unterricht zurück, das war mir klar. Und wenn ihn das glücklich machte, wollte ich ihm seine Illusionen nicht rauben.

Ich zwang mich, weiterzumachen, bis der Parkplatz voll war, und musste mich schließlich sogar beeilen, um rechtzeitig zu

Englisch zu kommen. Wir nahmen gerade *Animal Farm* durch, ein angenehmes Thema. Ich hatte nichts gegen den Kommunismus; er war eine willkommene Abwechslung von den anstrengenden Liebesgeschichten, die sonst hauptsächlich auf dem Lehrplan standen. Ich setzte mich auf meinen Platz und freute mich auf die Ablenkung durch Mr Bertys Stunde.

Die Zeit ging schnell herum. Viel zu früh klingelte es. Ich packte die Bücher in die Tasche.

»Bella?«

Das war Mikes Stimme, und noch bevor er weitersprach, wusste ich, was er fragen würde.

»Kommst du morgen zur Arbeit?«

Ich schaute auf. Mit besorgter Miene beugte er sich über den Gang zu mir herüber. Jeden Freitag dieselbe Frage. Dabei hatte ich noch nie krankgefeiert. Na ja, mit einer Ausnahme, aber das war Monate her. Er hatte keinen Grund, mich so besorgt anzusehen. Ich war eine Vorzeigeangestellte.

»Morgen ist schließlich Samstag, oder?«, sagte ich. Nachdem Charlie es mir gerade vorgehalten hatte, merkte ich jetzt selbst, wie leblos meine Stimme klang.

»Ja«, sagte Mike. »Bis nachher in Spanisch.« Er winkte mir kurz und wandte sich dann um. Er machte sich nicht mehr die Mühe, mich zur nächsten Stunde zu begleiten.

Mit grimmiger Miene trottete ich zur Mathestunde. Dort saß ich immer neben Jessica.

Jess grüßte mich schon seit Wochen oder Monaten nicht mehr, wenn wir uns im Flur begegneten. Ich wusste, dass sie beleidigt war, weil ich mich so zurückgezogen hatte. Sie schmollte. Es würde nicht ganz leicht sein, jetzt mit ihr zu reden, schon gar nicht, sie um einen Gefallen zu bitten. Während ich unschlüssig vor der Tür hin und her lief, überlegte ich, was ich tun sollte.

Ich wollte nicht nach Hause kommen, ohne Charlie von irgendeiner Verabredung berichten zu können. Ich wusste, dass ich nicht lügen konnte, obwohl es eine verlockende Vorstellung war, einfach allein nach Port Angeles und wieder zurückzufahren, nur damit der Kilometerzähler das Richtige anzeigte, falls Charlie auf die Idee kommen sollte, das zu überprüfen. Aber Jessicas Mutter war die größte Klatschtante der Stadt, und Charlie würde ihr garantiert bald über den Weg laufen. Und dann würde er den Ausflug bestimmt erwähnen. Lügen kam also nicht in Frage.

Mit einem Seufzer öffnete ich die Tür.

Mr Varner warf mir einen finsteren Blick zu – er hatte mit dem Unterricht schon angefangen. Schnell ging ich zu meinem Platz. Jessica schaute nicht auf, als ich mich neben sie setzte. Ich war froh darüber, dass ich fünfzig Minuten Zeit hatte, mich auf das Gespräch mit ihr seelisch vorzubereiten.

Diese Stunde ging noch schneller herum als Englisch. Zum kleinen Teil lag das an meiner streberhaften Vorbereitung heute Morgen auf dem Parkplatz, vor allem aber wohl daran, dass die Zeit immer wie im Flug verging, wenn mir etwas Unangenehmes bevorstand.

Ich stöhnte innerlich, als Mr Varner uns fünf Minuten früher gehen ließ, während er lächelte, als hätte er uns einen Gefallen getan.

»Jess?« Ich kräuselte unweigerlich die Nase, als ich mit einem komischen Gefühl im Bauch darauf wartete, dass sie sich zu mir umdrehte.

Sie wandte sich zu mir und sah mich ungläubig an. »Redest du etwa mit *mir*, Bella?«

»Klar.« Ich schaute sie unschuldig an.

»Was ist? Brauchst du Hilfe in Mathe?« Das klang leicht angesäuert.

»Nein.« Ich schüttelte den Kopf. »Eigentlich wollte ich dich fragen, ob du … ob du Lust hast, heute mit mir ins Kino zu gehen. Ich muss unbedingt mal wieder raus, nur unter Mädels.« Ich merkte selbst, dass es steif klang, wie ein schlecht gelernter Text. Sie sah mich misstrauisch an.

»Wieso fragst du da ausgerechnet mich?«, fragte sie, immer noch unfreundlich.

»Du bist die Erste, an die ich dabei denke.« Ich lächelte und hoffte, dass es echt aussah. Wahrscheinlich stimmte es sogar. Wenigstens war sie die Erste, an die ich dachte, wenn ich Charlie aus dem Weg gehen wollte. Das lief auf dasselbe hinaus.

Jetzt wirkte sie ein wenig besänftigt. »Tja, ich weiß nicht.«

»Hast du schon was vor?«

»Nein … ich glaub, ich hab Zeit. Was willst du denn sehen?«

»Ich weiß nicht genau, was läuft«, sagte ich ausweichend. Ich durchforstete mein Gehirn nach einem Anhaltspunkt – hatte ich in letzter Zeit irgendeinen Filmtitel aufgeschnappt? Oder ein Plakat gesehen? »Wie wär's mit dem, wo eine Frau Präsident ist?«

Sie sah mich mitleidig an. »Bella, der läuft schon seit einer Ewigkeit nicht mehr!«

»Oh.« Ich runzelte die Stirn. »Gibt's denn irgendeinen Film, den du gern sehen würdest?«

Jessica quatschte für ihr Leben gern, und jetzt konnte sie sich nicht mehr zurückhalten. Sie überlegte laut: »Also, da gibt's einen neuen Liebesfilm, der wird sehr gut besprochen. Den würde ich gern sehen. Und mein Vater hat gerade *Dead End* gesehen und war ganz begeistert.«

Bei dem vielversprechenden Titel hakte ich sofort nach. »Wovon handelt der?«

»Von Zombies oder so. Er hat gesagt, es wär der gruseligste Film, den er seit Jahren gesehen hat.«

»Das klingt super.« Sogar echte Zombies würde ich mir lieber anschauen als einen Liebesfilm.

»Okay.« Das klang überrascht. Ich versuchte mich zu erinnern, ob ich Horrorfilme mochte, aber ich war mir nicht sicher.

»Soll ich dich nach der Schule abholen?«, bot sie an.

»Gern.«

Jessica schenkte mir die Andeutung eines freundlichen Lächelns und ging. Mein Lächeln kam etwas verspätet, aber sie hatte es wohl noch gesehen.

Der Rest des Tages ging schnell vorbei. Ich war mit den Gedanken schon beim bevorstehenden Abend. Aus Erfahrung wusste ich, dass ich mit ein paar gemurmelten Antworten an den passenden Stellen davonkommen würde, wenn Jessica erst mal ins Erzählen kam. Bestimmt musste ich kaum etwas zur Unterhaltung beitragen.

Manchmal war es verwirrend, dass meine Tage jetzt immer in einem dichten Nebel versanken. Ich wunderte mich, als ich plötzlich in meinem Zimmer war; an die Heimfahrt und daran, dass ich die Haustür aufgeschlossen hatte, konnte ich mich gar nicht richtig erinnern. Aber das spielte keine Rolle. Das Zeitgefühl zu verlieren war das Einzige, was ich noch vom Leben erwartete.

Als ich mich zum Kleiderschrank wandte, überließ ich mich gern dem Nebel. An manchen Orten war das taube Gefühl wichtiger als an anderen. Ich registrierte kaum, was ich sah, als ich die Tür zur Seite schob und im linken Schrankfach, unter den Klamotten, die ich nie trug, der Müllsack zu erkennen war.

Ich schaute nicht hinunter zu dem schwarzen Müllsack, in dem mein Geburtstagsgeschenk war, sah nicht die Stereoanlage, die sich darin abzeichnete; dachte nicht daran, wie blutig meine Fingernägel gewesen waren, nachdem ich die Anlage aus dem Armaturenbrett gezerrt hatte …

Ich riss die alte Handtasche, die ich kaum benutzte, vom Haken und machte den Kleiderschrank wieder zu.

In dem Moment hörte ich ein Auto hupen. Schnell nahm ich mein Portemonnaie aus der Schultasche und steckte es in die Handtasche. Ich beeilte mich, als könnte ich den Abend dadurch schneller hinter mich bringen.

Bevor ich zur Tür ging, schaute ich im Flur noch schnell in den Spiegel, versuchte ein Lächeln auf mein Gesicht zu legen und es festzuhalten.

»Schön, dass du mitkommst«, sagte ich zu Jess, als ich einstieg. Es sollte dankbar klingen. Ich hatte schon lange nicht mehr darüber nachgedacht, was ich zu irgendwem außer Charlie sagte. Mit Jess war es schwieriger. Ich war mir nicht sicher, was für Gefühle ich ihr vorspielen musste.

»Ist doch klar. Und, wie bist du darauf gekommen?«, fragte Jess, als wir die Straße runterfuhren.

»Worauf?«

»Wieso hast du dich auf einmal dazu entschlossen … auszugehen?« Es hörte sich so an, als hätte sie ursprünglich etwas anderes fragen wollen.

Ich zuckte die Schultern. »Ich brauchte einfach mal Abwechslung.«

In dem Moment erkannte ich den Song im Radio und wechselte unwillkürlich den Sender. »Darf ich?«, fragte ich.

»Klar, nur zu.«

Ich ging die Sender durch, bis ich etwas Harmloses gefunden hatte. Verstohlen schaute ich zu Jess.

Sie guckte argwöhnisch. »Seit wann hörst du denn Rap?«

»Keine Ahnung«, sagte ich. »Schon eine Weile.«

»Findest du das gut?«, fragte sie zweifelnd.

»Klar.«

Es wäre zu anstrengend gewesen, mich mit Jessica zu unterhalten und gleichzeitig die Musik auszublenden. Ich nickte mit dem Kopf und hoffte, dass ich im Takt war.

»Na dann ...« Ungläubig starrte sie zur Windschutzscheibe hinaus.

»Und wie geht's Mike und dir so?«, fragte ich schnell.

»Du siehst ihn öfter als ich.«

Falsche Frage, damit würde ich sie nicht wie erhofft zum Erzählen bringen.

»Bei der Arbeit kommen wir kaum zum Reden«, murmelte ich, dann startete ich einen neuen Versuch. »Warst du in letzter Zeit mit irgendwem aus?«

»Eigentlich nicht. Ich geh manchmal mit Conner aus. Und vor zwei Wochen einmal mit Eric.« Sie verdrehte die Augen und ich witterte eine lange Geschichte. Schnell packte ich die Gelegenheit beim Schopf.

»Etwa Eric *Yorkie*? Wer hat wen gefragt?«

Sie stöhnte theatralisch. »Er mich natürlich! Ich wusste nicht, wie ich nein sagen sollte, ohne ihn zu sehr vor den Kopf zu stoßen.«

»Wohin seid ihr gegangen?«, fragte ich schnell. Sie würde das für Neugierde halten. »Erzähl schon.«

Sie legte mit ihrer Geschichte los und ich konnte mich etwas entspannter in meinem Sitz zurücklehnen. Ich hörte genau zu und brachte an den passenden Stellen mitfühlendes Gemurmel oder entsetztes Stöhnen an. Als sie damit fertig war, machte sie, ohne dass ich sie drängen musste, mit Conner weiter.

Der Film lief gleich zweimal an dem Abend und Jessica schlug vor, in die frühe Vorstellung zu gehen und danach etwas zu essen. Ich war mit allem einverstanden; schließlich bekam ich genau das, was ich wollte – Ruhe vor Charlie.

Ich sorgte dafür, dass Jess während der Werbung weiterquatschte, damit ich möglichst wenig von neuen Liebesfilmen mitbekam. Doch als unser Film anfing, wurde ich nervös. Ein junges Pärchen ging an einem Strand entlang, sie hielten Händchen und beteuerten sich auf schmalzige, verlogene Weise, wie sehr sie sich liebten. Ich widerstand dem Drang, mir die Ohren zuzuhalten und zu summen. Auf eine Liebesgeschichte war ich nicht vorbereitet.

»Ich dachte, wir wollten in den Zombiefilm«, zischte ich Jessica zu.

»Das ist doch der Zombiefilm.«

»Warum wird dann keiner aufgefressen?«, fragte ich verzweifelt.

Sie schaute mich mit großen Augen an, beinahe beunruhigt. »Das kommt bestimmt noch«, flüsterte sie.

»Ich geh mal Popcorn holen. Möchtest du auch was?«

»Nein, danke.«

Hinter uns machte jemand »pssst«.

An der Kasse ließ ich mir Zeit, behielt die Uhr im Auge und überlegte, wie viel Prozent eines neunzig Minuten langen Films wohl auf eine romantische Einleitung entfallen konnten. Ich kam zu dem Schluss, dass zehn Minuten mehr als genug seien, doch vor dem Saal blieb ich sicherheitshalber kurz stehen. Ich hörte Gekreisch von drinnen, und da wusste ich, dass ich lange genug gewartet hatte.

»Du hast alles verpasst«, flüsterte Jess, als ich mich wieder neben sie setzte. »Jetzt sind schon fast alle in Zombies verwandelt.«

»Die Schlange war so lang.« Ich bot ihr von meinem Popcorn an, und sie nahm eine Handvoll.

Der Rest des Films bestand aus grausamen Angriffen von Zombies und endlosem Gekreisch der paar Überlebenden, die zusehends weniger wurden. Ich hätte gedacht, dass mich das nicht weiter berühren würde. Doch ich fühlte mich unbehaglich und wusste zunächst nicht, woran das lag.

Erst ganz am Schluss, als ich sah, wie ein ausgezehrter Zombie hinter der letzten kreischenden Überlebenden herschlurfte, wusste ich, was es war. In der Szene wurde ständig zwischen dem entsetzten Gesicht der Heldin und dem toten, unbewegten Gesicht ihres Verfolgers hin- und hergeschnitten, hin und her, während der Abstand zwischen den beiden immer kleiner wurde.

Und mir wurde klar, wem von den beiden ich mehr ähnelte.

Ich stand auf.

»Wo willst du hin? Es sind höchstens noch zwei Minuten«, flüsterte Jess.

»Ich muss was trinken«, murmelte ich und rannte zum Ausgang.

Ich setzte mich auf die Bank vor dem Saal und versuchte nicht an die Ironie des Ganzen zu denken. Aber es war schon ziemlich ironisch, dass ich ausgerechnet als Zombie enden sollte. Damit hatte ich nicht gerechnet.

Zwar hatte ich früher davon geträumt, eine Untote zu werden – doch niemals ein groteskes, ferngesteuertes Monster. Panisch schüttelte ich den Kopf, um diese Gedanken zu verscheuchen. Ich konnte es mir nicht erlauben, über meine alten Träume nachzudenken.

Zu deprimierend war die Erkenntnis, dass ich nicht mehr die Heldin war, dass meine Geschichte vorbei war.

Jessica kam aus der Vorstellung und zögerte, vermutlich überlegte sie, wo sie am besten nach mir suchen sollte. Als sie mich entdeckte, sah sie erleichtert aus, aber nur kurz. Dann wirkte sie verärgert.

»War dir der Film zu gruselig?«, fragte sie.

»Ja«, sagte ich. »Ich bin wohl ein ziemliches Weichei.«

»Komisch«, sagte sie und runzelte die Stirn, »das hab ich gar nicht gedacht – ich hab die ganze Zeit geschrien und du kein einziges Mal. Deshalb hab ich auch nicht verstanden, wieso du raus bist.«

Ich zuckte die Achseln. »War mir einfach zu heftig.«

Jetzt wurde sie etwas lockerer. »Ich glaub, das war der gruseligste Film, den ich je gesehen hab. Heute Nacht kriegen wir bestimmt Albträume.«

»Garantiert«, sagte ich und versuchte, normal zu klingen. Ganz sicher würde ich Albträume haben, aber nicht von Zombies. Sie schaute mir kurz ins Gesicht und dann wieder weg. Vielleicht hatte ich doch nicht so normal geklungen.

»Wo sollen wir essen?«, fragte Jess.

»Mir egal.«

»Okay.«

Wir gingen los und Jess sprach nur noch über den männlichen Hauptdarsteller. Ich nickte, als sie von ihm schwärmte, obwohl ich mich überhaupt nicht erinnern konnte, einen Mann gesehen zu haben, der kein Zombie war.

Ich achtete nicht darauf, wohin Jessica uns führte. Mir war nur undeutlich bewusst, dass es jetzt dunkel war und stiller. Ich brauchte zu lange, um zu merken, weshalb es still geworden war. Jessica hatte aufgehört zu reden. Ich schaute sie entschuldigend an und hoffte, dass ich sie nicht gekränkt hatte.

Jessica sah mich nicht an. Ihre Miene war angespannt, sie guckte stur geradeaus und ging schnell. Dann huschte ihr Blick schnell nach rechts, über die Straße, und wieder zurück.

Zum ersten Mal sah ich mich um.

Wir befanden uns auf einem kurzen Stück, auf dem der Gehweg nicht beleuchtet war. Die kleinen Geschäfte an der Straße waren alle schon geschlossen, die Schaufenster dunkel. Einen halben Block weiter erst fing die Straßenbeleuchtung wieder an, und noch ein Stück weiter sah ich die Leuchtschrift von McDonald's, das Jessica ansteuerte.

Auf der anderen Straßenseite war ein einziger Laden, der geöffnet hatte. Die Fenster waren von innen verdunkelt, und draußen waren leuchtende Neonschilder, die für verschiedene Biermarken warben. Auf dem größten Schild, einem knallgrünen, stand der Name der Bar – *One Eyed Pete's*. Ich fragte mich, ob das irgendetwas mit Piraten zu tun hatte, aber das war von außen nicht zu erkennen. Die Eisentür stand offen; drinnen war der Raum schwach beleuchtet. Stimmengewirr und das Klirren von Eis in Gläsern waren bis auf die Straße zu hören. An der Wand neben der Tür lungerten vier Männer herum.

Ich schaute wieder zu Jessica. Ihr Blick war starr auf den Gehweg gerichtet, sie schritt zügig voran. Sie sah nicht ängstlich aus – nur wachsam, sie versuchte, keine Aufmerksamkeit auf sich zu ziehen.

Ohne nachzudenken, blieb ich stehen und sah die vier Männer mit einem starken Déjà-vu-Gefühl an. Dies war eine andere Straße, eine andere Nacht, aber die Situation war genau die gleiche. Einer der Männer war sogar bullig und dunkelhaarig. Als ich stehen blieb und mich zu ihnen wandte, blickte der Kleine interessiert auf.

Ich schaute zurück, ich war wie erstarrt.

»Bella?«, flüsterte Jess. »Was machst du denn da?«

Verunsichert schüttelte ich den Kopf. »Ich glaube, die kenne ich …«, murmelte ich.

Was machte ich da? Vor dieser Erinnerung müsste ich weglaufen, so schnell ich konnte, das Bild der vier herumlungernden

Männer aus meinen Gedanken verbannen und mich mit dem tauben Gefühl umgeben, ohne das ich nicht funktionieren konnte. Wieso trat ich jetzt wie benommen auf die Straße?

Es konnte kein Zufall sein, dass ich wieder mit Jessica in Port Angeles war, wieder in einer dunklen Straße. Ich schaute den bulligen Mann genauer an und versuchte seine Züge mit denen des Mannes in Deckung zu bringen, der mich in jener Nacht vor fast einem Jahr bedroht hatte. Ich überlegte, ob ich den Mann an irgendetwas erkennen könnte, wenn er es denn tatsächlich war. Aber solche Details dieses Abends waren völlig verschwommen. Mein Körper erinnerte sich besser als mein Gehirn – an die Spannung in den Beinen, als ich zwischen Wegrennen und Stehenbleiben schwankte, die trockene Kehle, als ich schluckte und schluckte, um einen Schrei auszustoßen, die gespannte Haut an den Knöcheln, als ich die Hände zu Fäusten ballte, die Gänsehaut im Nacken, als der dunkelhaarige Mann mich »Süße« nannte …

Von diesen Männern ging eine unbestimmte Bedrohung aus, die nichts mit jener anderen Nacht zu tun hatte. Es lag nur daran, dass sie Fremde waren und in der Überzahl, dass es dunkel war – mehr nicht. Aber das reichte, und Jessica rief mit panischer, überschnappender Stimme: »Bella, komm schon!«

Ich beachtete sie nicht und ging langsam weiter, ohne dass ich es mir bewusst vorgenommen hätte. Ich begriff nicht, warum, aber die nebulöse Bedrohung, die von den Männern ausging, trieb mich zu ihnen hin. Es war ein unvernünftiger Impuls, aber ich hatte so lange keinen Impuls mehr verspürt … dass ich ihm nachgab.

Etwas Unbekanntes pochte in meinen Adern. Das musste Adrenalin sein, das ich schon ewig nicht mehr gespürt hatte, das aber jetzt meinen Puls beschleunigte und gegen die Gefühllosigkeit ankämpfte. Es war merkwürdig – wieso war da Adrenalin, wenn ich keine Angst hatte? Es war fast wie ein Echo von damals, als ich auch so dagestanden hatte, mit fremden Männern auf einer dunklen Straße in Port Angeles.

Ich sah keinen Grund, Angst zu haben. Ich konnte mir nichts auf der Welt vorstellen, wovor ich noch Angst haben könnte. Einer der wenigen Vorteile, wenn man alles verloren hatte.

Ich war schon halb über die Straße, als Jess mir nachlief und mich am Arm packte.

»Bella! Du kannst da nicht reingehen!«, zischte sie.

»Ich geh ja auch gar nicht rein«, sagte ich abwesend und schüttelte ihre Hand ab. »Ich will nur was gucken …«

»Spinnst du?«, flüsterte sie. »Willst du dich umbringen?«

Diese Frage ließ mich aufhorchen, und ich sah ihr ins Gesicht.

»Nein.« Das klang so, als müsste ich mich verteidigen, aber es stimmte. Ich wollte mich nicht umbringen. Selbst am Anfang, als der Tod zweifellos eine Erleichterung gewesen wäre, hatte ich das nicht in Betracht gezogen. Ich hatte Charlie so viel zu verdanken. Und ich fühlte mich verantwortlich für Renée. Ich musste an die beiden denken.

Und ich hatte versprochen, nichts Dummes oder Waghalsiges zu tun. Nur deshalb atmete ich immer noch.

Als ich an das Versprechen dachte, bekam ich ein schlechtes Gewissen, aber dann sagte ich mir, dass das hier nicht richtig zählte. Ich hielt mir ja schließlich keine Rasierklinge an die Handgelenke.

Jessica machte große Augen, ihr Mund stand offen. Zu spät begriff ich, dass ihre Frage nach meinen Selbstmordabsichten rein rhetorisch gewesen war.

»Geh doch schon vor«, sagte ich und zeigte zu McDonald's. Es gefiel mir nicht, wie sie mich ansah. »Ich komm gleich nach.«

Ich wandte mich von ihr ab und schaute wieder zu den Männern, die uns amüsiert und neugierig beobachteten.

»Bella, hör sofort damit auf!«

Meine Muskeln verkrampften sich und nagelten mich am Boden fest. Denn es war nicht Jessica, die mich da gerade zurechtgewiesen hatte. Es war eine wütende Stimme, eine vertraute Stimme, eine wunderschöne Stimme – samtweich selbst im Zorn.

Es war *seine* Stimme – ich war peinlich darauf bedacht, niemals seinen Namen zu denken – und es überraschte mich, dass es mich nicht umwarf, sie zu hören, dass ich nicht vor Schmerz auf die Straße sank. Aber ich spürte keinen Schmerz, nicht die Spur.

In dem Moment, da ich seine Stimme hörte, war alles ganz klar. Als wäre ich plötzlich aus einem dunklen Tümpel aufgetaucht. Meine Sinne waren auf einmal geschärft – ich sah und hörte besser, ich spürte die kalte Luft, die mir scharf ins Gesicht blies, und ich nahm die Gerüche wahr, die aus der Bar herausströmten.

Erschrocken schaute ich mich um.

»Geh wieder zu Jessica«, befahl die schöne Stimme, immer noch wütend. »Du hast es versprochen – keine Dummheiten.«

Ich war allein. Jessica stand ein paar Meter entfernt und starrte mich erschrocken an. An der Wand standen die fremden Männer und fragten sich bestimmt, warum ich reglos mitten auf der Straße stand.

Ich schüttelte den Kopf und versuchte zu verstehen. Ich wusste, dass er nicht da war, und doch hatte ich das Gefühl, als wäre er unwahrscheinlich nah, zum ersten Mal seit ... seit dem Ende. Er klang wütend, aber er war nur besorgt, es war eine Wut, die mir einmal sehr vertraut gewesen war und die ich so lange nicht gehört hatte, dass es mir wie eine Ewigkeit vorkam.

»Denk an dein Versprechen.« Die Stimme verebbte, wie wenn man bei einem Radio die Lautstärke herunterdrehte.

Allmählich kam mir der Verdacht, dass ich eine Art Halluzination hatte. Zweifellos war sie durch die Erinnerung ausgelöst worden – durch das Déjà-vu, das seltsam Vertraute der Situation.

Schnell ging ich die verschiedenen Möglichkeiten durch.

Erste Möglichkeit: Ich war verrückt. So wurden doch Leute genannt, die Stimmen hörten.

Nicht auszuschließen.

Zweite Möglichkeit: Mein Unterbewusstsein gab mir das, was ich seiner Meinung nach brauchte: Die trügerische Illusion, es sei *ihm* nicht gleichgültig, ob ich lebte oder tot war, linderte den Schmerz für eine Weile. Eine Projektion dessen, was er gesagt hätte, wenn er a) hier wäre und es ihn b) in irgendeiner Weise kümmern würde, wenn mir etwas zustieß.

Wahrscheinlich.

Eine dritte Möglichkeit sah ich nicht, also hoffte ich, dass es die zweite war. Lieber ein Unterbewusstsein, das Amok lief, als irgendetwas, das eine stationäre Behandlung notwendig machte.

Doch meine Reaktion sprach nicht unbedingt für meine Zurechnungsfähigkeit – ich war *dankbar*.

Ich hatte gefürchtet, den Klang seiner Stimme zu vergessen, und deshalb war ich vor allem unglaublich dankbar dafür, dass mein Unterbewusstsein diesen Klang besser bewahrt hatte als mein Bewusstsein.

Ich hatte es mir verboten, an ihn zu denken. In dieser Beziehung versuchte ich sehr streng zu sein. Natürlich passierte mir hin und wieder ein Ausrutscher, schließlich war ich nur ein Mensch. Doch es wurde besser, und jetzt gelang es mir manchmal schon, den Schmerz tagelang zu vermeiden. Dafür bezahlte ich mit dieser allumfassenden Taubheit. Bei der Wahl zwischen Schmerz und dem Nichts hatte ich mich für das Nichts entschieden.

Jetzt wartete ich auf den Schmerz. Ich war nicht länger taub – nach so vielen Monaten im Nebel waren meine Sinne jetzt ungewöhnlich geschärft –, doch der normale Schmerz blieb aus. Nur die Enttäuschung darüber, dass seine Stimme wieder verschwand, tat weh.

Eine Sekunde lang hatte ich die Wahl.

Es wäre vernünftig gewesen, vor dieser Entwicklung davonzulaufen, die möglicherweise zerstörerisch war und mich mit Sicherheit aus dem Gleichgewicht brachte. Es war idiotisch, Halluzinationen hinterherzulaufen.

Doch seine Stimme verschwand.

Versuchsweise machte ich noch einen Schritt auf die Männer zu.

»Bella, kehr um«, sagte er drohend.

Ich seufzte erleichtert. Diese Wut wollte ich hören – der unechte, selbstgemachte Beweis dafür, dass ich ihm etwas bedeutete, ein zweifelhaftes Geschenk meines Unterbewusstseins.

Nur wenige Sekunden waren vergangen, während ich über all das nachgedacht hatte. Mein kleines Publikum schaute mir neugierig zu. Wahrscheinlich sah es so aus, als könnte ich mich nicht entscheiden, ob ich zu ihnen gehen sollte oder nicht. Wie hätten sie auch ahnen können, dass ich dastand und mich über einen unverhofften Anflug von Wahnsinn freute?

»Hi«, rief einer der Männer. Es klang selbstbewusst und sarkastisch zugleich. Der Mann war blond und hellhäutig, und man sah ihm an, dass er sich für ziemlich gut aussehend hielt. Ich konnte nicht beurteilen, ob er gut aussah oder nicht. Ich war voreingenommen.

Die Stimme in meinem Kopf antwortete mit einem wunderschönen Knurren. Ich lächelte, und der Mann schien sich ermutigt zu fühlen.

»Kann ich dir vielleicht helfen? Du siehst aus, als hättest du dich verlaufen.« Er grinste und zwinkerte mir zu.

Vorsichtig stieg ich über den Rinnstein; das Wasser darin war schwarz in der Dunkelheit.

»Nein, ich hab mich nicht verlaufen.«

Jetzt, da ich näher war, studierte ich mit meinem ungewohnt scharfen Blick das Gesicht des bulligen dunkelhaarigen Mannes. Es kam mir überhaupt nicht bekannt vor. Merkwürdigerweise war ich enttäuscht darüber, dass er nicht der schreckliche Mann war, der mich vor fast einem Jahr überfallen wollte.

Jetzt schwieg die Stimme in meinem Kopf.

Der bullige Mann bemerkte, dass ich ihn anstarrte. »Darf ich dich auf einen Drink einladen?«, fragte er unsicher. Er schien geschmeichelt, dass ich ausgerechnet ihn anschaute.

»Ich bin noch zu jung«, gab ich automatisch zur Antwort.

Er sah verdutzt aus – bestimmt fragte er sich, warum ich auf sie zugekommen war. Ich hatte das Gefühl, ihnen eine Erklärung schuldig zu sein.

»Von der anderen Straßenseite her sahst du aus wie jemand, den ich kenne. Tut mir leid, war eine Verwechslung.«

Die Bedrohung, die mich über die Straße gezogen hatte, hatte sich in Luft aufgelöst. Das hier waren nicht die gefährlichen Männer von damals. Wahrscheinlich waren es ganz nette Typen. Keine Gefahr. Ich verlor das Interesse.

»Kein Problem«, sagte der selbstbewusste Blonde. »Bleib doch und trink was mit uns.«

»Tut mir leid, aber das geht nicht.« Jessica stand immer noch unschlüssig auf der Straße, die Wut über mein Benehmen stand ihr ins Gesicht geschrieben.

»Och, nur ein paar Minütchen.«

Ich schüttelte den Kopf und ging zurück zu Jessica.

»Komm, jetzt gehen wir was essen«, sagte ich, sah sie dabei jedoch kaum an. Zwar schien ich für den Augenblick aus meinem Zombiezustand erlöst, aber ich war noch immer weit weg. Denn das vertraute Gefühl von Taubheit und Leblosigkeit wollte sich nicht wieder einstellen, und meine Angst wuchs mit jeder Minute.

»Was hast du dir bloß gedacht?«, fuhr Jessica mich an. »Du kanntest die doch gar nicht – das hätten auch Psychopathen sein können!«

Ich zuckte die Schultern und hoffte, sie würde davon aufhören. »Der eine kam mir bekannt vor.«

»Du bist so abgedreht, Bella Swan. Ich hab das Gefühl, ich kenne dich gar nicht.«

»Tut mir leid.« Etwas anderes fiel mir nicht ein.

Schweigend marschierten wir zu McDonald's. Bestimmt bereute sie, dass wir die kurze Strecke vom Kino zu Fuß gegangen waren, anstatt das Auto zu nehmen, dann hätten wir bestellen und schnell weiterfahren können. Jetzt ging es ihr, wie es mir von Anfang an gegangen war: Sie sehnte das Ende des Abends herbei.

Beim Essen versuchte ich ein paarmal ein Gespräch anzufangen, aber Jessica ging nicht darauf ein. Offenbar hatte ich sie wirklich gekränkt.

Als wir wieder im Auto saßen, stellte sie ihren Lieblingssender ein und drehte die Musik so laut, dass eine Unterhaltung unmöglich war.

Ich musste mich nicht so sehr anstrengen wie sonst, um die Musik zu ignorieren. Zwar fehlte ausnahmsweise einmal die Taubheit, aber jetzt musste ich über zu vieles nachdenken, um auf die Songs zu achten.

Ich wartete darauf, dass sich das dumpfe Gefühl wieder einstellte oder der Schmerz. Denn der Schmerz musste kommen. Ich hatte meine wichtigsten Regeln gebrochen. Anstatt den Erinnerungen aus dem Weg zu gehen, hatte ich sie mit offenen Armen empfangen. Ich hatte seine Stimme überdeutlich gehört. Dafür würde ich büßen, da war ich mir sicher. Vor allem wenn ich den schützenden Nebel nicht zurückholen konnte. Ich fühlte mich zu wach, und das machte mir Angst.

Doch das stärkste Gefühl war immer noch die Erleichterung – und dieses Gefühl kam aus meinem tiefsten Innern.

So krampfhaft ich es auch vermied, an ihn zu denken, so wollte ich ihn doch nicht *vergessen*. Spätnachts, wenn der Schlafentzug meine Widerstandskräfte schwächte, machte ich mir manchmal Sorgen, dass mir alles entgleiten könnte. Dass mein Gedächtnis tatsächlich ein Sieb war und ich mich eines Tages nicht mehr an die Farbe seiner Augen erinnern konnte, an seine kühle Haut oder den Klang seiner Stimme. An all das durfte ich nicht *denken*, aber ich wollte mich daran *erinnern*.

Denn es gab nur eins, woran ich glauben musste, um weiterleben zu können – ich musste wissen, dass es ihn gab. Mehr nicht. Alles andere konnte ich ertragen. Solange es ihn nur gab.

Deshalb war ich mehr denn je in Forks gefangen, deshalb hatte ich mit Charlie gestritten, als er mir vorschlug wegzuziehen. Eigentlich dürfte es keine Rolle spielen, keiner von ihnen würde je hierher zurückkommen.

Aber wie sollte ich mir in Jacksonville oder an einem anderen sonnigen, fremden Ort sicher sein, dass es ihn wirklich gab? An einem Ort, wo ich ihn mir nicht vorstellen konnte, würde diese Überzeugung vielleicht schwinden … und das würde ich nicht überleben.

Die verbotene Erinnerung und die Angst, zu vergessen – es war ein schmaler Grat, auf dem ich mich bewegte.

Als Jessica vor unserem Haus hielt, war ich überrascht. Die Fahrt hatte nicht lang gedauert, aber ich hätte es Jessica trotzdem nie zugetraut, dass sie so lange den Mund halten konnte.

»Danke für den Abend, Jess«, sagte ich, als ich die Beifahrertür öffnete. »Es war … nett.« Ich hoffte, dass *nett* das passende Wort war.

»Klar«, murmelte sie.

»Die Sache nach dem Kino … das tut mir leid.«

»Egal, Bella.« Anstatt mich anzusehen, starrte sie zur Windschutzscheibe hinaus. Ich hatte den Eindruck, dass sie immer noch wütend auf mich war.

»Bis Montag dann.«

»Ja. Tschüss.«

Ich gab es auf und schlug die Tür zu. Sie fuhr ab, ohne sich auch nur einmal zu mir umzudrehen.

Als ich im Haus war, hatte ich sie schon vergessen.

Charlie stand im Flur und wartete auf mich, die Arme fest vor der Brust verschränkt, die Hände zu Fäusten geballt.

»Hi, Dad«, sagte ich gedankenverloren, während ich an ihm vorbei zur Treppe huschte. Ich hatte allzu lange an *ihn* gedacht, und ich wollte oben sein, bevor es mich wieder einholte.

»Wo warst du?«, fragte Charlie.

Ich schaute ihn überrascht an. »Ich war mit Jessica im Kino in Port Angeles. Hab ich dir doch heute Morgen erzählt.«

»Hmpf«, grummelte er.

»Ist doch in Ordnung, oder?«

Er schaute mich prüfend an, und seine Augen wurden größer, als hätte er in meinem Gesicht etwas Überraschendes entdeckt. »Ja, natürlich. Hattest du einen schönen Abend?«

»O ja«, sagte ich. »Wir haben uns menschenfressende Zombies angeguckt. Das war super.«

Seine Augen wurden schmal.

»Gute Nacht, Dad.«

Er ließ mich durch. Schnell lief ich hoch in mein Zimmer. Wenige Minuten später lag ich im Bett und überließ mich resigniert dem Schmerz, der sich schließlich meldete.

Es war ein lähmendes Gefühl, als hätte mir jemand ein riesiges Loch in die Brust geschlagen, die wichtigsten Organe herausgeschnitten und klaffende Wunden hinterlassen, die einfach nicht aufhören wollten zu pochen und zu bluten. Mein Verstand sagte mir, dass meine Lunge funktionierte, trotzdem rang ich nach Luft, und in meinem Kopf drehte es sich. Auch mein Herz schlug wohl, doch ich spürte keinen Puls, und meine Hände fühlten sich an, als wären sie blau gefroren. Ich rollte mich zusammen und schlang die Arme um die Brust, als könnte ich meinen Körper so zusammenhalten. Ich versuchte alles, damit die Taubheit zurückkehrte, aber es wollte nicht gelingen.

Und trotzdem konnte ich es überstehen. Ich war hellwach, ich spürte den schmerzhaften Verlust – er strahlte von der Brust aus, jagte mir in Wellen durch die Glieder und schoss mir in den Kopf –, aber es war auszuhalten. Ich konnte es überstehen. Der Schmerz hatte mit der Zeit nicht nachgelassen, aber ich schien jetzt genug Kraft zu haben, um ihn zu ertragen.

Was auch immer an diesem Abend passiert war – ob es an den Zombies lag, am Adrenalinstoß oder an den Halluzinationen –, es hatte mich wachgerüttelt.

Zum ersten Mal seit langem wusste ich nicht, was mich am nächsten Morgen erwartete.

GEBROCHENE VERSPRECHEN

»Bella, warum machst du nicht Schluss für heute?«, sagte Mike. Sein Blick war leicht abgewandt, er sah mich nicht richtig an. Ich fragte mich, wie lange das wohl schon so ging, ohne dass ich es bemerkt hatte.

Es war ein zäher Nachmittag bei Newton's. Im Augenblick waren nur zwei Kunden im Laden, ihrem Gespräch nach zu urteilen überzeugte Rucksacktouristen. Die letzte Stunde hatte Mike damit verbracht, ihnen zwei verschiedene Leichtrucksäcke mit allen Vor- und Nachteilen zu zeigen. Aber dann hatten sie angefangen, sich gegenseitig mit den neuesten Geschichten von ihren Touren zu übertrumpfen, und den Preisvergleich erst mal beiseitegelassen. Mike hatte die Gelegenheit genutzt, um sich aus dem Staub zu machen.

»Es macht mir nichts aus zu bleiben«, sagte ich. Ich hatte die schützende Taubheit immer noch nicht wiedergefunden, und alles kam mir heute seltsam nah und laut vor, als wäre ich monatelang mit Watte in den Ohren herumgelaufen. Erfolglos versuchte ich die lachenden Wanderer auszublenden.

»Ich kann dir sagen«, sagte einer der beiden, ein stämmiger Mann mit orangerotem Bart, der nicht zu seinem dunkelbraunen Haar passte. »Im Yellowstone hab ich mal Grizzlys ziemlich aus der Nähe gesehen, aber im Vergleich zu diesem Vieh waren die harmlos.« Seine Haare waren verfilzt, und seine Kleider sahen so aus, als hätte er sie ewig nicht mehr gewechselt. Er kam wohl direkt aus den Bergen.

»Das kann gar nicht sein. So groß werden Schwarzbären nicht. Die Grizzlys, die du gesehen hast, waren wahrscheinlich Jungtiere.« Der zweite Mann war groß und dürr, er war braun im Gesicht und hatte eine ledrige, windgegerbte Haut.

»Im Ernst, Bella, sobald die beiden sich verabschieden, mach ich den Laden zu«, sagte Mike leise.

»Wenn du willst, dass ich gehe …« Ich zuckte die Achseln.

»Auf allen vieren war der größer als du«, behauptete der Bärtige, während ich meine Arbeitsweste auszog. »Haushoch und pechschwarz. Den werde ich dem Ranger hier melden. Die Leute müssen gewarnt werden – das war ja nicht in den Bergen, nur ein paar Kilometer vom Anfang des Wanderwegs entfernt.«

Ledergesicht lachte und verdrehte die Augen. »Lass mich raten – du warst auf dem Rückweg, oder? Hattest seit einer Woche nichts Richtiges zwischen die Kiemen gekriegt und immer nur auf der Erde geschlafen, hab ich Recht?«

»Hey, äh, Mike heißt du doch, oder?« Der Bärtige schaute zu uns herüber.

»Bis Montag dann«, sagte ich.

»Ja?«, sagte Mike zu dem Mann und kehrte mir den Rücken zu.

»Sag mal, gab es hier in letzter Zeit irgendwelche Warnungen vor Schwarzbären?«

»Nein. Aber es ist immer ratsam, Abstand zu halten und den Proviant sicher zu verwahren. Haben Sie schon die neuen bärensicheren Behälter gesehen? Wiegen nur ein Kilo …«

Die Schiebetür ging auf und ich trat hinaus in den Regen. Ich zog die Schultern hoch und rannte zu meinem Transporter.

Auch der Regen, der an meine Kapuze trommelte, kam mir ungewöhnlich laut vor, aber schon bald übertönte der röhrende Motor alles andere.

Ich wollte nicht wieder nach Hause fahren, wo niemand war. Die letzte Nacht war besonders hart gewesen, und ich hatte keine Lust, an den Ort meines Leidens zurückzukehren. Selbst als der Schmerz so weit abgeklungen war, dass ich schlafen konnte, war es nicht vorbei gewesen. Es war, wie ich nach dem Film zu Jessica gesagt hatte, Albträume waren bei mir garantiert.

Ich hatte immer Albträume, jede Nacht. Genauer gesagt, war es nur ein einziger Traum, der immer wiederkehrte. Man könnte meinen, dass es nach so vielen Monaten langweilig werden müsste, dass ich inzwischen dagegen immun war. Aber der Traum schockierte mich jedes Mal aufs Neue, und er war erst vorbei, wenn ich schreiend aufwachte. Am Anfang war Charlie dann immer in mein Zimmer gekommen, um zu sehen, was los war, und sich zu vergewissern, dass ich nicht von einem Einbrecher erwürgt wurde oder so, aber jetzt kam er nicht mehr. Er hatte sich daran gewöhnt.

Der Albtraum würde anderen Leuten wahrscheinlich gar keine Angst machen. Da war nichts, was aus der Finsternis hervorgesprungen kam und »buh!« machte. In dem Traum gab es keine Zombies, keine Gespenster, keine Psychopathen. Eigentlich war da nichts. Nur das Nichts. Nur die endlosen Reihen moosbedeckter Bäume, so still, dass es mir unangenehm auf die Ohren drückte. Es war dunkel wie das Morgengrauen an einem bewölkten Tag, gerade hell genug, um zu sehen, dass es nichts zu sehen gab. Ich hetzte durch die Dunkelheit, in der es keinen Weg gab, und die ganze Zeit suchte ich und suchte und suchte, ich wurde immer panischer, je länger es dauerte, versuchte schneller zu laufen, obwohl ich mich dadurch immer ungeschickter bewegte … Und dann kam der Punkt in meinem Traum – inzwischen spürte ich ihn näher kommen, doch nie schaffte ich es, vorher aufzuwachen –, an dem ich nicht mehr wusste, wonach ich suchte. An dem ich einsehen musste, dass es nichts gab, was ich suchen, und nichts, was ich finden konnte. Dass da immer nur dieser leere, trostlose Wald gewesen war und dass es niemals mehr für mich geben würde … nichts als das Nichts …

An dieser Stelle fing ich normalerweise an zu schreien.

Ich achtete nicht darauf, wohin ich fuhr, denn ich hatte kein Ziel. Ich wählte verlassene nasse Seitenstraßen und vermied die Wege, die nach Hause führten.

Ich wünschte mir das Gefühl der Taubheit zurück, aber ich wusste nicht mehr, wie das ging. Der Albtraum bohrte in meinem Hirn und zwang mich dazu, über Dinge nachzudenken, die mir wehtaten. Ich wollte mich nicht an den Wald erinnern. Selbst als ich die Bilder schaudernd wegwischte, spürte ich, wie meine Augen sich mit Tränen füllten und wie das Loch in meiner Brust wieder anfing zu brennen. Ich nahm eine Hand vom Steuer und schlang den Arm um meinen Oberkörper, damit er nicht in Stücke zerfiel.

Es wird so sein, als hätte es mich nie gegeben. Die Worte hallten in meinem Kopf wider, doch ohne die vollkommene Klarheit der Halluzination von gestern Nacht. Es waren nur Worte, wie auf Papier gedruckt. Nur Worte, doch sie rissen das Loch weit auf, und ich trat auf die Bremse, denn ich wusste, dass ich in diesem Zustand nicht fahren konnte.

Ich krümmte mich, presste das Gesicht ans Steuer und versuchte ohne Lunge zu atmen.

Ich fragte mich, wie lange das noch so gehen konnte. Vielleicht könnte ich eines Tages, in vielen Jahren – wenn der

Schmerz auf ein erträgliches Maß zurückgegangen wäre – auf jene wenigen kurzen Monate zurückblicken, die immer die schönsten meines Lebens sein würden. Und falls der Schmerz tatsächlich einmal so weit abklingen würde, dass das möglich wäre, würde ich vielleicht dankbar dafür sein, dass *er* mir so viel Zeit geschenkt hatte. Mehr, als ich verlangt hatte, mehr, als ich verdiente. Vielleicht konnte ich es eines Tages so sehen.

Aber wenn der Schmerz nun nie nachließ? Wenn das Loch nie verheilte? Wenn die Wunde dauerhaft war und sich nicht reparieren ließ?

Ich schlang mir die Arme fest um den Körper. *Als hätte es mich nie gegeben*, dachte ich verzweifelt. Was für ein dummes und unmögliches Versprechen! Er konnte mir meine Fotos stehlen und seine Geschenke zurückholen, aber damit war noch lange nicht alles wie damals, bevor wir uns kennenlernten. Die sichtbaren Beweise waren das Unwichtigste von allem. *Ich* war eine andere geworden, mein Innerstes war kaum wiederzuerkennen. Selbst äußerlich hatte ich mich verändert – mein Gesicht war fahl, weiß bis auf die bläulichen Ränder, die mir die Albträume unter die Augen gemalt hatten. Meine Augen waren in dem bleichen Gesicht so dunkel, dass ich – wäre ich schön gewesen und hätte man mich von weitem gesehen – als Vampir hätte durchgehen können. Aber ich war nicht schön, und vermutlich hatte ich eher Ähnlichkeit mit einem Zombie.

Als hätte es ihn nie gegeben? Das war absurd. Es war ein Versprechen, das er auf keinen Fall halten konnte, ein Versprechen, das er schon in dem Moment gebrochen hatte, als er es gab.

Um mich von dem stechenden Schmerz abzulenken, schlug ich mit dem Kopf gegen das Lenkrad.

Jetzt kam es mir idiotisch vor, dass ich mir je Sorgen darüber gemacht hatte, *mein* Versprechen nicht halten zu können. Warum sollte man sich an eine Abmachung halten, die der andere bereits gebrochen hatte? Wen kümmerte es, ob ich waghalsig und dumm war? Es gab keinen Grund, waghalsige Aktionen zu vermeiden, keinen Grund, keine Dummheiten zu machen.

Ich lachte grimmig, während ich immer noch um Atem rang. Waghalsig in Forks – ein wirklich aussichtsloses Unterfangen.

Der schwarze Humor lenkte mich ab, und die Ablenkung half gegen den Schmerz. Ich konnte wieder leichter atmen und schaffte es, mich zurückzulehnen. Obwohl es ein kalter Tag war, stand mir der Schweiß auf der Stirn.

Ich versuchte mich auf das aussichtslose Unterfangen zu konzentrieren, damit die quälenden Erinnerungen nicht zurückkamen. Es gehörte schon ziemlich viel Phantasie dazu, in Forks waghalsig zu sein – vielleicht mehr, als ich hatte. Aber vielleicht fand ich ja eine Möglichkeit … Vielleicht würde es mir bessergehen, wenn ich nicht mehr als Einzige an einem Pakt festhielt, der schon gebrochen worden war. Wenn auch ich das Versprechen brach. Aber wie könnte ich das hier, in dieser harmlosen Kleinstadt, tun? Natürlich hatte es eine Zeit gegeben, da war Forks nicht so harmlos gewesen. Aber jetzt war die Stadt tatsächlich so, wie sie immer schon gewirkt hatte. Öde und ungefährlich.

Lange starrte ich zur Windschutzscheibe hinaus, mein Gehirn arbeitete träge – ich konnte meine Gedanken nicht ordnen. Ich schaltete den Motor aus, der nach so langem Leerlauf fürchterlich stöhnte, und ging hinaus in den Nieselregen.

Der kalte Regen rann mir durchs Haar und lief mir an den Wangen herunter wie Süßwassertränen. Das half den Kopf frei zu bekommen. Ich blinzelte das Wasser aus den Augen und starrte auf die Straße.

Es dauerte eine Weile, bis ich erkannte, wo ich war. Ich stand auf dem Seitenstreifen der Russell Avenue, direkt vor dem Haus der Cheneys – mein Transporter versperrte ihre Einfahrt. Gegenüber wohnten die Marks. Mir war klar, dass ich den Wagen wieder starten und nach Hause fahren musste. Es war keine gute Idee gewesen, so ziellos herumzufahren – ich war unzurechnungsfähig, eine Gefahr für alle, die unterwegs waren. Außerdem würde mich bald jemand bemerken und Charlie Bescheid geben.

Ich holte tief Luft und wollte schon weiterfahren, als mein Blick auf ein Schild im Garten der Marks fiel. Es war nur ein großes Stück Pappe, das an ihrem Briefkasten lehnte; mit großen schwarzen Buchstaben war etwas daraufgekritzelt.

Manchmal passieren solche schicksalhaften Dinge.

War es Zufall? Oder sollte es so sein? Ich wusste es nicht, aber es kam mir albern vor, es für schicksalhaft zu halten, dass die klapprigen Motorräder, die im Vorgarten der Marks neben dem Schild ZU VERKAUFEN – WIE BESEHEN vor sich hin rosteten, genau da standen, wo ich sie brauchte.

Also war es vielleicht kein Schicksal. Aber vielleicht gab es ja doch eine Menge Möglichkeiten, waghalsig zu sein, und erst jetzt hatte ich einen Blick dafür.

Waghalsig und dumm. Das waren die beiden Wörter, die Charlie gern im Zusammenhang mit Motorrädern gebrauchte.

Im Vergleich zu Polizisten in größeren Städten hatte Charlie nicht besonders viel zu tun, aber zu Verkehrsunfällen wurde er häufig gerufen. Die langen, nassen Landstraßen, die sich durch den Wald schlängelten, sorgten mit ihren unübersichtlichen Kurven dafür, dass an Unfällen kein Mangel herrschte. Doch obwohl so viele riesige Holztransporter um die Kurven donnerten, kamen die meisten Leute mit dem Leben davon. Die Ausnahmen von der Regel waren meist Motorradfahrer, und Charlie hatte schon zu viele Opfer zermatscht auf der Straße gesehen, fast immer junge Leute. Ich war noch nicht mal zehn, da musste ich ihm schon versprechen, mich nie auf ein Motorrad zu setzen. Das Versprechen war mir nicht schwergefallen. Wer wollte *hier* schon Motorrad fahren? Das wäre wie eine Dusche bei hundert Stundenkilometern.

So viele Versprechen, die ich gehalten hatte …

In diesem Moment schien es mir so klar und einfach. Ich wollte dumm und waghalsig sein und ich wollte Versprechen brechen. Warum nur eins?

So weit war ich mit meinen Überlegungen gekommen, als ich durch den Regen zur Haustür der Marks watete und klingelte.

Einer der Söhne machte mir auf, er war gerade erst auf unsere Schule gekommen. Mir fiel nicht ein, wie er hieß. Er ging mir nur knapp bis zur Schulter.

Er hatte keine Schwierigkeiten, sich an meinen Namen zu erinnern. »Bella Swan?«, sagte er überrascht.

»Wie viel willst du für das Motorrad haben?«, fragte ich atemlos und zeigte mit dem Daumen über die Schulter zu dem Pappschild.

»Ist das dein Ernst?«, fragte er.

»Na klar.«

»Die tun's aber nicht.«

Ich seufzte ungeduldig – das hatte ich mir schon gedacht, nachdem ich das Schild gelesen hatte. »Wie viel?«

»Wenn du echt eins haben willst, nimm's dir einfach. Meine Mutter hat meinem Vater gesagt, er soll sie an die Straße stellen, damit sie von der Müllabfuhr abgeholt werden.«

Ich schaute wieder zu den Motorrädern und sah, dass sie an einem Haufen abgeschnittener Äste und Zweige lehnten. »Echt?«

»Klar, willst du sie fragen?«

Ich wollte lieber keine Erwachsenen in die Sache hineinziehen, die Charlie davon erzählen könnten.

»Nein, ich glaub dir auch so.«

»Soll ich dir helfen? Die Dinger sind nicht leicht.«

»Ja, das wär nett. Ich brauch aber nur eins.«

»Nimm doch beide«, sagte der Junge. »Vielleicht kannst du das eine noch ausschlachten.«

Er ging mit mir in den prasselnden Regen und half mir, die schweren Motorräder in den Transporter zu heben. Er schien sie dringend loswerden zu wollen, also widersprach ich nicht.

»Was hast du denn damit vor?«, fragte er. »Die laufen schon seit Jahren nicht mehr.«

»So was hab ich mir schon gedacht.« Ich zuckte die Achseln. Meiner Augenblickslaune war kein konkreter Plan gefolgt. »Vielleicht bring ich sie zu Dowling.«

Er schnaubte verächtlich. »Dowling knöpft dir für die Reparatur doch mehr ab, als sie überhaupt wert sind.«

Da konnte ich nicht widersprechen. John Dowling war bekannt für seine hohen Preise; zu ihm ging man nur im Notfall. Die meisten Leute fuhren lieber nach Port Angeles, wenn ihr Auto noch so weit kam. In dieser Hinsicht hatte ich großes Glück – als Charlie mir den uralten Transporter geschenkt hatte, hatte ich mir Sorgen gemacht, dass ich mir die Reparaturkosten nicht leisten könnte. Aber ich hatte noch nie ein Problem mit dem Wagen gehabt, abgesehen von dem brüllend lauten Motor und der Tatsache, dass er nicht mehr als 90 fuhr. Jacob Black hatte ihn super in Schuss gehalten, als er noch seinem Vater Billy gehörte …

Die Eingebung traf mich wie ein Blitz – ein passendes Bild bei dem Unwetter. »Ach, das geht schon klar. Ich kenn da einen, der schraubt immer an Autos rum.«

»Dann ist ja gut.« Er lächelte erleichtert.

Als ich davonfuhr, winkte er und lächelte immer noch. Netter Junge.

Jetzt fuhr ich schnell und ohne Umwege, denn ich wollte unbedingt vor Charlie zu Hause sein, selbst für den sehr unwahrscheinlichen Fall, dass er früher Feierabend machte. Mit dem Schlüssel noch in der Hand flitzte ich ins Haus und zum Telefon.

»Chief Swan, bitte«, sagte ich, als der Hilfssheriff ans Telefon ging. »Hier ist Bella.«

»Oh, hallo, Bella«, sagte Hilfssheriff Steve freundlich. »Warte, ich hole ihn.«

Ich wartete.

»Was ist passiert, Bella?«, fragte Charlie sofort, als er ans Telefon kam.

»Kann ich dich nicht im Büro anrufen, ohne dass es einen Notfall gibt?«

Er schwieg einen Moment. »Das hast du noch nie gemacht. Gibt es denn einen Notfall?«

»Nein. Ich wollte dich nur fragen, wie man zu den Blacks kommt. Ich bin mir nicht sicher, ob ich den Weg noch weiß. Ich wollte Jacob besuchen, den hab ich seit Monaten nicht gesehen.«

Jetzt klang Charlie schon viel fröhlicher. »Das ist eine tolle Idee, Bella. Hast du was zu schreiben?«

Die Wegbeschreibung war ganz einfach. Ich versprach, zum Abendessen zurück zu sein, obwohl er sagte, ich sollte mir Zeit lassen. Er hatte vorgeschlagen, später in La Push dazuzustoßen, aber das wollte ich auf keinen Fall.

Ich hatte also nicht allzu viel Zeit und fuhr zu schnell durch Sturm und Dunkelheit aus der Stadt. Ich hoffte, Jacob allein anzutreffen. Wenn Billy erfuhr, was ich vorhatte, würde er es bestimmt meinem Vater erzählen.

Während der Fahrt fragte ich mich, wie Billy wohl auf meinen Besuch reagieren würde. Er würde sich zu sehr freuen. Zweifellos war die Sache für Billy besser gelaufen, als er zu hoffen gewagt hatte. Seine Freude und seine Erleichterung würden mich nur an den erinnern, an den ich mich nicht erinnern durfte. *Heute nicht noch einmal*, flehte ich stumm. Ich konnte nicht mehr.

Ich erinnerte mich dunkel an das Haus der Blacks, ein Holzhäuschen mit kleinen Fenstern, das mit dem mattroten Anstrich eher wie ein kleiner Stall aussah. Ich war noch nicht ausgestiegen, da sah ich schon Jacobs Gesicht am Fenster. Natürlich hatte das vertraute Röhren des Motors meine Ankunft verraten. Jacob war damals sehr dankbar gewesen, als Charlie Billy den Transporter abgekauft hatte, denn so musste Jacob ihn nicht selbst fahren, wenn er alt genug war. Ich fand meinen Transporter super, aber in Jacobs Augen war die Geschwindigkeitsbegrenzung wohl ein arges Manko.

Er kam mir auf halbem Weg zum Haus entgegen.

»Bella!« Er lächelte breit, und seine strahlenden Zähne bildeten einen starken Kontrast zu seiner dunklen, rostbraunen Gesichtsfarbe. Ich hatte ihn noch nie ohne Pferdeschwanz gesehen. Jetzt fiel das Haar zu beiden Seiten seines breiten Gesichts herab, wie schwarze Seidenvorhänge.

Jacob hatte sich in den letzten acht Monaten ganz schön gemacht. Die Phase, in der sich die weichen Muskeln eines Kindes zur festen, schlaksigen Statur eines Teenagers formen, lag hinter ihm; unter der rostbraunen Haut seiner Arme und Hände traten die Sehnen und Adern hervor. Sein Gesicht war immer noch so hübsch, wie ich es in Erinnerung hatte, doch die Züge waren härter geworden – die Wangenknochen traten stärker hervor, das Kinn war kantiger geworden, das Runde, Kindliche war aus seinem Gesicht verschwunden.

»Hallo, Jacob!« Als ich ihn lächeln sah, empfand ich ein Hochgefühl wie schon lange nicht mehr. Ich merkte, dass es mich freute, ihn zu sehen, und das überraschte mich.

Ich lächelte zurück, und etwas fügte sich zusammen wie zwei Teile eines Puzzles. Ich hatte vergessen, wie gern ich Jacob Black hatte.

Er blieb ein Stück entfernt stehen und ich starrte verwundert zu ihm hoch. Obwohl der Regen mir ins Gesicht klatschte, legte ich den Kopf in den Nacken.

»Du bist ja noch größer geworden!«, sagte ich vorwurfsvoll.

Er lachte, und sein Lächeln wurde noch breiter. »Eins fünfundneunzig«, verkündete er selbstzufrieden. Seine Stimme war tiefer geworden, aber sie hatte noch immer den leicht heiseren Klang, an den ich mich erinnerte.

»Wann bist du denn mal ausgewachsen?« Ich schüttelte ungläubig den Kopf. »Du bist ja ein Riese.«

»Aber immer noch ein Spargeltarzan.« Er verzog das Gesicht. »Komm rein! Du wirst ja ganz nass.«

Er ging voraus, nahm die Haare hinten mit seinen großen Händen zusammen und drehte sie. Dann holte er ein Gummiband aus der hinteren Hosentasche und wickelte es darum.

»Dad«, rief er und duckte sich, als er durch die Haustür ging. »Guck mal, wer hier ist.«

Billy saß in dem winzigen quadratischen Wohnzimmer. Er legte das Buch, das er in der Hand hatte, in den Schoß und kam mit seinem Rollstuhl näher, als er mich sah.

»Na, so was! Wie schön, dich zu sehen, Bella.«

Wir schüttelten uns die Hände. Meine Hand verschwand in seiner riesigen Pranke.

»Was führt dich hierher? Ist mit Charlie alles in Ordnung?«

»O ja. Ich wollte nur Jacob besuchen – wir haben uns ewig nicht gesehen.«

Jacobs Augen leuchteten. Sein Lächeln war jetzt so breit, dass ich dachte, die Wangen müssten ihm wehtun.

»Bleibst du zum Abendessen?« Auch Billy war ganz aus dem Häuschen.

»Nein, ich muss ja noch für Charlie kochen.«

»Ich rufe ihn gleich an«, schlug Billy vor. »Er ist immer willkommen.«

Ich lachte, um mein Unbehagen zu verbergen. »Ihr braucht keine Angst zu haben, dass ich gleich wieder verschwinde. Ich verspreche, dass ich bald wiederkomme – so oft, dass ihr mich bald leid sein werdet.« Falls Jacob das Motorrad reparieren konnte, musste er mir schließlich noch das Fahren beibringen.

Billy lachte in sich hinein. »Na gut, dann vielleicht nächstes Mal.«

»Also, Bella, wozu hast du Lust?«, fragte Jacob.

»Mir ist alles recht. Was hast du gemacht, bevor ich kam?« Ich fühlte mich merkwürdig wohl hier. Es war vertraut, aber nicht zu sehr. Keine schmerzlichen Erinnerungen warteten hier auf mich.

Jacob zögerte. »Ich wollte gerade an meinem Auto basteln, aber wir können auch was anderes machen.«

»Nein, das ist super!«, sagte ich. »Dein Auto will ich unbedingt sehen.«

»Na gut«, sagte er, wenn auch nicht ganz überzeugt. »Es steht hinterm Haus in der Werkstatt.«

Umso besser, dachte ich und winkte Billy zu. »Bis nachher.«

Die Werkstatt wurde von Bäumen und Gestrüpp verborgen. Sie bestand nur aus zusammengeschraubten Wellblechwänden und einem Dach. Darin stand aufgebockt etwas, das für mich aussah wie ein vollständiges Auto. Und ich erkannte sogar das Zeichen am Kühlergrill.

»Was ist das für ein VW?«, fragte ich.

»Ein alter Golf – von 1986, ein Klassiker.«

»Wie weit bist du?«

»Fast fertig«, sagte er fröhlich. Und dann fügte er leiser hinzu: »Mein Vater hat sein Versprechen vom letzten Frühjahr gehalten.«

»Oh«, sagte ich.

Er merkte sofort, dass ich über dieses Thema nicht sprechen wollte. Ich versuchte, nicht an den Schulball im letzten Mai zu denken. Jacob war von seinem Vater mit Geld und Autoteilen bestochen worden, mir eine Nachricht zu überbringen. Billy wollte, dass ich mich von dem wichtigsten Menschen in meinem Leben fernhielt. Am Ende hatte sich herausgestellt, dass seine Sorge unbegründet war. Jetzt war ich außer Gefahr, und wie.

Aber wir würden mal sehen, ob sich das nicht ändern ließ.

»Jacob, kennst du dich mit Motorrädern aus?«, fragte ich.

Er zuckte die Achseln. »Ein bisschen. Mein Freund Embry hat eine Crossmaschine. Manchmal basteln wir zusammen daran herum. Wieso?«

»Na ja ...« Ich kaute auf der Lippe herum, während ich überlegte. Ich war mir nicht sicher, ob er dichthalten würde, aber ich hatte keine große Alternative. »Ich hab neulich zwei Motorräder übernommen, und die sind nicht gerade in bestem Zustand. Meinst du, du könntest die zum Laufen kriegen?«

»Cool.« Er schien sich über die Herausforderung wirklich zu freuen. »Ich werd's versuchen.«

Ich hob warnend den Zeigefinger. »Das Problem ist«, erklärte ich, »dass Charlie nicht besonders viel von Motorrädern hält. Er würde einen Anfall kriegen, wenn er von der Sache wüsste. Du darfst Billy also nichts erzählen.«

»Na klar.« Jacob lächelte. »Ich versteh schon.«

»Ich bezahl dich auch«, sagte ich.

Jetzt war er beleidigt. »Nein. Ich helfe dir gern. Ich nehme kein Geld.«

»Hm … wie wär's dann mit einem Tauschgeschäft?« Die Idee kam mir gerade erst, aber sie gefiel mir. »Ich brauche ja nur ein Motorrad – aber ich brauche noch Fahrstunden. Was hältst du also davon: Du kriegst das andere Motorrad und dafür gibst du mir Stunden.«

»Cooool«, sagte er.

»Wart mal – darfst du überhaupt schon fahren? Wann hast du Geburtstag?«

»Den hast du verpasst«, sagte er neckend und tat beleidigt. »Ich bin längst sechzehn.«

»Nicht, dass dein Alter dich vorher von irgendwas abgehalten hätte«, murmelte ich. »Tut mir leid mit deinem Geburtstag.«

»Kein Problem. Ich hab deinen auch vergessen. Wie alt bist du geworden, vierzig?«

Ich schniefte. »Fast.«

»Wir können als Wiedergutmachung zusammen eine Party feiern.«

»Das hört sich ja nach einem Date an.«

Bei dem Wort leuchteten seine Augen.

Ich musste meine Begeisterung zügeln, ehe er auf falsche Gedanken kam. Es war einfach so lange her, dass ich mich so leicht und lebendig gefühlt hatte. Das Gefühl war so selten geworden, dass ich kaum damit umgehen konnte.

»Vielleicht, wenn die Motorräder fertig sind – die sind dann unser Geschenk«, fügte ich hinzu.

»Abgemacht. Wann bringst du sie vorbei?«

Ich biss mir verlegen auf die Lippe. »Ich hab sie im Transporter«, gestand ich.

»Super.« Er schien es ernst zu meinen.

»Sieht Billy uns nicht, wenn wir sie rausholen?«

Er zwinkerte mir zu. »Nicht, wenn wir es geschickt anstellen.«

Wir schlichen ums Haus herum, hielten uns in Sichtweite der Fenster in den Bäumen versteckt und taten ganz lässig, denn man konnte ja nie wissen. Dann hob Jacob die Motorräder schnell von der Ladefläche des Transporters und schob sie eins nach dem anderen zu mir ins Gebüsch. Bei ihm sah es so leicht aus – ich dachte daran, wie schwer die Motorräder waren.

»Gar nicht so übel, die Dinger«, sagte Jacob anerkennend, als wir sie durch die Bäume zur Werkstatt schoben. »Die hier wird sogar einiges wert sein, wenn sie fertig ist – das ist eine alte Harley Sprint.«

»Dann gehört sie dir.«

»Im Ernst?«

»Na klar.«

»Da muss man aber noch einiges reinstecken«, sagte er und schaute stirnrunzelnd auf das schwarz angelaufene Metall. »Wir müssen erst mal Geld für die Teile zusammenkratzen.«

»Nichts da *wir*«, widersprach ich. »Wenn du die Arbeit machst, bezahle ich die Teile.«

»Ich weiß nicht …«, murmelte er.

»Ich hab ein bisschen Geld gespart. Fürs College, weißt du.«

College, was soll's, dachte ich. Ich hatte sowieso noch nicht genug zusammen, um auf ein besonders gutes College zu gehen – und außerdem wollte ich gar nicht weg aus Forks. Was machte es da schon, wenn ich ein bisschen was von dem Geld nahm?

Jacob nickte nur. Für ihn war das alles ganz einleuchtend.

Als wir zurück zur Werkstatt schlichen, dachte ich, was für ein Glück ich hatte. Nur ein Sechzehnjähriger konnte mit so was einverstanden sein: die Eltern zu hintergehen, indem man Mordsmaschinen reparierte und dafür Geld ausgab, das für die Ausbildung bestimmt war. Für ihn war das ganz in Ordnung. Jacob war ein Geschenk des Himmels.

Neue und alte Freunde

Als die Motorräder erst einmal in Jacobs Werkstatt standen, brauchten wir sie nicht weiter zu verstecken. Mit dem Rollstuhl würde Billy nicht über den holprigen Boden vom Haus zur Werkstatt kommen.

Jacob machte sich sofort daran, das Motorrad, das für mich bestimmt war, zu zerlegen. Er öffnete die Beifahrertür des Golfs, damit ich mich dorthinein setzen konnte statt auf den Boden. Während er vor sich hin arbeitete, erzählte Jacob dies und das; ich musste ihn immer nur leicht anstupsen, damit er weitersprach. Er erzählte, wie es in der Schule lief und von seinen beiden besten Freunden.

»Quil und Embry?«, unterbrach ich ihn. »Das sind aber ungewöhnliche Namen.«

Jacob kicherte. »Quil hat seinen Namen von irgendeinem Vorfahren geerbt, und Embry ist, soweit ich weiß, nach dem Star einer Soap benannt. Aber das Thema ist tabu. Wenn man sich über ihre Namen lustig macht, können sie ziemlich unangenehm werden – dann machen sie einen alle.«

»Tolle Freunde.« Ich zog eine Augenbraue hoch.

»Doch, sind sie wirklich. Man darf sie nur nicht mit ihren Namen ärgern.«

In dem Moment hörten wir jemanden »Jacob?« rufen. »Jacob?«

»Ist das Billy?«, fragte ich.

»Nein.« Jacob senkte den Kopf, und es sah so aus, als ob er unter der dunklen Haut errötete. »Wenn man vom Teufel spricht«, murmelte er.

»Jake? Bist du hier?« Die Stimme kam näher.

»Ja!«, rief Jacob zurück und seufzte.

Nach einer Weile kamen zwei große dunkelhäutige Jungs um die Ecke.

Der eine war schlank und fast so groß wie Jacob. Er hatte schwarze, kinnlange Haare, die in der Mitte gescheitelt waren. Auf der linken Seite hatte er die Haare hinters Ohr gesteckt, während sie rechts offen fielen. Der kleinere Junge war stämmiger. Sein weißes T-Shirt spannte über der kräftigen Brust, und er schien sich dessen durchaus bewusst zu sein. Seine Haare waren sehr kurz, fast ein Igelschnitt.

Als die beiden mich sahen, blieben sie abrupt stehen. Der Dünne schaute schnell von Jacob zu mir und wieder zurück, während der Kräftige mich fixierte und das Gesicht langsam zu einem Lächeln verzog.

»Hi, Jungs«, sagte Jacob halbherzig.

»Hi, Jake«, sagte der Kleinere, ohne mich aus den Augen zu lassen. Er hatte ein so spitzbübisches Grinsen, dass ich nicht anders konnte, als zurückzulächeln. Er zwinkerte mir zu. »Hallo zusammen.«

»Quil, Embry – das ist Bella, eine Freundin.«

Quil und Embry, von denen ich immer noch nicht wusste, wer wer war, wechselten einen bedeutungsvollen Blick.

»Charlies Tochter, oder?«, fragte mich der stämmige Junge und reichte mir die Hand.

»Genau«, sagte ich und gab ihm die Hand. Er hatte einen festen Händedruck, es sah aus, als würde er seinen Bizeps anspannen.

»Ich bin Quil Atcara«, verkündete er hochtrabend, dann ließ er meine Hand los.

»Freut mich, dich kennenzulernen, Quil.«

»Hi, Bella. Ich bin Embry, Embry Call – aber das hast du dir wahrscheinlich schon gedacht.« Embry lächelte schüchtern und hob eine Hand, dann schob er sie in die Tasche seiner Jeans.

Ich nickte. »Freut mich.«

»Und was macht ihr zwei so?«, fragte Quil, der mich immer noch anschaute.

»Bella und ich machen die Motorräder hier wieder flott«, sagte Jacob, was nicht ganz der Wahrheit entsprach. Aber *Motorräder* war offenbar ein Zauberwort. Quil und Embry waren sofort Feuer und Flamme und löcherten Jacob mit Fragen. Die meisten Begriffe, mit denen sie um sich warfen, sagten mir überhaupt nichts, und ich dachte mir, dass ich wohl ein Y-Chromosom bräuchte, um die ganze Aufregung zu verstehen.

Sie waren immer noch ganz in ihr Gespräch über die nötigen Einzelteile vertieft, als ich beschloss, nach Hause zu fahren, bevor Charlie hier aufkreuzte. Seufzend erhob ich mich aus dem Golf.

Jacob sah mich entschuldigend an. »Wir langweilen dich wohl, was?«

»Nein.« Und das war nicht mal gelogen. Es machte mir wirklich Spaß – was mich erstaunte. »Aber ich muss jetzt mal Abendessen für Charlie machen.«

»Ach so … na, ich nehm die Dinger heute Abend noch auseinander, und dann seh ich, was wir alles brauchen, um sie wieder flottzumachen. Wann sollen wir weitermachen?«

»Vielleicht morgen?« Die Sonntage waren der Fluch meines Lebens. Es gab nie genug Hausaufgaben, um die Zeit herumzukriegen.

Quil stieß Embry in die Seite und sie grinsten sich an.

Jacob lächelte erfreut. »Ja, super!«

»Mach doch eine Liste, dann können wir die Teile gleich besorgen.«

Jacobs Miene verfinsterte sich ein wenig. »Ich finde es immer noch nicht ganz in Ordnung, dass du das alles bezahlen willst.«

Ich schüttelte den Kopf. »Keine Diskussion. Diese Party schmeiße ich. Du stellst nur Arbeit und Fachwissen zur Verfügung.«

Embry sah Quil an und verdrehte die Augen.

»Ich weiß nicht.« Jacob schüttelte den Kopf.

»Jake, wenn ich die Dinger zu einem Mechaniker bringen würde, was würde der dafür nehmen?«, sagte ich.

Er lächelte. »Okay, abgemacht.«

»Von den Fahrstunden ganz zu schweigen«, fügte ich hinzu.

Quil grinste Embry breit an und flüsterte ihm etwas zu, was ich nicht verstand. Jacob langte nach Quils Hinterkopf. »Das reicht jetzt, raus mit euch«, grummelte er.

»Nein, ich muss sowieso los«, protestierte ich und ging hinaus. »Bis morgen, Jacob.«

Kaum war ich außer Sicht, riefen Quil und Embry im Chor »Yeah!«.

Dann war eine kurze Balgerei zu hören und dazwischen hier und da ein »Aua« und »Hey!«.

»Wenn einer von euch es wagt, morgen auch nur einen Fuß auf dieses Grundstück zu setzen ...«, hörte ich Jacob noch drohend sagen, dann verebbte seine Stimme, während ich durch die Bäume davonging.

Ich kicherte leise. Bei dem Geräusch riss ich überrascht die Augen auf. Ich lachte, ich lachte tatsächlich, dabei sah noch nicht mal jemand zu. Ich fühlte mich so schwerelos, dass ich noch einmal lachte, um das Gefühl noch ein wenig festzuhalten.

Ich war vor Charlie zu Hause. Als er ins Haus kam, nahm ich gerade das Brathähnchen aus der Pfanne.

»Hallo, Dad.« Ich grinste ihn an.

Ein erschrockener Ausdruck huschte über sein Gesicht, dann hatte er sich wieder unter Kontrolle. »Hallo, Schatz«, sagte er mit unsicherer Stimme. »War es nett bei Jacob?«

Ich trug das Essen auf den Tisch. »Ja.«

»Schön.« Er war immer noch auf der Hut. »Was habt ihr unternommen?«

Jetzt war es an mir, auf der Hut zu sein. »Ich war bei ihm in der Werkstatt und hab ihm bei der Arbeit zugesehen. Wusstest du, dass er einen alten VW zusammenbaut?«

»Ja, ich glaub, das hat Billy mal erwähnt.«

Das Verhör musste unterbrochen werden, als Charlie anfing zu essen, doch er schaute mich immer noch prüfend an.

Nach dem Abendessen machte ich dies und das, putzte zweimal die Küche und machte dann langsam meine Hausaufgaben im Wohnzimmer, während Charlie sich ein Eishockeyspiel anschaute. Ich zögerte das Zubettgehen so lange hinaus wie möglich, aber schließlich sagte Charlie, es sei schon spät. Als ich nicht reagierte, stand er auf, reckte sich und ging. Er löschte das Licht hinter sich. Widerstrebend folgte ich ihm.

Als ich die Treppe hochging, spürte ich, wie die Reste des ungewöhnlichen Hochgefühls vom Nachmittag verflogen und einer dumpfen Angst vor dem Platz machten, was mir jetzt bevorstand.

Ich war nicht mehr wie betäubt. Die heutige Nacht würde zweifellos genauso entsetzlich werden wie die letzte. Ich lag im Bett, rollte mich zusammen und bereitete mich auf den Angriff vor. Ich kniff die Augen zu und … das Nächste, was ich sah, war das silbrig blasse Licht, das zum Fenster hereinkam. Fassungslos starrte ich dorthin.

Zum ersten Mal seit über vier Monaten hatte ich traumlos geschlafen. Traumlos und ohne zu schreien. Ich konnte nicht sagen, was stärker war, die Erleichterung oder der Schreck.

Ein paar Minuten lang lag ich reglos im Bett und wartete darauf, dass es zurückkam. Denn irgendetwas musste kommen – wenn nicht der Schmerz, dann die Taubheit. Ich wartete, aber nichts geschah. Ich fühlte mich so ausgeruht wie lange nicht.

Ich konnte mich nicht darauf verlassen, dass es so blieb. Dies war ein rutschiger, gefährlicher Grat, auf dem ich mich bewegte, und es brauchte nicht viel, um mich wieder in die Tiefe zu reißen. Es war schon heikel, mich mit diesem plötzlich so klaren Blick in meinem Zimmer umzuschauen und zu sehen, wie merkwürdig es aussah, zu ordentlich, als würde ich gar nicht darin leben.

Ich schob den Gedanken beiseite, und während ich mich anzog, dachte ich nur daran, dass ich heute Jacob wiedersehen würde. Diese Aussicht machte mich fast … hoffnungsfroh. Vielleicht würde es ja genauso werden wie gestern. Vielleicht musste ich mich nicht darauf konzentrieren, interessiert zu gucken und in angemessenen Abständen zu nicken und zu lächeln, wie bei anderen Leuten immer. Vielleicht … aber auch darauf wollte ich mich nicht verlassen. Darauf, dass es genauso sein würde wie gestern – so einfach. Ich wollte mir eine Enttäuschung lieber ersparen.

Auch beim Frühstück war Charlie noch auf der Hut. Er versuchte mich unauffällig zu beobachten, wenn er dachte, ich bemerke es nicht.

»Was hast du heute vor?«, fragte er und schaute auf einen losen Faden an seinem Hemdsärmel, als sei meine Antwort nicht so wichtig.

»Ich fahr wieder zu Jacob.«

Er nickte, ohne aufzublicken. »Ach so«, sagte er.

»Oder hast du was dagegen?« Ich tat so, als machte ich mir Sorgen. »Ich kann auch hier …«

Schnell schaute er auf, leichte Panik im Blick. »Nein, nein! Mach nur. Ich wollte mir sowieso das Spiel anschauen, Harry kommt vorbei.«

»Vielleicht kann Harry ja Billy mitnehmen«, schlug ich vor. Je weniger Zeugen, desto besser.

»Das ist eine großartige Idee.«

Ich weiß nicht, ob das Spiel nur ein Vorwand war, damit ich etwas unternahm, aber er sah jetzt richtig begeistert aus und ging gleich zum Telefon. Ich zog mir die Regenjacke an, in deren Jackentasche das Scheckbuch steckte. Ich fühlte mich befangen, schließlich hatte ich es noch nie benutzt.

Draußen regnete es wie aus Kübeln. Ich musste langsamer fahren, als mir lieb war, ich konnte kaum eine Autolänge weit sehen. Aber schließlich schaffte ich es durch die matschigen Straßen zu Jacobs Haus. Noch bevor ich den Motor ausgeschaltet hatte, ging die Haustür auf und Jacob kam mit einem riesigen schwarzen Regenschirm zum Wagen gerannt.

Er hielt den Schirm über die Fahrertür, während ich ausstieg.

»Charlie hat angerufen und gesagt, dass du unterwegs bist«, erklärte Jacob grinsend.

Ohne jede Anstrengung und ohne dass ich es den Muskeln um meinen Mund herum befehlen musste, breitete sich ein Lächeln auf meinem Gesicht aus. Ein seltsam warmes Gefühl gluckerte mir die Kehle hoch, trotz des eisigen Regens auf meinem Gesicht.

»Hallo, Jacob.«

»Gute Idee, Billy einzuladen.« Er hielt mir die Hand hin.

Dann lachte er, weil ich mich so sehr strecken musste, um einzuschlagen.

Kurz darauf kam Harry und holte Billy ab. Während wir warteten, bis wir unbeobachtet waren, zeigte Jacob mir sein winziges Zimmer.

»Und wohin geht's jetzt?«, fragte ich, kaum dass die Tür hinter Billy ins Schloss gefallen war.

Jacob holte einen zusammengefalteten Zettel aus der Hosentasche und strich ihn glatt. »Wir versuchen unser Glück erst mal auf dem Schrottplatz. Die Sache könnte ziemlich kostspielig werden«, sagte er warnend. »An den Dingern muss einiges getan werden, ehe die wieder laufen.« Ich sah offenbar nicht sehr besorgt aus, deshalb fuhr er fort: »Da könnten mehr als hundert Dollar auf uns zukommen.«

Ich zückte mein Scheckbuch und wedelte damit herum. »Das kriegen wir hin.«

Es war ein sehr merkwürdiger Tag. Ich hatte Spaß – sogar auf dem Schrottplatz, in strömendem Regen und knöcheltiefem Matsch. Erst wollte ich es den Nachwirkungen des Schocks nach der Taubheit zuschreiben, aber das schien mir keine ausreichende Erklärung.

Allmählich glaubte ich, dass es vor allem an Jacob lag. Nicht nur daran, dass er sich immer so freute, mich zu sehen, oder dass er mich nicht ständig aus dem Augenwinkel beobachtete und auf einen Beweis dafür lauerte, dass ich geisteskrank oder depressiv war. Es hatte überhaupt nichts mit mir zu tun.

Es war Jacob selbst. Er war ein Mensch, der einfach immer fröhlich war, und diese Fröhlichkeit umgab ihn wie eine Aura. Wie eine irdische Sonne wärmte er jeden im Bereich seiner Anziehungskraft. Das war ganz natürlich, es war seine Art. Kein Wunder, dass ich so gern mit ihm zusammen war.

Selbst als er eine Bemerkung über das klaffende Loch in meinem Armaturenbrett machte, versetzte mich das nicht in die übliche Panik.

»Ist die Anlage kaputtgegangen?«, fragte er.

»Ja«, log ich.

Er stocherte in dem Hohlraum herum. »Wer hat die rausgenommen? Da ist ein ziemlicher Schaden angerichtet worden …«

»Das war ich«, gestand ich.

Er lachte. »Vielleicht solltest du von den Motorrädern dann lieber die Finger lassen.«

»Kein Problem.«

Jacob zufolge hatten wir auf dem Schrottplatz tatsächlich Glück. Er geriet über mehrere verbogene Metallteile in Verzückung, die schwarz vor Schmiere waren; mich beeindruckte daran nur, dass er erkennen konnte, was sie darstellen sollten.

Vom Schrottplatz fuhren wir zu einem Geschäft für Autoteile in Hoquiam. Mit meinem Transporter waren es bis dahin über zwei Stunden Richtung Süden auf der kurvenreichen Landstraße, aber mit Jacob verging die Zeit schnell. Er erzählte von seinen Freunden und der Schule, und wenn ich nachfragte, war mein Interesse nicht geheuchelt, ich hörte ihm wirklich gern zu.

»Wieso rede ich eigentlich die ganze Zeit?«, beschwerte er sich nach einer langen Geschichte über Quil, der großen Ärger bekommen hatte, als er sich an die Freundin eines Schülers des Abschlussjahrgangs rangemacht hatte. »Jetzt bist du mal dran. Was gibt's Neues in Forks? Da geht doch bestimmt mehr ab als in La Push.«

»Falsch.« Ich seufzte. »In Forks ist absolut tote Hose. Du kennst viel interessantere Leute als ich. Deine Kumpels sind nett, Quil ist echt witzig.«

Er runzelte die Stirn. »Ich glaube, Quil mag dich auch.«

Ich lachte. »Der ist aber ein bisschen jung für mich.«

Jacob runzelte die Stirn noch stärker. »So viel jünger als du ist er gar nicht. Nur ein Jahr und ein paar Monate.«

Ich hatte das Gefühl, dass wir gar nicht mehr über Quil sprachen. Ich versuchte den leichten, neckenden Ton beizubehalten. »Schon, aber Jungs sind hinter Mädchen ja immer weit zurück, also müsste man vielleicht eher in Hundejahren rechnen. Wie viel älter bin ich dann, zwölf Jahre?«

Er lachte und verdrehte die Augen. »Na gut, aber wenn du so kleinlich sein willst, musst du auch die Größe berücksichtigen. Du bist so klein, dass ich bei dir zehn Jahre abziehen muss.«

»Mit eins dreiundsechzig liege ich genau im Durchschnitt«, beschwerte ich mich. »Was kann ich dafür, dass du so ein Riese bist.«

So ging es hin und her, und als wir in Hoquiam ankamen, stritten wir immer noch darüber, mit welcher Formel sich das Alter am gerechtesten berechnen ließ – ich verlor zwei weitere Jahre, weil ich keinen Reifen wechseln konnte, gewann jedoch eins zurück, weil ich zu Hause alle Gelddinge übernahm. Schließlich waren wir bei dem Geschäft angekommen, und Jacob musste sich wieder auf seine Liste konzentrieren. Wir bekamen alles, was noch fehlte, und er war zuversichtlich, dass er mit dieser Ausbeute ein ganzes Stück weiterkommen würde.

Als wir wieder in La Push waren, war ich dreiundzwanzig und er dreißig – er schusterte sich selbst eindeutig die meisten Jahre zu.

Ich hatte nicht vergessen, was der Zweck der ganzen Aktion war. Und obwohl ich mehr Spaß hatte, als ich je für möglich gehalten hätte, hatte ich mein ursprüngliches Ziel nicht aus den Augen verloren. Ich wollte immer noch mein Versprechen brechen. Es war unvernünftig, aber das war mir egal. Ich wollte so waghalsig sein, wie es in Forks nur möglich war. Ich wollte nicht die Einzige sein, die an einem nichtigen Vertrag festhielt. Und dass das Zusammensein mit Jacob mir so viel Spaß machte, war einfach Glück.

Billy war noch nicht wieder da, also brauchten wir die Beute des heutigen Tages nicht heimlich in die Werkstatt zu schaffen. Kaum hatten wir alles auf dem Boden neben Jacobs Werkzeugkasten ausgebreitet, legte er auch schon los. Während er die Finger fachmännisch über die Metallteile vor sich gleiten ließ, lachte und erzählte er weiter.

Es war faszinierend, wie geschickt Jacob mit den Händen war. Sie sahen viel zu groß aus für die feinen Arbeiten, die sie leicht und präzise ausführten. Fast anmutig wirkte er bei der Arbeit. Anders, als wenn er aufrecht stand – dann erschien er durch seine Größe und die großen Füße fast so unbeholfen wie ich.

Quil und Embry ließen sich nicht blicken, womöglich hatten sie die Drohung von gestern ernst genommen.

Der Tag verging wie im Flug. Plötzlich war es draußen dunkel und Billy rief nach uns.

Ich sprang auf und wollte Jacob helfen, die Sachen wegzuräumen, zögerte jedoch, weil ich nicht wusste, was ich anfassen durfte.

»Lass einfach alles so liegen«, sagte er. »Ich mache nachher noch weiter.«

»Aber nicht, dass du darüber deine Hausaufgaben vergisst«, sagte ich mit einem leicht schlechten Gewissen. Ich wollte ja nicht ihn in Schwierigkeiten bringen, sondern nur mich selbst.

»Bella?«

Unsere Köpfe fuhren hoch, als Charlies vertraute Stimme durch die Bäume drang. Es klang so, als ob er näher wäre als das Haus.

»Mist«, murmelte ich. »Wir kommen!«, rief ich in Charlies Richtung.

»Los jetzt.« Jacob lächelte. Er hatte Spaß an dem Versteckspiel. Er schaltete das Licht aus und einen Augenblick lang konnte ich nichts sehen. Jacob nahm meine Hand, er zog mich aus der Werkstatt und durch die Bäume. Seine Füße fanden mühelos den vertrauten Weg. Seine Hand war rau und ganz warm.

In der Dunkelheit stolperten wir beide über unsere Füße und lachten noch, als das Haus in Sicht kam. Es war ein leichtes, oberflächliches Lachen, aber es war schön. Ich war mir sicher, dass er die Spur von Hysterie in meinem Lachen nicht bemerkte. Ich war es nicht mehr gewohnt zu lachen, und es fühlte sich richtig und zugleich völlig verkehrt an.

Charlie stand auf der kleinen hinteren Veranda und Billy saß hinter ihm im Eingang.

»Hallo, Dad«, sagten wir beide gleichzeitig, und darüber mussten wir schon wieder lachen.

Charlie sah mich mit großen Augen an, und sie wurden noch größer, als er sah, dass Jacob meine Hand hielt.

»Billy hat uns zum Abendessen eingeladen«, sagte Charlie geistesabwesend.

»Mein total geheimes Spaghettirezept. Von Generation zu Generation weitergegeben«, sagte Billy ernst.

Jacob lachte auf. »Ich glaub nicht, dass es Ragout schon so lange gibt.«

Das Haus war voll. Außer uns war noch Harry Clearwater mit seiner Familie da – mit seiner Frau Sue, an die ich mich noch undeutlich aus den Sommern meiner Kindheit in Forks erinnerte, und ihren beiden Kindern. Leah war auch im letzten Schuljahr, doch sie war ein Jahr älter als ich und eine Art exotische Schönheit – makellose kupferfarbene Haut, glänzendes schwarzes

Haar, Wimpern wie Staubwedel. Sie war sehr beschäftigt, schon als wir hereinkamen, telefonierte sie, und so ging das den ganzen Abend. Seth war vierzehn, er hing voller Bewunderung an Jacobs Lippen.

Weil wir nicht alle an den Küchentisch passten, trugen Charlie und Harry Stühle in den Garten und wir saßen in dem schwachen Licht, das aus der Küche fiel, und aßen die Spaghetti mit den Tellern auf dem Schoß. Die Männer unterhielten sich über das Spiel und Harry und Charlie redeten davon, angeln zu gehen. Sue zog ihren Mann mit seinem Cholesterinspiegel auf und versuchte erfolglos, ihn zum Gemüseessen zu bewegen. Jacob sprach vor allem mit mir und Seth, der die ganze Zeit aufgeregt redete, damit Jacob ihn nicht vergaß. Charlie beobachtete mich unauffällig, sein Blick verriet Freude, aber auch Skepsis.

Es war laut und manchmal chaotisch, wenn alle durcheinanderredeten. Ich musste nicht viel sagen, aber ich lächelte viel, und das Lächeln war echt.

Ich wollte nicht nach Hause.

Aber wir waren im Staat Washington, und der unvermeidliche Regen bereitete der Party ein Ende. Das Wohnzimmer war viel zu klein für uns alle. Charlie war mit Harry gekommen, also nahm ich ihn in meinem Wagen mit zurück. Er fragte, was ich heute gemacht hatte, und ich erzählte größtenteils die Wahrheit – dass ich mit Jacob nach Ersatzteilen gesucht und ihm dann in der Werkstatt zugeschaut hatte.

»Und, besuchst du ihn demnächst noch mal?«, fragte er so beiläufig wie möglich.

»Morgen nach der Schule«, sagte ich. »Ich nehme meine Hausaufgaben mit, keine Sorge.«

»Wehe nicht«, sagte er und versuchte seine Freude zu verbergen.

Als wir nach Hause kamen, wurde ich nervös. Ich wollte nicht nach oben. Die Wärme von Jacobs Nähe schwand und die Angst wuchs. Ich war mir sicher, dass mir nicht zwei friedliche Nächte hintereinander vergönnt waren.

Um das Schlafengehen noch ein wenig hinauszuzögern, rief ich meine Mails ab. Ich hatte Post von Renée.

Sie schrieb, dass sie in einem neuen Lesekreis war und damit die Zeit füllte, die sie übrig hatte, seit sie mit dem Meditations-kurs aufgehört hatte. Dann schrieb sie, dass sie seit einer Woche Vertretung bei den Zweitklässlern machte und ihre Vorschul-kinder vermisste. Phil hatte Spaß an seinem neuen Job als Trai-ner und sie planten eine zweite Hochzeitsreise nach Disney World.

Mir fiel auf, dass sich das Ganze eher wie eine Tagebuchein-tragung las als wie ein Brief. Plötzlich hatte ich ein schlechtes Gewissen und spürte einen Stich des Unbehagens. Was war ich bloß für eine Tochter!

Schnell schrieb ich zurück, ging auf alles ein, was sie erzählt hatte, und berichtete von mir, vom Spaghettiessen bei Billy und davon, was ich empfand, wenn Jacob etwas, das dann tatsächlich funktionierte, aus kleinen Metallteilen bastelte – Bewunderung und leisen Neid. Ich ließ es unkommentiert, dass dieser Brief ganz anders war als die Briefe, die sie in den letzten Monaten von mir bekommen hatte. Selbst an meinen Brief von letzter Woche konnte ich mich kaum erinnern; bestimmt war ich darin nicht großartig auf sie eingegangen. Je mehr ich darüber nach-dachte, desto größer wurden meine Schuldgefühle; sicher hatte sie sich Sorgen um mich gemacht.

Ich blieb besonders lange auf und machte mehr Hausauf-gaben als eigentlich nötig. Doch weder Schlafentzug noch die Zeit mit Jacob, in der ich auf eine leichte, oberflächliche Art fast glücklich gewesen war, konnten den Traum zwei Nächte hintereinander fernhalten.

Zitternd wachte ich auf, mein Schrei wurde vom Kopfkissen gedämpft.

Als das dämmrige Morgenlicht durch den Nebel vor meinem Fenster drang, lag ich immer noch im Bett und versuchte den Traum abzuschütteln. Etwas war anders gewesen als sonst, und ich versuchte, mich darauf zu konzentrieren.

Ich war diesmal nicht allein im Wald gewesen. Sam Uley war dabei, der Mann, der mich in jener Nacht, an die ich die Erinnerung nicht ertrug, aus dem Wald geholt hatte. Das war eine merkwürdige, unerwartete Veränderung. Sams dunkle Augen waren erstaunlich unfreundlich gewesen, irgendein Geheimnis lag darin, über das er nicht sprechen wollte. Ich starrte ihn so oft an, wie meine panische Suche es zuließ; seine Gegenwart bereitete mir ein Unbehagen, das zu der üblichen Angst dazukam. Vielleicht lag es daran, dass seine Gestalt, sobald ich ihn nicht mehr direkt ansah, zitterte und sich veränderte. Ansonsten tat er nichts, er stand nur da und schaute mich an. Anders als damals im Wald bot er mir im Traum keine Hilfe an.

Beim Frühstück starrte Charlie mich an und ich versuchte nicht darauf zu achten. Ich wusste, dass es mir ganz recht geschah. Ich konnte nicht verlangen, dass er sich keine Sorgen mehr machte. Wahrscheinlich würde es noch Wochen dauern, bis er nicht mehr auf die Rückkehr des Zombies wartete, und ich musste einfach versuchen, es gelassen hinzunehmen. Schließlich wartete ich selbst immer noch auf die Rückkehr des Zombies. Nach nur zwei Tagen konnte man mich wohl kaum als geheilt bezeichnen.

In der Schule war es genau umgekehrt. Jetzt, da ich wieder auf die anderen achtete, fiel mir auf, dass alle mich ignorierten.

Ich dachte an meinen ersten Tag auf der Highschool in Forks zurück – wie gern ich mich da in etwas Graues verwandelt hätte und wie ein überdimensionales Chamäleon im nassen Zement des Gehwegs verschwunden wäre. Jetzt schien sich dieser Wunsch mit einem Jahr Verspätung zu erfüllen.

Es war so, als ob ich gar nicht da wäre. Selbst die Lehrer ließen den Blick über meinen Platz gleiten, als säße dort niemand.

An diesem Vormittag hörte ich hauptsächlich zu, jetzt, wo ich plötzlich wieder die Stimmen der Leute um mich herum hörte. Ich versuchte mitzubekommen, worum es ging, aber die Gespräche waren für mich so unzusammenhängend, dass ich aufgab.

Als ich mich in Mathe neben Jessica setzte, schaute sie nicht auf.

»Hallo, Jess«, sagte ich möglichst ungezwungen. »Hattest du noch ein schönes Wochenende?«

Sie sah mich misstrauisch an. Ob sie immer noch sauer war? Oder fehlte ihr einfach die Geduld, sich mit einer Verrückten abzugeben?

»Super«, sagte sie und schaute wieder in ihr Buch.

»Schön«, murmelte ich.

Die Redensart von der kalten Schulter schien einen wahren Kern zu haben. Obwohl ich spürte, wie die Wärme aus der Heizung strömte, war mir kalt. Ich nahm meine Jacke von der Stuhllehne und zog sie wieder über.

Der Kurs, den ich in der vierten Stunde hatte, war heute später aus, und als ich in die Pause kam, war mein Tisch schon fast voll besetzt. Mike war da, Jessica und Angela, Conner, Tyler, Eric und Lauren. Katie Webber, die Rothaarige, die eine Jahrgangsstufe unter mir war und bei uns um die Ecke wohnte, saß mit Eric zusammen, und neben ihr saß Austin Marks, der große

Bruder des Jungen mit den Motorrädern. Ich überlegte, wie lange sie wohl schon an unserem Tisch saßen. Ich konnte mich nicht erinnern, ob es heute das erste Mal war oder ob sie immer dort saßen.

Allmählich ärgerte ich mich über mich selbst. Es war, als wäre ich das letzte Halbjahr in Watte verpackt gewesen.

Niemand blickte auf, als ich mich neben Mike setzte, obwohl mein Stuhl, den ich über das Linoleum zog, durchdringend quietschte.

Ich versuchte der Unterhaltung zu folgen.

Mike und Conner redeten über Sport, da gab ich sofort auf.

Lauren fragte Angela, wo Ben heute war. Ich spitzte die Ohren. Ob das wohl hieß, dass Angela und Ben immer noch zusammen waren?

Lauren selbst war kaum wiederzuerkennen. Sie hatte sich das blonde Maishaar radikal abschneiden lassen – jetzt trug sie die Haare superkurz, den Nacken hatte sie ausrasiert wie ein Junge. Wie merkwürdig, warum hatte sie das wohl gemacht? Hatte sie Kaugummi in den Haaren gehabt? Hatte sie ihr Haar verkauft? Hatten alle Leute, zu denen sie immer gemein war, sie hinter der Turnhalle festgehalten und skalpiert? Dann dachte ich, dass es nicht in Ordnung war, sie danach zu beurteilen, was ich früher von ihr gehalten hatte. Ich würde einfach davon ausgehen, dass sie inzwischen ganz nett geworden war.

»Ben hat Magen-Darm-Grippe«, sagte Angela mit ihrer leisen, ruhigen Stimme. »Hoffentlich ist es nur so eine Vierundzwanzig-Stunden-Geschichte. Letzte Nacht ging es ihm richtig dreckig.«

Auch Angela hatte eine neue Frisur. Sie hatte die Stufen herauswachsen lassen.

»Was habt ihr beiden am Wochenende gemacht?«, fragte Jessica. Es klang nicht sehr interessiert. Garantiert suchte sie nur nach einem Aufhänger, um ihre eigenen Geschichten loszuwerden. Ich fragte mich, ob sie wohl von Port Angeles erzählen würde, während ich nur zwei Plätze weiter saß. War ich so unsichtbar, dass es niemandem etwas ausmachte, in meiner Anwesenheit über mich zu reden?

»Samstag wollten wir eigentlich picknicken, aber … dann haben wir es uns anders überlegt«, sagte Angela. In ihrer Stimme lag ein Unterton, der mich aufhorchen ließ.

Nicht so Jess. »Schade«, sagte sie und wollte schon mit ihrer Geschichte loslegen. Doch ich war nicht die Einzige, die etwas gemerkt hatte.

»Was war denn los?«, fragte Lauren neugierig.

»Also …« Angela, die sowieso zurückhaltend war, wirkte noch zögerlicher als sonst. »Wir sind in Richtung Norden gefahren, fast bis zu den heißen Quellen – da ist eine schöne Stelle nur anderthalb Kilometer vom Wanderweg entfernt. Aber wir waren noch nicht mal auf halber Strecke … da haben wir etwas gesehen.«

»Was denn?« Lauren zog die blassen Augenbrauen zusammen. Jetzt schien sogar Jess zuzuhören.

»Ich weiß nicht«, sagte Angela. »Wir *glauben*, dass es ein Bär war. Jedenfalls war er schwarz, aber er war … zu groß.«

Lauren schnaubte verächtlich. »O nein, jetzt fängst du auch noch an!« Sie sah Angela spöttisch an, und ich entschied, dass ich mir wegen meines vorschnellen Urteils keine Vorwürfe machen musste. Offenbar hatte ihr Charakter sich nicht so sehr verändert wie ihre Frisur. »Mit der Geschichte ist Tyler letzte Woche auch schon angekommen.«

»So nah an der Stadt sieht man keine Bären«, sagte Jessica und ergriff damit für Lauren Partei.

»Doch«, widersprach Angela leise und schaute auf den Tisch. »Wir haben ihn aber gesehen.«

Lauren kicherte. Mike redete immer noch mit Conner und achtete nicht auf die Mädchen.

»Nein, sie hat Recht«, warf ich ungeduldig ein. »Samstag war ein Wanderer bei uns im Laden, Angela, der hat den Bären auch gesehen. Er hat gesagt, er war riesig und schwarz, und er hat ihn auch kurz hinter der Stadtgrenze gesehen. Stimmt's, Mike?«

Einen Augenblick sagte niemand etwas. Alle Blicke am Tisch waren erschrocken auf mich gerichtet. Katie hatte den Mund offen stehen, als wäre sie gerade Zeugin einer Explosion geworden. Niemand rührte sich.

»Mike?«, murmelte ich peinlich berührt. »Erinnerst du dich an den Typ mit der Geschichte von dem Bären?«

»J-ja klar«, stotterte Mike nach einer Sekunde. Ich wusste nicht, warum er mich so seltsam ansah. Bei der Arbeit redete ich doch auch mit ihm, oder? Oder nicht? Ich dachte, doch …

Jetzt hatte Mike sich wieder gefasst. »Ja, da war ein Typ, der von einem riesigen Schwarzbären direkt am Ausgangspunkt des Wanderwegs erzählt hat – größer als ein Grizzly«, bestätigte er.

»Hmpf.« Abrupt wandte Lauren sich zu Jessica und wechselte das Thema.

»Hast du schon was von der University of Southern California gehört?«, fragte sie.

Auch die anderen wandten den Blick ab, bis auf Mike und Angela. Angela lächelte mich vorsichtig an, und ich beeilte mich zurückzulächeln.

»Und, was hast du am Wochenende gemacht, Bella?«, fragte Mike, neugierig, aber seltsam argwöhnisch.

Jetzt schauten mich alle außer Lauren wieder an und warteten auf meine Antwort.

»Freitagabend war ich mit Jessica in Port Angeles im Kino. Samstagnachmittag und fast den ganzen Sonntag war ich in La Push.«

Die Blicke huschten zu Jessica und dann wieder zu mir. Jess sah verärgert aus – entweder sollten die anderen nicht erfahren, dass sie mit mir aus war, oder sie hätte die Geschichte lieber selbst erzählt.

»In welchem Film wart ihr?«, fragte Mike. Jetzt lächelte er.

»In *Dead End* – dem Zombiefilm.« Ich grinste. Vielleicht ließ sich der Schaden, den ich in den letzten Zombiemonaten angerichtet hatte, ja teilweise reparieren.

»Der soll doch ziemlich gruselig sein. Wie fandst du ihn?« Anscheinend wollte Mike das Gespräch unbedingt fortsetzen.

»Bella musste kurz vor Schluss rausgehen, sie war total panisch«, warf Jessica mit einem hinterhältigen Lächeln ein.

Ich nickte und tat so, als wäre es mir peinlich. »Es war ziemlich gruselig.«

Mike hörte nicht auf, mich zu löchern, bis die Mittagspause vorbei war. Nach und nach wandten sich die anderen wieder ihren eigenen Unterhaltungen zu, aber ich begegnete immer noch vielen Blicken. Angela sprach hauptsächlich mit Mike und mir, und als ich aufstand, um mein Tablett wegzubringen, kam sie mit.

»Danke«, sagte sie leise, als wir außer Hörweite des Tisches waren.

»Wofür?«

»Dass du das gesagt hast.«

»Keine Ursache.«

Sie sah mich besorgt an, aber nicht auf diese unangenehme Art, als ob ich sie nicht mehr alle hätte. »Geht's dir gut?«

Deshalb hatte ich Jessica gefragt, ob sie mit ins Kino wollte, und nicht Angela, obwohl ich Angela lieber mochte. Angela merkte zu viel.

»Nicht so richtig«, gab ich zu. »Aber schon ein bisschen besser.«

»Das freut mich«, sagte sie. »Du hast mir gefehlt.« In dem Moment schlenderten Lauren und Jessica an uns vorbei und ich hörte Lauren laut flüstern: »Na, so eine Freude. Bella ist wieder da.«

Angela verdrehte die Augen und lächelte mir aufmunternd zu.

Ich seufzte. Jetzt ging das Ganze wieder von vorn los.

»Der Wievielte ist heute?«, fragte ich plötzlich.

»Der neunzehnte Januar.«

»Hmm.«

»Wieso?«, fragte Angela.

»Gestern vor einem Jahr hatte ich meinen ersten Tag hier«, sagte ich nachdenklich.

»Es hat sich nicht viel verändert«, murmelte Angela und schaute Lauren und Jessica hinterher.

»Ich weiß«, sagte ich. »Dasselbe hab ich auch grad gedacht.«

ALLES NOCH MAL AUF ANFANG?

Ich hatte keine Ahnung, was ich hier tat.

Wollte ich die Zombie-Starre unbedingt zurückhaben? War ich masochistisch geworden – hatte ich plötzlich Spaß daran, mich zu quälen? Ich hätte direkt nach La Push fahren sollen. Bei Jacob fühlte ich mich sehr viel gesünder. Was ich jetzt gerade machte, war auf keinen Fall gesund.

Doch ich fuhr langsam weiter den überwucherten Weg entlang und schlängelte mich zwischen den Bäumen hindurch, die sich wie ein grüner, lebendiger Tunnel über mir wölbten. Meine Hände zitterten, und ich hielt das Lenkrad fester umklammert.

Ich wusste, dass der Albtraum ein Grund für diese Aktion war; jetzt, da ich richtig wach war, zerrte die Nichtigkeit des Traums an meinen Nerven.

Es gab den, nach dem ich suchte. Unerreichbar und verboten, gleichgültig und weit fort ... doch irgendwo war *er*. Das musste ich einfach glauben.

Hinzu kam das merkwürdige Gefühl einer Wiederholung, das ich heute in der Schule gehabt hatte, der Zufall mit dem Datum. Das Gefühl, noch einmal von vorn anzufangen – vielleicht so, wie mein erster Tag verlaufen wäre, wenn ich an jenem Nachmittag wirklich der ungewöhnlichste Mensch in der Cafeteria gewesen wäre.

Wieder hatte ich seine Worte im Kopf, tonlos, eher als würde ich sie lesen:

Es wird so sein, als hätte es mich nie gegeben.

Ich machte mir etwas vor, wenn ich mir nur zwei Gründe für mein Kommen eingestand. Den stärksten Grund wollte ich nicht zugeben. Weil es Irrsinn war.

In Wirklichkeit wollte ich wieder seine Stimme hören, wie bei der merkwürdigen Halluzination an jenem Freitagabend in Port Angeles. Denn an diesen kurzen Moment, als seine Stimme nicht aus meiner bewussten Erinnerung kam, sondern aus einem anderen Teil meiner selbst, als sie honigsüß und vollkommen war und nicht das fade Echo, das mein Gedächtnis sonst immer produzierte, konnte ich mich ohne Schmerz erinnern. Es war nicht von Dauer gewesen; der Schmerz hatte mich wieder eingeholt, wie er mich auch nach dieser idiotischen Aktion todsicher einholen würde. Doch die kostbaren Momente, da ich *ihn* wieder hören konnte, übten einen unwiderstehlichen Reiz auf mich aus. Es musste mir gelingen, das Erlebnis zu wiederholen ... oder vielleicht sollte ich lieber von einer Wahnidee sprechen.

Ich hoffte, dass der Schlüssel im Déjà-vu lag. Deshalb fuhr ich zu seinem Haus, wo ich seit meiner unglückseligen Geburtstagsparty nicht mehr gewesen war.

Dichtes, dschungelartiges Gestrüpp strich an den Scheiben des Transporters entlang. Die Zufahrt nahm kein Ende. Vor lauter Ungeduld fuhr ich schneller. Wie lange war ich schon unterwegs? Müsste ich nicht längst bei dem Haus angekommen sein? Der Weg war so überwuchert, dass ich ihn gar nicht wiedererkannte.

Und wenn ich es nicht fand? Ich zitterte. Wenn es nun gar keinen greifbaren Beweis gab?

Dann kam die Lichtung, nach der ich gesucht hatte, nur war sie nicht so deutlich zu erkennen wie früher. Hier dauerte es nicht lange, bis sich die Natur ein Stück Land, um das sich niemand kümmerte, zurückerobert hatte. Die Wiese um das Haus herum war von hohem Farn durchsetzt; er wuchs bis an die Stämme der Zedern und sogar an die große Veranda. Es sah aus, als wäre der Rasen hüfthoch von grünen, federartigen Wellen überflutet worden.

Und das Haus stand zwar da, aber es war nicht mehr dasselbe. Obwohl sich äußerlich nichts verändert hatte, schrie die Leere aus den nackten Fensterhöhlen. Es war gespenstisch. Zum ersten Mal, seit ich das schöne Haus gesehen hatte, wirkte es als Domizil für Vampire sehr passend.

Ich trat auf die Bremse und wandte den Blick ab. Ich traute mich nicht weiterzufahren.

Doch nichts geschah. Keine Stimme war in meinem Kopf zu hören.

Also ließ ich den Motor laufen und sprang hinaus in das Farnmeer. Vielleicht, wenn ich weiterging, wie Freitagabend …

Langsam näherte ich mich der leblosen, verlassenen Fassade, während der Transporter hinter mir tröstlich vor sich hin röhrte. An der Treppe zur Veranda machte ich Halt, denn hier war nichts. Kein Überbleibsel ihrer Gegenwart … *seiner* Gegenwart. Das Haus stand da, aber das hatte kaum etwas zu bedeuten. Seine greifbare Realität wirkte dem Nichts meiner Albträume nicht entgegen.

Ich ging nicht weiter. Ich wollte nicht durch die Fenster schauen. Ich wusste nicht, was schwerer zu ertragen wäre. Bestimmt würde es wehtun, wenn die Zimmer kahl wären und vom Boden bis zur Decke leer hallen würden. Unwillkürlich dachte ich an die Beerdigung meiner Großmutter, als meine Mutter nicht zulassen wollte, dass ich sie noch einmal sah. Sie sagte, ich bräuchte Oma so nicht zu sehen, ich sollte sie lieber in Erinnerung behalten, wie sie zu Lebzeiten aussah.

Aber wäre es nicht noch schlimmer, wenn sich nichts verändert hätte? Die Sofas noch wie beim letzten Mal, die Bilder an den Wänden und, noch schlimmer, der Flügel auf dem niedrigen Podest? Nur ein komplettes Verschwinden des Hauses wäre schlimmer, als zu sehen, dass kein materieller Besitz sie halten konnte. Dass alles unberührt und vergessen hinter ihnen zurückblieb.

Genau wie ich.

Ich kehrte der gähnenden Leere den Rücken und ging schnell zurück zu meinem Wagen. Ich rannte fast. Ich wollte so schnell wie möglich weg, zurück in die menschliche Welt. Ich fühlte mich entsetzlich leer, und ich wollte Jacob sehen. Vielleicht entwickelte ich eine neue Krankheit, eine neue Sucht, wie die Taubheit zuvor. Aber das war mir egal. So schnell es mit dem Transporter eben ging, fuhr ich meiner Droge entgegen.

Jacob wartete schon auf mich. Sobald ich ihn sah, entspannte sich meine Brust und ich konnte leichter atmen.

»Hallo, Bella«, rief er.

Ich lächelte erleichtert. »Hallo, Jacob.« Ich winkte Billy zu, der aus dem Fenster schaute.

»Komm, wir machen uns gleich an die Arbeit«, sagte Jacob leise, aber voller Ungeduld.

Irgendwie brachte ich ein Lachen zu Stande. »Hast du mich immer noch nicht über?«, fragte ich. Allmählich musste er doch denken, dass ich ziemlich verzweifelt Anschluss suchte.

Jacob ging mir voraus ums Haus herum zur Werkstatt.

»Nö. Bis jetzt noch nicht.«

»Sag's mir bitte, wenn ich dir auf den Geist gehe. Ich will keine Nervensäge sein.«

»Okay.« Er lachte ein kehliges Lachen. »Aber ich glaub, da kannst du lange warten.«

Als ich in die Werkstatt kam, fiel ich aus allen Wolken. Da stand das rote Motorrad und sah aus wie ein richtiges Fahrzeug, nicht mehr wie ein Haufen Schrottteile.

»Jake, du bist unglaublich«, flüsterte ich.

Er lachte wieder. »Wenn ich mir einmal etwas vornehme, lässt es mich nicht mehr los.« Er zuckte die Achseln. »Wenn ich schlau wäre, würde ich die Sache ein wenig hinauszögern.«

»Wieso?«

Er schaute zu Boden und schwieg so lange, dass ich überlegte, ob er meine Frage überhaupt gehört hatte. Schließlich fragte er: »Bella, wenn ich dir sagen würde, dass ich die Motorräder nicht hinkriege, was würdest du dann sagen?«

Auch ich ließ mir Zeit mit der Antwort. Er blickte auf und sah mich prüfend an.

»Dann würde ich sagen … schade. Aber ich wette, wir würden was anderes finden, was uns Spaß macht. Wenn wir ganz verzweifelt wären, könnten wir sogar zusammen Hausaufgaben machen.«

Jacob lächelte und seine Schultern entspannten sich. Er setzte sich neben das Motorrad und nahm einen Schraubenschlüssel in die Hand. »Du meinst also, wenn ich fertig bin, kommst du trotzdem noch vorbei?«

»Das meintest du?« Ich schüttelte den Kopf. »Ich glaub, ich nutze es tatsächlich aus, dass du deine Fähigkeiten deutlich unter Wert anbietest. Aber solange ich vorbeikommen darf, werd ich das auch tun.«

»In der Hoffnung, Quil noch mal zu treffen?«, neckte er.

»Jetzt hast du mich erwischt.«

Er lachte leise. »Bist du wirklich gern mit mir zusammen?«, fragte er verwundert.

»Na klar. Und das werd ich auch beweisen. Morgen muss ich arbeiten, aber Mittwoch machen wir mal was ohne Werkzeug.«

»Was denn?«

»Weiß ich noch nicht. Wir könnten zu mir fahren, damit du nicht in Versuchung kommst zu basteln. Du könntest deine Hausaufgaben mitbringen – du hängst doch bestimmt genauso hinterher wie ich.«

»Ja, das wär tatsächlich eine gute Idee.« Er verzog das Gesicht, und ich fragte mich, wie viel er wohl liegenließ, um mit mir zusammen zu sein.

»Ja«, sagte ich. »Wir sollten zeigen, dass wir manchmal auch verantwortungsbewusst sind, sonst nehmen Billy und Charlie das bald nicht mehr so locker.« Dass ich uns beide zusammensah, gefiel ihm. Er strahlte.

»Einmal die Woche Hausaufgaben?«, schlug er vor.

»Vielleicht lieber zweimal«, sagte ich und dachte an den Berg, den ich heute aufbekommen hatte.

Er seufzte schwer. Dann langte er über seinen Werkzeugkasten und nahm eine Papiertüte hoch. Er holte zwei Dosen Cola heraus, öffnete eine und reichte sie mir. Dann öffnete er die zweite und hielt sie feierlich hoch. »Auf das Verantwortungsbewusstsein«, sagte er und prostete mir zu. »Zweimal die Woche.«

»Und Waghalsigkeit an allen anderen Tagen«, betonte ich. Er grinste und wir stießen an.

Ich kam später nach Hause als geplant und sah, dass Charlie Pizza bestellt hatte, anstatt auf mich zu warten. Er wollte keine Entschuldigungen hören.

»Das macht mir gar nichts aus«, versicherte er. »Du brauchst sowieso mal eine Pause von der ständigen Kocherei.«

Natürlich war er bloß erleichtert, dass ich mich immer noch wie ein normaler Mensch benahm, und er wollte das Ganze nicht gefährden.

Bevor ich mich an die Hausaufgaben setzte, rief ich meine Mails ab. Renée hatte mir eine lange Mail zurückgeschrieben und ich antwortete mit einem erschöpfenden Bericht des heutigen Tages. Nur die Motorräder ließ ich aus. Da würden wahrscheinlich selbst bei meiner unbekümmerten Mutter die Alarmglocken schrillen.

Der Dienstagvormittag hatte seine Höhen und Tiefen. Angela und Mike schienen mich mit offenen Armen wieder aufnehmen zu wollen – und dabei über ein paar Monate abnormen Verhaltens großzügig hinwegzusehen. Jess war eine härtere Nuss. Ich fragte mich, ob sie auf eine schriftliche Entschuldigung für die Geschichte in Port Angeles wartete.

Bei der Arbeit war Mike gesprächig und gut aufgelegt. Es kam mir vor, als würden jetzt alle Worte aus ihm heraussprudeln, die sich im letzten halben Jahr angestaut hatten. Ich merkte, dass ich mit ihm lachen konnte, wenn auch nicht so unbekümmert wie mit Jacob. Es war alles ganz harmlos, bis wir Feierabend machten.

Mike hängte das Schild mit der Aufschrift »Geschlossen« ins Schaufenster, während ich meine Weste zusammenfaltete und sie unter den Tresen legte.

»Das war nett heute«, sagte Mike fröhlich.

»Ja«, sagte ich, obwohl ich den Nachmittag viel lieber in Jacobs Werkstatt verbracht hätte.

»Schade, dass du letzte Woche aus dem Film rausgehen musstest.«

Ich verstand nicht so ganz, wie er jetzt darauf kam. Ich zuckte die Achseln. »Ich bin halt ein Weichei.«

»Ich meine, dass du in einen besseren Film gehen solltest, in einen, der dir gefällt«, erklärte er.

»Ach so«, murmelte ich, immer noch verständnislos.

»Zum Beispiel Freitag. Mit mir. Wir könnten uns einen Film ansehen, bei dem du dich nicht gruselst.«

Ich biss mir auf die Lippe.

Ich wollte es mir mit Mike nicht gleich wieder verderben, schließlich war er einer der wenigen, die mir mein absonderliches Benehmen verziehen. Aber wieder kam mir das hier nur allzu bekannt vor. Als hätte es das letzte Jahr gar nicht gegeben. Und diesmal konnte ich mich nicht mit Jess herausreden.

»Du meinst ein Date?«, fragte ich. Wahrscheinlich war es am besten, die Dinge beim Namen zu nennen. Augen zu und durch.

Er versuchte herauszuhören, was ich damit sagen wollte. »Wenn du willst. Aber das muss es nicht sein.«

»Ich mache keine Dates«, sagte ich langsam und merkte, wie sehr das stimmte. Dieses ganze Thema war für mich unendlich weit weg.

»Nur als Freunde?«, schlug er vor. Jetzt schauten seine klaren blauen Augen nicht mehr ganz so begeistert. Hoffentlich glaubte er wirklich daran, dass wir Freunde sein konnten.

»Ja, sehr gern. Aber diesen Freitag hab ich schon was vor, vielleicht nächste Woche?«

»Was machst du denn?«, fragte er. Das sollte wohl beiläufig klingen.

»Hausaufgaben. Ich hab da so eine ... Arbeitsgruppe.«

»Ach so. Okay. Dann vielleicht nächste Woche.«

Er begleitete mich zu meinem Wagen, jetzt nicht mehr ganz so überschwänglich. Die Situation erinnerte mich so sehr an meine ersten Monate in Forks. Der Kreis hatte sich geschlossen und jetzt fühlte sich alles an wie ein Echo – ein hohles Echo; der Reiz, den die Dinge damals hatten, war verflogen.

Am nächsten Abend war Charlie kein bisschen überrascht, als er nach Hause kam und Jacob und mich mit unseren ausgebreiteten Büchern auf dem Fußboden im Wohnzimmer vorfand, also nahm ich an, dass Billy und er hinter unserem Rücken über uns redeten.

»Na, ihr zwei«, sagte er und ließ den Blick zur Küche schweifen. Der Duft der Lasagne, die ich am Nachmittag vorbereitet hatte – während Jacob zugeschaut und ab und zu probiert hatte –, wehte durch den Flur. Die Lasagne sollte eine kleine Entschädigung für die vielen Pizzaabende sein.

Jacob blieb zum Essen und nahm noch eine Portion für Billy mit nach Hause. Zähneknirschend zählte er zu meinem Alter ein weiteres Jahr dafür hinzu, dass ich gut kochen konnte.

Den Freitag verbrachten wir in der Werkstatt und Samstag machten wir nach meiner Schicht bei Newton's wieder zusammen Hausaufgaben. Charlie traute meiner Verfassung so weit, dass er mit Harry fischen ging. Als er zurückkam, hatten wir alles erledigt und kamen uns sehr reif und vernünftig vor. Wir schauten uns *Monster Garage* auf Discovery an.

»Jetzt muss ich wohl mal los«, sagte Jacob und seufzte. »Es ist später, als ich dachte.«

»Na gut«, grummelte ich. »Ich bring dich nach Hause.«

Er lachte über meinen widerwilligen Gesichtsausdruck – offenbar freute er sich darüber.

»Morgen geht's wieder an die Arbeit«, sagte ich, als wir in meinem Wagen saßen. »Um wie viel Uhr soll ich kommen?«

Er lächelte und wirkte ein wenig aufgeregt. »Ich rufe dich vorher an, ja?«

»Okay.« Ich runzelte die Stirn und fragte mich, was das sollte. Sein Lächeln wurde noch breiter.

Am nächsten Morgen putzte ich das Haus und wartete darauf, dass Jacob anrief. Ich versuchte den Albtraum der letzten Nacht abzuschütteln. Der Schauplatz meines Traums hatte sich verändert. Ich befand mich in einem weiten Meer aus Farnen, in dem einzelne riesige Hemlocktannen standen. Ansonsten gab es nichts und ich lief ganz allein ziellos herum und suchte nichts. Ich hätte mich ohrfeigen können für den dämlichen Ausflug letzte Woche. Ich schob den Traum beiseite in der Hoffnung, er würde in irgendeinem Winkel steckenbleiben und nicht wieder hervorkommen.

Das Telefon klingelte. Charlie war draußen und wusch den Streifenwagen, also ließ ich die Klobürste fallen und rannte die Treppe hinunter zum Telefon.

»Hallo?«, sagte ich atemlos.

»Bella«, sagte Jacob, und seine Stimme klang eigenartig förmlich.

»Hallo, Jake.«

»Ich glaube … wir haben ein Date«, sagte er bedeutungsvoll.

Es dauerte einen Moment, bis ich schaltete. »Sie sind fertig? Ich glaub's nicht!« Das kam genau richtig. Ich brauchte etwas, um mich von den Albträumen und der Leere abzulenken.

»Ja, sie fahren.«

»Jacob, du bist mit Abstand der begabteste und tollste Mensch, den ich kenne. Dafür kriegst du zehn Jahre.«

»Cool! Dann hab ich dich weit überrundet.«

Ich lachte. »Aber ich hol dich noch ein!«

Ich warf die Putzsachen unter den Waschtisch und schnappte mir meine Jacke.

171

»Zu Jake?«, sagte Charlie, als ich an ihm vorbeirannte. Es war keine richtige Frage.

»Ja«, sagte ich und sprang in meinen Transporter.

»Ich bin auf der Wache!«, rief Charlie mir nach.

»Okay!«, rief ich zurück und drehte den Zündschlüssel um.

Charlie sagte noch etwas, aber über den röhrenden Motor hinweg konnte ich ihn nicht richtig verstehen. Es klang wie: »Wo brennt's denn?«

Ich parkte den Transporter neben dem Haus der Blacks, nah bei den Bäumen, damit es leichter war, die Motorräder heimlich herauszuholen. Als ich ausstieg, sah ich etwas blitzen – zwei glänzende Motorräder, eins rot, eins schwarz, waren so unter einer Fichte versteckt, dass sie vom Haus nicht zu sehen waren. Jacob hatte schon alles vorbereitet.

Um jeden Lenker war eine kleine blaue Schleife gebunden. Ich lachte noch, als Jacob schon aus dem Haus gestürmt kam.

»Bist du bereit?«, fragte er leise. Seine Augen leuchteten.

Ich schaute über seine Schulter – von Billy keine Spur.

»Ja«, sagte ich, aber jetzt war ich schon nicht mehr ganz so begeistert wie vorhin. Ich versuchte mir vorzustellen, wie ich auf dem Motorrad saß.

Mit Leichtigkeit hob Jacob die Motorräder auf die Ladefläche des Transporters und legte sie vorsichtig auf die Seite, damit sie nicht zu sehen waren.

»Dann mal los«, sagte er, und seine Stimme klang vor Aufregung höher. »Ich kenne die perfekte Stelle – da entdeckt uns keiner.«

Wir fuhren in südliche Richtung aus der Stadt heraus. Die unbefestigte Straße führte in den Wald hinein und wieder heraus, manchmal sahen wir nichts als Bäume, und dann erhaschten wir plötzlich einen atemberaubenden Blick auf den Pazifik, der sich unter den Wolken dunkelgrau bis zum Horizont erstreckte. Wir fuhren oberhalb der Klippen, die den Strand hier begrenzten, und die Sicht schien unendlich.

Ich fuhr langsam, damit ich, als sich die Straße näher an die Klippen wand, hin und wieder gefahrlos über den Ozean schauen konnte. Jacob erzählte, wie er die Motorräder fertig gemacht hatte, aber als er zu den technischen Einzelheiten kam, hörte ich nur noch mit halbem Ohr zu.

Da sah ich plötzlich vier Gestalten am Felsrand stehen, viel zu nah am Abgrund. Ich nahm an, dass es Männer waren; ihr Alter konnte ich aus der Entfernung nicht schätzen. Obwohl es ein kühler Tag war, trugen sie nur Shorts.

Während ich hinsah, trat der Größte aus der Gruppe näher an den Abgrund. Automatisch fuhr ich langsamer, mein Fuß schwebte über dem Bremspedal.

Und dann stürzte er sich von der Klippe.

»Nein!«, schrie ich und trat auf die Bremse.

»Was ist?«, rief Jacob erschrocken.

»Der Typ gerade – der ist von der Klippe gesprungen! Wieso haben die anderen ihn nicht zurückgehalten? Wir müssen einen Krankenwagen rufen!« Ich riss die Tür auf und wollte schon aussteigen, was völlig idiotisch war. Um schnellstmöglich zu einem Telefon zu gelangen, hätte ich zurück zu Billy fahren müssen. Aber ich konnte nicht glauben, was ich da gerade gesehen hatte. Vielleicht hoffte ich unbewusst, von draußen etwas anderes zu sehen.

Jacob lachte. Ich fuhr herum und starrte ihn wütend an. Wie konnte er nur so gefühllos, so kaltblütig sein?

»Das ist doch nur ein Freizeitspaß, Bella. Sie springen zum Vergnügen von der Klippe. La Push hat kein Einkaufszentrum, weißt du.« Das war ein Scherz, aber in seiner Stimme lag auch leichte Verärgerung.

»Ein Freizeitspaß?«, wiederholte ich benommen. Fassungslos starrte ich hinüber, als der Zweite an den Rand des Abgrunds trat und dann sehr elegant in die Tiefe sprang. Er fiel eine Ewigkeit, so kam es mir jedenfalls vor, um dann geschmeidig in die dunkelgrauen Wellen einzutauchen.

»Wahnsinn. Wie hoch das ist!« Ich ließ mich wieder in den Sitz sinken und starrte mit großen Augen zu den verbliebenen beiden Figuren. »Das sind doch mindestens dreißig Meter.«

»Ja, die meisten von uns springen von weiter unten, von dem Felsvorsprung da, ungefähr in der Mitte der Klippe.« Er zeigte aus dem Seitenfenster auf eine Stelle, die nicht ganz so schlimm aussah. »Die Jungs da sind echt verrückt. Die wollen wohl zeigen, was für coole Typen sie sind. Es ist doch eiskalt heute. Das Wasser ist bestimmt nicht angenehm.« Er wirkte aufgebracht, als hätten die Jungs ihn persönlich beleidigt. Ich war ein wenig überrascht, ich hätte es kaum für möglich gehalten, dass man Jacob verärgern konnte.

»Du bist auch schon von der Klippe gesprungen?« Das »uns« war mir nicht entgangen.

»Klar.« Er zuckte mit den Schultern und grinste. »Macht Spaß. Ein kleiner Nervenkitzel, eine Art Kick.«

Ich schaute wieder zu den Klippen, wo jetzt der Dritte an den Rand trat. Ich hatte noch nie im Leben so etwas Waghalsiges gesehen. Plötzlich lächelte ich. »Jake, du musst mich auch mal mit auf die Klippe nehmen.«

Er runzelte die Stirn und sah mich missbilligend an. »Bella, gerade wolltest du noch einen Krankenwagen für Sam rufen«, erinnerte er mich. Ich war verblüfft, dass er aus dieser Entfernung erkennen konnte, wer dort stand.

»Ich würde es aber gern mal versuchen«, beharrte ich und wollte schon wieder aussteigen.

Jacob packte mich am Handgelenk. »Nicht heute, okay? Können wir wenigstens warten, bis es etwas wärmer ist?«

»Na gut«, sagte ich. Die Wagentür stand immer noch offen und von dem eisigen Wind bekam ich Gänsehaut am Arm. »Aber bald.«

»Bald.« Er verdrehte die Augen. »Manchmal bist du schon ein bisschen schräg drauf, Bella, weißt du das?«

Ich seufzte. »Ja.«

»Wir springen aber nicht von ganz oben.«

Fasziniert schaute ich zu, wie der dritte Junge Anlauf nahm und sich dann noch weiter in die Luft schwang als die ersten beiden. Er drehte und schraubte sich durch die Luft wie ein Fallschirmspringer. Er sah vollkommen frei aus – losgelöst und völlig waghalsig.

»Na gut«, sagte ich. »Jedenfalls nicht beim ersten Mal.«

Jetzt war es an Jacob zu seufzen.

»Wollen wir jetzt die Motorräder ausprobieren oder nicht?«, sagte er.

»Jaja«, sagte ich und riss meinen Blick von dem letzten Jungen auf der Klippe los. Ich schnallte mich wieder an und zog die Tür zu. Der Motor lief immer noch und röhrte vor sich hin. Wir fuhren weiter.

»Und was waren das nun für Typen – diese Verrückten?«, fragte ich.

Er schnaubte verächtlich. »Die La-Push-Gang.«

»Ihr habt hier eine Gang?«, fragte ich. Ich merkte, dass es beeindruckt klang.

Er lachte kurz über meine Reaktion. »Nicht in dem Sinn. Ich schwöre dir, die sind wie total durchgeknallte Musterknaben. Die fangen keine Prügeleien an, die sorgen für Ordnung.« Er schnaubte. »Da war mal so ein Typ aus dem Makah-Reservat, ein großer Kerl, der einem schon Angst machen konnte. Na, und dann ging das Gerücht um, der würde den Jugendlichen harte Drogen verkaufen, und Sam Uley und seine *Jünger* haben ihn von unserem Land vertrieben. Sie reden alle von *unserem* Land und von Stammesstolz und so ... einfach lächerlich. Das Schlimmste ist, dass der Rat sie ernst nimmt. Embry sagt, dass sich der Rat sogar mit Sam trifft.« Er schüttelte den Kopf; man sah ihm an, wie sehr ihm das gegen den Strich ging. »Und von Leah Clearwater hat Embry gehört, dass sie sich ›Beschützer‹ oder so nennen.«

Jacob hatte die Hände zu Fäusten geballt, als würde er am liebsten auf irgendwas einschlagen. Von dieser Seite hatte ich ihn noch nicht kennengelernt.

Ich war überrascht, Sam Uleys Namen zu hören. Ich wollte nicht, dass der Name die Bilder des Albtraums wieder heraufbeschwor, deshalb sagte ich schnell: »Du kannst die Typen wohl nicht besonders gut leiden.«

»Ach, merkt man das?«, sagte er sarkastisch.

»Na ja ... es klingt aber nicht so, als ob sie irgendwas Schlimmes machten.« Ich wollte ihn besänftigen, damit er wieder fröhlich wurde. »Nur eine ärgerliche Bande von Tugendwächtern.«

»Ja. Ärgerlich ist das richtige Wort. Das sind richtige Angeber – zum Beispiel die Sache auf der Klippe vorhin. Sie benehmen sich wie ... ich weiß nicht. Wie knallharte Typen. Vor einigen Monaten war ich mal mit Embry und Quil im Laden, und da kam Sam mit seinen *Jüngern* vorbei, Jared und Paul. Quil machte irgendeine Bemerkung, du weißt ja, er hat eine große Klappe, und Paul wurde stocksauer. Seine Augen wurden ganz dunkel und er lächelte irgendwie sonderbar – nein, er lächelte nicht, er zeigte nur die Zähne, und er hat vor Wut richtig gezittert. Aber da hat Sam Paul eine Hand auf die Brust gelegt und den Kopf geschüttelt. Paul sah ihn einen Augenblick an, dann hat er sich wieder beruhigt. Im Ernst, es war, als hätte Sam ihn zurückgehalten – als hätte Paul uns sonst in Stücke gerissen.« Er stöhnte. »Wie in einem schlechten Western. Du kennst ja Sam, der ist ziemlich groß und kräftig und immerhin schon zwanzig. Aber Paul ist auch erst sechzehn, kleiner als ich und nicht so bullig wie Quil. Ich glaub, jeder von uns hätte es mit dem aufnehmen können.«

»Knallharte Typen eben«, sagte ich zustimmend. Ich sah die Szene vor mir, die er beschrieb, und fühlte mich an etwas erinnert … drei große, dunkle Männer, die im Wohnzimmer meines Vaters ganz still und nah beieinanderstanden. Das Bild lag auf der Seite, weil ich auf dem Sofa lag, während Dr. Gerandy und Charlie sich über mich beugten … War das Sams Gang gewesen?

Um mich von den düsteren Erinnerungen abzulenken, fragte ich schnell: »Ist Sam für so was nicht schon zu alt?«

»Doch. Eigentlich sollte er längst aufs College gehen, aber er ist hiergeblieben. Und keiner hat ihn deswegen auch nur zur Rede gestellt. Als meine Schwester ein Teilstipendium abgelehnt hat, um stattdessen zu heiraten, sind im Rat alle ausgerastet. Aber nein, Sam Uley ist unfehlbar.«

Eine Empörung, die ich an ihm nicht kannte, spiegelte sich in seinem Gesicht – Empörung und noch etwas anderes, das ich nicht gleich einordnen konnte.

»Das klingt ja alles echt ärgerlich und … merkwürdig. Aber ich versteh nicht, warum du das so persönlich nimmst.« Vorsichtig schaute ich ihn an und hoffte, dass er sich nicht angegriffen fühlte. Er war plötzlich ganz ruhig und starrte zum Fenster hinaus.

»Du hast gerade die Abzweigung verpasst«, sagte er ruhig.

Ich wendete mitten auf der Straße, geriet dabei von der Fahrbahn ab und wäre fast gegen einen Baum gefahren.

»Danke für die Warnung«, murmelte ich, als ich in den Seitenweg einbog.

»'tschuldigung, hab nicht aufgepasst.«

Eine Weile blieb es still.

»Hier kannst du irgendwo halten«, sagte er leise.

Ich fuhr an den Rand und schaltete den Motor aus. Es war so still, dass mir die Ohren klangen. Wir stiegen beide aus und Jacob ging nach hinten, um die Motorräder herunterzuheben. Ich versuchte seine Miene zu deuten. Da war noch etwas, was ihn bedrückte. Ich hatte einen Nerv getroffen.

Als er das rote Motorrad zu mir schob, lächelte er halbherzig. »Herzlichen Glückwunsch nachträglich. Bist du bereit?«

»Ich glaub schon.« Als mir klarwurde, dass ich gleich auf dem Motorrad sitzen würde, sah es plötzlich ziemlich beeindruckend, geradezu beängstigend aus.

»Wir gehen es langsam an«, versprach er. Behutsam lehnte ich das Motorrad an den Kotflügel des Transporters, während Jacob sein Motorrad herunterhob.

»Jake ...« Ich zögerte, als er wieder auftauchte.

»Ja?«

»Was ist das eigentliche Problem? An der Sache mit Sam, meine ich. Da ist doch noch irgendwas.« Ich schaute ihn an. Er verzog das Gesicht, aber er sah nicht wütend aus. Er schaute auf den Boden und trat immer wieder mit dem Fuß gegen das Vorderrad seines Motorrades, als würde er den Takt schlagen.

Er seufzte. »Es ist einfach ... wie sie mich behandeln. Das macht mich rasend.« Jetzt sprudelte es aus ihm heraus. »Weißt du, im Rat sind alle gleichberechtigt, aber wenn es einen Anführer gäbe, dann wäre es mein Vater. Ich hab nie genau verstanden, wieso die Leute ihn so behandeln. Wieso seine Meinung immer am meisten zählt. Es hat wohl mit seinem Vater und dem Vater seines Vaters zu tun. Mein Urgroßvater, Ephraim Black, war sozusagen unser letzter Häuptling, und vielleicht hören sie deswegen besonders auf Billy. Aber ich bin genau wie alle anderen. Keiner hat mich je behandelt, als wäre ich etwas Besonderes … bis jetzt.«

Das überraschte mich. »Sam behandelt dich, als wärst du etwas Besonderes?«

»Ja«, sagte er. Er sah beunruhigt aus. »Er guckt mich an, als ob er auf irgendwas wartet … als sollte ich eines Tages bei seiner idiotischen Gang mitmachen. Er beachtet mich mehr als alle anderen. Es ist grässlich.«

»Du brauchst nirgendwo mitzumachen«, sagte ich aufgebracht. Jacob wirkte richtig mitgenommen, und das machte mich wütend. Wofür hielten sich diese »Beschützer«?

»Klar.« Er trat immer noch gegen den Reifen.

»Und was noch?« Ich merkte, dass das nicht alles war.

Er zog die Augenbrauen zusammen, und seine Miene war jetzt eher traurig und sorgenvoll als wütend. »Es ist wegen Embry. Er geht mir in letzter Zeit aus dem Weg.«

Ich fragte mich, was das mit der anderen Sache zu tun hatte. Und dann überlegte ich, ob ich daran schuld war, dass er Probleme mit Embry hatte. »Du warst ziemlich viel mit mir zusammen«, sagte ich und hatte fast ein schlechtes Gewissen deswegen. Ich hatte ihn ganz schön vereinnahmt.

»Das hat damit nichts zu tun. Er meidet nicht nur mich, sondern auch Quil und alle anderen. Embry war eine Woche nicht in der Schule, aber wenn wir ihn zu Hause besuchen wollten, war er nie da. Und als er wiederauftauchte, sah er … total verängstigt aus. Zu Tode erschrocken. Quil und ich haben versucht, aus ihm rauszukriegen, was los ist, aber er wollte nicht mit uns reden.«

Ich starrte Jacob an und biss mir nervös auf die Lippe – er hatte wirklich Angst. Er sah mich nicht an, sondern schaute auf seinen Fuß, der wie von selbst gegen den Reifen trat, als würde er nicht zu ihm gehören. Er trat immer schneller.

»Und diese Woche hing Embry urplötzlich mit Sam und den anderen rum. Die Jungs heute auf der Klippe, da war er dabei.« Jacob sprach leise und angespannt.

Endlich sah er mich an. »Bella, Embry sind die Typen noch mehr auf den Geist gegangen als mir. Er wollte absolut nichts mit denen zu tun haben. Und jetzt folgt er Sam, als wäre er einer Sekte beigetreten. Und genauso war es mit Paul. Genau dasselbe. Er war überhaupt nicht mit Sam befreundet. Dann ist er ein paar Wochen nicht in der Schule aufgetaucht, und als er wiederkam, hatte Sam ihn plötzlich total vereinnahmt. Ich weiß nicht, was das soll. Ich verstehe es nicht, und ich hab das Gefühl, ich müsste es verstehen, weil Embry mein Freund ist und ... Sam mich so komisch anguckt ... und ...« Er verstummte.

»Hast du mal mit Billy darüber geredet?«, fragte ich. Seine Angst übertrug sich langsam auf mich. Meine Nackenhaare hatten sich aufgestellt.

Jetzt sah er wütend aus. »Ja«, schnaubte er. »Der war mir eine große Hilfe.«

»Was hat er gesagt?«

Jacobs Gesicht nahm einen sarkastischen Ausdruck an, und er imitierte die tiefe Stimme seines Vaters, als er sagte: »Mach dir deswegen jetzt keine Sorgen, Jacob. In einigen Jahren vielleicht, wenn du nicht ... aber das erkläre ich dir später.« Dann sprach er mit seiner normalen Stimme weiter. »Und was will er mir damit sagen? Dass das Ganze irgendein alberner Initiationsritus ist? Aber es ist was anderes. Was Gefährliches.«

Er biss sich auf die Lippe und ballte die Hände. Er sah aus, als könnte er jeden Moment losheulen.

Unwillkürlich schlang ich die Arme um ihn und drückte mein Gesicht an seine Brust. Er war so groß, dass ich mir vorkam wie ein Kind, das einen Erwachsenen umarmt.

»Ach, Jake, das wird schon wieder!«, sagte ich. »Wenn es schlimmer wird, ziehst du einfach zu Charlie und mir. Hab keine Angst, wir finden bestimmt eine Lösung!«

Einen Augenblick war er wie erstarrt, dann erwiderte er zögernd meine Umarmung. »Danke, Bella.« Seine Stimme war rauer als sonst.

Wir standen eine Weile so da, und die Berührung brachte mich nicht durcheinander, im Gegenteil, sie hatte etwas Beruhigendes. Als mich das letzte Mal jemand so umarmt hatte, war das ein ganz anderes Gefühl gewesen. Das hier war Freundschaft. Und Jacob fühlte sich sehr warm an.

Es war ungewohnt für mich, einem anderen Menschen so nah zu sein – sowohl gefühlsmäßig als auch körperlich. Normalerweise ließ ich mich nicht so schnell auf andere ein.

Jedenfalls nicht auf Menschen.

»Wenn du immer so reagierst, raste ich gern öfter mal aus.« Jetzt war Jacobs Stimme wieder so leicht wie normalerweise, und sein Lachen dröhnte mir ins Ohr. Sanft und vorsichtig berührte er mit den Fingern mein Haar.

Also, für mich war es Freundschaft.

Schnell machte ich mich los und stimmte in sein Lachen ein, war jedoch entschlossen, die Dinge sofort wieder zurechtzurücken.

»Kaum zu glauben, dass ich zwei Jahre älter bin als du«, sagte ich mit Betonung auf *älter.* »Neben dir komme ich mir vor wie ein Zwerg.« Wenn wir so nah beieinanderstanden, musste ich mir fast den Hals verrenken, um ihn anzuschauen.

»Du vergisst, dass ich in den Vierzigern bin.«

»Ach ja, stimmt ja.«

Er tätschelte mir den Kopf. »Du bist wie eine kleine Puppe«, sagte er neckend. »Eine Porzellanpuppe.«

Ich verdrehte die Augen und ging noch einen Schritt zurück. »Jetzt komm mir nicht noch mit irgendwelchen Albinosprüchen.«

»Im Ernst, Bella, bist du dir sicher, dass du keiner bist?« Er hielt seinen rostbraunen Arm neben meinen. Der Kontrast war nicht gerade schmeichelhaft. »Ich hab noch nie jemanden gesehen, der so blass ist wie du ... na ja, außer ...« Er sprach nicht weiter. Ich schaute weg und versuchte, nicht zu verstehen, was er hatte sagen wollen.

»Wollen wir jetzt Motorrad fahren oder was?«

»Ja«, sagte ich mit größerer Begeisterung, als ich noch einen Moment zuvor aufgebracht hätte. Der Satz, den er nicht beendet hatte, erinnerte mich wieder daran, weshalb ich eigentlich hier war.

DER ADRENALINPEGEL STEIGT

»Okay, wo ist die Kupplung?«

Ich zeigte auf den Hebel am linken Griff. Es war ein Fehler, rechts loszulassen. Das schwere Motorrad schwankte unter mir und drohte mich umzuwerfen. Ich packte den Griff wieder und versuchte das Ding gerade zu halten.

»Jacob, das kippt immer um«, klagte ich.

»Wenn du erst mal fährst, ist das anders«, versprach er. »Und wo ist die Bremse?«

»Hinter meinem rechten Fuß.«

»Falsch.«

Er nahm meine rechte Hand und legte sie um den Gashebel.

»Aber du hast doch gesagt ...«

»Das ist die Bremse, die du brauchst. Das Bremspedal benutzt du jetzt noch nicht, das ist für später, wenn du alles im Griff hast.«

»Das finde ich aber komisch«, sagte ich misstrauisch. »Sind die Bremsen nicht beide wichtig?«

»Vergiss das Bremspedal, okay? Hier ...« Er legte seine Hand über meine und drückte den Bremshebel mit mir zusammen herunter. »So bremst man. Nicht vergessen.« Er drückte meine Hand noch einmal herunter.

»Okay«, sagte ich.

»Gas?«

Ich drehte den rechten Griff.

»Gangschaltung?«

Ich stieß mit der linken Wade dagegen.

»Sehr gut. Ich glaube, du hast alles drauf. Jetzt musst du nur noch losfahren.«

»Hm-hm«, murmelte ich, mehr brachte ich nicht heraus. Mein Magen krampfte sich merkwürdig zusammen und ich hatte Angst, meine Stimme könnte versagen. Ich hatte Panik. Ich redete mir ein, dass ich keine Angst zu haben brauchte. Das Schlimmste auf der Welt hatte ich schon hinter mir. Warum sollte ich mich da noch vor irgendetwas fürchten? Sogar dem Tod müsste ich lachend ins Auge blicken können.

Mein Magen war nicht ganz überzeugt.

Ich starrte auf die lange unbefestigte Straße, die zu beiden Seiten von dichtem, mattem Grün begrenzt wurde. Die Straße war feucht und sandig.

»Jetzt musst du die Kupplung halten«, befahl Jacob.

Ich legte die Hand um die Kupplung.

»Das ist jetzt ganz wichtig«, sagte Jacob. »Lass sie nicht los, okay? Stell dir vor, ich hätte dir eine scharfe Handgranate gegeben. Der Splint ist gezogen und du hältst den Bügel runter.«

Ich drückte fester zu.

»Gut. Meinst du, du kannst sie mit dem Kickstarter anlassen?«

»Wenn ich den Fuß bewege, kippe ich um«, sagte ich mit zusammengebissenen Zähnen, während ich mit der Hand die scharfe Handgranate umklammerte.

»Okay, dann mach ich das. Nicht die Kupplung loslassen.«

Er ging einen Schritt zurück und trat dann plötzlich mit einem Fuß das Pedal. Es gab ein kurzes, reißendes Geräusch, und durch den Ruck geriet das Motorrad ins Wanken. Ich wäre fast umgekippt, aber Jake fing das Motorrad auf, bevor es mich zu Boden riss.

»Ganz ruhig«, sagte er aufmunternd. »Hast du die Kupplung noch?«

»Ja«, sagte ich atemlos.

»Stell die Füße auf – ich versuch's noch mal.« Sicherheitshalber legte er eine Hand hinten auf den Sitz.

Er musste noch viermal treten, bis das Motorrad ansprang. Es grollte unter mir wie ein wütendes Tier. Ich hielt die Kupplung so fest, dass mir die Finger wehtaten.

»Jetzt versuch mal Gas zu geben«, sagte er. »Ganz vorsichtig. Und die Kupplung nicht loslassen.«

Zögernd drehte ich am rechten Griff. Obwohl es nur eine ganz kleine Bewegung war, knurrte das Motorrad unter mir. Jetzt klang es nicht nur wütend, sondern auch hungrig. Jacob lächelte zufrieden.

»Weißt du noch, wie man den ersten Gang einlegt?«, fragte er.

»Ja.«

»Na, dann mach mal.«

»Okay.«

Er wartete ein paar Sekunden.

»Linker Fuß«, sagte er hilfsbereit.

»Ich *weiß*«, sagte ich und holte tief Luft.

»Willst du wirklich fahren?«, fragte Jacob. »Du siehst ziemlich ängstlich aus.«

»Alles bestens«, sagte ich schnippisch. Ich trat auf das Schaltpedal.

»Sehr gut«, lobte er. »Und jetzt *ganz* vorsichtig die Kupplung loslassen.«

Er trat einen Schritt zurück.

»Ich soll die Handgranate loslassen?«, fragte ich ungläubig. Kein Wunder, dass er sich in Sicherheit brachte.

»So fährt man, Bella. Mach es einfach ganz langsam.«

Als ich den Griff lockern wollte, wurde ich von einer Stimme unterbrochen, die nicht zu dem Jungen neben mir gehörte.

»Das ist waghalsig und kindisch und idiotisch, Bella«, sagte die Samtstimme zornig.

»Oh!«, rief ich erschrocken und ließ die Kupplung los.

Das Motorrad machte einen Satz, riss mich nach vorn und kippte um, halb auf mich drauf. Der knurrende Motor erstickte.

»Bella?« Mühelos riss Jacob das schwere Motorrad hoch. »Bist du verletzt?«

Aber ich hörte nicht zu.

»Ich habe es dir ja gesagt«, murmelte die glasklare, traumhafte Stimme.

»Bella?« Jacob rüttelte mich an der Schulter.

»Alles in Ordnung«, murmelte ich benommen.

Mehr als in Ordnung. Die Stimme in meinem Kopf war wieder da. Sie klang mir immer noch in den Ohren – ein sanftes, samtenes Echo.

Schnell ging ich alle Möglichkeiten durch. Hier hatte es nichts Vertrautes gegeben – die Straße hatte ich noch nie gesehen, ich hatte etwas gemacht, was ich noch nie gemacht hatte –, kein Déjà-vu. Die Halluzinationen mussten also durch etwas anderes ausgelöst werden ... Ich spürte das Adrenalin wieder durch die Adern rauschen und glaubte die Antwort zu kennen. Irgendeine Mischung aus Adrenalin und Gefahr oder vielleicht auch nur Dummheit ...

Jacob zog mich hoch.

»Hast du dir den Kopf gestoßen?«, fragte er.

»Ich glaub nicht.« Ich schüttelte den Kopf versuchsweise hin und her. »Ich hab das Motorrad doch nicht kaputt gemacht, oder?«, fragte ich besorgt. Ich wollte es sofort noch mal probieren. Waghalsigkeit lohnte sich mehr, als ich gedacht hatte. Dass ich mein Versprechen gebrochen hatte, war jetzt nebensächlich. Vielleicht hatte ich herausgefunden, wie ich die Halluzinationen hervorrufen konnte – das war viel wichtiger.

»Nein. Du hast nur den Motor abgewürgt«, sagte Jacob in meine Spekulationen hinein. »Du hast die Kupplung zu schnell losgelassen.«

Ich nickte. »Komm, wir versuchen es noch mal.«

»Willst du wirklich?«, fragte Jacob.

»Klar.«

Diesmal versuchte ich den Kickstart selber. Das war verzwickt, ich musste leicht hochspringen, um das Pedal kräftig genug runterzutreten, und jedes Mal, wenn ich das versuchte, wollte das Motorrad mich umwerfen. Jacob ließ die Hand über dem Lenker schweben, damit er mich notfalls auffangen konnte.

Ich machte ein paar gute und noch mehr schlechte Versuche, bevor der Motor ansprang und dröhnend loslegte. Ich konzentrierte mich darauf, die Handgranate festzuhalten, und drehte versuchsweise am Gas. Schon bei der leisesten Berührung knurrte das Ding. Jetzt lächelte ich genau wie Jacob.

»Die Kupplung langsam loslassen«, erinnerte er mich.

»Dann willst du dich also umbringen? Ist das der Sinn der Aktion?«, fragte die andere Stimme jetzt streng.

Ich lächelte angestrengt – es funktionierte also noch – und ignorierte die Fragen. Jacob würde schon aufpassen, dass mir nichts Schlimmes zustieß.

»Fahr nach Hause zu Charlie«, befahl die Stimme. Die bloße

Schönheit ihres Klangs überraschte mich. Ich konnte nicht zulassen, dass sie aus meinem Gedächtnis verschwand, ganz egal, welchen Preis ich dafür zahlen musste.

»Langsam kommen lassen«, sagte Jacob aufmunternd.

»Mach ich«, sagte ich. Es ärgerte mich ein bisschen, als ich merkte, dass die Antwort für beide passte.

Die Stimme in meinem Kopf knurrte gegen das röhrende Motorrad an.

Diesmal versuchte ich mich zu konzentrieren und mich nicht von der Stimme ablenken zu lassen, als ich den Griff ganz allmählich lockerte. Plötzlich sprang der Gang rein und ich wurde nach vorn gerissen.

Und ich flog.

Da war Wind, der vorher nicht da gewesen war, er presste mir die Haut an den Schädel und blies meine Haare so kräftig nach hinten, dass es sich anfühlte, als würde jemand daran ziehen. Den Magen hatte ich beim Start zurückgelassen; das Adrenalin rauschte mir durch den Körper und prickelte in den Adern. Die Bäume rasten an mir vorbei und verschwammen zu einer grünen Wand.

Und das war erst der erste Gang. Mein Fuß strebte schon zum Schaltpedal und ich gab mehr Gas.

»Nein, Bella!«, rief mir die honigsüße Stimme wütend ins Ohr. »Pass auf!«

Das lenkte mich von meinem Geschwindigkeitsrausch ab und ich merkte, dass die Straße hier eine Linkskurve machte. Ich fuhr immer noch geradeaus – wie man abbog, hatte Jacob mir nicht erklärt.

»Bremsen, bremsen«, murmelte ich und trat automatisch mit dem rechten Fuß nach unten, wie ich es im Auto auch immer machte.

Auf einmal hatte das Motorrad unter mir keinen festen Halt mehr, es schwankte erst zur einen Seite, dann zur anderen. Es zog mich zu der grünen Wand, und ich war zu schnell. Ich versuchte den Lenker in die andere Richtung zu drehen. Durch die plötzliche Gewichtsverlagerung wurde das Motorrad, das immer noch auf die Bäume zuraste, zu Boden gerissen.

Wieder landete das Motorrad auf mir, es dröhnte laut und schleifte mich über die nasse Erde, bis es gegen etwas Hartes stieß. Ich konnte nichts sehen, mein Gesicht war ins Moos gedrückt. Ich versuchte den Kopf zu heben, aber irgendetwas war im Weg.

Mir war schwindlig und ich war verwirrt. Es hörte sich an, als würde es aus drei verschiedenen Richtungen knurren – da war das Motorrad über mir, die Stimme in meinem Kopf und noch etwas anderes …

»Bella!«, schrie Jacob und ich hörte, wie das Röhren des anderen Motorrades erstarb.

Jetzt nagelte das Motorrad mich nicht mehr am Boden fest, und ich drehte mich auf den Rücken, um zu atmen. Alles Knurren erstarb.

»Wahnsinn«, murmelte ich. Ich war hin und weg. Das musste es sein, das Rezept für eine Halluzination – Adrenalin plus Gefahr plus Dummheit. Jedenfalls irgendwas in der Art.

»Bella!« Jacob kauerte sich erschrocken über mich. »Bella, lebst du?«

»Mir geht es super!«, sagte ich begeistert. Ich beugte die Arme und Beine. Es schien alles noch zu funktionieren. »Los, wir machen es noch mal.«

»Besser nicht.« Jacob klang immer noch besorgt. »Ich fahre dich lieber erst mal ins Krankenhaus.«

»Mir geht es aber gut.«

»Ähm, Bella? Du hast eine riesige Platzwunde an der Stirn, und das Blut strömt nur so heraus«, sagte er.

Ich schlug mir mit der Hand an die Stirn. Ja, sie war nass und klebrig. Ich roch nur das feuchte Moos auf meinem Gesicht, deshalb wurde mir nicht übel.

»Oh, das tut mir so leid, Jacob.« Ich drückte fest auf die klaffende Wunde, als könnte ich das Blut wieder in meinen Kopf zwingen.

»Wieso entschuldigst du dich dafür, dass du blutest?«, fragte er verwundert, als er meine Taille umfasste und mich hochzog. »Los. Ich fahre.« Er streckte die Hand nach dem Autoschlüssel aus.

»Was ist mit den Motorrädern?«, fragte ich, als ich ihm den Schlüssel reichte.

Er überlegte einen Moment. »Warte hier. Und nimm das.« Er zog sich das T-Shirt aus, das schon blutbefleckt war, und warf es mir zu. Ich knüllte es zusammen und drückte es mir an die Stirn. Jetzt roch ich allmählich das Blut; ich atmete tief durch den Mund und versuchte mich auf etwas anderes zu konzentrieren.

Jacob stieg auf das schwarze Motorrad, schaffte den Kickstart beim ersten Versuch und raste die Straße hinunter. Hinter ihm wirbelten Sand und Kies auf. Es sah sportlich und profimäßig aus, wie er sich über den Lenker beugte, mit gesenktem Kopf und erhobenem Blick, die glänzenden Haare peitschten ihm an den rostbraunen Rücken. Ich spürte, wie der Neid in mir aufstieg. So hatte ich auf meinem Motorrad ganz bestimmt nicht ausgesehen.

Ich wunderte mich, wie weit ich gefahren war. Als Jacob endlich beim Transporter ankam, konnte ich ihn kaum noch sehen. Er warf das Motorrad hin und rannte zum Wagen.

Er hatte es so eilig, wieder bei mir zu sein, dass er den Transporter zu einem ohrenbetäubenden Röhren antrieb. Dabei ging es mir gar nicht schlecht – der Kopf tat mir ein bisschen weh und ich hatte ein flaues Gefühl im Magen, aber die Wunde war nicht so schlimm. Kopfwunden bluteten einfach nur stärker als die meisten anderen. Er hätte sich nicht so beeilen müssen.

Bei laufendem Motor kam Jacob zu mir gerannt und legte mir den Arm wieder um die Taille.

»Okay, jetzt hebe ich dich in den Wagen.«

»Mir geht es wirklich gut«, versicherte ich ihm, als er mir hineinhalf. »Reg dich nicht auf. Es ist nur ein bisschen Blut.«

»Nur *sehr viel* Blut«, sagte er leise und holte mein Motorrad.

»Lass uns erst mal kurz überlegen«, sagte ich, als er im Wagen saß. »Wenn du mich jetzt zur Notaufnahme fährst, kriegt Charlie garantiert Wind davon.« Ich schaute auf meine Jeans, die vor Sand und Dreck strotzte.

»Bella, ich glaub, das muss genäht werden. Ich lasse dich nicht verbluten.«

»Ich verblute schon nicht«, versprach ich. »Aber ich möchte, dass wir erst die Motorräder zurückbringen, und dann fahren wir bei mir zu Hause vorbei. So kann ich die Beweisstücke verschwinden lassen, bevor wir zum Krankenhaus fahren.«

»Und Charlie?«

»Er hat gesagt, er muss heute arbeiten.«

»Willst du es dir nicht noch mal überlegen?«

»Vertrau mir. Ich fange immer schnell zu bluten an. Es ist viel harmloser, als es aussieht.«

Jacob war nicht ganz überzeugt – er verzog die vollen Lippen leicht nach unten, ganz untypisch für ihn –, aber er wollte auch nicht, dass ich Ärger bekam. Während er mich nach Forks fuhr, starrte ich aus dem Fenster und hielt mir das blutige T-Shirt an die Stirn.

Das Motorrad war besser, als ich zu hoffen gewagt hatte. Es hatte seinen Zweck erfüllt. Ich hatte mein Versprechen gebrochen. Ich war unnötig waghalsig gewesen. Jetzt, da wir beide wortbrüchig geworden waren, kam ich mir nicht mehr ganz so jämmerlich vor.

Und ich hatte den Schlüssel zu den Halluzinationen gefunden! Das hoffte ich jedenfalls. Ich nahm mir vor, die Theorie so bald wie möglich zu überprüfen. Vielleicht ging in der Notaufnahme alles ganz schnell und ich konnte es heute Abend schon wieder ausprobieren.

Es war großartig gewesen, die Straße entlangzusausen. Der Wind im Gesicht, die Geschwindigkeit, das Gefühl von Freiheit … das erinnerte mich an früher, als ich durch den dichten Wald geflogen war, huckepack auf seinem Rücken, während er rannte – an dieser Stelle hörte ich auf zu denken, weil die Erinnerung plötzlich zu weh tat. Ich zuckte zusammen.

»Geht es?«, fragte Jacob.

»Ja.« Ich versuchte es genauso überzeugend klingen zu lassen wie vorher.

»Übrigens«, sagte er dann, »werde ich heute Abend dein Bremspedal außer Kraft setzen.«

Zu Hause betrachtete ich mich als Erstes im Spiegel, ich sah ziemlich schaurig aus. Dicke, halb getrocknete Blutspuren an den Wangen und am Hals, die dreckigen Haare blutverklebt. Ich betrachtete alles ganz genau und stellte mir vor, das Blut wäre Farbe, damit mir nicht schlecht wurde. Ich atmete durch den Mund, so war es erträglich.

Ich wusch mich, so gut es ging. Dann stopfte ich die schmutzigen, blutigen Kleider ganz unten in meinen Wäschekorb, zog

neue Jeans und ein durchgeknöpftes T-Shirt an (das musste
ich nicht über den Kopf ziehen). Ich war ganz vorsichtig
und schaffte das Ganze einhändig, ohne die Klamotten vollzu-
schmieren.

»Beeil dich!«, rief Jacob.

»Jaja«, rief ich zurück. Ich überprüfte, ob ich auch keine Spuren hinterlassen hatte, und ging die Treppe runter.

»Wie seh ich aus?«, fragte ich.

»Besser«, gab er zu.

»Seh ich so aus, als wäre ich in deiner Werkstatt gestolpert
und hätte mir den Kopf an einem Hammer aufgeschlagen?«

»Ja, schon möglich.«

»Dann können wir los.«

Jacob drängte mich zur Tür hinaus und bestand darauf zu fahren. Wir waren schon auf halbem Weg zum Krankenhaus, als
mir auffiel, dass er immer noch ohne T-Shirt war.

Ich machte ein schuldbewusstes Gesicht. »Wir hätten eine Jacke für dich mitnehmen sollen.«

»Damit hätten wir uns aber verraten«, scherzte er. »Außerdem ist es gar nicht kalt.«

»Machst du Witze?« Ich zitterte und stellte die Heizung an.

Ich schaute Jacob an, um zu sehen, ob er nur den harten Mann
markierte, damit ich mir keine Sorgen machte, aber er schien
tatsächlich nicht zu frieren. Er hatte einen Arm über die Lehne
meines Sitzes gelegt, während ich mich zusammengekauert
hatte, damit mir warm wurde.

Jacob sah wirklich älter aus als sechzehn – nicht gerade wie
vierzig, aber vielleicht sogar älter als ich. Was die Muskeln anging, war Quil ihm gar nicht so überlegen, auch wenn Jacob sich
immer als Spargeltarzan bezeichnete. Die Muskeln unter seiner
weichen Haut waren zwar eher lang und drahtig, aber zweifellos

vorhanden. Seine Haut hatte eine so schöne Farbe, dass ich ganz neidisch wurde.

Jacob merkte, dass ich ihn beobachtete.

»Was ist?«, fragte er. Auf einmal war er befangen.

»Nichts. Es war mir nur bisher nicht aufgefallen. Weißt du, dass du irgendwie schön bist?«

Als die Worte heraus waren, hatte ich Angst, er könnte meine spontane Bemerkung falsch verstehen.

Aber er verdrehte nur die Augen. »Du hast dir den Kopf aber ziemlich fest gestoßen, was?«

»Nein, im Ernst.«

»Na dann, danke schön. Irgendwie.«

Ich grinste. »Irgendwie gern geschehen.«

Die Wunde an der Stirn musste mit sieben Stichen genäht werden. Abgesehen von dem Piksen der Betäubungsspritze tat es überhaupt nicht weh. Jacob hielt meine Hand, während Dr. Snow nähte, und ich versuchte, nicht an die Ironie der Situation zu denken.

Wir waren eine Ewigkeit im Krankenhaus. Als ich endlich fertig war, musste ich Jacob nach Hause bringen und dann schnell zurückfahren, um das Abendessen für Charlie vorzubereiten. Charlie schien mir die Geschichte abzukaufen, dass ich in Jacobs Werkstatt gefallen war. Schließlich hatte ich es früher auch ohne Motorrad schon des Öfteren in die Notaufnahme geschafft.

Diese Nacht war nicht so schlimm wie die Nacht nach dem Abend in Port Angeles, als ich die Traumstimme zum ersten Mal gehört hatte. Das Loch war wieder da, wie immer, wenn ich nicht mit Jacob zusammen war, aber es schmerzte nicht ganz so sehr. Ich schmiedete schon wieder Pläne und freute mich auf weitere Halluzinationen, und das lenkte mich ab. Außerdem wusste ich, dass es mir am nächsten Tag, wenn ich wieder mit Jacob zusammen war, bessergehen würde. Das machte das Loch und den altbekannten Schmerz erträglicher; Besserung war in Sicht. Auch der Albtraum hatte ein wenig von seiner Macht verloren. Die Leere erschreckte mich noch immer, aber ich spürte auch eine seltsame Ungeduld, wenn ich auf den Moment wartete, da ich schreiend erwachte. Ich wusste, dass der Albtraum ein Ende hatte.

Am Mittwoch darauf musste ich wieder einmal in die Notaufnahme. Ehe ich wieder zu Hause war, hatte Dr. Gerandy meinen Vater schon angerufen und ihn darauf vorbereitet, dass ich eine Gehirnerschütterung haben könnte. Er riet ihm, mich in der Nacht alle zwei Stunden zu wecken, um sicherzugehen, dass es nichts Ernstes war. Charlie guckte misstrauisch, offenbar nahm er mir meine faule Ausrede, ich sei schon wieder gestolpert, nicht so ganz ab.

»Vielleicht ist es besser, du gehst gar nicht mehr in die Werkstatt, Bella«, sagte er an dem Abend beim Essen.

Ich hatte schon Angst, Charlie würde mir La Push und damit das Motorrad ganz verbieten. Aber das würde ich auf keinen Fall aufgeben – gerade heute hatte ich die erstaunlichste Halluzination überhaupt gehabt. Fast fünf Minuten lang hatte mich die Samtstimme angeschrien, bevor ich zu abrupt gebremst und mich damit selbst gegen den Baum katapultiert hatte. Heute Nacht würde ich jeden Schmerz klaglos über mich ergehen lassen.

»Das ist aber nicht in der Werkstatt passiert«, wandte ich schnell ein. »Wir sind gewandert, und dabei bin ich über einen Stein gestolpert.«

»Seit wann wanderst du denn?«, fragte er ungläubig.

»Irgendwann musste die Arbeit bei Newton's ja mal abfär-
ben«, sagte ich. »Wenn man tagein, tagaus die Vorzüge der Natur verkauft, wird man irgendwann neugierig.«

Charlie sah nicht überzeugt aus.

»Ich passe in Zukunft besser auf«, versprach ich und kreuzte
heimlich die Finger unterm Tisch.

»Ich hab nichts dagegen, wenn ihr in der Gegend um La Push
wandert, aber bleibt in der Nähe der Stadt, ja?«

»Wieso?«

»In letzter Zeit wurden uns mehrere wilde Tiere gemeldet.
Das Forstamt will der Sache nachgehen, aber vorerst ...«

»Ach so, der große Bär«, sagte ich, als ich begriff, wovon er
sprach. »Ja, neulich bei Newton's waren auch zwei Wanderer,
die den gesehen hatten. Meinst du, da läuft echt irgendein mu-
tierter Riesengrizzly rum?«

Er legte die Stirn in Falten. »Irgendwas ist da. Bleib nah an
der Stadt, okay?«

»Ja klar«, sagte ich schnell. Er sah nicht so aus, als wäre er
restlos überzeugt.

»Charlie wird langsam misstrauisch«, sagte ich zu Jacob, als ich
ihn am Freitag nach der Schule abholte.

»Vielleicht sollten wir mit den Motorrädern mal Schluss machen.« Er sah, dass ich nicht begeistert war, und fügte hinzu:
»Wenigstens für eine Woche oder so. Eine Woche könntest du
dem Krankenhaus doch mal fernbleiben, oder?«

»Und was sollen wir dann machen?«, beschwerte ich mich.

Er lächelte fröhlich. »Was du willst.«

Ich dachte einen Augenblick darüber nach – darüber, was ich
wollte.

Es gefiel mir ganz und gar nicht, die kurzen Momente zu verlieren, in denen ich der Erinnerung nah war, ohne dass es wehtat – wenn sie von selbst kam und ich sie nicht bewusst herbeirief. Wenn wir nicht Motorrad fahren konnten, musste ich andere Wege suchen, mich in Gefahr zu bringen, und das erforderte einiges Nachdenken und Einfallsreichtum. Die Vorstellung, in der Zwischenzeit gar nichts zu machen, war nicht sehr verlockend. Womöglich verfiel ich dann wieder in Depressionen, trotz Jake. Ich musste etwas zu tun haben ...

Vielleicht gab es ja einen anderen Weg, ein anderes Rezept ... einen anderen Ort.

Das Haus war natürlich keine gute Idee gewesen. Aber irgendwo musste er doch gegenwärtig sein, irgendwo anders als nur in meinem Innern. Es musste einen Ort geben, an dem er greifbarer war als an den vielen vertrauten Stellen, die immer auch mit anderen Erinnerungen beladen waren.

Mir fiel nur ein einziger Ort ein, der dafür in Frage kam. Ein Ort, der immer nur *ihm* und niemandem sonst gehören würde. Ein verzauberter Ort voller Licht. Die wunderschöne Lichtung, die ich nur einmal im Leben gesehen hatte, als sie von der Sonne und dem Glitzern seiner Haut erstrahlte.

Wenn ich diese Idee in die Tat umsetzte, könnte das natürlich nach hinten losgehen – es könnte gefährlich wehtun. Schon beim Gedanken daran zog es in meiner Brust vor Leere. Ich musste mich sehr zusammenreißen, um mich aufrecht zu halten und mir nichts anmerken zu lassen. Aber bestimmt konnte ich dort seine Stimme hören. Und Charlie hatte ich ja schon erzählt, dass ich neuerdings wanderte ...

»Worüber denkst du so angestrengt nach?«, fragte Jacob.

»Also ...«, sagte ich langsam. »Ich bin mal beim, ähm, Wandern im Wald auf einer kleinen Lichtung gelandet – wunderschön. Ich weiß nicht, ob ich sie wiederfinden würde. Bestimmt nicht auf Anhieb …«

»Wir können es mit Kompass und Karte versuchen«, sagte Jacob zuversichtlich. »Weißt du noch, wo du losgegangen bist?«

»Ja, direkt bei dem Wanderweg, wo der Highway 110 endet. Ich glaube, von da aus bin ich Richtung Süden gelaufen.«

»Super. Das finden wir.« Wie immer machte Jacob bei allem mit, wozu ich Lust hatte. Und wenn es noch so abgefahren war.

Am Samstagnachmittag zog ich die Wanderschuhe an, die ich mir an dem Morgen gekauft hatte. Zum ersten Mal hatte ich den Mitarbeiterrabatt von zwanzig Prozent genutzt. Dann schnappte ich mir die neue topografische Karte von der Halbinsel Olympic und fuhr nach La Push.

Wir machten uns nicht sofort auf den Weg; erst mal streckte Jacob sich auf dem Fußboden im Wohnzimmer aus – womit das Zimmer voll war – und war sage und schreibe zwanzig Minuten damit beschäftigt, ein kompliziertes Gitternetz auf die Karte zu zeichnen. Ich hockte währenddessen auf einem Küchenstuhl und unterhielt mich mit Billy. Billy schien sich wegen unserer geplanten Wanderung überhaupt keine Sorgen zu machen. Das überraschte mich, vor allem weil Jacob ihm erzählt hatte, wo wir hingingen, denn alle anderen machten ja so ein Theater wegen der Bären, die dort gesichtet worden waren. Ich hätte Billy gern gebeten, Charlie nichts davon zu sagen, aber ich befürchtete, dass ich damit genau das Gegenteil erreichen würde.

»Vielleicht sehen wir ja den Superbären«, scherzte Jacob, ohne den Blick von seiner Zeichnung zu wenden.

Ich schaute kurz zu Billy und befürchtete schon, er würde so reagieren, wie Charlie es sicher getan hätte.

Aber Billy lachte nur. »Nehmt am besten ein Glas Honig mit, für alle Fälle.«

Jake kicherte. »Hoffentlich sind deine neuen Schuhe schnell, Bella. Mit einem kleinen Glas Honig kann man einen hungrigen Bären nicht sehr lange beschäftigen.«

»Es reicht ja, wenn ich schneller bin als du.«

»Na, dann viel Glück!«, sagte Jacob und faltete die Karte wieder zusammen. »Wir können los.«

»Viel Spaß«, brummelte Billy.

Charlie war schon ziemlich unkompliziert, aber Jacob schien es mit seinem Vater noch leichter zu haben.

Ich fuhr ganz bis zum Ende des Highways und hielt neben dem Schild, das den Ausgangspunkt des Wanderwegs markierte. Es war lange her, dass ich hier gewesen war, und mein Magen zog sich nervös zusammen. Die Sache konnte übel ausgehen. Aber wenn ich *ihm* damit nahekam, lohnte es sich.

Ich stieg aus und schaute in dichtes Grün.

»Hier bin ich langgegangen«, sagte ich leise und zeigte geradeaus.

»Hmm«, machte Jake.

»Was ist?«

Er schaute in die Richtung, in die ich gezeigt hatte, dann auf den deutlich markierten Weg und wieder zurück.

»Ich hätte dich so eingeschätzt, dass du dich an die Wege hältst.«

»Ich doch nicht.« Ich lächelte düster. »Ich bin eine Abenteurerin.«

Er lachte, dann holte er die Karte heraus.

»Einen Moment.« Fachkundig hielt er den Kompass, dann drehte er die Karte, bis sie richtig lag.

»Okay – die erste Linie auf dem Gitternetz. Los.«

Ich merkte, dass Jacob gern schneller gegangen wäre, aber er beschwerte sich nicht. Ich verdrängte alle Gedanken an meine letzte Wanderung in diesem Teil des Waldes, mit einem anderen Begleiter. Normale Erinnerungen waren immer noch gefährlich. Wenn ich ihnen nachgab, stand ich am Ende um Atem ringend da, die Arme um die Brust geschlungen, und wie sollte ich das Jacob erklären?

Es war leichter als erwartet, mit den Gedanken in der Gegenwart zu bleiben. Hier im Wald sah es so ähnlich aus wie überall auf der Halbinsel, und die Stimmung mit Jacob war eine völlig andere.

Er pfiff fröhlich vor sich hin – eine Melodie, die ich nicht kannte –, schwenkte die Arme und bewegte sich mühelos durch das unwegsame Unterholz. Die Schatten wirkten nicht so dunkel wie sonst, nicht mit meiner persönlichen Sonne an meiner Seite.

Alle paar Minuten schaute Jacob auf den Kompass und achtete darauf, dass wir auf einer der strahlenförmig angeordneten Linien des Gitternetzes blieben. Er schien zu wissen, was er tat. Ich wollte ihn schon dafür loben, aber ich hielt mich zurück. Zweifellos hätte er noch ein paar Jahre auf sein sowieso schon überhöhtes Alter aufgeschlagen.

Beim Wandern schweiften meine Gedanken ab, und meine Neugier regte sich. Ich hatte unser Gespräch bei den Klippen nicht vergessen – ich hatte darauf gewartet, dass er noch mal davon anfangen würde, aber es sah nicht danach aus.

»Du ... Jake?«, sagte ich zögernd.

»Ja?«

»Was ist eigentlich ... mit Embry? Ist er inzwischen wieder normal geworden?«

Jacob schwieg eine Weile und ging mit großen Schritten weiter. Als er ein paar Meter Vorsprung hatte, blieb er stehen und wartete auf mich.

»Nein. Er ist nicht wieder normal«, sagte Jacob, als ich ihn eingeholt hatte. Seine Mundwinkel zeigten nach unten. Er ging nicht weiter. Sofort bereute ich, dass ich davon angefangen hatte.

»Immer noch mit Sam zusammen?«

»Ja.«

Er legte mir einen Arm um die Schultern und sah so besorgt aus, dass ich ihn nicht scherzhaft abschüttelte, wie ich es sonst vielleicht getan hätte.

»Gucken sie dich immer noch komisch an?«, fragte ich halb im Flüsterton.

Jacob starrte in die Bäume. »Manchmal.«

»Und Billy?«

»Hilfreich wie immer«, sagte er in einem wütenden Ton, der mich beunruhigte.

»Unser Sofa steht dir jederzeit zur Verfügung«, sagte ich.

Er lachte und verscheuchte damit die trübsinnige Stimmung. »Aber stell dir mal vor, wie Charlie dann dastünde – wenn Billy bei der Polizei anruft und sagt, ich wär entführt worden.«

Ich stimmte in sein Lachen ein und war froh, dass er wieder der Alte war.

Als Jacob sagte, wir seien zehn Kilometer gelaufen, blieben wir stehen, gingen dann ein kleines Stück in Richtung Westen und wanderten auf einer anderen Linie des Gitternetzes zurück. Auf dem Rückweg sah alles genauso aus wie auf dem Hinweg, und ich dachte schon, dass die Suche wohl zum Scheitern verurteilt war. Das sagte ich schließlich auch, als es anfing zu dämmern und der sonnenlose Tag schon bald in eine sternlose Nacht übergehen würde. Doch Jacob war zuversichtlicher.

»Solange du dir sicher bist, dass wir von der richtigen Stelle aus loslaufen …« Er warf mir einen zweifelnden Blick zu.

»Ja, ganz sicher.«

»Dann finden wir es auch«, versprach er, fasste meine Hand und zog mich durch den dichten Farn. Auf der anderen Seite stand der Transporter. Stolz zeigte er darauf. »Vertrau mir einfach.«

»Nicht schlecht«, gab ich zu. »Aber nächstes Mal nehmen wir Taschenlampen mit.«

»Lass uns einfach immer sonntags wandern gehen. Ich konnte ja nicht wissen, dass du so langsam bist.«

Ich zog meine Hand weg und stapfte zur Fahrertür, während er leise kicherte.

»Also morgen auf ein Neues?«, fragte er, als er sich auf den Beifahrersitz setzte.

»Klar. Es sei denn, du gehst lieber ohne mich, damit du nicht in meinem Schneckentempo mitlatschen musst.«

»Ich werd's überleben«, versicherte er mir. »Aber nimm dir für morgen lieber ein paar Pflaster mit. Ich wette, du merkst die neuen Schuhe jetzt schon.«

»Ein bisschen«, gab ich zu. Ich hatte das Gefühl, dass ich mehr Blasen als Zehen an den Füßen hatte.

»Hoffentlich sehen wir morgen den Bären. Ich bin doch ein bisschen enttäuscht.«

»Ja, ich auch«, sagte ich sarkastisch. »Vielleicht haben wir morgen ja Glück und werden aufgefressen!«

»Bären fressen keine Menschen. Wir sind nicht so lecker.« Er grinste mich im dunklen Wagen an. »Kann natürlich sein, dass du eine Ausnahme bist. Ich wette, du schmeckst gut.«

»Vielen Dank«, sagte ich und schaute weg. Er war nicht der Erste, der mir das sagte.

Das fünfte Rad am Wagen

Die Zeit verging jetzt viel schneller als früher. Die Schule, die Arbeit und Jacob – wenn auch nicht unbedingt in dieser Reihenfolge – gaben mir eine klare und einfache Struktur, an die ich mich halten konnte. Und Charlies Wunsch war in Erfüllung gegangen, ich war nicht mehr unglücklich. Natürlich konnte ich mich selbst nicht so ganz täuschen. Wenn ich einmal über mein Leben nachdachte, was ich aber möglichst vermied, war mir schon klar, was es mit meinem Verhalten auf sich hatte.

Ich war wie ein verlorener Mond, dessen Planet in einem verheerenden Katastrophenfilm-Szenario zerstört worden war und der, die Gesetze der Schwerkraft ignorierend, auf seiner kleinen Umlaufbahn immer weiter den jetzt leeren Raum umkreiste.

Ich machte Fortschritte auf dem Motorrad, und das bedeutete weniger Blessuren, über die Charlie sich aufregen konnte. Aber es bedeutete auch, dass ich die Stimme in meinem Kopf seltener hörte, bis sie schließlich ganz verschwand. Ich geriet auf leise Art in Panik. Fast schon manisch stürzte ich mich in die Suche nach der Lichtung. Gleichzeitig zermarterte ich mir das Hirn nach anderen adrenalinträchtigen Beschäftigungen.

Ich achtete nicht darauf, wie viele Tage vergingen – dafür gab es auch keinen Grund, denn ich versuchte möglichst in der Gegenwart zu leben – keine Vergangenheit, die verblasste, keine

Zukunft, die mir bevorstand. Deshalb war ich überrascht, als Jacob an einem unserer Hausaufgaben-Samstage ein Geschenk für mich hatte. Ich fuhr nach der Arbeit zu ihm, und als ich vor seinem Haus hielt, wartete er schon auf mich.

»Alles Gute zum Valentinstag«, sagte er. Er lächelte verschämt.

In der ausgestreckten Hand hielt er eine kleine rosafarbene Schachtel. Bunte Zuckerherzen.

»Oh, jetzt komme ich mir aber bescheuert vor«, murmelte ich. »Ist heute Valentinstag?«

Jacob tat so, als wäre er untröstlich, und schüttelte den Kopf. »Manchmal bist du echt neben der Spur. Ja, heute ist der vierzehnte Februar. Also, willst du heute mein Valentinsschatz sein? Wenn du schon nichts Süßes für mich hast, ist das ja wohl das mindeste.«

Ich begann mich unbehaglich zu fühlen. Seine Worte waren scherzhaft, aber dahinter steckte mehr.

»Und was hat das für Konsequenzen?«, fragte ich vorsichtig.

»Das Übliche – ein Leben in Ketten, so was in der Art.«

»Na, wenn das alles ist …« Ich nahm die Herzen. Gleichzeitig überlegte ich, wie ich die Grenzen abstecken könnte. Mal wieder. Die schienen bei Jacob immer zu verwischen.

»Und, hast du schon Pläne für morgen gemacht? Wandern oder Notaufnahme?«

»Wandern«, entschied ich. »Du bist nicht der Einzige, der von einer Sache besessen sein kann. Allmählich glaube ich schon, ich hab mir die Lichtung nur eingebildet …« Stirnrunzelnd schaute ich ins Leere.

»Wir finden sie schon«, sagte er zuversichtlich. »Und am Freitag Motorrad fahren?«, schlug er vor.

Ich ergriff die Gelegenheit beim Schopf, ohne groß darüber nachzudenken.

»Am Freitag geh ich ins Kino. Ich hab den Leuten aus der Schule schon vor ewigen Zeiten versprochen, mit ihnen auszugehen.« Mike würde sich freuen.

Doch Jacobs Miene verfinsterte sich. Ich sah den Ausdruck in seinen dunklen Augen, ehe er den Blick senkte.

»Du kommst doch mit, oder?«, fügte ich schnell hinzu. »Oder nervt dich das zu sehr, mit einer Horde öder Abschlussschüler rumzuziehen?« So weit also zu der Gelegenheit, die Grenzen abzustecken. Ich konnte Jacob einfach nicht wehtun, wir waren auf merkwürdige Weise miteinander verbunden, und wenn ich ihm Schmerzen zufügte, tat ich mir selber weh. Außerdem war es zu verlockend, bei dieser Pflichtübung – ich hatte es Mike zwar versprochen, hatte aber keine große Lust – Jacob dabeizuhaben.

»Du möchtest, dass ich mitkomme, wenn du mit deinen Freunden ausgehst?«

»Ja«, sagte ich aufrichtig, und während ich weitersprach, wurde mir klar, dass ich mir damit wahrscheinlich einen Bärendienst erwies. »Wenn du dabei bist, wird es bestimmt viel lustiger. Bring Quil doch auch mit.«

»Quil wird ausflippen. Mädchen aus der Abschlussklasse!« Er kicherte und verdrehte die Augen. Keiner von uns erwähnte Embry.

Ich lachte auch. »Ich versuche ihm eine gute Auswahl zusammenzustellen.«

Am Montag, nach der Englischstunde, sprach ich Mike darauf an.

»Hey, Mike, hast du Freitag Zeit?«

Er schaute auf, sofort sah er hoffnungsvoll aus. »Ja. Sollen wir zusammen ausgehen?«

Ich wog meine Worte sorgfältig ab. »Ich dachte mir, wir könnten mit den anderen in *Crosshairs* gehen.« Diesmal hatte ich meine Hausaufgaben gemacht. Ich hatte sogar die Vorankündigungen studiert, um mich nicht zu blamieren. Dieser Film war offenbar von Anfang bis Ende ein einziges Blutbad. Für einen Liebesfilm hatte ich mich noch nicht genügend erholt. »Hättest du Lust?«

»Klar«, sagte er, jetzt schon sichtlich weniger begeistert.

»Super.«

Eine Sekunde später war er schon wieder obenauf und sagte: »Was hältst du davon, wenn wir Angela und Ben fragen? Oder Eric und Katie?«

Er wollte anscheinend eine Art Pärchentreffen daraus machen.

»Wir wär's mit allen vieren?«, schlug ich vor. »Und dann natürlich noch Jessica. Und Tyler und Conner. Und vielleicht Lauren«, fügte ich widerwillig hinzu. Schließlich hatte ich versprochen, für Quil eine Auswahl zusammenzustellen.

»Okay.« Mike musste sich geschlagen geben.

»Und«, fuhr ich fort, »dann lade ich noch zwei Freunde aus La Push ein. Wenn alle mitkommen, brauchen wir deinen Kombi.«

Mike sah mich misstrauisch an, die Augen schmal.

»Sind das die Freunde, mit denen du in letzter Zeit andauernd lernst?«

»Ja, genau die«, sagte ich fröhlich. »Obwohl man es eher als Nachhilfe bezeichnen könnte – sie sind zwei Stufen unter uns.«

»Ach so«, sagte Mike überrascht. Er überlegte einen Moment, dann lächelte er.

Aber am Ende brauchten wir den Kombi dann doch nicht. Als Mike verlauten ließ, dass ich mit von der Partie sein würde, behaupteten Jessica und Lauren, sie hätten keine Zeit. Eric und Katie hatten schon etwas vor – sie wollten ihr dreiwöchiges Zusammensein feiern oder so was. Lauren schnappte sich Tyler und Conner, bevor Mike mit ihnen reden konnte, die beiden hatten also auch angeblich keine Zeit. Selbst Quil konnte nicht mitkommen – er hatte Hausarrest, weil er sich in der Schule geprügelt hatte. Schließlich wollten nur Angela und Ben und natürlich Jacob mitkommen.

Die Tatsache, dass so viele abgesagt hatten, konnte Mikes Vorfreude nicht trüben. Am Freitag redete er von nichts anderem.

»Sollen wir nicht doch lieber in *Tomorrow and Forever* gehen?«, fragte er beim Mittagessen. Das war ein Liebesfilm, zurzeit der Kassenschlager. »Der hat die besseren Kritiken gekriegt.«

»Ich möchte aber *Crosshairs* sehen«, sagte ich. »Ich hab Lust auf einen Actionfilm. Mit Blut und Gemetzel!«

»Also gut.« Mike wandte sich ab, aber ich sah noch, dass er guckte, als hielte er mich für verrückt.

Als ich von der Schule nach Hause kam, stand ein Auto vor unserem Haus, das mir sehr bekannt vorkam. An der Motorhaube lehnte Jacob und grinste wie ein Honigkuchenpferd.

»Das gibt's doch nicht!«, rief ich und sprang aus meinem Wagen. »Du hast es geschafft! Ich fass es nicht! Du hast den Golf fertig!«

Er strahlte. »Gestern Abend erst. Das hier ist die Jungfernfahrt.«

»Unglaublich.« Ich hob eine Hand, damit er einschlagen konnte.

Er schlug ein, doch dann zog er die Hand nicht zurück, sondern verschränkte seine Finger mit meinen. »Dann darf ich heute Abend fahren?«

»Klar«, sagte ich und seufzte.

»Was ist los?«

»Ich geb's auf – das kann ich nicht toppen. Du hast gewonnen. Du bist der Ältere.«

Er zuckte die Schultern, gar nicht verwundert darüber, dass ich mich geschlagen gab. »Na klar.«

Da kam schon Mike mit seinem Kombi um die Ecke getuckert. Ich entzog Jacob meine Hand, und er schnitt eine Grimasse, die eigentlich nicht für meine Augen bestimmt war.

»Den Typ kenn ich doch«, sagte er leise, als Mike auf der gegenüberliegenden Straßenseite parkte. »Das ist doch der, der dich für seine Freundin gehalten hat. Ist der immer noch so verwirrt?«

Ich zog eine Augenbraue hoch. »Manche Leute lassen sich nicht so leicht entmutigen.«

»Manchmal«, sagte Jacob nachdenklich, »zahlt sich Hartnäckigkeit ja aus.«

»Aber meistens nervt sie nur.«

Mike stieg aus und kam über die Straße zu uns.

»Hi, Bella«, sagte er, dann schaute er hoch zu Jacob und sein Blick wurde argwöhnisch. Auch ich schaute Jacob kurz an und versuchte ihn unvoreingenommen zu betrachten. Man sah ihm überhaupt nicht an, dass er zwei Stufen unter uns war. Er war einfach so groß – Mike ging ihm kaum bis zur Schulter; bis wohin ich ihm ging, wollte ich lieber gar nicht wissen – und auch im Gesicht sah er älter aus als früher, sogar älter als noch vor einem Monat.

»Hi, Mike! Kannst du dich an Jacob Black erinnern?«

»Nicht direkt.« Mike reichte ihm die Hand.

»Bin ein alter Freund der Familie«, sagte Jacob, als er Mike die Hand schüttelte. Ihr Händedruck war fester als notwendig. Als sie sich lösten, streckte Mike erst mal die Finger.

Da klingelte das Telefon.

»Ich geh mal lieber dran – vielleicht ist es Charlie«, sagte ich und flitzte in die Küche.

Es war Ben. Angela hatte plötzlich Magen-Darm-Grippe bekommen, und ohne sie wollte Ben auch nicht kommen. Er entschuldigte sich dafür, dass er uns hängenließ.

Kopfschüttelnd ging ich wieder zu den wartenden Jungs. Ich hoffte natürlich, dass es Angela bald wieder besserging, vor allem aber ärgerte ich mich ganz egoistisch darüber, wie sich der Abend entwickelte. Nur wir drei, Mike, Jacob und ich – mein Plan ist ja perfekt aufgegangen, dachte ich mit grimmigem Sarkasmus.

Während ich weg war, schienen Jake und Mike sich kein Stückchen nähergekommen zu sein. Sie standen ein paar Meter voneinander entfernt und schauten sich nicht an, während sie auf mich warteten; Mike sah beleidigt aus, Jacob gutgelaunt wie immer.

»Angela ist krank«, sagte ich niedergeschlagen. »Sie und Ben können nicht kommen.«

»Die Grippe geht wohl richtig um. Austin und Conner waren heute auch nicht da. Vielleicht ist es besser, wenn wir das Ganze verschieben«, schlug Mike vor.

Bevor ich zustimmen konnte, sagte Jacob: »Von mir aus können wir fahren. Aber wenn du nicht mitwillst, Mike …«

»Nein, ich bin dabei«, unterbrach Mike ihn. »Ich hatte nur an Angela und Ben gedacht. Also los.« Er ging zu seinem Kombi.

»Hey, hast du was dagegen, wenn Jacob fährt?«, fragte ich. »Das hatten wir schon so abgemacht – er ist gerade mit dem Wagen fertig geworden. Den hat er ganz allein zusammengebastelt.« Ich prahlte wie eine Mama, deren Sprössling gerade Klassenbester geworden ist.

»Okay«, sagte Mike und knallte die Tür ein bisschen zu fest
zu.

»Also gut«, sagte Jacob, als wäre damit alles abgemacht. Er
schien sich als Einziger richtig wohl in seiner Haut zu fühlen.

Mike kletterte verärgert hinten in den Golf.

Jacob war gut gelaunt wie immer, er erzählte dies und das, bis
ich fast vergessen hatte, dass Mike schmollend auf der Rückbank
saß.

Dann änderte Mike seine Strategie. Er beugte sich vor, legte
das Kinn auf die Lehne meines Sitzes, so dass seine Wange
meine beinahe berührte. Ich rückte zur Seite und drehte mich
mit dem Rücken zum Fenster.

»Funktioniert das Radio in der Kiste hier nicht?«, fragte er
leicht gereizt und unterbrach Jacob damit mitten im Satz.

»Doch«, sagte Jacob. »Aber Bella mag keine Musik.«

Ich starrte Jacob überrascht an. Das hatte ich ihm noch nie erzählt.

»Bella?«, sagte Mike verärgert.

»Das stimmt«, murmelte ich und sah immer noch Jacobs hei-
teres Profil an.

»Wie kann man denn Musik nicht mögen?«, wollte Mike wissen.

Ich zuckte die Achseln. »Ich weiß nicht. Geht mir irgendwie
auf die Nerven.«

»Hmpf.« Mike lehnte sich zurück.

Als wir beim Kino ankamen, reichte Jacob mir einen Zehn-
dollarschein.

»Was soll das?«, fragte ich.

»Ich bin noch nicht alt genug für den Film«, erinnerte er mich.

Ich prustete los. »So viel dazu, dass das Alter relativ ist. Bringt
Billy mich um, wenn ich dich reinschmuggele?«

»Nein. Ich hab ihm schon erzählt, dass du meine jugendliche Unschuld zerstören willst.«

Ich kicherte, und Mike ging schneller, um mit uns Schritt zu halten.

Fast wäre es mir lieber gewesen, wenn Mike nicht mitgekommen wäre. Er war immer noch beleidigt und trug nicht gerade viel zur Stimmung bei. Aber es wäre mir auch nicht recht gewesen, mit Jacob allein auszugehen. Damit hätte ich nichts gewonnen.

Der Film hielt, was er versprochen hatte. Noch während des Vorspanns wurden drei Leute in die Luft gesprengt und einer wurde geköpft. Das Mädchen vor mir hielt sich die Augen zu und verkroch sich fast im Arm ihres Freundes. Er tätschelte ihr die Schulter, aber auch er zuckte ein paarmal zusammen. Mike sah nicht so aus, als würde er überhaupt zuschauen. Seine Miene war starr und er guckte auf den Vorhang anstatt auf die Leinwand.

Ich richtete mich darauf ein, die zwei Stunden einfach über mich ergehen zu lassen – ich sah nur die Farben und die Bewegungen auf der Leinwand, ohne die Figuren, die Autos und Häuser im Einzelnen wahrzunehmen. Aber dann fing Jacob an zu kichern.

»Was ist?«, flüsterte ich.

»Also echt!«, murmelte er zurück. »Das Blut ist fünf Meter weit aus dem Typ rausgespritzt. Man kann's auch übertreiben!«

Als gleich darauf ein anderer Mann von einem Fahnenmast an einer Betonwand aufgespießt wurde, lachte Jacob wieder in sich hinein.

Von da an sah ich mir den Film richtig an und lachte mit Jacob, als das Gemetzel immer abstruser wurde. Wie sollte ich bloß dagegen angehen, dass die Grenzen in unserer Beziehung verwischten, wenn ich so gern mit ihm zusammen war?

Jacob und Mike hatten beide Armlehnen meines Sitzes für sich beansprucht. Es sah unnatürlich aus, wie sie ihre Hände hielten, mit der Handfläche nach oben. Wie Bärenfallen, die bei der erstbesten Gelegenheit zuschnappen würden. Jacob nahm eigentlich immer meine Hand, wenn es sich ergab, aber im dunklen Kino, mit Mike daneben, hatte es ein anderes Gewicht – und ich war mir sicher, dass er sich dessen bewusst war. Ich konnte nicht glauben, dass Mike dasselbe im Sinn hatte, aber er hielt die Hand genauso wie Jacob.

Ich verschränkte die Arme fest vor der Brust und hoffte, dass den beiden die Hände einschliefen.

Mike gab als Erster auf. Etwa nach der Hälfte des Films zog er den Arm zurück, beugte sich vor und legte den Kopf in die Hände. Erst hielt ich das für eine Reaktion auf irgendwas im Film, aber dann stöhnte er.

»Mike, ist was?«, flüsterte ich.

Das Pärchen vor uns drehte sich nach ihm um, als er wieder stöhnte.

»Ja«, keuchte er. »Ich glaub, mir ist schlecht.«

Im Schein der Leinwand sah ich, dass ihm der Schweiß auf der Stirn stand.

Wieder stöhnte er, dann stürzte er zum Ausgang. Ich stand auf und ging ihm hinterher. Jacob folgte mir auf dem Fuß.

»Nein, bleib du hier«, flüsterte ich. »Ich gucke, wie es ihm geht.«

Aber Jacob kam trotzdem mit.

»Bleib ruhig sitzen. Für deine acht Dollar kannst du jetzt auch noch ein bisschen Blut mitnehmen«, sagte ich, als wir im Gang waren.

»Schon gut. Du hast wirklich ein Händchen für gute Filme, Bella. Was für ein Schwachsinn«, sagte er, als wir den Saal verlassen hatten.

Im Foyer war Mike nicht zu finden, und jetzt war ich froh, dass Jacob mitgekommen war – er lief in die Herrentoilette, um zu gucken, ob Mike dort war.

Nach wenigen Sekunden war Jacob zurück.

»Ja, da ist er«, sagte er und verdrehte die Augen. »Was für ein Weichei. Such dir lieber einen mit einem stärkeren Magen. Einen, der über das Gemetzel nur lacht, von dem die Schwächlinge kotzen.«

»Ich werd die Augen offen halten.«

Wir waren ganz allein im Foyer. Beide Säle lagen im hinteren Teil des Kinos, und hier war nichts los – es war so still, dass wir das Ploppen des Popcorns an der Kasse hören konnten.

Jacob setzte sich auf die mit Cordsamt bezogene Bank an der Wand und klopfte auf den Platz neben sich.

»Hat sich so angehört, als würde er noch eine ganze Weile dadrin bleiben«, sagte er, streckte die langen Beine aus und richtete sich auf eine längere Wartezeit ein.

Seufzend setzte ich mich neben ihn. Er sah aus, als wollte er noch mehr Grenzen verwischen. Und tatsächlich, kaum hatte ich mich gesetzt, rückte er näher und legte mir einen Arm um die Schultern.

»Jake«, protestierte ich und lehnte mich zur anderen Seite. Er ließ den Arm sinken, sah aber nicht so aus, als machte ihm diese kleine Abfuhr zu schaffen. Er nahm meine Hand und hielt sie fest, und als ich sie wegziehen wollte, umfasste er mit der anderen Hand mein Handgelenk. Woher nahm er das Selbstvertrauen?

»Jetzt wart mal einen Moment, Bella«, sagte er mit ruhiger Stimme. »Ich möchte dich was fragen.«

Ich verzog das Gesicht. Ich wollte nicht, dass das passierte. Weder jetzt noch sonst irgendwann. Im Moment hatte ich nichts im Leben, was mir mehr bedeutete als Jacob Black. Aber er schien wild entschlossen, alles zu zerstören.

»Was ist?«, murmelte ich ärgerlich.

»Du magst mich doch, oder?«

»Das weißt du doch.«

»Lieber als diesen Typ, der sich dadrin die Seele aus dem Leib kotzt?« Er zeigte zur Herrentoilette.

»Ja.« Ich seufzte.

»Lieber als alle anderen Jungs, die du kennst?« Er war heiter und gelassen – als wäre meine Antwort nicht von Belang oder als wüsste er bereits, wie sie lautete.

»Und auch lieber als alle Mädchen«, betonte ich.

»Aber das ist alles«, sagte er, und das war keine Frage.

Es war schwer, darauf zu antworten. Würde er verletzt sein und mir aus dem Weg gehen? Wie sollte ich das ertragen?

»Ja«, flüsterte ich.

Er grinste mich an. »Das ist schon in Ordnung, weißt du. Solange du mich am liebsten magst. *Und* mich gut aussehend findest – irgendwie. Ich stelle mich darauf ein, so hartnäckig zu sein, dass es nervt.«

»Meine Gefühle werden sich aber nicht ändern«, sagte ich, und obwohl ich versuchte, normal zu sprechen, hörte ich selbst, wie traurig das klang.

Jetzt sah er nachdenklich aus, nicht länger zu Scherzen aufgelegt. »Es ist immer noch der andere, oder?«

Ich zuckte zusammen. Komisch, dass er offenbar instinktiv den Namen vermied – so ähnlich wie vorhin im Auto mit der Musik. Er hatte so vieles von mir mitbekommen, ohne dass ich je darüber gesprochen hätte.

»Du musst nicht darüber reden«, sagte er.

Ich nickte dankbar.

»Aber werd nicht sauer auf mich, wenn ich in deiner Nähe bleibe, ja?« Er streichelte meinen Handrücken. »Ich gebe nämlich nicht so schnell auf. Ich hab jede Menge Zeit.«

Ich seufzte. »Die solltest du nicht an mich verschwenden«, sagte ich, obwohl ich mir genau das wünschte. Vor allem, wenn er mich so nehmen wollte, wie ich war – beschädigte Ware, wie besehen.

»Ich will aber nichts anderes, solange du gern mit mir zusammen bist.«

»Ich kann mir nicht vorstellen, *nicht* gern mit dir zusammen zu sein«, sagte ich ehrlich.

Jacob strahlte. »Damit kann ich leben.«

»Aber erwarte nicht mehr«, warnte ich ihn und versuchte ihm meine Hand zu entziehen. Er hielt sie hartnäckig fest.

»Das stört dich doch eigentlich nicht, oder?«, fragte er und drückte meine Hand.

»Nein«, sagte ich seufzend. Ehrlich gesagt, fühlte es sich schön an. Seine Hand war so viel wärmer als meine; in letzter Zeit fror ich immer.

»Und es ist dir egal, was der da denkt.« Jacob zeigte mit dem Daumen in Richtung Toilette.

»Eigentlich schon.«

»Wo ist dann das Problem?«

»Das Problem ist«, sagte ich, »dass es für mich etwas anderes bedeutet als für dich.«

»Na ja.« Er hielt meine Hand noch fester. »Das ist doch mein Problem, oder?«

»Na gut«, brummte ich. »Aber pass auf, dass du es nicht vergisst.«

»Bestimmt nicht.« Er malte mir mit dem kleinen Finger gedankenverloren Muster auf die Hand. »Das ist ja eine komische Narbe, die du da hast«, sagte er plötzlich und zog meine Hand zu sich, um sie besser anschauen zu können. »Wie ist das passiert?«

Mit dem Zeigefinger zeichnete er den langen silbrigen Halbmond nach, der auf meiner blassen Haut kaum auffiel.

Ich schaute ihn finster an. »Erwartest du ernsthaft, dass ich mich erinnere, wo all meine Narben herkommen?«

Ich wartete darauf, dass die Erinnerung zuschlug und sich das klaffende Loch öffnete. Doch wie so oft sorgte Jacobs Gegenwart dafür, dass ich ganz blieb.

»Da ist deine Hand ganz kalt«, murmelte er und drückte leicht auf die Stelle, wo James zugebissen hatte.

In dem Moment kam Mike aus der Toilette gestolpert, aschfahl und schweißgebadet. Er sah grauenhaft aus.

»Oh, Mike«, stieß ich hervor.

»Hast du was dagegen, wenn wir früher gehen?«, flüsterte er.

»Nein, natürlich nicht.« Ich entzog Jacob meine Hand und ging zu Mike, um ihn zu stützen. Er schien wacklig auf den Beinen zu sein.

»War wohl ein bisschen heftig für dich, der Film, was?«, sagte Jacob unbarmherzig.

Mike warf ihm einen feindseligen Blick zu. »Ich hab gar nichts davon mitgekriegt«, murmelte er. »Mir ist schon schlecht geworden, bevor die Lichter ausgegangen sind.«

»Warum hast du nichts gesagt?«, sagte ich vorwurfsvoll, während wir zum Ausgang stolperten.

»Ich hab gehofft, es würde vorbeigehen«, sagte er.

»Augenblick noch«, sagte Jacob, als wir an der Tür waren. Schnell ging er zurück zur Kasse.

»Haben Sie vielleicht eine leere Popcorntüte für uns?«, fragte er die Verkäuferin. Sie schaute kurz zu Mike herüber, dann warf sie Jacob eine Tüte zu.

»Bitte nehmt ihn schnell mit raus«, bat sie. Offenbar musste sie im Zweifelsfall aufwischen.

Ich zog Mike hinaus an die kühle, feuchte Luft. Er atmete tief ein. Jacob war direkt hinter uns. Er half mir, Mike auf die Rückbank des Wagens zu bugsieren, und überreichte ihm mit ernster Miene die Tüte.

»Ich bitte dich«, sagte er nur.

Wir kurbelten die Fenster herunter und ließen die eisige Nachtluft durchs Auto wehen in der Hoffnung, dass es Mike helfen würde. Ich schlang die Arme um die Beine, um warm zu werden.

»Frierst du schon wieder?«, fragte Jacob. Ehe ich antworten konnte, hatte er mir schon einen Arm umgelegt.

»Du etwa nicht?«

Er schüttelte den Kopf.

»Bestimmt hast du Fieber oder so«, grummelte ich. Es war schließlich eiskalt. Ich legte ihm eine Hand an die Stirn, und sein Kopf war tatsächlich heiß.

»He, Jake, du glühst ja!«

»Mir geht's aber gut.« Er zuckte die Schultern. »Ich bin fit wie ein Turnschuh.«

Ich runzelte die Stirn und fasste ihm wieder an den Kopf. Seine Haut brannte unter meinen Fingern.

»Deine Hände sind eisig«, beschwerte er sich.

»Na ja, vielleicht liegt es an mir«, sagte ich.

Mike auf der Rückbank stöhnte und erbrach sich in die Tüte. Ich verzog das Gesicht und hoffte, dass mein Magen dem Geräusch und dem Geruch standhalten konnte. Jacob schaute besorgt über die Schulter, um zu sehen, ob sein Auto auch nicht besudelt wurde.

Die Rückfahrt kam mir viel länger vor als die Hinfahrt.

Jacob war still und nachdenklich. Er ließ den Arm um meine Schulter liegen, und der war so heiß, dass ich den kalten Wind als angenehm empfand.

Ich starrte durch die Windschutzscheibe und hatte ein schlechtes Gewissen.

Es war ganz falsch, Jacob zu ermutigen. Purer Egoismus. Es spielte keine Rolle, dass ich versucht hatte, ihm reinen Wein einzuschenken. Wenn er noch Hoffnung hatte, dass sich aus unserer Beziehung etwas anderes entwickeln könnte als Freundschaft, dann war ich nicht deutlich genug gewesen.

Wie konnte ich es so erklären, dass er es einsah? Ich war eine leere Hülle. Monatelang war ich unbewohnbar gewesen wie ein verlassenes Haus. Jetzt war es nicht mehr ganz so schlimm. Das Wohnzimmer war schon wieder in besserem Zustand. Doch das war alles – nur ein kleiner Teil des Ganzen. Er hatte etwas Besseres verdient als eine baufällige Ein-Zimmer-Bruchbude. Selbst wenn er noch so viel investierte, nichts konnte mich je wieder instand setzen.

Doch ich wusste, dass ich ihn trotzdem nicht wegschicken würde. Ich brauchte ihn so sehr, und ich war egoistisch. Vielleicht musste ich meinen Standpunkt noch deutlicher machen, damit er mich verlassen konnte. Bei dem Gedanken schauderte ich, und Jacob umarmte mich noch fester.

Ich fuhr Mike in seinem Kombi nach Hause, und Jacob fuhr hinter uns her, um mich anschließend nach Hause zu bringen. Den ganzen Weg zu mir war Jacob schweigsam, und ich fragte mich, ob er über dasselbe nachdachte wie ich. Vielleicht wollte er seine Meinung doch noch ändern.

»Ich würde gern noch mit reinkommen, es ist ja noch früh«, sagte er, als wir neben meinem Transporter hielten. »Aber ich glaube, du könntest Recht haben mit dem Fieber. Ich fühle mich allmählich ein bisschen ... komisch.«

»O nein, nicht du auch noch! Soll ich dich nach Hause fahren?«

»Nein.« Er schüttelte den Kopf. Seine Augenbrauen zogen sich zusammen. »Mir ist noch nicht übel. Es fühlt sich nur ... verkehrt an. Und wenn's nicht mehr geht, fahre ich eben rechts ran.«

»Ruf mich an, sobald du zu Hause bist, ja?«, sagte ich besorgt.

»Ja, klar.« Er runzelte die Stirn, starrte hinaus in die Dunkelheit und biss sich auf die Lippe.

Ich machte die Tür auf und wollte aussteigen, doch er fasste mich leicht am Handgelenk und ließ mich nicht los. Wieder fiel mir auf, wie heiß sich seine Haut anfühlte.

»Was ist, Jake?«, fragte ich.

»Ich will dir noch etwas sagen, Bella ... aber ich fürchte, es klingt reichlich abgedroschen.«

Ich seufzte. Jetzt kam die Fortsetzung unseres Gesprächs im Kino. »Schieß los.«

»Es ist nur – ich weiß, dass du oft unglücklich bist. Und auch wenn es dir vielleicht nicht hilft, sollst du doch wissen, dass ich immer für dich da bin. Ich lass dich nie im Stich – du kannst immer auf mich zählen, das verspreche ich dir. Mann, das klingt wirklich abgedroschen. Aber jetzt weißt du's, okay? Dass ich dir nie im Leben wehtun würde?«

»Ja, Jake, das weiß ich. Und ich zähle jetzt schon auf dich, wahrscheinlich mehr, als du ahnst.«

Auf seinem Gesicht breitete sich ein Lächeln aus, wie wenn die Sonne aufgeht und die Wolken glühen lässt, und ich hätte mir am liebsten die Zunge abgebissen. Jedes Wort, das ich gesagt hatte, war wahr, aber ich hätte lieber lügen sollen. Die Wahrheit war falsch, sie würde ihm wehtun. *Ich* würde *ihn* im Stich lassen.

Ein merkwürdiger Ausdruck erschien auf seinem Gesicht. »Jetzt fahre ich wohl wirklich besser nach Hause«, sagte er.

Schnell stieg ich aus.

»Ruf mich an!«, rief ich.

Ich sah ihm nach, wie er davonfuhr. Immerhin schien er die Kontrolle über den Wagen zu haben. Als er außer Sicht war, starrte ich auf die verlassene Straße. Mir war selbst ein bisschen elend, aber das hatte keine körperlichen Ursachen.

Ich wünschte so sehr, Jacob Black wäre mein Bruder, mein leiblicher Bruder, so dass ich eine Art rechtmäßigen Anspruch auf ihn hätte, der mich von jeder Schuld freisprechen würde. Ich hatte Jacob nie benutzen wollen, aber die Tatsache, dass ich jetzt so ein schlechtes Gewissen hatte, sprach dafür, dass ich ihn doch benutzt hatte.

Und ich hatte ihn schon gar nicht lieben wollen. Denn eins wusste ich ganz gewiss – wusste es in der Magengrube, im Knochenmark, vom Scheitel bis zur Sohle, tief in meiner leeren Brust, nämlich dass die Liebe einem Menschen die Macht gab, einen anderen zu zerstören.

Ich war irreparabel zerstört.

Aber jetzt brauchte ich Jacob, ich brauchte ihn wie eine Droge. Ich hatte ihn schon zu lange als Krücke benutzt, und ich steckte tiefer in der Sache drin, als ich das je wieder hatte zulassen wollen. Ich konnte es nicht ertragen, dass er verletzt wurde, und ich konnte doch nicht verhindern, dass ich ihn verletzte. Er glaubte, dass sich meine Gefühle mit der Zeit ändern würden, und obwohl ich wusste, dass er damit danebenlag, würde ich ihn doch nicht davon abhalten, daran festzuhalten.

Er war mein bester Freund. Ich würde ihn immer lieben und es würde doch nie im Leben genug sein.

Ich ging ins Haus, um mich neben das Telefon zu setzen und an den Nägeln zu kauen.

»Ist der Film schon aus?«, fragte Charlie überrascht, als ich hereinkam. Er saß auf dem Fußboden, ganz nah vorm Fernseher. Offenbar war es ein spannendes Spiel.

»Mike ist übel geworden«, erklärte ich. »Wahrscheinlich Magen-Darm-Grippe.«

»Geht's dir denn gut?«

»Bis jetzt noch«, sagte ich zweifelnd. Ich konnte mich natürlich angesteckt haben.

Ich lehnte mich an die Arbeitsplatte, die Hand nur wenige Zentimeter vom Telefon entfernt, und versuchte geduldig zu warten. Ich dachte an Jacobs merkwürdigen Gesichtsausdruck beim Abschied und begann mit den Fingern auf die Arbeitsplatte zu trommeln. Ich hätte darauf bestehen sollen, ihn zu fahren.

Ich schaute auf die Uhr, während die Minuten verstrichen. Zehn. Fünfzehn. Selbst ich brauchte nur fünfzehn Minuten, und Jacob fuhr schneller als ich. Achtzehn Minuten. Ich griff zum Telefon und wählte.

Es klingelte endlos lange. Vielleicht schlief Billy schon. Vielleicht hatte ich mich verwählt. Ich versuchte es noch mal.

Beim achten Klingeln, als ich gerade wieder auflegen wollte, ging Billy dran.

»Hallo?«, sagte er. Seine Stimme klang wachsam, als erwarte er schlechte Nachrichten.

»Billy, ich bin's, Bella – ist Jake schon zu Hause? Er ist vor ungefähr zwanzig Minuten gefahren.«

»Er ist hier«, sagte Billy tonlos.

»Er wollte mich eigentlich anrufen.« Ich war ein bisschen

verärgert. »Ihm war schlecht, als er gefahren ist, und ich hab mir Sorgen gemacht.«

»Er war … zu krank, um dich anzurufen. Es geht ihm nicht gut.« Billy klang reserviert. Wahrscheinlich wollte er schnell wieder zu Jacob.

»Sag Bescheid, wenn du Hilfe brauchst«, bot ich an. »Ich könnte zu euch kommen.« Ich dachte an Billy, der in seinem Rollstuhl festsaß, während Jake allein klarkommen musste …

»Nein, nein«, sagte Billy schnell. »Wir kommen schon zurecht. Bleib, wo du bist.«

Das klang fast unfreundlich.

»Na gut«, sagte ich.

»Tschüss, Bella.«

Die Verbindung war unterbrochen.

»Tschüss«, sagte ich leise.

Na ja, immerhin war er zu Hause angekommen. Aber komischerweise beruhigte mich das nicht. Langsam ging ich die Treppe hinauf. Ich machte mir große Sorgen. Vielleicht konnte ich morgen vor der Arbeit bei ihm vorbeifahren und nach ihm sehen. Ich könnte ihm Suppe mitbringen – bestimmt hatten wir noch irgendwo eine Dose rumliegen.

Doch diese Pläne wurden zunichtegemacht, als ich am nächsten Morgen früh erwachte – die Uhr zeigte halb fünf – und ins Bad sprinten musste. Dort fand Charlie mich eine halbe Stunde später. Ich lag auf dem Boden und hielt die Wange an den kühlen Rand der Badewanne.

Er sah mich lange an.

»Magen-Darm-Grippe«, sagte er schließlich.

»Ja«, stöhnte ich.

»Brauchst du irgendwas?«, fragte er.

»Bitte ruf bei den Newtons an«, sagte ich heiser. »Sag ihnen, ich hab dasselbe wie Mike und dass ich heute nicht kommen kann. Sag ihnen, es tut mir leid.«

»Klar, mach ich«, sagte Charlie.

Den Rest des Tages verbrachte ich im Bad auf dem Fußboden, wo ich ein paar Stunden mit dem Kopf auf einem zerknüllten Handtuch schlief. Charlie behauptete, zur Arbeit zu müssen, aber ich hatte den Verdacht, dass er nur Zugang zu einer Toilette haben wollte. Er stellte mir ein Glas Wasser auf den Fußboden, damit ich nicht austrocknete.

Ich wachte erst auf, als er wieder nach Hause kam. Es war schon Abend. Er kam die Treppe hochgestampft, um nach mir zu sehen.

»Lebst du noch?«

»Halbwegs«, sagte ich.

»Brauchst du irgendwas?«

»Nein, danke.«

Er zögerte, unsicher, was er tun sollte. »Na dann«, sagte er und ging wieder runter in die Küche.

Ein paar Minuten später hörte ich das Telefon klingeln. Charlie sprach leise mit jemandem, dann legte er wieder auf.

»Mike geht es besser«, rief er zu mir herauf.

Na, das war ja ermutigend. Er hatte mir nur acht Stunden Übelkeit voraus. Noch acht Stunden. Bei der Vorstellung drehte sich mir der Magen um, und ich zog mich hoch und beugte mich über die Toilette.

Wieder schlief ich auf dem Handtuch ein, aber als ich aufwachte, lag ich im Bett und draußen vor meinem Fenster war es hell. Ich erinnerte mich nicht daran, aufgestanden zu sein; Charlie musste mich in mein Zimmer getragen haben – er hatte mir auch ein Glas Wasser auf den Nachttisch gestellt. Ich hatte höllischen Durst und stürzte das Wasser herunter, obwohl es abgestanden schmeckte.

Langsam stand ich auf und versuchte, die Übelkeit nicht wieder aufkommen zu lassen. Ich war schwach auf den Beinen und hatte einen scheußlichen Geschmack im Mund, aber mein Magen hatte sich erholt. Ich schaute auf die Uhr.

Die vierundzwanzig Stunden waren um.

Ich ließ es ruhig angehen und aß nur Salzkräcker zum Frühstück. Charlie war erleichtert, dass es mir besserging.

Sobald ich mir sicher war, dass ich den Tag nicht wieder auf dem Badezimmerfußboden verbringen musste, griff ich zum Telefon und rief Jacob an.

Er ging ans Telefon, aber als ich seine Stimme hörte, wusste ich, dass er es noch nicht überstanden hatte.

»Hallo?« Seine Stimme versagte.

»Ach, Jake.« Ich seufzte mitfühlend. »Du klingst ja grauenhaft.«

»Mir geht es auch grauenhaft«, flüsterte er.

»Es tut mir so leid, dass ich dich ins Kino geschleppt hab. So ein Mist.«

»Ich bin froh, dass ich mitgekommen bin.« Seine Stimme war immer noch ein Flüstern. »Mach dir keine Vorwürfe. Du kannst nichts dafür.«

»Dir geht es bestimmt bald besser«, sagte ich zuversichtlich. »Als ich heute Morgen aufgewacht bin, war ich wieder fit.«

»Warst du krank?«, fragte er matt.

»Ja, ich hatte dasselbe. Aber jetzt geht es mir wieder gut.«

»Das ist schön.« Seine Stimme war leblos.

»In ein paar Stunden hast du es überstanden«, sagte ich aufmunternd.

Seine Antwort war fast unhörbar. »Ich glaube nicht, dass ich dasselbe habe.«

»Hast du nicht die Magen-Darm-Grippe?«, fragte ich verwirrt.

»Nein. Das ist was anderes.«

»Was hast du denn?«

»Etwas Schlimmes«, flüsterte er. »Mir tut alles weh.«

Der Schmerz in seiner Stimme war fast greifbar.

»Was kann ich tun, Jake? Kann ich dir irgendwas bringen?«

»Nein. Du kannst nicht herkommen.« Das kam ganz unvermittelt. Es erinnerte mich an Billy vorgestern Abend.

»Wenn es was Ansteckendes ist, kann ich es so oder so kriegen. Wir waren ja zusammen«, sagte ich.

Er überging meine Bemerkung. »Ich rufe dich an, wenn ich kann. Ich sag dir Bescheid, wenn du wieder kommen kannst.«

»Jacob ...«

»Ich muss jetzt Schluss machen«, sagte er. Er schien es plötzlich eilig zu haben.

»Melde dich, wenn es dir bessergeht.«

»Okay«, sagte er, und eine seltsame Bitterkeit lag in seiner Stimme.

Einen Augenblick schwieg er. Ich wartete darauf, dass er tschüss sagte, aber er wartete auch.

»Bis bald«, sagte ich schließlich.

»Warte, bis ich dich anrufe«, sagte er wieder.

»Okay ... tschüss, Jacob.«

»Bella.« Er flüsterte meinen Namen, dann legte er auf.

ZURÜCK AUF DER LICHTUNG

Jacob ließ nichts von sich hören.

Als ich das erste Mal anrief, ging Billy dran und sagte, Jacob liege immer noch im Bett. Ich wurde misstrauisch und fragte, ob Billy mit ihm beim Arzt gewesen sei. Billy sagte ja, aber aus irgendeinem unbestimmten Grund glaubte ich ihm nicht richtig. An den folgenden beiden Tagen rief ich mehrmals täglich an, aber es ging nie jemand ans Telefon.

Am Samstag beschloss ich, ihn zu besuchen, ob wir verabredet waren oder nicht. Aber das kleine rote Haus war verlassen. Ich bekam einen Schreck – ging es Jacob so schlecht, dass er ins Krankenhaus musste? Auf dem Heimweg fuhr ich beim Krankenhaus vorbei, aber die Schwester an der Anmeldung sagte, weder Jacob noch Billy seien dort gewesen.

Als Charlie von der Arbeit nach Hause kam, bat ich ihn, sofort Harry Clearwater anzurufen. Ängstlich wartete ich, während Charlie mit seinem alten Freund plauderte; das Gespräch schien sich endlos zu ziehen, ohne dass Jacob auch nur erwähnt wurde. Offenbar war Harry selbst im Krankenhaus gewesen … irgendwelche Herzuntersuchungen. Charlie zog die Stirn in Falten, aber Harry machte Scherze und spielte es herunter, bis Charlie wieder lachte. Erst dann erkundigte er sich nach Jacob, und jetzt war ich am falschen Ende der Leitung, denn Charlie machte nur immer »hmmm« und »ach so«. Ich trommelte mit den Fingern auf die Arbeitsplatte neben ihm, bis er seine Hand auf meine legte, damit ich aufhörte.

Schließlich legte Charlie auf und drehte sich zu mir um.

»Harry sagt, es gab Probleme mit den Telefonleitungen, deshalb bist du nicht durchgekommen. Billy war mit Jake beim Arzt in La Push, und es sieht wohl so aus, als hätte er das Pfeiffersche Drüsenfieber. Er ist sehr schlapp, und Billy sagt, er darf keinen Besuch bekommen«, berichtete er.

»Keinen Besuch?«, fragte ich ungläubig.

Charlie zog eine Augenbraue hoch. »Und jetzt versuch bitte ein bisschen Geduld zu haben, Bella. Billy wird schon wissen, was für Jake am besten ist. Er ist bestimmt bald wieder auf den Beinen.«

Ich bedrängte ihn nicht weiter. Er machte sich zu große Sorgen um Harry. Das war ganz klar das wichtigere Thema. Stattdessen ging ich direkt hoch in mein Zimmer und setzte mich an den Computer. Im Internet fand ich ein medizinisches Wörterbuch und gab »Pfeiffersches Drüsenfieber« ein.

Ich wusste darüber nur, dass man sich beim Küssen anstecken konnte, was bei Jake ausgeschlossen war. Ich überflog die Symptome – Fieber hatte er auf jeden Fall gehabt, aber alles andere? Keine fürchterlichen Halsschmerzen, keine Erschöpfung, keine Kopfschmerzen, jedenfalls nicht, bevor er an dem Kinoabend nach Hause gefahren war. Er hatte gesagt, er sei »fit wie ein Turnschuh«. Konnte die Krankheit wirklich so plötzlich kommen? In dem Artikel klang es so, als ginge es mit Hals- und Kopfschmerzen los …

Ich starrte auf den Bildschirm und fragte mich, warum ich das eigentlich tat. Warum war ich so … so misstrauisch, als würde ich Billy die Geschichte nicht abkaufen? Wieso sollte Billy Harry anlügen?

Wahrscheinlich benahm ich mich albern. Ich machte mir einfach Sorgen, und ehrlich gesagt hatte ich Angst, weil ich Jacob nicht sehen durfte – es machte mich nervös.

Schnell las ich den Rest des Artikels durch und suchte nach weiteren Informationen. Ich hielt inne, als ich las, dass Pfeiffersches Drüsenfieber länger als einen Monat dauern konnte.

Einen *Monat*? Mir blieb der Mund offen stehen.

Aber so lange konnte Billy das mit dem Besuchsverbot nicht durchziehen. Völlig ausgeschlossen. Jake würde durchdrehen, wenn er so lange im Bett liegen müsste, ohne mit jemandem reden zu können.

Wovor hatte Billy überhaupt Angst? In dem Artikel stand, dass man, wenn man am Pfeifferschen Drüsenfieber erkrankt war, körperliche Anstrengung vermeiden sollte, aber da stand nicht, dass man keinen Besuch bekommen durfte. Die Krankheit war nicht besonders ansteckend.

Ich gebe Billy eine Woche, dachte ich, dann fahre ich hin. Eine Woche war großzügig bemessen.

Eine Woche war lang. Mittwoch war ich überzeugt, dass ich es bis Samstag nicht aushalten würde.

Als ich beschlossen hatte, Billy und Jacob eine Woche in Ruhe zu lassen, hatte ich nicht damit gerechnet, dass Jacob sich an Billys Regel halten würde. Jeden Tag, wenn ich aus der Schule kam, rannte ich zum Telefon und sah nach, ob etwas auf dem Anrufbeantworter war. Aber das war nie der Fall.

Ich verstieß dreimal gegen meinen Vorsatz und versuchte ihn zu erreichen, aber die Telefonleitungen funktionierten offenbar immer noch nicht.

Ich war viel zu oft zu Hause und viel zu viel allein. Ohne Jacob und unsere Ablenkungen kam alles, was ich verdrängt hatte, wieder hoch. Die Träume wurden wieder schlimmer. Ich konnte das Ende nicht mehr voraussehen. Da war nur die entsetzliche Leere – die Hälfte der Zeit im Wald, die andere Hälfte in dem verlassenen Farnmeer, wo es inzwischen auch das weiße Haus nicht mehr gab. Manchmal war Sam Uley im Wald und beobachtete mich. Ich beachtete ihn nicht – seine Gegenwart hatte nichts Tröstliches, sie linderte die Einsamkeit nicht. Sie hielt mich nicht davon ab, mit einem Schrei zu erwachen, Nacht für Nacht.

Das Loch in meiner Brust war schlimmer denn je. Ich hatte geglaubt, ich hätte es unter Kontrolle, aber jeden Morgen musste ich mich zusammenkrümmen, die Arme um den Oberkörper pressen und um Atem ringen.

Ich kam allein nicht gut zurecht.

So war ich grenzenlos erleichtert, als ich eines Morgens erwachte – schreiend natürlich – und mir einfiel, dass Samstag war. Heute konnte ich Jacob anrufen. Und wenn die Telefonleitungen immer noch nicht funktionierten, würde ich einfach nach La Push fahren. So oder so würde der Tag heute besser werden als die vergangene einsame Woche.

Ich wählte, dann wartete ich, ohne mir große Hoffnungen zu machen. Als Billy beim zweiten Klingeln dranging, war ich ganz überrascht.

»Hallo?«

»Oh, hey, das Telefon geht wieder! Hi, Billy. Hier ist Bella. Ich wollte nur fragen, wie es Jacob geht. Kann man ihn schon besuchen? Ich dachte, ich könnte vielleicht vorbeikommen …«

»Tut mir leid, Bella«, unterbrach Billy mich, und ich fragte mich, ob er nebenbei Fernsehen guckte, er wirkte so unkonzentriert. »Er ist nicht da.«

»Ach so.« Ich brauchte einen Moment. »Dann geht es ihm also besser?«

»Ja.« Billy zögerte ein kleines bisschen zu lange. »Es hat sich rausgestellt, dass es doch nicht das Pfeiffersche Drüsenfieber war. Irgendein anderer Virus.«

»Aha. Und ... wo ist er?«

»Er ist mit ein paar Freunden unterwegs nach Port Angeles – ich glaube, sie wollen später noch ins Kino gehen oder so. Er ist den ganzen Tag unterwegs.«

»Na, da bin ich aber erleichtert. Ich hatte mir solche Sorgen gemacht. Wie schön, dass er schon wieder ausgehen kann.« Mein Geplapper kam mir selbst total gekünstelt vor.

Es ging Jacob besser, aber nicht so gut, dass er mich anrufen konnte. Stattdessen war er mit Freunden ausgegangen. Ich hockte zu Hause und vermisste ihn von Stunde zu Stunde mehr. Ich war einsam, besorgt, gelangweilt, verlassen – und jetzt war ich außerdem verzweifelt, als ich einsehen musste, dass ihm die Woche, in der wir uns nicht sehen konnten, offenbar ganz und gar nichts ausgemacht hatte.

»Wolltest du irgendwas Bestimmtes?«, fragte Billy höflich.

»Nein, eigentlich nicht.«

»Also, ich werd ihm ausrichten, dass du angerufen hast«, versprach Billy. »Tschüss, Bella.«

»Tschüss«, sagte ich, aber da hatte er schon aufgelegt.

Einen Augenblick stand ich reglos mit dem Telefon in der Hand da.

Offenbar hatte Jacob es sich doch anders überlegt, ganz wie ich befürchtet hatte. Er schien meinen Rat zu befolgen und seine Zeit nicht länger mit einem Mädchen zu vergeuden, das seine Gefühle nicht erwiderte. Ich spürte, wie mir das Blut aus dem Gesicht wich.

»Ist irgendwas?«, fragte Charlie, als er die Treppe runterkam.

»Nein, nein«, log ich und legte auf. »Billy hat gesagt, Jacob geht es besser. Es war doch nicht das Pfeiffersche Drüsenfieber. Ein Glück.«

»Kommt er her oder fährst du hin?«, fragte Charlie zerstreut, während er den Kühlschrank durchforstete.

»Weder noch«, gestand ich. »Er ist mit anderen Freunden unterwegs.«

Mein Ton ließ ihn jetzt doch aufhorchen. Er sah mich plötzlich beunruhigt an, seine Hände, in denen er eine Packung mit Käsescheiben hielt, erstarrten.

»Ist es nicht noch ein bisschen früh fürs Mittagessen?«, fragte ich so locker wie möglich, um ihn abzulenken.

»Nein, ich packe mir nur was ein, was ich mit zum Fluss nehmen kann.«

»Ach so, gehst du angeln?«

»Na ja, Harry hat angerufen … und es regnet nicht …« Während er sprach, legte er verschiedene Lebensmittel auf den Tisch. Auf einmal blickte er wieder auf, als wäre ihm gerade etwas eingefallen. »Wär's dir vielleicht lieber, wenn ich hierbleibe, jetzt, wo Jake keine Zeit hat?«

»Ist schon in Ordnung, Dad«, sagte ich und versuchte gleichgültig zu klingen. »Bei schönem Wetter beißen die Fische doch besser.«

Er starrte mich unschlüssig an. Ich wusste, dass er sich Sorgen machte und Angst hatte, mich allein zu lassen, falls ich wieder anfangen sollte, »Trübsal zu blasen«.

»Nein, wirklich, Dad, ich glaub, ich rufe Jessica an«, schwindelte ich schnell. Lieber allein sein, als ständig von ihm beobachtet zu werden. »Wir schreiben eine Matheklausur, für die wir lernen müssen. Da könnte ich ihre Hilfe gebrauchen.« Der letzte Satz stimmte. Aber ich würde wohl ohne ihre Hilfe auskommen müssen.

»Das ist eine gute Idee. Du warst so viel mit Jacob zusammen, deine anderen Freunde denken bestimmt schon, du hast sie vergessen.«

Ich lächelte und nickte, als ob ich etwas darauf gäbe, was meine anderen Freunde dachten.

Charlie wollte sich zum Gehen wenden, aber dann drehte er sich mit besorgter Miene noch mal zu mir um. »He, ihr lernt doch hier oder bei Jess, nicht?«

»Klar, wo sonst?«

»Na ja, ich möchte nur, dass du dich vom Wald fernhältst, vergiss das bitte nicht.«

In meiner Verwirrung brauchte ich einen Moment, bis ich schaltete. »Schon wieder Ärger mit den Bären?«

Charlie nickte und runzelte gleichzeitig die Stirn. »Ein Wanderer wird vermisst – die Ranger fanden sein Lager heute Morgen verlassen vor, von ihm selbst keine Spur. Da waren Spuren von richtig großen Tieren … die können natürlich auch später gekommen sein, weil sie den Proviant gerochen haben … Jedenfalls wollen sie jetzt Fallen aufstellen.«

»Aha«, sagte ich unbestimmt. Ich hörte nur mit halbem Ohr zu; die Situation mit Jacob machte mir mehr zu schaffen als die Möglichkeit, von einem Bären gefressen zu werden.

Ich war froh darüber, dass Charlie es eilig hatte. Er wartete nicht ab, bis ich Jessica anrief, also musste ich kein Theater spielen. Stattdessen tat ich so, als würde ich meine Schulbücher zusammensuchen, um sie in die Tasche zu packen; das war fast zu viel des Guten, und wäre Charlie nicht so versessen darauf gewesen, endlich loszukommen, hätte es vielleicht sein Misstrauen geweckt.

Ich war so beschäftigt damit, beschäftigt zu wirken, dass der schrecklich leere Tag, der vor mir lag, erst auf mich einstürzte, als ich Charlie wegfahren sah. Ich brauchte nur zwei Minuten auf das stumme Telefon in der Küche zu starren, bis mein Entschluss feststand, nicht zu Hause zu bleiben. Ich überlegte, was ich machen könnte.

Jessica anzurufen kam nicht in Frage. Offenbar war sie zur anderen Seite übergelaufen.

Ich könnte nach La Push fahren und mein Motorrad holen – ein reizvoller Gedanke bis auf ein kleines Problem: Wer sollte mich anschließend in die Notaufnahme bringen?

Oder … die Karte und der Kompass waren schon in meinem Transporter. Ich glaubte das Prinzip so weit verstanden zu haben, dass ich mich nicht verlaufen würde. Vielleicht konnte ich heute zwei weitere Linien des Gitternetzes ausschließen, und dann wären wir, wenn Jacob mich denn irgendwann mal wieder mit seiner Gegenwart zu beehren gedachte, wieder ein Stück weiter. Ich weigerte mich, darüber nachzudenken, wann das sein würde. Oder ob es überhaupt jemals sein würde …

Ich hatte ganz leichte Gewissensbisse, als ich daran dachte, was Charlie dazu sagen würde, aber die schob ich beiseite. Ich konnte heute nicht schon wieder zu Hause hocken.

Ein paar Minuten später war ich auf der inzwischen vertrauten Straße. Ich hatte die Fenster heruntergekurbelt, fuhr, so schnell mein Transporter es erlaubte, und versuchte den Wind im Gesicht zu genießen. Es war bewölkt, aber fast trocken – für Forks ein richtig schöner Tag.

Für die Vorbereitungen brauchte ich länger als Jacob. Nachdem ich an der üblichen Stelle geparkt hatte, musste ich eine gute Viertelstunde die kleine Kompassnadel und die Markierungen auf der inzwischen abgegriffenen Karte studieren. Als ich mir einigermaßen sicher war, dass ich der richtigen Linie des Gitternetzes folgte, machte ich mich auf den Weg in den Wald.

Heute schienen alle Tiere im Wald unterwegs zu sein, so als freuten sie sich darüber, dass es ausnahmsweise trocken war. Aber trotz der zwitschernden und krächzenden Vögel, der Insekten, die mir lärmend um den Kopf surrten, und der Feldmäuse, die hin und wieder durchs Gebüsch huschten, wirkte der Wald heute irgendwie unheimlicher als sonst; er erinnerte mich an meinen letzten Albtraum. Das lag natürlich nur daran, dass ich allein unterwegs war; ich vermisste Jacobs sorgloses Pfeifen und das Geräusch von zwei weiteren Füßen, die über den feuchten Boden stapften.

Das Unbehagen wuchs, als ich tiefer in den Wald eindrang. Das Atmen wurde schwerer – nicht wegen der Anstrengung, sondern weil mir das blöde Loch in der Brust wieder Probleme bereitete. Ich schlang die Arme fest um den Körper und versuchte den Schmerz zu verbannen. Fast hätte ich wieder kehrtgemacht, aber der Gedanke, dass die ganze Anstrengung umsonst gewesen sein sollte, widerstrebte mir zu sehr.

Während ich weitermarschierte, betäubte der Takt meiner Schritte allmählich meine Gedanken und auch den Schmerz. Schließlich wurde mein Atem wieder regelmäßig, und ich war froh, dass ich nicht aufgegeben hatte. Ich wurde langsam besser darin, mich durchs Dickicht zu schlagen, und kam jetzt schneller voran.

Ich merkte gar nicht richtig, wie viel schneller ich vorankam. Nach meiner Schätzung hatte ich erst ungefähr sechs Kilometer zurückgelegt und hatte noch nicht angefangen, nach der Lichtung zu suchen. Da zwängte ich mich durch den Farn, der mir hier bis zur Brust ging, trat durch einen niedrigen Bogen aus zwei Weinblattahornbäumen und landete schwindelerregend plötzlich auf der Lichtung.

Es war dieselbe Lichtung, das wusste ich sofort. Ich hatte

noch nie eine andere Lichtung gesehen, die so symmetrisch war. Sie war so rund, als hätte jemand in der Absicht, einen makellosen Kreis zu formen, die Bäume herausgerissen, ohne in dem wogenden Gras eine Spur dieses Gewalttakts zu hinterlassen. Von Osten her hörte ich leise den Fluss plätschern.

Ohne Sonnenschein war die Lichtung längst nicht so beeindruckend, aber sie war trotzdem sehr schön und friedlich. Für Wildblumen war es nicht die richtige Jahreszeit, der Boden war dicht mit hohem Gras bewachsen, das in der leichten Brise wehte wie ein See, der sich im Wind kräuselt.

Es war derselbe Ort ... doch er hielt nicht das, was ich mir von ihm versprochen hatte.

Die Enttäuschung traf mich fast sofort. Ich sackte zusammen und kniete keuchend am Rand der Lichtung.

Wozu noch weitergehen? Hier war nichts zu finden. Nichts als die Erinnerungen, die ich jederzeit herbeirufen könnte, wenn ich bereit wäre, den dazugehörigen Schmerz zu ertragen. Und der Schmerz, der mich jetzt übermannte, traf mich mit voller Wucht. Ohne *ihn* hatte dieser Ort nichts Besonderes. Ich wusste nicht genau, was ich hier zu spüren gehofft hatte, aber die Lichtung war verlassen und leer wie jener andere Ort. Es war wie in meinen Albträumen. In meinem Kopf drehte sich alles.

Wenigstens war ich allein gekommen. Als mir das bewusst wurde, war ich dankbar. Wenn ich die Lichtung mit Jacob zusammen entdeckt hätte ... dann hätte ich nicht vor ihm verbergen können, in welch einen Abgrund mich das stürzte. Wie hätte ich ihm erklären sollen, dass ich in Stücke zerfiel, dass ich mich ganz fest zusammenrollen musste, damit das Loch mich nicht auseinanderriss? Ich war froh, keine Zuschauer zu haben.

Und ich brauchte auch niemandem zu erklären, warum ich es so eilig hatte, wieder fortzukommen. Jacob hätte erwartet, dass ich nach all den Mühen, diese blöde Lichtung zu finden, länger hierbleiben wollte als ein paar Sekunden. Aber ich versuchte schon wieder auf die Füße zu kommen und mich aufzurappeln, um zu fliehen. Von diesem leeren Ort ging mehr Schmerz aus, als ich ertragen konnte – wenn es sein musste, würde ich eben davonkriechen.

Wie gut, dass ich allein war!

Allein. Mit grimmiger Befriedigung wiederholte ich das Wort, als ich mich trotz der Schmerzen zum Aufstehen zwang. Genau in dem Moment trat etwa dreißig Schritte nördlich von mir jemand aus dem Wald.

Ein Wirbelsturm der Gefühle stürzte innerhalb einer Sekunde auf mich ein. Im ersten Moment war ich überrascht, ich war fernab von allen Wanderwegen und hatte nicht damit gerechnet, jemandem zu begegnen. Als ich die reglose Gestalt dann näher betrachtete und die völlige Starre und die bleiche Haut registrierte, durchzuckte mich die Hoffnung. Wütend unterdrückte ich sie und kämpfte gegen den ebenso heftigen Schmerz an, der mich überkam, als ich das Gesicht unter dem schwarzen Haar sah und erkannte, dass es nicht das Gesicht war, das ich zu sehen gehofft hatte. Dann kam die Angst; zwar war das hier nicht das Gesicht, um das ich trauerte, aber doch so ähnlich, dass ich wusste: Der Mann dort ist kein verirrter Wanderer.

Und da endlich erkannte ich ihn.

»Laurent!«, rief ich freudig überrascht.

Das war eine unlogische Reaktion. Ich hätte bei der Angst Halt machen sollen.

Als wir uns kennenlernten, hatte Laurent zu James' Zirkel gehört. An der Jagd hatte er sich damals nicht beteiligt – an der

Jagd auf mich –, aber nur, weil er Angst hatte: Die Gruppe, unter deren Schutz ich stand, war größer als seine. Sonst hätte es anders ausgesehen – er hätte damals keinerlei Bedenken gehabt, seinen Durst an mir zu stillen. Inzwischen hatte er sich natürlich verändert; er war ja nach Alaska gegangen und hatte dort bei dem anderen zivilisierten Clan gelebt, bei der anderen Familie, die aus ethischen Gründen kein Menschenblut trank. Wie die ... aber ich brachte es nicht über mich, ihren Namen zu denken.

Ja, Angst wäre das logischere Gefühl gewesen, aber ich empfand nur eine überwältigende Befriedigung. Jetzt war die Lichtung wieder ein verzauberter Ort. Es war ein dunklerer Zauber als der, den ich erwartet hatte, aber doch ein Zauber. Hier war die Verbindung, nach der ich gesucht hatte. Der wenn auch sehr entfernte Beweis dafür, dass es *ihn* in der Welt, in der ich lebte, irgendwo gab.

Laurent sah noch haargenau so aus wie beim letzten Mal. Wahrscheinlich war es albern und sehr menschlich zu denken, er müsste sich im Laufe des Jahres verändert haben. Aber da war etwas ... ich kam nicht darauf, was es war.

»Bella?«, fragte er. Er wirkte überraschter als ich.

»Das weißt du noch.« Ich lächelte. Es war lächerlich, sich darüber zu freuen, dass ein Vampir sich an meinen Namen erinnerte.

Er grinste. »Mit dir hätte ich hier nicht gerechnet.« Nachdenklich schlenderte er auf mich zu.

»Sollte es nicht eher umgekehrt sein? Schließlich wohne ich hier. Aber ich dachte, du wärst nach Alaska gegangen.«

Etwa zehn Schritte von mir entfernt blieb er stehen und legte den Kopf schräg. Er hatte das schönste Gesicht, das ich seit Ewigkeiten gesehen hatte. Ich betrachtete ihn mit einem seltsam gierigen Gefühl von Befreiung. Endlich jemand, bei dem ich mich nicht verstellen musste – jemand, der alles schon wusste, was ich niemals sagen könnte.

»Das stimmt«, sagte er. »Ich bin nach Alaska gegangen. Ich hätte nur nicht gedacht … Als ich das Haus der Cullens verlassen vorfand, glaubte ich, sie seien fortgezogen.«

»Ach.« Als ich den Namen hörte, musste ich mir auf die Lippe beißen, weil die Wunde wieder anfing zu pochen. Ich brauchte eine Sekunde, um mich zu fangen. Laurent sah mich gespannt an und wartete.

»Ja, sie sind weggezogen«, brachte ich schließlich heraus.

»Hmm«, sagte er. »Es wundert mich, dass sie dich hiergelassen haben. Warst du nicht ihr kleiner Liebling?« Er sah nicht so aus, als wollte er mich kränken.

Ich lächelte trocken. »So was in der Art.«

»Hmm«, sagte er, jetzt wieder nachdenklich.

Genau in diesem Moment begriff ich, warum er genauso aussah wie damals – *zu sehr* wie damals. Nachdem Carlisle uns erzählt hatte, dass Laurent bei Tanyas Familie lebte, hatte ich ihn mir, die wenigen Male, da ich an ihn dachte, mit den gleichen goldenen Augen vorgestellt, die auch die Cullens – ich zwang mich, den Namen zu denken, und zuckte zusammen – hatten. Die alle *guten* Vampire hatten. Unwillkürlich trat ich einen Schritt zurück, und der Blick seiner dunkelroten Augen folgte mir neugierig.

»Kommen sie oft vorbei?«, fragte er, immer noch beiläufig, doch er neigte sich leicht zu mir.

»Lüg«, flüsterte die wunderschöne Samtstimme aus meiner Erinnerung beschwörend.

Beim Klang *seiner* Stimme zuckte ich zusammen, aber eigentlich hätte ich nicht überrascht sein dürfen. Befand ich mich nicht in der schlimmsten Gefahr, die man sich vorstellen konnte? Dagegen war Motorradfahren doch Kinderkram.

Ich gehorchte der Stimme.

»Hin und wieder.« Ich versuchte, es leichthin und unange-strengt klingen zu lassen. »Mir ist es nie oft genug. Du weißt ja, wie leicht sie neue Zerstreuung finden ...« Ich geriet ins Plau-dern. Ich musste mich zusammenreißen.

»Hmm«, sagte er wieder. »Das Haus roch so, als stünde es schon eine ganze Weile leer ...«

»Du musst besser lügen, Bella«, drängte die Stimme.

Ich versuchte es. »Ich muss Carlisle unbedingt sagen, dass du vorbeigekommen bist. Es wird ihm bestimmt leidtun, dass er dich verpasst hat.« Ich tat so, als müsste ich einen Moment über-legen. »Aber vielleicht sollte ich es ... Edward« – ich brachte den Namen kaum heraus, und mein verzerrter Gesichtsausdruck machte den ganzen Bluff zunichte – »gegenüber lieber nicht er-wähnen. Er gerät immer so leicht in Rage ... na, du weißt schon. Diese ganze Geschichte mit James ist für ihn immer noch ein rotes Tuch.« Ich verdrehte die Augen und machte eine wegwer-fende Handbewegung, als wäre das für mich alles lange verges-sen, aber in meiner Stimme klang leichte Hysterie durch. Ich fragte mich, ob er das merkte.

»Ach ja?«, fragte Laurent leicht misstrauisch.

Ich antwortete nur kurz, um meine Panik nicht zu verraten. »Mm-hmm.«

Laurent trat lässig zur Seite und schaute sich auf der kleinen Lichtung um. Es entging mir nicht, dass er mir dadurch näher gekommen war. Die Stimme in meinem Kopf knurrte leise.

»Und wie ist es so in Denali? Carlisle hat erzählt, dass du jetzt bei Tanya lebst.« Meine Stimme war zu hoch.

Er antwortete nicht gleich. »Ich mag Tanya sehr gern«, sagte er nachdenklich. »Und ihre Schwester Irina noch mehr ... Ich bin noch nie irgendwo so lange geblieben, und die Annehmlich-

keiten und der Reiz des Neuen gefallen mir. Doch die Ein-
schränkungen machen mir zu schaffen ... Es wundert mich, dass
die anderen so lange durchhalten.« Er lächelte mich verschwörerisch an. »Manchmal schummele ich.«

Ich konnte nicht schlucken. Mein Fuß wollte einen Schritt
rückwärts machen, aber ich erstarrte, als der Blick seiner roten
Augen nach unten huschte und die Bewegung erahnte.

»Ach so«, sagte ich mit schwacher Stimme. »Ja, Jasper hat
auch seine Probleme damit.«

»Nicht bewegen«, flüsterte die Samtstimme. Ich versuchte zu
gehorchen. Es war schwer, fast unmöglich, dem Fluchtinstinkt
zu widerstehen.

»Ach ja?« Das schien Laurent zu interessieren. »Sind sie deshalb fortgegangen?«

»Nein«, sagte ich wahrheitsgemäß. »Zu Hause ist Jasper
mehr auf der Hut.«

»Ja«, sagte Laurent. »So ist das bei mir auch.«

Er machte einen Schritt auf mich zu, diesmal ganz gezielt.

»Hat Victoria dich eigentlich gefunden?«, fragte ich atemlos.
Ich musste ihn unbedingt ablenken. Es war die erste Frage, die
mir einfiel, und kaum dass ich sie ausgesprochen hatte, bereute
ich sie auch schon. Victoria – die mich zusammen mit James gejagt hatte und dann verschwunden war – war die Letzte, an die
ich in diesem Augenblick denken wollte.

Doch bei der Frage hielt er inne.

»Ja«, sagte er und blieb zögernd stehen. »Genau genommen
bin ich hierhergekommen, um ihr einen Gefallen zu tun ...« Er
verzog das Gesicht. »Aber hierüber wird sie nicht erfreut sein.«

»Worüber?«, fragte ich sofort, damit er weitersprach. Er
schaute von mir weg in die Bäume. Ich nutzte die Situation aus
und ging heimlich einen Schritt zurück.

Er schaute mich wieder an und lächelte – so sah er aus wie ein schwarzhaariger Engel.

»Darüber, dass ich dich töten werde«, säuselte er verführerisch.

Ich taumelte noch einen Schritt zurück. Bei dem verzweifelten Knurren in meinem Kopf konnte ich kaum etwas hören.

»Das hätte sie gern selbst erledigt«, sprach er unbekümmert weiter. »Sie ist ein wenig … verärgert über dich, Bella.«

»Über mich?«, piepste ich.

Er schüttelte den Kopf und lachte in sich hinein. »Ich weiß, mir erscheint es ja auch etwas altmodisch. Aber James war ihr Gefährte, und dein Edward hat ihn getötet.«

Selbst jetzt, da ich dem Tod so nah war, schnitt mir sein Name in die offenen Wunden wie ein Sägemesser.

Laurent bemerkte meine Reaktion nicht. »Sie fand es angemessener, dich zu töten als Edward – ein fairer Handel, ein Gefährte für den anderen. Sie hat mich gebeten, ein bisschen für sie auszukundschaften. Ich hätte nicht gedacht, dass du so leicht zu fassen bist. Also ist ihr Plan möglicherweise hinfällig – das wäre sicherlich nicht die Rache, die sie sich vorgestellt hat, denn wenn er dich hier so schutzlos zurücklässt, kannst du ihm nicht sehr viel bedeuten.«

Noch ein Schlag, noch ein Riss durch die Brust.

Laurent verlagerte leicht das Gewicht, und ich taumelte einen weiteren Schritt zurück.

Er runzelte die Stirn. »Aber ich fürchte, sie wird es mir trotzdem übelnehmen.«

»Warum wartest du dann nicht auf sie?«, brachte ich mühsam hervor.

Ein boshaftes Grinsen trat auf sein Gesicht. »Du hast mich im falschen Moment erwischt, Bella. *Hierher* kam ich nicht in

Victorias Auftrag – ich war auf der Jagd. Ich bin ziemlich durstig, und bei deinem Geruch … läuft mir das Wasser im Munde zusammen.«

Laurent schaute mich anerkennend an, als wäre das ein Kompliment.

»Droh ihm«, befahl die geliebte Täuschung mit angstverzerrter Stimme.

»Er wird wissen, dass du es warst«, flüsterte ich gehorsam. »Damit kommst du nicht davon.«

»Und warum nicht?« Laurents Grinsen wurde noch breiter. Er schaute sich in der kleinen Lichtung um. »Mit dem nächsten Regen wird der Geruch weggespült. Niemand wird deine Leiche finden – du wirst einfach als vermisst gelten, wie so viele, viele andere Menschen. Edward hat keinen Grund, an mich zu denken, falls er überhaupt Wert darauf legt, Nachforschungen anzustellen. Nimm es nicht persönlich, Bella. Ich habe einfach nur Durst.«

»Bitte ihn«, bat meine Halluzination.

»Bitte nicht«, keuchte ich.

Laurent schüttelte den Kopf. Seine Miene war freundlich. »Du musst es einmal so sehen, Bella. Du hast großes Glück, dass ich derjenige bin, der dich gefunden hat.«

»Ach ja?«, sagte ich unhörbar und ging schwankend einen weiteren Schritt zurück.

Laurent folgte mir geschmeidig und anmutig.

»Ja«, versicherte er mir. »Ich mache es ganz schnell. Du wirst gar nichts spüren, das verspreche ich dir. Na ja, Victoria werde ich später etwas anderes erzählen, damit sie besänftigt ist. Aber wenn du wüsstest, was sie sich für dich ausgedacht hat, Bella …« Langsam schüttelte er den Kopf, fast als ekele er sich. »Dann wärst du mir dankbar, das schwöre ich dir.«

Entsetzt starrte ich ihn an.

Er schnupperte, als ihm der Duft meiner Haare ins Gesicht wehte. »Mir läuft das Wasser im Munde zusammen«, sagte er wieder und atmete tief ein.

Ich machte mich auf den Sprung gefasst, kniff die Augen zusammen und wich unwillkürlich zurück, und in meinem Hinterkopf hallte entfernt Edwards wütendes Brüllen. Sein Name sprengte alle Mauern, die ich errichtet hatte, um ihn fernzuhalten. *Edward, Edward, Edward.* Ich würde sterben. Es spielte keine Rolle, wenn ich jetzt an ihn dachte. *Edward, ich liebe dich.*

Durch die zusammengekniffenen Augen sah ich, wie Laurent plötzlich der Atem stockte und wie er den Kopf ruckartig nach links drehte. Ich traute mich nicht, ihn aus den Augen zu lassen und seinem Blick zu folgen, obwohl er mich kaum ablenken oder austricksen musste, um mich zu überwältigen. Ich war zu überrascht, um Erleichterung zu empfinden, als er sich langsam von mir entfernte.

»Das gibt es doch nicht«, sagte er so leise, dass ich ihn kaum verstand.

Nun musste ich doch hinsehen. Ich suchte die Lichtung ab und hielt Ausschau nach dem Etwas, das mein Leben um ein paar Sekunden verlängert hatte. Erst sah ich nichts, und mein Blick huschte zurück zu Laurent, der es jetzt eilig hatte wegzukommen. Sein Blick war immer noch starr auf den Wald gerichtet.

Da sah ich es, eine riesige schwarze Gestalt, die vorsichtig, leise wie ein Schatten hinter den Bäumen hervorkam und zielstrebig auf den Vampir zumarschierte. Es war ein gigantisches Wesen – groß wie ein Pferd, aber massiger und viel muskulöser. Es öffnete leicht die längliche Schnauze und entblößte dabei eine Reihe dolchähnlicher Schneidezähne. Zwischen den Zähnen ließ es ein schauerliches Knurren ertönen, das über die Lichtung dröhnte wie ein Donnerhall.

Der Bär. Nur, dass es überhaupt kein Bär war. Doch das musste das Vieh sein, das den ganzen Wirbel verursacht hatte. Aus der Entfernung würde jeder es für einen Bären halten. Welches andere Tier könnte so riesig und kräftig sein?

Nur zu gern wäre ich in der glücklichen Lage gewesen, es aus der Entfernung zu sehen. Stattdessen trottete es drei Meter vor mir leise durchs Gras.

»Rühr dich nicht vom Fleck«, flüsterte Edwards Stimme.

Ich starrte das gewaltige Vieh an. Mir schwindelte, als ich es zu benennen versuchte. In der Gestalt und der Art, sich zu bewegen, ähnelte es eindeutig einem Hund. Schreckerstarrt, wie ich war, fiel mir nur eine Möglichkeit ein. Doch ich hätte nie gedacht, dass ein Wolf so riesig werden könnte.

Wieder kam ein dröhnendes Knurren aus seiner Kehle, und ich schauderte.

Laurent wich zum Waldrand zurück, und trotz meiner Panik war ich verwirrt. Warum zog sich Laurent zurück? Sicher, das Tier war riesengroß, aber es war doch nur ein Tier. Weshalb sollte ein Vampir Angst vor einem Tier haben? Und Laurent hatte wirklich Angst. Er hatte die Augen vor Schreck weit aufgerissen, genau wie ich.

Als sollte meine Frage damit beantwortet werden, bekam der Riesenwolf plötzlich Gesellschaft. Zwei weitere gigantische Viecher kamen leise auf die Lichtung geschlichen und stellten sich zu beiden Seiten des ersten Wolfs auf. Einer war tiefgrau, der andere braun, beide waren etwas kleiner als der erste. Der graue Wolf kam ganz in meiner Nähe zwischen den Bäumen hervor, den Blick auf Laurent geheftet.

Bevor ich reagieren konnte, kamen zwei weitere Wölfe und

stellten sich mit den übrigen zu einem V auf, wie Gänse, die gen Süden ziehen. Und das rostbraune Monster, das als Letztes durchs Gebüsch zockelte, war so nah, dass ich es hätte berühren können.

Unwillkürlich schrie ich auf und machte einen Satz zurück – das Dümmste, was ich tun konnte. Ich erstarrte wieder und wartete darauf, dass sich die Wölfe mir zuwandten, der wesentlich leichteren Beute. Einen kurzen Moment wünschte ich, Laurent würde endlich loslegen und das Wolfsrudel überwältigen – das dürfte für ihn kein Problem sein. Von den beiden Alternativen, die ich sah, war die, von Wölfen gefressen zu werden, höchstwahrscheinlich die schlimmere.

Der Wolf, der mir am nächsten war, der rostbraune, wandte mir bei meinem Aufschrei leicht den Kopf zu.

Seine Augen waren dunkel, fast schwarz. Er starrte mich den Bruchteil einer Sekunde an. Der tiefe Blick wirkte zu intelligent für ein wildes Tier.

Als er mich anstarrte, musste ich plötzlich – voller Dankbarkeit – an Jacob denken. Wenigstens war ich allein zu dieser verzauberten Lichtung voller dunkler Monster gegangen. Wenigstens musste Jacob nicht mit mir sterben. Ich würde nicht schuld an seinem Tod sein.

Dann knurrte der Anführer leise, und der rostbraune Wolf schaute schnell wieder zu Laurent.

Laurent starrte auf das Wolfsrudel, unverhohlenen Schreck im Blick. Ich konnte ihn verstehen. Aber ich war völlig perplex, als er ohne Vorwarnung herumwirbelte und zwischen den Bäumen verschwand.

Er lief weg.

Sofort waren die Wölfe hinter ihm her, mit wenigen kräftigen Sätzen stürmten sie über die Lichtung. Sie knurrten dabei so laut, dass ich mir instinktiv die Ohren zuhielt. Als sie im Wald verschwunden waren, verebbte das Geräusch erstaunlich schnell.

Und dann war ich wieder allein.

Meine Knie gaben nach und ich fiel vornüber, ein Schluchzen stieg mir in der Kehle auf.

Ich wusste, dass ich wegmusste, und zwar sofort. Wie lange würden die Wölfe Laurent verfolgen, ehe sie kehrtmachten, um über mich herzufallen? Oder würde Laurent sie angreifen? Würde *er* zurückkommen?

Doch zunächst konnte ich mich nicht bewegen, meine Arme und Beine zitterten und ich wusste nicht, wie ich hochkommen sollte.

Mein Denken war vor lauter Angst, Schreck und Verwirrung gelähmt. Ich begriff nicht, was ich da gerade gesehen hatte.

Ein Vampir dürfte nicht vor übergroßen Hunden davonlaufen, und seien sie noch so riesig. Was konnten ihre Zähne seiner Granithaut schon anhaben?

Und die Wölfe hätten um Laurent einen großen Bogen machen müssen. Selbst wenn sie durch ihre außergewöhnliche Größe gelernt hatten, sich vor nichts zu fürchten, so war es doch unlogisch, dass sie Jagd auf ihn machten. Ich bezweifelte, dass seine eisige Haut appetitlich roch. Warum ließen sie eine warmblütige leichte Beute wie mich links liegen, um Laurent hinterherzurennen?

Ich kapierte es nicht.

Eine kalte Brise fegte über die Lichtung, und das Gras wogte, als würde etwas hindurchlaufen.

Ich rappelte mich auf und wich zurück, obwohl der Wind friedlich an mir vorbeiwehte. Vor lauter Panik stolperte ich fast, als ich Hals über Kopf in den Wald rannte.

Die nächsten Stunden waren die reinste Qual. Um aus dem

Wald herauszufinden, brauchte ich dreimal so lange wie für den Weg zur Lichtung. Zuerst achtete ich überhaupt nicht darauf, wo ich hinlief, ich wollte einfach nur weg. Als ich wieder so weit bei Sinnen war, dass mir der Kompass einfiel, war ich schon tief in dem unbekannten, bedrohlichen Wald. Meine Hände zitterten so sehr, dass ich den Kompass auf den matschigen Boden legen musste, um ihn lesen zu können. Alle paar Minuten blieb ich stehen, legte den Kompass wieder hin und überprüfte, ob ich immer noch nach Nordwesten ging, und dann, wenn nicht alles von dem schmatzenden Geräusch meiner hektischen Schritte übertönt wurde, hörte ich das leise Geflüster unsichtbarer Wesen, die sich in den Blättern bewegten.

Ich zuckte vor dem Ruf eines Eichelhähers zurück und fiel in das dichte Gestrüpp junger Fichten. Dabei zerkratzte ich mir die Arme und verklebte mir die Haare mit Fichtensaft. Als ein Eichhörnchen plötzlich vor mir auf eine Tanne huschte, schrie ich so laut, dass es mir selbst in den Ohren wehtat.

Endlich sah ich, dass der Weg aus dem Wald herausführte. Ich kam auf einer verlassenen Straße heraus, etwa anderthalb Kilometer südlich von meinem Transporter. Obwohl ich so erschöpft war, joggte ich die ganze Strecke bis zu meinem Wagen. Als ich mich ins Fahrerhaus gehievt hatte, schluchzte ich schon wieder. Wütend verriegelte ich beide Türen, bevor ich den Autoschlüssel aus der Tasche holte. Das Röhren des Motors war tröstlich und vertraut. Es half mir, die Tränen zurückzuhalten, als ich, so schnell mein Wagen es zuließ, in Richtung Forks fuhr.

Als ich nach Hause kam, hatte ich mich ein wenig beruhigt, aber ich war immer noch ziemlich mitgenommen. Charlies Streifenwagen stand in der Einfahrt – ich hatte gar nicht bemerkt, wie spät es war. Es dämmerte schon.

»Bella?«, sagte Charlie, als ich die Haustür hinter mir zuschlug und schnell den Schlüssel herumdrehte.

»Ja, ich bin's.« Meine Stimme war wacklig.

»Wo warst du?«, schimpfte er und erschien mit drohender Miene in der Küchentür.

Ich zögerte. Wahrscheinlich hatte er bei den Stanleys angerufen. Ich sollte mich also besser an die Wahrheit halten.

»Ich war wandern«, gab ich zu.

Er sah mich streng an. »Wolltest du nicht eigentlich zu Jessica?«

»Mir war heute nicht nach Mathe.«

Charlie verschränkte die Arme vor der Brust. »Ich dachte, ich hätte dich gebeten, nicht in den Wald zu gehen.«

»Ja, ich weiß. Keine Sorge, wird nicht wieder vorkommen.« Ich schauderte.

Erst jetzt schien er mich richtig anzusehen. Mir fiel ein, dass ich einige Zeit auf dem Waldboden verbracht hatte, bestimmt sah ich ziemlich wüst aus.

»Was ist passiert?«, wollte Charlie wissen.

Wieder entschied ich, dass es am besten war, die Wahrheit oder jedenfalls einen Teil der Wahrheit zu erzählen. Ich war zu erschüttert, um so zu tun, als wäre ich frohgemut durch die Wälder gestapft.

»Ich hab den Bären gesehen.« Das sollte ruhig herauskommen, doch meine Stimme war hoch und zittrig. »Aber es ist gar kein Bär – es ist eine Art Wolf. Und es sind fünf. Ein großer schwarzer, ein grauer, ein rostbrauner ...«

Charlie riss die Augen vor Entsetzen weit auf. Schnell kam er auf mich zu und packte mich bei den Schultern.

»Ist alles in Ordnung?«

Ich nickte schwach.

»Erzähl mir, was passiert ist.«

»Sie haben mich nicht weiter beachtet. Aber als sie weg waren, bin ich abgehauen und ziemlich oft hingefallen.«

Er ließ meine Schultern los und umarmte mich. Eine lange Weile sagte er nichts.

»Wölfe«, murmelte er.

»Was?«

»Die Ranger haben gesagt, dass es keine Bärenspuren sind – aber Wölfe werden doch nicht so groß …«

»Die waren *riesig*.«

»Wie viele, hast du gesagt, waren es?«

»Fünf.«

Charlie schüttelte den Kopf und runzelte besorgt die Stirn. Dann sagte er in einem Ton, der keinen Widerspruch duldete: »Und von jetzt an keine Wanderungen mehr.«

»Versprochen«, sagte ich aus tiefstem Herzen.

Charlie rief auf der Wache an, um zu berichten, was ich gesehen hatte. Ich schwindelte ein bisschen, was die genaue Stelle anging – ich behauptete, ich sei auf dem Wanderweg Richtung Norden gewesen. Charlie sollte nicht erfahren, wie tief ich trotz seiner Warnung in den Wald gegangen war, und vor allem wollte ich nicht, dass irgendwer dort herumwanderte, wo Laurent womöglich nach mir suchte. Bei dem Gedanken wurde mir übel.

»Hast du Hunger?«, fragte Charlie, als er aufgelegt hatte.

Ich schüttelte den Kopf, obwohl mein Magen ganz leer sein musste. Ich hatte den ganzen Tag nichts gegessen.

»Ich bin nur müde«, sagte ich und ging zur Treppe.

»He«, sagte Charlie. Er klang auf einmal wieder misstrauisch. »Hattest du nicht gesagt, Jacob wär heute den ganzen Tag weg?«

»Das hat Billy gesagt«, antwortete ich. Die Frage verwirrte mich.

Er schaute mir einen Moment ins Gesicht, schien aber zufrieden mit dem, was er sah.

»Hm.«

»Wieso?«, fragte ich. In seiner Frage hatte der Vorwurf mitgeschwungen, ich hätte ihn heute Morgen belogen. Und zwar nicht nur in Bezug auf das Mathelernen mit Jessica.

»Na ja, als ich Harry abgeholt hab, da hab ich unterwegs vor dem Laden Jacob mit ein paar Kumpels gesehen. Ich hab ihm zugewinkt, aber er ... na ja, vielleicht hat er mich auch gar nicht gesehen. Ich glaub, er hatte Streit mit seinen Kumpels. Er sah komisch aus, als würde er sich über irgendwas aufregen. Und ... er hat sich verändert. Man kann ja direkt zugucken, wie der wächst! Jedes Mal, wenn ich ihn sehe, ist er wieder ein Stück größer.«

»Billy hat gesagt, Jake und seine Freunde wollten nach Port Angeles ins Kino. Wahrscheinlich haben sie nur auf jemanden gewartet, der mitwollte.«

»Aha.« Charlie nickte und ging zurück in die Küche.

Ich stand im Flur und dachte darüber nach, dass Jacob Streit mit seinen Freunden hatte. Ich fragte mich, ob er Embry auf die Sache mit Sam angesprochen hatte. Vielleicht war das der Grund dafür, dass er mich heute versetzt hatte. Wenn das bedeutete, dass er die Sache mit Embry klären konnte, ging das in Ordnung.

Bevor ich nach oben in mein Zimmer ging, überprüfte ich noch einmal, ob die Haustür abgeschlossen war. Ich wusste, dass das albern war. Was könnte ein Schloss schon gegen die Monster ausrichten, die ich heute Nachmittag gesehen hatte? Für die Wölfe dürfte die Klinke ausreichen, weil sie keinen Daumen zum Greifen hatten. Aber wenn Laurent hierherkäme ...

Oder ... *Victoria*.

Ich legte mich ins Bett, aber ich zitterte zu sehr, um an Schlaf überhaupt zu denken. Ich rollte mich unter der Decke zusammen und sah den schrecklichen Tatsachen ins Auge.

Ich konnte nichts tun. Es gab keine Vorsichtsmaßnahmen, die ich treffen könnte. Ich konnte mich nirgendwo verstecken. Es gab niemanden, der mir helfen konnte.

Mit einem elenden Gefühl im Bauch wurde mir bewusst, dass die Lage sogar noch schlimmer war. Denn all das galt auch für Charlie. Zwar hatten sie es auf mich abgesehen, aber mein Vater, der im Nebenzimmer schlief, war nur eine Haaresbreite von mir entfernt. Mein Geruch würde sie hierherführen, ob ich zu Hause war oder nicht ...

Die Angst schüttelte mich, bis mir die Zähne klapperten.

Um mich zu beruhigen, stellte ich mir das Unmögliche vor: Ich malte mir aus, die großen Wölfe hätten Laurent im Wald eingeholt und den Unsterblichen genauso erledigt, wie sie es mit jedem normalen Menschen gemacht hätten. Obwohl das eine absurde Vorstellung war, hatte sie etwas Tröstliches. Wenn die Wölfe ihn gefasst hatten, konnte er Victoria nicht erzählen, dass ich hier ganz allein war. Wenn er nicht zurückkam, dachte sie vielleicht, ich stünde immer noch unter dem Schutz der Cullens. Wenn die Wölfe so einen Kampf doch nur gewinnen könnten ...

Meine guten Vampire würden nie wiederkommen; wie angenehm war die Vorstellung, die *anderen* könnten auch verschwinden.

Ich kniff die Augen fest zu und wartete auf den Schlaf – ich konnte es fast nicht erwarten, dass der Albtraum begann. Besser als das blasse, schöne Gesicht, das mich jetzt hinter meinen Lidern anlächelte.

In meiner Phantasie waren Victorias Augen schwarz vor Durst und leuchtend vor Erwartung, genüsslich bleckte sie die blitzenden Zähne. Ihre orangeroten Haare loderten wie das Feuer und flatterten ihr wild ums Gesicht.

Ich hatte wieder Laurents Worte im Ohr: *Wenn du wüsstest, was sie sich für dich ausgedacht hat ...*

Ich presste mir die Faust vor den Mund, um nicht loszuschreien.

DIE GANG

Ich war jeden Morgen überrascht, wenn ich die Augen aufschlug und feststellte, dass ich wieder eine Nacht überlebt hatte. Sobald sich die Überraschung gelegt hatte, fing mein Herz an zu rasen und meine Handflächen fingen an zu schwitzen; ich konnte nicht richtig atmen, bis ich aufgestanden war und mich vergewissert hatte, dass auch Charlie noch am Leben war.

Ich merkte, dass er sich Sorgen machte, weil ich bei jedem Geräusch zusammenfuhr und immer wieder ohne ersichtlichen Grund blass wurde. Den Fragen nach zu urteilen, die er hin und wieder stellte, schrieb er meine Veränderung Jacobs Fernbleiben zu.

Die allgegenwärtige Panik lenkte mich von der Tatsache ab, dass schon wieder eine Woche ohne einen Anruf von Jacob vergangen war. Aber wenn ich mich auf mein normales Leben konzentrierte – sofern mein Leben überhaupt normal zu nennen war –, machte mich das sehr traurig.

Er fehlte mir wahnsinnig.

Das Alleinsein war schon schlimm genug gewesen, bevor ich in Todesangst gelebt hatte. Jetzt sehnte ich mich mehr denn je nach seinem sorglosen Lachen und seinem ansteckenden Grinsen. Ich brauchte die sichere Normalität seiner selbstgezimmerten Werkstatt und seiner warmen Hand um meine kalten Finger.

Halb hatte ich damit gerechnet, dass er Montag anrufen würde. Wenn sich mit Embry irgendwas zum Guten gewendet hatte, würde er mir das dann nicht erzählen wollen? Ich wollte so gern glauben, dass ihn die ganze Zeit nur die Sorge um seinen Freund umtrieb, nicht dass er mich fallengelassen hatte.

Am Dienstag rief ich ihn an, aber niemand ging ans Telefon. Ob es immer noch Probleme mit den Leitungen gab? Oder hatte Billy sich ein Telefon mit Display zugelegt, auf dem er unsere Nummer sehen konnte?

Mittwoch rief ich bis nach elf Uhr abends alle halbe Stunde an. Ich sehnte mich verzweifelt danach, Jacobs warme Stimme zu hören.

Donnerstag saß ich eine Stunde lang vor unserem Haus in meinem Transporter, Türen verriegelt, Schlüssel in der Hand. Ich überlegte hin und her und versuchte, einen schnellen Ausflug nach La Push vor mir zu rechtfertigen, aber es ging einfach nicht.

Ich war mir sicher, dass Laurent inzwischen wieder bei Victoria war. Wenn ich nach La Push fuhr, riskierte ich es, einen von ihnen dorthin zu locken. Und dann erwischten sie mich womöglich, wenn Jake in der Nähe war. So weh es auch tat, ich wusste doch, dass es für Jacob besser war, mir aus dem Weg zu gehen. Sicherer.

Es war schon schlimm genug, dass ich keine Ahnung hatte, wie ich Charlie schützen konnte. Nachts war es am wahrscheinlichsten, dass sie mich aufsuchen würden, und was könnte ich mir einfallen lassen, um Charlie aus dem Haus zu treiben? Wenn ich ihm die Wahrheit sagte, würden sie mich in eine Gummizelle sperren. Das würde ich ertragen – sogar mit Freuden –, wenn er dadurch außer Gefahr wäre. Aber Victoria würde trotzdem als Erstes hierherkommen, um nach mir zu suchen. Wenn sie mich fände, würde sie sich vielleicht mit mir zufriedengeben. Vielleicht würde sie, wenn sie mit mir fertig wäre, einfach wieder verschwinden …

Weglaufen schied also aus. Und wo sollte ich auch hin? Zu Renée? Ich schauderte beim Gedanken, meine tödlichen Schatten in die unbeschwerte, sonnige Welt meiner Mutter zu ziehen. Niemals würde ich sie einer solchen Gefahr aussetzen.

Die Sorge fraß mir ein Loch in den Bauch. Bald würde es so groß sein wie das in meiner Brust.

An diesem Abend tat Charlie mir noch mal einen Gefallen: Er rief Harry an, um zu fragen, ob die Blacks verreist seien. Harry berichtete, Billy sei Mittwochabend auf der Ratssitzung gewesen und habe nichts von einer bevorstehenden Reise gesagt. Charlie riet mir, Jacob nicht hinterherzulaufen – er würde schon anrufen, wenn er so weit wäre.

Freitagnachmittag, als ich von der Schule nach Hause fuhr, traf es mich wie ein Blitz aus heiterem Himmel.

Ich achtete kaum auf die vertraute Straße, das Geräusch des Motors betäubte mir das Hirn und übertönte meine Sorgen, als mein Unterbewusstsein zu einem Urteil kam, auf das es offenbar schon eine ganze Weile ohne mein Wissen hingearbeitet hatte.

Kaum fiel es mir ein, kam ich mir ziemlich dumm vor, weil ich es nicht früher kapiert hatte. Zwar hatte ich viel im Kopf gehabt – rachsüchtige Vampire, mutierte Riesenwölfe, ein klaffendes Loch in der Brust –, aber als ich mir die Indizien vor Augen führte, waren sie beschämend eindeutig.

Da war einmal die Tatsache, dass Jacob mir aus dem Weg ging. Und Charlie hatte gesagt, er sähe komisch und aufgebracht aus … Dann Billy mit seinen ausweichenden, wenig hilfreichen Antworten …

Verdammt, ich wusste genau, was mit Jacob los war.

Es war Sam Uley. Selbst meine Albträume hatten mir das sagen wollen. Sam hatte sich Jacob gekrallt. Mit ihm war dasselbe passiert wie mit den anderen Jungen aus dem Reservat, und ich hatte dadurch einen Freund verloren. Er war in Sams Gang hineingezogen worden.

Er hat mich gar nicht aufgegeben, durchfuhr es mich plötzlich.

Vor unserem Haus hielt ich, ließ aber den Motor laufen. Was sollte ich tun? Ich wog die Gefahren gegeneinander ab.

Wenn ich zu Jacob fuhr, ging ich das Risiko ein, dass Laurent oder Victoria mich mit ihm zusammen fand.

Wenn ich nicht zu ihm fuhr, würde Sam ihn noch tiefer in seine schreckliche verschworene Gang hineinziehen. Wenn ich nicht bald etwas unternahm, war es vielleicht zu spät.

Jetzt war schon eine Woche vergangen, ohne dass irgendein Vampir bei mir aufgetaucht wäre. In einer Woche hätten sie es leicht schaffen müssen zurückzukommen, also stand ich auf ihrer Prioritätenliste wohl nicht sehr weit oben. Wahrscheinlich würden sie ja sowieso nachts kommen. Das Risiko, dass sie mir nach La Push folgten, war viel kleiner als das Risiko, Jacob an Sam zu verlieren.

Ich musste es wagen, über die einsame Waldstraße zu fahren. Ich fuhr nicht bloß vorbei, um zu gucken, was los war. Ich *wusste*, was los war. Ich plante eine Rettungsaktion. Ich musste mit Jacob reden – ihn notfalls entführen. Ich hatte mal eine Dokumentation im Fernsehen gesehen, in der es darum ging, wie man eine Gehirnwäsche rückgängig machen kann. Es musste eine Möglichkeit geben, ihn zu retten.

Ich beschloss, vorher noch Charlie anzurufen. Vielleicht war es besser, wenn die Polizei wusste, was da in La Push vor sich ging. Ich sauste in die Küche, ich wollte keine Zeit verlieren.

Charlie ging selbst ans Telefon.

»Chief Swan.«

»Dad, ich bin's.«

»Was ist passiert?«

Diesmal konnte ich ihm keine Vorwürfe machen, weil er sofort mit dem Schlimmsten rechnete. Meine Stimme zitterte.

»Ich mache mir Sorgen wegen Jacob.«

»Wieso?«, fragte er. Er klang überrascht.

»Ich glaub … ich glaub, im Reservat geht irgendwas Merkwürdiges vor. Jacob hat mir erzählt, dass mit den anderen Jungen in seinem Alter komische Dinge passieren. Jetzt benimmt er sich genauso, und ich hab richtig Angst.«

»Was denn für Dinge?« Er klang sehr geschäftsmäßig. Das war gut, er nahm mich also ernst.

»Erst hatte er Angst, dann ist er mir aus dem Weg gegangen, und jetzt … ich fürchte, dass er in diese abgefahrene Gang geraten ist, in Sams Gang. Sam Uley.«

»Sam Uley?«, fragte Charlie verblüfft.

»Ja.«

Als Charlie wieder sprach, klang er lockerer. »Ich glaube, da bist du auf dem falschen Dampfer, Bella. Sam Uley ist ein prima Junge. Oder eigentlich ist er ja schon ein Mann. Schwer in Ordnung. Du solltest mal hören, wie Billy von ihm spricht. Er vollbringt wahre Wunder bei den Jugendlichen im Reservat. Er hat auch …« Charlie brach mitten im Satz ab. Wahrscheinlich wollte er gerade von der Nacht anfangen, als ich mich im Wald verirrt hatte. Schnell redete ich weiter.

»Dad, so ist das aber nicht. Jacob hatte richtig Angst vor ihm.«

»Hast du mit Billy darüber gesprochen?« Jetzt versuchte er nur noch, mich zu beruhigen. In dem Moment, als ich Sam erwähnte, hatte ich schon verloren.

»Billy macht sich überhaupt keine Sorgen.«

»Dann gibt es dafür bestimmt auch keinen Grund. Jacob ist noch jung, er hat sich da einfach was eingebildet. Bestimmt ist alles in Ordnung. Er kann ja nicht jede Minute mit dir verbringen.«

»Mit mir hat das gar nichts zu tun«, gab ich zurück, aber die Schlacht war verloren.

»Ich glaube, du brauchst dir wirklich keine Gedanken zu machen. Billy passt schon auf Jacob auf.«

»Charlie ...« Ich merkte selbst, dass ich jetzt anfing zu nerven.

»Bella, ich hab hier alle Hände voll zu tun. Zwei Touristen sind auf einer Wanderung beim Crescent Lake verschwunden.« In seiner Stimme schwang Sorge mit. »Die Wolfsgeschichte läuft langsam aus dem Ruder.«

Die Neuigkeit lenkte mich einen Moment ab, ich war irritiert. Es war doch unmöglich, dass die Wölfe den Kampf mit Laurent überlebt hatten ...

»Seid ihr euch sicher, dass das mit den Wölfen zu tun hat?«, fragte ich.

»Ich fürchte, ja, Schatz. Da waren ...« Er zögerte. »Da waren wieder Spuren und ... diesmal auch Blut.«

»Oh!« Dann war es wohl gar nicht zu einem Kampf gekommen. Laurent war den Wölfen einfach davongerannt, aber warum? Was ich da auf der Lichtung gesehen hatte, wurde immer merkwürdiger – und immer unbegreiflicher.

»Bella, jetzt muss ich aber wirklich Schluss machen. Mach dir wegen Jake keine Sorgen. Es ist bestimmt nichts.«

»Okay«, sagte ich kurz angebunden. Seine Worte erinnerten mich wieder an meine vordringliche Sorge, und meine Laune sank. »Tschüss.« Ich legte auf.

Lange starrte ich auf das Telefon. Was soll's, dachte ich dann.

Beim zweiten Klingeln ging Billy dran.

»Hallo?«

»Hi, Billy.« Ich knurrte es fast. Dann versuchte ich einen freundlicheren Ton anzuschlagen. »Kann ich bitte mit Jacob sprechen?«

»Jake ist nicht da.«

Damit hatte ich nicht gerechnet. »Weißt du, wo er ist?«

»Er ist mit Freunden unterwegs.« Billy sprach vorsichtig.

»Ach ja? Mit jemandem, den ich kenne? Quil?« Ich merkte, dass das nicht so beiläufig klang, wie es sollte.

»Nein«, sagte Billy langsam. »Ich glaube nicht, dass er sich heute mit Quil trifft.«

Ich war nicht so dumm, Sams Namen zu erwähnen.

»Mit Embry?«, fragte ich.

Billy klang erleichtert, als er darauf antwortete. »Ja, er trifft sich mit Embry.«

Das genügte. Embry war einer von denen.

»Dann richte ihm doch bitte aus, er soll mich anrufen, wenn er wieder da ist, ja?«

»Ja, klar. Mach ich.« *Klick.*

»Bis dann, Billy«, murmelte ich noch, aber die Verbindung war schon unterbrochen.

Ich fuhr nach La Push und war fest entschlossen zu warten. Wenn es sein musste, würde ich die ganze Nacht vor seinem Haus bleiben. Ich würde notfalls die Schule schwänzen. Irgendwann musste er ja mal nach Hause kommen, und dann musste er mit mir reden.

Ich war so mit meinen Gedanken beschäftigt, dass die Fahrt, vor der ich mich so gefürchtet hatte, im Nu vorüber war. Viel früher als erwartet wurde der Wald lichter und ich wusste, dass schon bald die ersten Häuschen des Reservats auftauchen würden.

Vor mir auf der linken Straßenseite ging ein großer Junge mit Baseballkappe.

Für einen Augenblick blieb mir die Luft weg – sollte ich so ein Glück haben, Jacob zu finden, ohne ihn überhaupt richtig gesucht zu haben? Aber dieser Junge war zu breitschultrig und die Haare unter der Kappe waren kurz. Selbst von hinten war ich mir sicher, dass es Quil war, obwohl er noch kräftiger aussah als bei unserer letzten Begegnung. Was war mit den Quileute-Jungs nur los? Mischten sie denen Wachstumshormone unters Essen?

Ich fuhr auf die andere Straßenseite und hielt neben ihm. Er hörte das Röhren meines Transporters und schaute auf.

Als ich Quils Gesichtsausdruck sah, war ich eher erschrocken als überrascht. Er war bleich, etwas schien auf ihm zu lasten, er hatte Sorgenfalten auf der Stirn.

»Ach, hallo, Bella«, sagte er teilnahmslos.

»Hallo, Quil … Wie geht es dir?«

Er starrte mich mürrisch an. »Gut.«

»Kann ich dich mitnehmen?«, fragte ich.

»Ja, warum nicht«, nuschelte er. Er schlurfte vorn um den Transporter herum und stieg zur Beifahrertür ein.

»Wohin?«

»Ich wohne Richtung Norden, kurz hinterm Laden«, sagte er.

»Hast du Jacob heute gesehen?«, platzte ich heraus, kaum dass er ausgeredet hatte.

Ich sah ihn gespannt an und wartete auf seine Antwort. Er starrte einen Moment durch die Windschutzscheibe, ehe er antwortete. »Von weitem«, sagte er schließlich.

»Von weitem?«, wiederholte ich.

»Ich hab versucht, ihnen hinterherzugehen – er war mit Embry zusammen.« Er sprach leise, ich konnte ihn bei dem dröhnenden Motor kaum verstehen. Ich beugte mich näher zu ihm heran. »Ich weiß, dass sie mich gesehen haben. Aber sie haben sich einfach umgedreht und sind zwischen den Bäumen verschwunden. Ich glaub, sie waren nicht allein – ich glaub, Sam und seine Truppe waren auch dabei. Eine Stunde oder so bin ich durch den Wald gestolpert und hab sie gerufen. Ich hatte gerade wieder zur Straße zurückgefunden, als du vorbeikamst.«

»Dann hat Sam ihn sich also gekrallt.« Das kam leicht verzerrt heraus – ich hatte die Zähne zusammengebissen.

Quil starrte mich an. »Du weißt Bescheid?«

Ich nickte. »Jake hat mir davon erzählt ... vorher.«

»Vorher«, wiederholte Quil und seufzte.

»Ist Jacob jetzt genauso schlimm wie die anderen?«

»Er weicht Sam nicht von der Seite.« Quil drehte den Kopf weg und spuckte aus dem geöffneten Fenster.

»Und vorher – ist er da allen aus dem Weg gegangen? War er durcheinander?«

Seine Stimme war leise und rau. »Nicht so lange wie die anderen. Vielleicht einen Tag lang. Dann hat Sam ihn sich geschnappt.«

»Was glaubst du, was es ist? Drogen oder so?«

»Ich kann mir nicht vorstellen, dass Jacob und Embry Drogen nehmen würden ... aber was weiß ich? Was könnte es sonst sein? Und wieso macht sich sonst niemand Sorgen?« Er schüttelte den Kopf, und jetzt war ihm anzusehen, dass er sich fürchtete. »Jacob wollte nicht zu dieser … Sekte gehören. Ich kapiere nicht, wieso er seine Meinung geändert hat.« Er starrte mich an, die Angst stand ihm ins Gesicht geschrieben. *Ich will nicht als Nächster dran sein.*«

Seine Angst übertrug sich auf mich. Das war jetzt das zweite Mal, dass jemand Sams Gang als Sekte bezeichnete. Ich schauderte. »Können deine Eltern dir helfen?«

Er verzog das Gesicht. »Und wie. Mein Großvater sitzt mit Jacobs Vater im Rat. Seiner Meinung nach ist Sam Uley das Beste, was uns hier je passiert ist.«

Wir starrten uns einen Moment lang an. Jetzt waren wir in La Push angekommen und mein Transporter kroch im Schneckentempo über die leere Straße. Es war nicht mehr weit bis zu dem einzigen Laden im Dorf.

»Hier steige ich aus«, sagte Quil. »Ich wohne gleich da drüben.« Er zeigte zu einem kleinen rechteckigen Holzhaus hinter dem Laden. Ich fuhr an den Straßenrand und er sprang hinaus.

»Ich warte auf Jacob«, sagte ich entschlossen.

»Viel Glück.« Er knallte die Tür zu und schlurfte mit hängenden Schultern und gesenktem Kopf weiter die Straße entlang.

Quils Gesicht verfolgte mich, als ich wendete und zurück zum Haus der Blacks fuhr. Er hatte Angst, der Nächste zu sein. Was ging da vor?

Ich hielt vor Jacobs Haus, schaltete den Motor aus und kurbelte die Fenster herunter. Es war ein stickiger Tag, kein Lüftchen regte sich. Ich legte die Füße aufs Armaturenbrett und richtete mich darauf ein zu warten.

Ich fuhr herum, als ich aus dem Augenwinkel eine Bewegung erhaschte. Hinter dem Fenster zur Straße sah ich Billy, der mich verwirrt anschaute. Ich winkte und lächelte ihm kurz zu, blieb jedoch, wo ich war.

Er kniff die Augen zusammen und ließ den Vorhang wieder fallen.

Ich hatte mich darauf eingestellt, so lange zu bleiben, wie es dauerte, aber ich hätte gern etwas zu tun gehabt. Ich kramte einen Stift und eine alte Klausur aus meiner Schultasche und begann auf die Rückseite des Blatts zu kritzeln.

Ich hatte nicht mehr als eine Reihe Karos gemalt, als jemand laut an die Fahrertür klopfte.

Ich zuckte zusammen und dachte, es wäre Billy.

»Was machst du hier, Bella?«, sagte Jacob grollend.

Ich starrte ihn völlig perplex an.

Jacob hatte sich in den paar Wochen, seit ich ihn das letzte Mal gesehen hatte, radikal verändert. Das Erste, was mir auffiel, waren seine Haare – seine wunderschönen Haare waren ab. Sie waren kurz geschnitten und bedeckten seinen Kopf wie pechschwarzer, glänzender Satin. Seine Gesichtszüge schienen etwas härter und schärfer geworden zu sein ... er war älter geworden. Auch sein Hals und seine Schultern wirkten anders, irgendwie kräftiger. Seine Hände, die den Rahmen der Scheibe umfassten, sahen gigantisch aus, die Sehnen und Adern traten unter der rostbraunen Haut jetzt noch stärker hervor. Doch diese körperlichen Veränderungen waren vergleichsweise unbedeutend.

Es war sein Gesichtsausdruck, der sich so sehr verändert hatte, dass er kaum wiederzuerkennen war. Das offene, freundliche Lächeln war zusammen mit dem langen Haar verschwunden; die Wärme seiner dunklen Augen war einem dumpfen Groll gewichen, der sofort unangenehm auffiel. Jacob hatte jetzt etwas Dunkles an sich. Als wäre meine Sonne implodiert.

»Jacob?«, flüsterte ich.

Er starrte mich nur an, angespannt und wütend.

Jetzt bemerkte ich, dass wir nicht allein waren. Hinter ihm standen noch vier Jungs, alle groß und rothäutig, das dunkle Haar kurz geschnitten wie Jacob. Sie hätten Brüder sein können – Embry konnte ich in der Gruppe gar nicht ausmachen. Die Ähnlichkeit wurde noch verstärkt durch dieselbe Feindseligkeit, die sie alle im Blick hatten.

Alle außer einem. Der mit Abstand Älteste von ihnen, Sam, hielt sich im Hintergrund, er sah gelassen und selbstsicher aus. Ich musste die aufkommende Wut herunterschlucken. Am liebsten hätte ich ihn geschlagen. Nein, noch mehr. Am liebsten wäre ich wild und unbesiegbar gewesen, jemand, dem sich niemand entgegenzustellen wagte. Jemand, vor dem Sam Uley eine Heidenangst hätte.

Ich wollte ein Vampir sein.

Dieser heftige Wunsch traf mich völlig unvorbereitet und raubte mir den Atem. Es war der verbotenste aller Wünsche – selbst wenn er mir jetzt nur aus Bosheit eingefallen war, um meinem ärgsten Widersacher überlegen zu sein –, weil er am meisten wehtat. Diese Zukunft war für immer verloren, war eigentlich nie im Bereich des Möglichen gewesen. Während das Loch in meiner Brust brannte, versuchte ich die Selbstbeherrschung wiederzuerlangen.

»Was willst du?«, fragte Jacob. Als er sah, welche Gefühle sich in meinem Gesicht spiegelten, wurde er noch unfreundlicher.

»Ich will mit dir reden«, sagte ich mit schwacher Stimme. Ich versuchte klar zu denken, aber ich kämpfte immer noch damit, meinen verbotenen Traum wieder unter Kontrolle zu bekommen.

»Na los«, zischte er durch die Zähne. Er schaute mich boshaft an. Nie zuvor hatte ich gesehen, dass er jemanden so angeschaut

264

hatte, schon gar nicht mich. Es schmerzte überraschend heftig – ein körperlicher Schmerz, ein Stich im Kopf.

»Allein!«, zischte ich.

Er drehte sich um, und ich wusste, wen er ansah. Alle hatten den Blick auf Sam gerichtet und warteten auf seine Reaktion.

Sam nickte einmal kurz mit gleichbleibend ruhiger Miene. Er sagte schnell etwas in einer unbekannten, fließenden Sprache. Ich erkannte nur, dass es weder Französisch noch Spanisch war, und nahm an, dass es Quileute war. Er wandte sich um und ging in Jacobs Haus. Die anderen, vermutlich Paul, Jared und Embry, folgten ihm.

»Okay.« Als die anderen weg waren, wirkte Jacob nicht mehr ganz so zornig. Sein Gesicht sah jetzt ruhiger aus, aber auch hoffnungsloser. Die Mundwinkel wiesen die ganze Zeit nach unten.

Ich holte tief Luft. »Du weißt, was ich wissen will.«

Er gab keine Antwort. Er sah mich nur mit bitterer Miene an.

Ich starrte zurück und das Schweigen zog sich in die Länge. Der Schmerz in seinem Gesicht machte mich völlig fertig. Ich spürte, wie ein Kloß in meinem Hals wuchs.

»Können wir ein Stück gehen?«, fragte ich, solange ich noch sprechen konnte.

Er gab keine Antwort, in seinem Gesicht regte sich nichts.

Ich stieg aus dem Wagen – ich spürte die Blicke hinter dem Fenster auf mir, ohne sie zu sehen – und ging zu den Bäumen nördlich vom Haus. Meine Schritte machten in dem feuchten Gras und im Matsch am Straßenrand ein schmatzendes Geräusch, und da sonst nichts zu hören war, dachte ich zunächst, Jacob käme nicht mit. Doch als ich mich umschaute, war er neben mir; seine Füße schienen eine weniger geräuschvolle Spur gefunden zu haben.

Am Waldrand, wo Sam uns nicht sehen konnte, fühlte ich mich wohler. Während wir gingen, suchte ich nach den richtigen Worten, doch mir fiel nichts ein. Ich wurde nur immer wütender darüber, dass Jacob da hineingeraten war … dass Billy das zugelassen hatte … dass Sam so selbstgewiss und ruhig dastehen konnte …

Jacob ging plötzlich schneller, überholte mich mühelos mit seinen langen Beinen, drehte sich dann blitzschnell um und stellte sich mir in den Weg, so dass ich auch stehen bleiben musste.

Die auffällige Eleganz seiner Bewegungen verwirrte mich. In seinem nicht enden wollenden Wachstumsschub war Jacob fast so unbeholfen wie ich gewesen. Wann hatte sich das geändert?

Aber Jacob ließ mir keine Zeit, darüber nachzudenken.

»Bringen wir es hinter uns«, sagte er mit harter, heiserer Stimme.

Ich wartete ab. Er wusste, was ich wollte.

»Es ist nicht so, wie du denkst.« Seine Stimme klang auf einmal müde. »Es ist nicht so, wie ich dachte – ich lag total daneben.«

»Und wie ist es dann?«

Er sah mich lange an und überlegte. Die Wut wich keinen Moment ganz aus seinem Gesicht. »Das kann ich dir nicht sagen«, sagte er schließlich.

»Ich dachte, wir wären Freunde«, sagte ich mit zusammengebissenen Zähnen.

»Das waren wir auch.« Eine leichte Betonung lag auf der Vergangenheitsform.

»Aber jetzt brauchst du keine Freunde mehr«, sagte ich schnippisch. »Du hast ja Sam. Wie schön für dich – wo du ihn doch immer so bewundert hast.«

»Ich habe ihn früher nicht verstanden.«

»Und jetzt bist du erleuchtet. Halleluja.«

»Es war nicht so, wie ich dachte. Sam hat keine Schuld. Er hilft mir, so gut er kann.« Seine Stimme war jetzt schneidend und er schaute über meinen Kopf hinweg an mir vorbei. Seine Augen sprühten vor Zorn.

»Er hilft dir«, wiederholte ich zweifelnd. »Natürlich.«

Aber Jacob schien mir nicht zuzuhören. Er machte tiefe, kontrollierte Atemzüge und versuchte sich zu beruhigen. Seine Hände zitterten vor Wut.

»Jacob, bitte«, flüsterte ich. »Willst du mir nicht erzählen, was passiert ist? Vielleicht kann ich dir helfen.«

»Niemand kann mir jetzt helfen.« Die Worte waren ein leises Stöhnen, seine Stimme versagte.

»Was hat er dir angetan?«, fragte ich, und Tränen traten mir in die Augen. Ich streckte die Arme aus und machte einen Schritt auf ihn zu, wie ich es schon einmal gemacht hatte.

Doch diesmal zuckte er zurück und hob abwehrend die Hände. »Fass mich nicht an«, flüsterte er.

»Ist Sam ansteckend?«, sagte ich leise. Die dummen Tränen hatten sich aus den Augenwinkeln gestohlen. Ich wischte sie mit dem Handrücken ab und verschränkte die Arme vor der Brust.

»Hör auf, Sam die Schuld zu geben.« Die Worte kamen schnell heraus, wie ein Reflex. Er fasste sich mit den Händen hinter den Kopf, um die Haare zusammenzudrehen, die nicht mehr da waren, dann ließ er sie schlaff neben den Körper sinken.

»Wem soll ich dann die Schuld geben?«, fragte ich.

Er lächelte halb, es war ein trostloses, verzerrtes Lächeln.

»Das willst du nicht hören.«

»Scheiß drauf, was ich will!«, fuhr ich ihn an. »Ich will es wissen, und zwar auf der Stelle!«

»Das willst du ganz bestimmt nicht«, sagte er.

»Wag es nicht, mir zu sagen, was ich will – ich hab keine Gehirnwäsche hinter mir! Na los, sag mir, wer an der Sache schuld ist, wenn nicht dein toller Sam!«

»Du hast es ja nicht anders gewollt«, sagte er grollend und mit blitzenden Augen. »Wenn du jemandem die Schuld geben willst, warum dann nicht diesen dreckigen, stinkenden Blutsaugern, auf die du so stehst?«

Mein Mund klappte auf und der Atem entwich mit einem Zischen. Ich war wie erstarrt, durchbohrt von seinen messerscharfen Worten. Der altbekannte Schmerz durchzuckte meinen Körper, das klaffende Loch zerriss mich von innen nach außen, aber das war zweitrangig, nur die Hintergrundmusik für meine wirren Gedanken. Ich konnte nicht glauben, dass ich richtig gehört hatte. Doch in seinem Gesicht war keine Spur von Zweifel zu sehen. Nur die nackte Wut.

Der Mund stand mir immer noch offen.

»Ich hab dir ja gesagt, dass du es nicht hören willst«, sagte er.

»Ich weiß nicht, wen du meinst«, flüsterte ich.

Er hob ungläubig eine Augenbraue. »Ich glaube, du weißt sehr wohl, wen ich meine. Du willst doch nicht, dass ich es ausspreche, oder? Ich tue dir nicht gern weh.«

»Ich weiß nicht, wen du meinst«, wiederholte ich mechanisch.

»Die *Cullens*«, sagte er langsam. Er zog das Wort in die Länge und beobachtete dabei mein Gesicht. »Ich habe es gesehen – ich sehe jetzt in deinen Augen, was du empfindest, wenn ich ihren Namen sage.«

Ich schüttelte hartnäckig den Kopf und versuchte klar zu denken. Woher wusste er das? Und was hatte das mit Sams Sekte zu tun? Waren sie eine Gang von Vampirhassern? Wozu sollte so ein Klub jetzt noch gut sein, wo doch sowieso keine Vampire mehr in Forks wohnten? Warum sollte Jacob die Geschichten über die Cullens plötzlich glauben, obwohl sie doch längst verschwunden waren und nie wiederkommen würden?

Es dauerte zu lange, bis mir eine passende Antwort einfiel.

»Sag nicht, dass du jetzt auf einmal an diesen abergläubischen Quatsch glaubst, den Billy erzählt«, sagte ich in dem schwachen Versuch, die Sache ins Lächerliche zu ziehen.

»Er weiß mehr, als ich ihm zugetraut hatte.«

»Im Ernst, Jacob.«

Er starrte mich prüfend an.

»Lassen wir den Aberglauben mal beiseite«, sagte ich schnell. »Mir ist immer noch nicht so ganz klar, was du den ... Cullens« – ich zuckte zusammen – »vorwirfst. Sie sind vor über einem halben Jahr weggezogen. Wie kannst du ihnen die Schuld an dem geben, was Sam jetzt tut?«

»Sam *tut* nichts, Bella. Und ich weiß, dass sie weg sind. Aber manchmal ... sind die Dinge schon in Bewegung gesetzt, und dann ist es zu spät.«

»Was ist in Bewegung gesetzt? Wofür ist es zu spät? Was wirfst du ihnen vor?«

Er sprang mir förmlich ins Gesicht, die Augen sprühend vor Zorn. »Dass es sie gibt«, zischte er.

Ich war überrascht und verwirrt, als ich plötzlich Edwards Stimme in einer Situation hörte, in der ich gar keine Angst hatte.

»Sei still, Bella. Provozier ihn nicht«, warnte Edward mich.

Seit Edwards Name die Mauern durchbrochen hatte, hinter denen ich ihn sorgfältig vergraben hatte, konnte ich ihn nicht mehr einsperren. Jetzt tat es nicht weh – nicht während der kostbaren Sekunden, da ich seine Stimme hörte.

Jacob stand zornrauchend vor mir, bebend vor Wut.

Ich begriff nicht, warum die Halluzination auf einmal aufgetaucht war. Jacob war fuchsteufelswild, aber er war immer noch Jacob. Weit und breit keine Gefahr in Sicht.

»Lass ihm Zeit, sich zu beruhigen«, beharrte Edwards Stimme.

Ich schüttelte verständnislos den Kopf. »Du bist albern«, sagte ich zu beiden.

»Also gut«, sagte Jacob und atmete tief ein. »Ich will darüber nicht mit dir streiten. Es spielt sowieso keine Rolle mehr, das Kind ist schon in den Brunnen gefallen.«

»Wieso das denn?«

Er zuckte nicht mit der Wimper, als ich ihm die Worte ins Gesicht schrie.

»Komm, wir gehen zurück. Es gibt nichts mehr zu sagen.«

Ich starrte ihn mit offenem Mund an. »Was soll das heißen! Du hast doch noch überhaupt nichts gesagt!«

Er ging an mir vorbei, zurück zum Haus.

»Heute ist mir Quil über den Weg gelaufen«, rief ich ihm nach.

Er verharrte mitten im Schritt, drehte sich jedoch nicht um.

»Erinnerst du dich noch an deinen Freund Quil? Er hat wahnsinnige Panik.«

Jacob fuhr herum und sah mich an. Er sah gequält aus. »Quil«, sagte er nur.

»Der macht sich auch Sorgen um dich. Er ist ganz außer sich.«

Mit verzweifeltem Blick starrte Jacob an mir vorbei.

Ich stachelte ihn noch weiter an. »Er hat Angst, dass er als Nächster dran ist.«

Jacob suchte Halt an einem Baum, sein Gesicht wurde eigenartig grün unter der rostbraunen Haut. »Er ist nicht der Nächste«, sagte Jacob leise zu sich selbst. »Das kann nicht sein. Jetzt ist es vorbei. Das darf einfach nicht sein. Warum? Warum?« Er schlug mit der Faust gegen den Baum. Es war kein großer Baum, er war schlank gewachsen und überragte Jacob nur ein bisschen. Trotzdem war ich verblüfft, als der Stamm unter Jacobs Schlägen nachgab und mit einem lauten Krachen umfiel.

Jacob starrte erst erschrocken, dann in blankem Entsetzen auf die Bruchstelle.

»Ich muss jetzt gehen.« Er wirbelte herum und ging so schnell davon, dass ich joggen musste, um mit ihm Schritt zu halten.

»Zurück zu Sam!«

»So kann man es sehen«, sagte er, so hörte es sich jedenfalls an. Er sprach leise und mit abgewandtem Gesicht.

Ich lief ihm bis zu meinem Transporter hinterher. »Warte!«, rief ich, als er zum Haus lief.

Er drehte sich um, und ich sah, dass seine Hände wieder zitterten.

»Fahr nach Hause, Bella. Ich kann nicht mehr mit dir zusammen sein.«

Diese lächerliche, belanglose Kränkung hatte eine unglaubliche Wirkung. Wieder traten mir Tränen in die Augen. »Machst du … mit mir Schluss?« Es waren die falschen Worte, aber ich wusste nicht, wie ich es besser ausdrücken sollte. Schließlich war das, was Jake und mich miteinander verband, mehr als jede Schulhofromanze. Viel stärker.

Er stieß ein bitteres Lachen aus. »Wohl kaum. Wenn es so wäre, würde ich sagen: Lass uns Freunde bleiben. Aber nicht mal das kann ich sagen.«

»Jacob … warum? Erlaubt Sam dir nicht, andere Freunde zu haben? Bitte, Jake. Du hast es versprochen. Ich brauche dich!« Die endlose Leere meines Lebens, ehe Jacob ihm wieder so etwas wie einen Sinn gegeben hatte, stand mir plötzlich bevor.

»Es tut mir leid, Bella.« Jacob betonte jedes einzelne Wort und sprach mit einer kalten Stimme, die nicht zu ihm zu gehören schien.

Ich konnte nicht glauben, dass es das war, was Jacob sagen wollte. In seinem wütenden Blick schien sich noch etwas zu verbergen, aber was, das konnte ich nicht verstehen.

Vielleicht hatte das Ganze gar nichts mit Sam zu tun. Und vielleicht auch nicht mit den Cullens. Vielleicht versuchte er nur, sich aus einer hoffnungslosen Situation zu befreien. Vielleicht sollte ich es einfach dabei bewenden lassen, wenn es für ihn das Beste war. Ja, bestimmt war das richtig.

Doch ich hörte mich flüstern.

»Es tut mir leid, dass ich nicht ... dass ich vorher nicht ... ich würde meine Gefühle für dich gern ändern, Jacob.« In meiner Verzweiflung dehnte ich die Wahrheit so weit, dass sie beinahe die Form einer Lüge annahm. »Vielleicht ... vielleicht können sich meine Gefühle noch ändern«, flüsterte ich. »Vielleicht, wenn du mir etwas Zeit lässt ... aber lass mich jetzt bitte nicht im Stich, Jake. Das halte ich nicht aus.«

Von einer Sekunde auf die andere sah er nicht mehr wütend aus, sondern gequält. Er streckte eine zitternde Hand nach mir aus.

»Nein. Bitte, Bella, so darfst du nicht denken. Mach dir keine Vorwürfe, du kannst nichts dafür. Das hier ist nur meine Sache. Ich schwöre dir, dass es nichts mit dir zu tun hat.«

»Es liegt nicht an dir, es liegt an mir«, flüsterte ich. »Das ist ja mal was ganz Neues.«

»Ich meine es ernst, Bella. Ich bin nicht ...« Er rang mit sich, seine Stimme wurde noch heiserer, als er versuchte, seine Gefühle in den Griff zu bekommen. Sein Blick war voller Schmerz. »Ich bin nicht mehr gut genug, um dein Freund zu sein oder sonst irgendwas. Ich bin nicht mehr derselbe wie früher, ich tauge nichts.«

»Was?« Ich starrte ihn an, verwirrt und entsetzt. »Was redest du denn da? Du bist viel besser als ich, Jake. Du bist gut! Wer behauptet was anderes? Sam? Das ist eine gemeine Lüge, Jacob! So was darf er nicht sagen!« Jetzt schrie ich wieder.

Jacobs Gesicht wurde hart und ausdruckslos. »Mir braucht keiner irgendwas zu sagen. Ich weiß, was ich bin.«

»Du bist mein Freund, das bist du! Jake – tu das nicht!«

Er wich wieder zurück.

»Es tut mir leid, Bella«, sagte er wieder, und diesmal war es ein kaum hörbares Gemurmel. Er drehte sich um und rannte fast ins Haus.

Ich konnte mich nicht von der Stelle rühren. Ich starrte zu dem kleinen Haus, das zu klein schien, um vier großen Jungen und zwei noch größeren Männern Platz zu bieten. Drinnen tat sich nichts. Die Vorhänge bewegten sich nicht, keine Stimmen oder anderen Geräusche waren zu hören. Leer starrte es mich an.

Ein Sprühregen setzte ein, der mir auf der Haut stach. Ich konnte den Blick nicht vom Haus wenden. Jacob würde wieder herauskommen. Er musste einfach kommen.

Der Regen wurde stärker und der Wind auch. Die Tropfen kamen jetzt nicht mehr von oben, sie peitschten aus westlicher Richtung. Ich roch das Salz des Ozeans. Die Haare schlugen mir ins Gesicht, blieben auf der nassen Haut kleben und verfingen sich in meinen Wimpern. Ich wartete.

Schließlich ging die Tür auf und ich trat erleichtert einen Schritt vor.

Billy kam mit seinem Rollstuhl an die Tür. Hinter ihm sah ich niemanden.

»Bella, Charlie hat gerade angerufen. Ich hab ihm gesagt, dass du auf dem Heimweg bist.« Er sah mich mitleidig an.

Dieses Mitleid gab den Ausschlag. Ich erwiderte nichts. Ich drehte mich nur wie ferngesteuert um und stieg in meinen Transporter. Ich hatte die Fenster offen gelassen, die Sitze waren durchgeweicht. Es war mir egal. Ich war sowieso schon klatschnass.

Nicht so schlimm wie damals! Nicht so schlimm wie damals!, versuchten meine Gedanken mich zu trösten. Es stimmte. So schlimm war es nicht. Es war nicht das Ende der Welt, nicht schon wieder. Es war nur das Ende des friedlichen Lebens, das mir geblieben war. Mehr nicht.

Nicht so schlimm wie damals, stimmte ich zu und dachte: *Aber schlimm genug.*

Ich dachte, Jacob wäre dabei gewesen, das Loch in meinem Innern zu heilen – oder es wenigstens zu verschließen, so dass es nicht mehr so wehtat. Aber ich hatte mich getäuscht. Er hatte nur sein eigenes Loch gegraben, und jetzt war ich durchlöchert wie ein Schweizer Käse. Es wunderte mich, dass ich nicht in Stücke zerfiel.

Charlie stand auf der Veranda und wartete auf mich. Als ich den Wagen zum Stehen brachte, kam er mir entgegen.

»Billy hat angerufen. Er hat gesagt, du hattest Streit mit Jake – er meinte, du warst ziemlich mitgenommen.« Er hielt mir die Tür auf.

Als er mir ins Gesicht schaute, sah er geschockt aus, er schien etwas wiederzuerkennen. Ich versuchte mir vorzustellen, was er sah. Mein Gesicht fühlte sich leer und kalt an, und ich begriff, woran es ihn erinnern musste.

»So kann man das nicht sagen«, murmelte ich.

Charlie legte mir einen Arm um die Schultern und half mir

aus dem Wagen. Er sagte nichts zu meinen durchweichten Kleidern.

»Und was war nun?«, fragte er, als wir im Haus waren. Er nahm die Wolldecke von der Sofalehne und legte sie mir um die Schultern. Ich merkte, dass ich immer noch zitterte.

Meine Stimme war leblos. »Sam Uley sagt, dass Jacob nicht mehr mein Freund sein kann.«

Charlie warf mir einen merkwürdigen Blick zu. »Wer erzählt so was?«

»Jacob«, behauptete ich, obwohl er das nicht direkt gesagt hatte. Trotzdem stimmte es.

Charlie zog die Augenbrauen zusammen. »Glaubst du wirklich, dass mit dem jungen Uley irgendwas nicht stimmt?«

»Ich weiß, dass es so ist. Aber Jacob will mir nicht sagen, was.« Ich hörte, wie das Wasser aus meinen Kleidern auf den Boden tropfte. »Ich zieh mich mal um.«

Charlie war in Gedanken versunken. »Mach das«, sagte er geistesabwesend.

Ich beschloss zu duschen, weil mir so kalt war. Aber auch das heiße Wasser schien meine Haut nicht erwärmen zu können. Als ich aus der Dusche stieg und das Wasser abstellte, hörte ich, wie Charlie unten mit jemandem sprach. Ich wickelte mir ein Handtuch um und machte die Badezimmertür leise einen Spalt weit auf.

Charlie klang aufgebracht. »Das glaub ich einfach nicht. Das ist doch Blödsinn.«

Dann war es still, und mir wurde klar, dass er telefonierte. Eine Weile verging.

»Schieb das nicht auf Bella!«, rief Charlie plötzlich. Ich zuckte zusammen. Dann sprach er leiser und beherrschter. »Bella hat von vornherein deutlich gemacht, dass sie und Jacob nur Freunde waren … Aber wenn es das war, warum hast du das dann nicht gleich gesagt? Nein, Billy, ich glaube, da hat sie Recht. … Weil ich meine Tochter kenne, und wenn sie sagt, dass Jacob Angst hatte, bevor …« Er wurde mitten im Satz unterbrochen, und als er antwortete, schrie er fast.

»Was soll das heißen, ich kenne meine Tochter nicht so gut, wie ich glaube!« Er hörte kurz zu, und was er dann sagte, war so leise, dass ich es kaum verstehen konnte. »Wenn du denkst, ich würde sie daran erinnern, dann hast du dich geschnitten. Sie fängt gerade erst an, darüber wegzukommen, und das hat sie wohl vor allem Jacob zu verdanken. Wenn das, was Jacob da mit diesem Sam zu schaffen hat, Bella wieder in die Depression treibt, dann wird Jacob mir Rede und Antwort stehen müssen. Du bist mein Freund, Billy, aber das macht meine Familie kaputt.«

Wieder entstand eine Pause.

»Das hast du ganz richtig verstanden – wenn die Jungs sich nur das kleinste bisschen zu Schulden kommen lassen, wird es mir zu Ohren kommen. Wir werden die Lage im Auge behalten, da kannst du dich drauf verlassen.« Jetzt war er nicht länger Charlie, er war Chief Swan.

»Gut. Ja. Tschüss.« Er knallte den Hörer auf.

Schnell huschte ich auf Zehenspitzen über den Flur und in mein Zimmer. Charlie murmelte in der Küche wütend vor sich hin.

Also gab Billy mir die Schuld. Ich hätte Jacob Hoffnungen gemacht, und jetzt wollte er nicht mehr.

Es war merkwürdig, denn das hatte ich ja selbst befürchtet, aber nach dem, was Jacob heute Nachmittag zuletzt gesagt hatte, glaubte ich nicht mehr daran. Hier ging es um viel mehr als um eine unerwiderte Liebe, und es wunderte mich, dass Billy sich für so eine Behauptung nicht zu schade war. Daraus schloss ich, dass das Geheimnis, das die beiden hüteten, größer war, als ich gedacht hatte. Wenigstens hatte ich Charlie jetzt auf meiner Seite.

Ich zog meinen Schlafanzug an und kroch ins Bett. In diesem Moment war das Leben so düster, dass ich es mir erlaubte zu schummeln. Das Loch – beide Löcher – taten sowieso schon weh, warum also nicht? Ich holte die Erinnerung hervor – keine richtige Erinnerung, die zu sehr schmerzen würde, sondern die falsche Erinnerung an Edwards Stimme, wie ich sie heute Nachmittag im Kopf gehabt hatte – und ließ sie immer wieder ablaufen, bis ich einschlief, während mir die Tränen lautlos über das leere Gesicht strömten.

In dieser Nacht hatte ich einen neuen Traum. Es regnete und Jacob ging geräuschlos neben mir her, obwohl der Boden unter *meinen* Füßen knirschte wie trockener Kies. Aber es war nicht mein Jacob, es war der neue, bittere, anmutige Jacob. Sein weicher, geschmeidiger Gang erinnerte mich an jemand anderen, und während ich ihn ansah, verwandelte er sich. Seine rostbraune Haut verblasste, sein Gesicht wurde kalkweiß. Seine Augen wurden erst golden, dann purpurrot, dann wieder golden. Sein kurzgeschnittenes Haar bog sich im Wind und färbte sich dort, wo der Wind es berührte, bronzefarben. Und sein Gesicht wurde so schön, dass es mir das Herz brach. Ich wollte ihn berühren, doch er wich einen Schritt zurück und hob die Hände wie einen Schild. Und dann verschwand Edward.

Als ich im Dunkeln erwachte, war ich mir nicht sicher, ob ich gerade erst angefangen hatte zu weinen oder ob ich schon im Schlaf geweint hatte. Ich starrte an die dunkle Zimmerdecke. Ich spürte, dass es mitten in der Nacht war – ich war noch halb im Schlaf. Ich machte die müden Augen zu und betete für einen traumlosen Schlaf.

In dem Moment hörte ich das Geräusch, das mich wahrscheinlich geweckt hatte. Etwas Scharfes kratzte an meinem Fenster entlang, es quietschte wie Fingernägel auf einer Glasscheibe.

Ein nächtlicher Besucher

Ich riss vor Schreck die Augen weit auf, obwohl ich so erschöpft und durcheinander war, dass ich kaum wusste, ob ich wach war oder schlief.

Jetzt war da wieder dasselbe hohe Quietschen, das Kratzen am Fenster.

Ich taumelte aus dem Bett und zum Fenster, ich war noch ganz benommen vor Müdigkeit. Ich blinzelte die letzten Tränen weg.

Draußen schwankte eine riesige dunkle Gestalt hin und her. Sie kam auf mich zu, als wollte sie sich durch die Scheibe stürzen. Entsetzt stolperte ich zurück, ein Schrei steckte mir in der Kehle.

Victoria.

Sie war gekommen.

Ich war so gut wie tot.

Bitte nicht Charlie!

Ich schluckte den Schrei herunter. Ich musste mich ruhig verhalten. Irgendwie. Charlie durfte nicht zu mir ins Zimmer kommen …

Und dann rief die dunkle Gestalt mit einer vertrauten, heiseren Stimme:

»Bella!« Und dann: »Aua! Verdammt, mach mal das Fenster auf! Au!«

Es dauerte zwei Sekunden, bis ich die Angst abgeschüttelt hatte und mich bewegen konnte. Dann lief ich schnell zum Fenster und öffnete es. Hinter den Wolken leuchtete ein schwaches Licht, es reichte aus, um die Gestalt zu erkennen.

»Was machst du denn da?«, stieß ich hervor.

Jacob hing unsicher im Wipfel der Fichte, die in unserem kleinen Vorgarten stand. Unter Jacobs Gewicht hatte sich die Fichte zum Haus hin geneigt, und jetzt schaukelte er, während seine Beine mehr als fünf Meter über dem Boden baumelten, keinen Meter von mir entfernt hin und her. Wieder kratzten die dünnen Zweige in der Spitze des Baums quietschend an der Hauswand.

»Ich versuche« – er keuchte und verlagerte das Gewicht, als der Baumwipfel ihn herumwirbelte – »mein Versprechen zu halten!«

Ich blinzelte mit nassen, verweinten Augen. Ich war sicher, dass das nur ein Traum war.

»Wann hast du mir versprochen, dich von unserem Baum in den Tod zu stürzen?«

Er schnaubte verächtlich, offenbar fand er das nicht sehr komisch. Dann schwang er die Beine hin und her, um das Gleichgewicht wiederzufinden. »Mach mal Platz«, befahl er.

»Was?«

Wieder schaukelte er mit den Beinen, diesmal, um mehr Schwung zu bekommen. Jetzt wurde mir klar, was er vorhatte.

»Nein, Jake!«

Doch ich duckte mich zur Seite, denn es war schon zu spät. Mit einem Ächzen schwang er sich durchs offene Fenster.

Mir stieg schon wieder ein Schrei in der Kehle auf, denn ich rechnete damit, dass er zu Tode stürzen oder sich an der Hauswand zumindest schwer verletzen würde. Zu meinem Schreck jedoch schwang er sich behände in mein Zimmer und landete mit einem dumpfen Aufprall auf den Fußballen.

Automatisch schauten wir beide mit angehaltenem Atem zur Tür und warteten, ob Charlie von dem Krach aufgewacht war. Einen kurzen Moment war es still, dann hörten wir das gedämpfte Geräusch von Charlies Schnarchen.

Ein breites Grinsen erschien auf Jacobs Gesicht, er wirkte höchst zufrieden mit sich. Es war nicht das Grinsen, das ich kannte und liebte – das hier war neu, es war ein bitteres Zerrbild seiner früheren Offenheit auf dem neuen Gesicht, das Sam gehörte.

Das war ein bisschen zu viel für mich.

Seinetwegen hatte ich mich in den Schlaf geweint. Seine abweisende Reaktion hatte ein schmerzhaftes neues Loch in die Überreste meiner Brust gerissen. Er hatte einen neuen Albtraum hinterlassen, wie eine entzündete Wunde – er hatte alles noch viel schlimmer gemacht. Und jetzt war er hier in meinem Zimmer und grinste mich an, als wäre nichts gewesen. Schlimmer noch – trotz seiner lauten, ungeschickten Ankunft fühlte ich mich an die Zeit erinnert, als Edward sich jede Nacht zum Fenster hereingeschlichen hatte, und die Erinnerung riss teuflisch an den unverheilten Wunden.

Außerdem war ich hundemüde, was meine Laune nicht gerade verbesserte.

»Raus hier«, zischte ich, so giftig ich konnte.

Er blinzelte und sah mich völlig verdattert an.

»Nein«, protestierte er. »Ich komme, um mich zu entschuldigen.«

»Ich nehme die Entschuldigung aber nicht an!«

Ich versuchte ihn wieder aus dem Fenster zu schubsen – wenn das Ganze nur ein Traum war, würde es ihm ja nicht richtig wehtun. Aber es war zwecklos, ich bekam ihn keinen Zentimeter von der Stelle. Rasch ließ ich die Arme sinken und trat ein paar Schritte zurück.

Er trug kein T-Shirt, obwohl die Luft, die zum Fenster hereinwehte, so kalt war, dass ich zitterte, und es war mir unangenehm, seine nackte Brust zu berühren. Seine Haut war so glühend heiß wie seine Stirn an dem Abend, als ich ihn das letzte Mal berührt hatte. Als hätte er immer noch Fieber.

Aber er sah nicht krank aus. Er sah *riesig* aus. Er war so groß und breit, dass er das Fenster vollkommen verdeckte, und meine wütende Reaktion hatte ihm die Sprache verschlagen.

Das alles ging über meine Kräfte – es war, als würden all meine schlaflosen Nächte mit einem Mal auf mich einstürzen. Ich war so wahnsinnig müde, dass ich meinte, jeden Moment zusammenzubrechen. Ich schwankte und musste mir alle Mühe geben, die Augen offen zu halten.

»Bella?«, flüsterte Jacob besorgt. Er fasste mich am Ellbogen, als ich wieder schwankte, und führte mich zu meinem Bett. Meine Beine gaben in dem Moment nach, als ich die Bettkante erreicht hatte, und ich fiel schlaff auf die Matratze.

»Hey, geht es dir gut?«, fragte Jacob mit sorgenvoll gerunzelter Stirn.

Ich schaute ihn an, die Tränen auf meinen Wangen waren noch nicht getrocknet. »Wie um alles in der Welt sollte es mir denn gutgehen, Jacob?«

Jetzt sah er eher gequält als verbittert aus. »Du hast Recht«, sagte er und atmete tief ein. »Scheiße. Also … es … es tut mir so leid, Bella.« Die Entschuldigung war zweifellos ernst gemeint, obwohl er immer noch ein bisschen wütend aussah.

»Wieso bist du hierhergekommen? Ich will keine Entschuldigungen von dir hören, Jake.«

»Ich weiß«, flüsterte er. »Aber ich konnte das, was heute Nachmittag passiert ist, nicht so stehenlassen. Das war schrecklich. Es tut mir leid.«

Ich schüttelte müde den Kopf. »Ich verstehe überhaupt nichts.«

»Ich weiß. Ich will es dir erklären …« Er brach plötzlich ab, mit offenem Mund, als hätte ihm etwas den Atem geraubt. Dann holte er tief Luft. »Aber ich kann es nicht erklären«, sagte er, immer noch wütend. »Ich wünschte, ich könnte es.«

Ich ließ den Kopf in die Hände sinken. Meine Frage wurde von meinem Arm gedämpft. »Warum nicht?«

Er schwieg eine Weile. Ich war zu müde, um den Kopf zu heben, aber ich schaute zur Seite, weil ich Jakes Gesicht sehen wollte. Ich war überrascht. Er hatte die Augen zusammengekniffen, die Zähne zusammengebissen, die Stirn angestrengt in Falten gelegt.

»Was ist los?«, fragte ich.

Er atmete schwer aus, auch er hatte die Luft angehalten. »Ich kann nicht«, murmelte er frustriert.

»Was kannst du nicht?«

Er überging die Frage. »Bella, hattest du schon mal ein Geheimnis, das du keinem anvertrauen konntest?«

Er sah mich mit wissendem Blick an, und ich dachte sofort an die Cullens. Ich hoffte, dass er mir mein schlechtes Gewissen nicht ansah.

»Etwas, was du vor Charlie und deiner Mutter verheimlichen musstest …?«, fuhr er fort. »Worüber du nicht mal mit mir sprechen würdest? Selbst jetzt nicht?«

Ich merkte, wie mein Blick hart wurde. Ich gab keine Antwort, aber ich wusste, dass er das als Bestätigung nahm.

»Kannst du dir vorstellen, dass ich mich in derselben … Lage befinde?« Er rang wieder mit sich, er schien nach den richtigen Worten zu suchen. »Manchmal kann man nicht so, wie man will, weil man Rücksicht auf andere nehmen muss. Manchmal muss man das Geheimnis eines anderen wahren.«

Da konnte ich ihm nicht widersprechen. Er hatte so recht – ich hatte ein Geheimnis, das ich nicht erzählen durfte, das ich für jemand anders bewahren musste. Ein Geheimnis, das er plötzlich zu kennen schien.

Ich begriff immer noch nicht, was das mit ihm oder Sam oder Billy zu tun hatte. Was ging es sie an, jetzt, da die Cullens weg waren?

»Ich weiß nicht, warum du hergekommen bist, Jacob, wenn du mir nur Rätsel aufgeben willst, anstatt meine Fragen zu beantworten.«

»Tut mir leid«, flüsterte er. »Das ist so frustrierend.«

Wir sahen uns lange in dem dunklen Zimmer an, beide mit hoffnungslosem Blick.

»Was mich echt fertigmacht«, sagte er unvermittelt, »ist, dass du es schon *weißt*. Ich hab dir schon alles erzählt!«

»Wovon redest du?«

Er sog überrascht Luft ein, dann beugte er sich zu mir. Sein Gesicht, das eben noch hoffnungslos ausgesehen hatte, glühte jetzt vor Intensität. Er starrte mir durchdringend in die Augen, er sprach schnell und erregt. Er war nah an meinem Gesicht, sein Atem heiß wie seine Haut.

»Ich glaube, ich weiß, wie wir das hinkriegen – denn du weißt es schon, Bella! Ich kann es dir nicht erzählen, aber wenn du es *erraten* würdest! Dann wäre ich aus dem Schneider!«

»Ich soll es erraten? Was denn?«

»Mein Geheimnis! Du kennst es – du kennst die Antwort!«

Ich blinzelte und versuchte klar zu denken. Ich war so müde. Ich wurde aus seinen Worten nicht schlau.

Er betrachtete mein verständnisloses Gesicht, dann spannten seine Züge sich wieder an. »Warte, ich versuche dir zu helfen«, sagte er. Er keuchte vor Anspannung.

»Helfen?«, sagte ich und versuchte ihm zu folgen. Meine Augen wollten zufallen, aber ich riss sie gewaltsam auf.

»Ja«, sagte er schwer atmend. »Dir Tipps geben.«

Er nahm mein Gesicht in seine riesigen, viel zu warmen Hände und hielt es nur wenige Zentimeter von seinem entfernt. Während er flüsterte, starrte er mir in die Augen, als wollte er mir noch etwas anderes sagen.

»Erinnerst du dich an den Tag, als wir uns kennengelernt haben – am Strand in La Push?«

»Klar.«

»Erzähl mal, was du noch weißt.«

Ich holte tief Luft und versuchte mich zu konzentrieren. »Du hast nach meinem Transporter gefragt ...«

Mit einem Nicken drängte er mich weiterzusprechen.

»Dann haben wir über den Golf geredet ...«

»Weiter.«

»Wir sind am Strand spazieren gegangen ...« Als ich daran zurückdachte, wurden meine Wangen warm unter seinen Händen, aber so heiß, wie er war, würde er es gar nicht merken. Ich hatte ihn zu einem Strandspaziergang aufgefordert und ziemlich plump, aber erfolgreich mit ihm geflirtet, um etwas aus ihm herauszubekommen.

Er nickte, er wollte mehr hören.

Meine Stimme war fast lautlos. »Du hast mir Gruselgeschichten erzählt ... Quileute-Legenden.«

Er schloss die Augen und schlug sie wieder auf. »Ja.« Spannung und Inbrunst lagen in dem Wort, als ginge es um etwas Lebenswichtiges. Er sprach langsam, betonte jedes einzelne Wort. »Weißt du noch, was ich gesagt habe?«

Bestimmt sah er sogar im Dunkeln, wie meine Gesichtsfarbe sich veränderte. Wie könnte ich das je vergessen? Ohne zu wissen, was er tat, hatte Jacob mir das verraten, was ich an jenem Tag wissen musste – dass Edward ein Vampir war.

Er sah mich mit einem Blick an, der zu viel wusste. »Denk scharf nach«, sagte er.

»Ja, ich weiß es noch«, flüsterte ich.

Er holte tief Luft, er rang mit sich. »Erinnerst du dich an *alle* Geschicht…?« Er konnte die Frage nicht beenden. Sein Mund blieb offen stehen, als wäre ihm etwas im Hals stecken geblieben.

»Alle Geschichten?«, fragte ich.

Er nickte stumm.

In meinem Kopf schwirrte es. Nur eine Geschichte war bedeutsam. Ich wusste, dass er vorher andere erzählt hatte, aber jetzt, da mir die Erschöpfung den Verstand vernebelte, konnte ich mich an die belanglose Einleitung nicht erinnern. Ich schüttelte den Kopf.

Jacob stöhnte und sprang vom Bett. Er presste die Fäuste an die Stirn und atmete schnell und wütend. »Du weißt es, du weißt es«, murmelte er.

»Jake? Jake, bitte, ich bin so kaputt. Ich schaffe das jetzt nicht. Vielleicht morgen früh …«

Er atmete einmal tief ein und aus und nickte. »Vielleicht fällt es dir wieder ein. Ich glaub, ich weiß, warum du dich nur an die eine Geschichte erinnerst«, fügte er in sarkastischem, bitterem Ton hinzu. Er ließ sich wieder neben mich auf die Matratze plumpsen. »Darf ich dir dazu eine Frage stellen?«, sagte er, immer noch sarkastisch. »Das würde ich für mein Leben gern wissen.«

»Was für eine Frage?«, sagte ich argwöhnisch.

»Wegen der Vampirgeschichte, die ich dir erzählt habe.«

Ich starrte ihn wachsam an, unfähig zu sprechen. Er fragte trotzdem.

»Hast du es wirklich nicht gewusst?« Seine Stimme war jetzt wieder heiser. »Hast du erst von mir erfahren, was er war?«

Woher wusste er das? Warum hatte er sich entschlossen, es zu glauben, warum jetzt auf einmal? Ich starrte ihn an, und er merkte, dass ich nicht vorhatte, etwas zu sagen.

»Siehst du, was ich mit der Rücksicht auf andere meine?«, murmelte er, jetzt noch heiserer. »Mir geht es genauso, nur noch schlimmer. Du kannst dir nicht vorstellen, wie sehr ich gebunden bin ...«

Es gefiel mir nicht – wie er die Augen schloss, als hätte er Schmerzen, wenn er davon sprach, dass er gebunden war. Mehr noch – ich merkte, dass ich es verabscheute, ich verabscheute alles, was ihm Schmerzen bereitete. Ich verabscheute es aus tiefstem Herzen.

Plötzlich hatte ich Sams Gesicht vor Augen.

Was mich betraf, so handelte ich weitgehend freiwillig. Ich bewahrte das Geheimnis der Cullens aus Liebe, aus unerwiderter und doch wahrer Liebe. Bei Jacob schien der Fall anders zu liegen.

»Kannst du dich nicht irgendwie befreien?«, flüsterte ich und berührte seine borstigen Haare im Nacken.

Seine Hände fingen an zu zittern, aber er schlug die Augen nicht auf. »Nein. Das geht nie vorbei. Eine lebenslängliche Strafe.« Ein trostloses Lachen. »Vielleicht noch länger.«

»Nein, Jake«, stöhnte ich. »Und wenn wir abhauen? Nur du und ich. Wenn wir vor Sam fliehen?«

»Davor kann ich nicht fliehen, Bella«, flüsterte er. »Aber

wenn ich könnte, würde ich mit dir abhauen.« Jetzt zitterten auch seine Schultern. Er atmete tief ein. »Ich muss jetzt gehen.«

»Warum?«

»Erstens siehst du aus, als würdest du jeden Moment umkippen. Du brauchst deinen Schlaf – du musst alles dransetzen, um es rauszukriegen, unbedingt.«

»Und zweitens?«

Er runzelte die Stirn. »Ich hab mich weggeschlichen – ich soll mich nicht mit dir treffen. Sie fragen sich bestimmt schon, wo ich bin.« Er verzog den Mund. »Ich muss ihnen Bescheid sagen.«

»Du musst ihnen überhaupt nichts sagen«, zischte ich.

»Ich tu's aber trotzdem.«

Wut loderte in mir auf. »Ich *hasse* sie.«

Jacob sah mich mit großen, verwunderten Augen an. »Nein, Bella. Du darfst die Jungs nicht hassen. Sam und die anderen können nichts dafür. Wie ich dir schon gesagt habe – es hat nur mit mir zu tun. Sam ist eigentlich … na ja, er ist total cool. Jared und Paul sind auch schwer in Ordnung, obwohl Paul ein bisschen … Und Embry war immer mein Freund. Daran hat sich nichts geändert – das ist das Einzige, woran sich nichts geändert hat. Ich mache mir Vorwürfe, weil ich früher so schlecht von Sam gedacht habe …«

Sam total cool? Ich starrte ihn ungläubig an, sagte aber nichts weiter dazu.

»Und warum sollst du dich dann nicht mit mir treffen?«, fragte ich.

»Weil es gefährlich ist«, murmelte er und senkte den Blick.

Angst durchzuckte mich.

Wusste er *das* etwa auch? Niemand außer mir wusste davon. Aber er hatte Recht – es war mitten in der Nacht, die optimale

Zeit für die Jagd. Wenn jemand mich fand, musste ich allein sein.

»Wenn ich denken würde, es wäre zu ... riskant«, flüsterte er, »dann wär ich nicht gekommen. Aber Bella«, er sah mich wieder an, »ich hatte dir etwas versprochen. Ich wusste nicht, dass es so schwer sein würde, das Versprechen zu halten, aber das heißt nicht, dass ich es nicht versuchen will.«

Er sah mir an, dass ich nicht wusste, wovon er sprach. »Nach diesem bescheuerten Film«, erinnerte er mich. »Da hab ich dir versprochen, dir niemals wehzutun ... Das habe ich heute Nachmittag ordentlich vermasselt, was?«

»Ich wusste, dass du das nicht wolltest, Jake. Ist schon okay.«

»Danke, Bella.« Er nahm meine Hand. »Ich tue, was ich kann, um für dich da zu sein, wie ich es versprochen hab.« Er grinste mich plötzlich an. Es war weder das Grinsen von früher noch das neue, sondern eine merkwürdige Mischung. »Es wäre wirklich hilfreich, wenn du das allein rauskriegen könntest, Bella. Streng dich ordentlich an.«

Ich verzog leicht das Gesicht. »Ich werd's versuchen.«

»Und ich werd versuchen, dich bald wiederzusehen.« Er seufzte. »Und sie werden versuchen, mir das auszureden.«

»Hör nicht auf sie.«

»Ich geb mir Mühe.« Er schüttelte den Kopf, als zweifelte er daran, dass es ihm gelingen würde. »Komm und sag mir Bescheid, sobald du es rausbekommen hast.« In dem Moment fiel ihm etwas ein, das seine Hände beben ließ. »Wenn du ... wenn du *willst*.«

»Weshalb sollte ich dich nicht sehen wollen?«

Sein Gesicht wurde hart und bitter, zu hundert Prozent das Gesicht, das Sam gehörte. »Da fällt mir schon ein Grund ein«, sagte er schroff. »Jetzt muss ich aber wirklich los. Kannst du mir einen Gefallen tun?«

Ich nickte nur; die Veränderung, die mit ihm vorgegangen war, machte mir Angst.

»Falls du mich nicht wiedersehen willst, ruf mich wenigstens an. Sag es mir, wenn es so ist.«

»Das wird aber nicht passieren ...«

Mit einer Handbewegung schnitt er mir das Wort ab. »Sag es mir einfach.«

Er stand auf und ging zum Fenster.

»Sei nicht blöd, Jake«, sagte ich. »Du brichst dir noch die Knochen. Geh zur Tür raus. Charlie erwischt dich bestimmt nicht.«

»Mir passiert nichts«, murmelte er, aber er wandte sich zur Tür. Er zögerte, als er an mir vorbeiging, und starrte mich an, als würde ihn etwas durchbohren. Flehend streckte er eine Hand aus.

Ich nahm seine Hand, und da riss er mich plötzlich so heftig vom Bett, dass ich ihm an die Brust flog.

»Nur für alle Fälle«, flüsterte er mir ins Haar und drückte mich so fest, dass er mir fast die Rippen brach.

»Keine ... Luft!«, keuchte ich.

Sofort ließ er mich los und behielt nur eine Hand an meiner Taille, damit ich nicht umkippte. Dann schob er mich, sanfter diesmal, zurück aufs Bett.

»Schlaf jetzt ein bisschen, Bella. Morgen musst du deine grauen Zellen anstrengen. Ich weiß, dass du es rauskriegen kannst. Du *musst* es verstehen. Ich will dich nicht verlieren, Bella. Nicht deswegen.«

Mit einem Schritt war er an der Tür, öffnete sie leise und verschwand. Ich lauschte darauf, dass er auf die eine knarrende Treppenstufe trat, aber es war nichts zu hören.

Ich legte mich wieder hin. In meinem Kopf drehte sich alles. Ich war zu verwirrt und zu erschöpft. Ich schloss die Augen und versuchte die Zusammenhänge zu begreifen, doch ich sank fast augenblicklich in den Schlaf.

Es war nicht der friedliche, traumlose Schlaf, nach dem ich mich gesehnt hatte – natürlich nicht. Wieder war ich im Wald und streifte umher.

Doch ich merkte bald, dass es nicht der gleiche Traum war wie sonst. Zum einen verspürte ich keinen Drang, fieberhaft nach etwas zu suchen; ich ging nur aus Gewohnheit, weil das von mir erwartet wurde. Nicht einmal der Wald war derselbe. Es roch anders dort, nicht nach dem feuchten Waldboden, sondern nach Meer. Und auch das Licht war anders. Ich konnte den Himmel nicht sehen, doch die Sonne schien wohl – die Blätter über mir waren von einem hellen Jadegrün.

Es war der Wald bei La Push, in der Nähe des Strandes dort, da war ich mir sicher. Ich wusste, wenn ich den Strand fände, würde ich die Sonne sehen, deshalb ging ich schnell weiter und folgte dem schwachen Geräusch der Wellen in der Ferne.

Und dann war Jacob da. Er nahm meine Hand und zog mich zurück in den schwärzesten Teil des Waldes.

»Jacob, was ist los?«, fragte ich. Sein Gesicht war das eines verängstigten Jungen, und seine Haare waren wieder lang und schön, er hatte sie im Nacken zu einem Pferdeschwanz zusammengebunden. Er zerrte mit aller Kraft an mir, aber ich wehrte mich, ich wollte nicht wieder in die Dunkelheit.

»Lauf weg, Bella, schnell!«, flüsterte er voller Entsetzen.

Das Déjà-vu war so stark, dass ich beinahe davon aufwachte.

Jetzt wusste ich, weshalb ich die Stelle kannte. Ich war schon einmal hier gewesen, in einem anderen Traum. Vor einer Million Jahren, in einem ganz anderen Leben. Den Traum hatte ich in der Nacht gehabt, nachdem ich mit Jacob am Strand spazieren gegangen war, in der ersten Nacht, da ich wusste, dass Edward ein Vampir war. Offenbar war der Traum aus den Tiefen meiner Erinnerung wieder hochgekommen, weil ich heute mit Jacob über jenen Abend gesprochen hatte.

Jetzt konnte ich aus einer gewissen Distanz beobachten, wie der Traum ausging. Vom Strand her kam ein Licht auf mich zu. Gleich würde Edward zwischen den Bäumen auftauchen, mit schwach funkelnder Haut und schwarzen, gefährlichen Augen. Er würde mich zu sich winken und lächeln. Er würde so schön sein wie ein Engel, und seine Zähne würden spitz und scharf sein …

Doch ich war zu schnell. Erst musste etwas anderes passieren.

Jacob ließ meine Hand los und jaulte auf. Zuckend und bebend sank er vor meinen Füßen zusammen.

»Jacob!«, schrie ich, doch er war verschwunden.

An seiner Stelle stand ein riesiger, rostbrauner Wolf mit dunklen, klugen Augen.

Der Traum kam vom Weg ab, wie ein Zug, der aus den Gleisen sprang.

Es war nicht derselbe Wolf, von dem ich in einem anderen Leben geträumt hatte. Es war der große rostbraune Wolf, dem ich vor einer Woche gegenübergestanden hatte. Dieser Wolf war gigantisch, monströs, größer als ein Bär.

Der Wolf starrte mich an und versuchte mir mit seinem klugen Blick etwas sehr Wichtiges mitzuteilen. Mit dem vertrauten Blick der schwarzbraunen Augen von Jacob Black.

Mit einem schrillen Schrei wachte ich auf.

Diesmal war ich beinahe darauf gefasst, dass Charlie hereinkommen würde. Es war ein anderer Schrei als sonst. Ich vergrub das Gesicht im Kopfkissen und versuchte mein hysterisches Kreischen zu ersticken. Ich presste mir das Kissen fest vor den Mund und überlegte, ob ich die Entdeckung, die ich gerade gemacht hatte, nicht wieder begraben könnte.

Aber Charlie kam nicht herein, und schließlich schaffte ich es, das merkwürdige Kreischen, das aus meiner Kehle kam, zu unterdrücken.

Jetzt fiel mir alles wieder ein – jedes Wort, das Jacob damals am Strand zu mir gesagt hatte, auch das, was er erzählt hatte, bevor er über die Vampire, die *kalten Wesen*, sprach.

»Kennst du dich ein bisschen aus mit unseren alten Geschichten, über unsere Herkunft und so – also die der Quileute?«, begann er.

»Nicht so richtig«, gestand ich.

»Also, da gibt's jede Menge Legenden, manche stammen angeblich noch aus der Zeit der Sintflut. Es heißt, die alten Quileute hätten ihre Kanus auf den Berg gebracht und an den Gipfeln der höchsten Bäume befestigt und auf diese Weise überlebt wie Noah auf seiner Arche.« Er lächelte, um mir zu zeigen, wie wenig er auf diese Geschichten gab.

»Einer anderen Legende zufolge stammen wir von den Wölfen ab und sind noch immer mit ihnen verbrüdert. Die Stammesgesetze verbieten es, sie zu töten.«

Er senkte seine Stimme. »Und dann gibt es die Geschichten über die kalten Wesen.«

»Die kalten Wesen?«, fragte ich mit nunmehr echter Neugierde.

»Genau. Die meisten Geschichten über die kalten Wesen stammen aus der Zeit der Wolfslegenden, aber es gibt auch einige, die sind noch gar nicht so alt. Einer Legende zufolge kannte mein Urgroßvater ein paar von ihnen. Er war es, der mit ihnen das Abkommen traf, nach dem sie sich von unserem Land fernzuhalten haben.« Er verdrehte seine Augen.

»Dein Urgroßvater?«, fragte ich, um ihm mehr zu entlocken.

»Er war Stammesältester, genau wie mein Vater. Die kalten Wesen sind die natürlichen Feinde des Wolfes, verstehst du – also, eigentlich nicht des Wolfes an sich, sondern der Wölfe, die sich in Menschen verwandeln, so wie meine Vorfahren. Werwölfe, wie ihr sie nennt.«

»Werwölfe haben Feinde?«

»Nur diesen einen.«

Etwas saß mir in der Kehle und würgte mich. Ich versuchte, es herunterzuschlucken, aber es steckte fest und bewegte sich nicht. Ich versuchte, es auszuspucken.

»Werwolf«, stieß ich hervor.

Ja, das war das Wort, das mich würgte.

Die ganze Welt geriet ins Taumeln und neigte sich im falschen Winkel.

Was war hier los? Was war das für eine Welt, in der in winzigen, unbedeutenden Städten uralte Legenden wieder lebendig wurden? Bedeutete das etwa, dass jedes noch so abwegige Märchen auf einer unabänderlichen Wahrheit beruhte? Gab es überhaupt irgendetwas Normales, oder bestand alles nur aus Zauberei und Geistergeschichten?

Ich hielt meinen Kopf fest, als wollte ich verhindern, dass er zersprang.

Eine leise, nüchterne Stimme in meinem Hinterkopf fragte mich, was daran denn so unglaublich sei. Hatte ich nicht schon vor langer Zeit die Existenz von Vampiren akzeptiert – und zwar ohne in Hysterie zu verfallen?

Genau, hätte ich der Stimme gern entgegengeschrien. War eine Legende pro Person nicht genug, genug für ein ganzes Leben?

Außerdem hatte ich nie daran gezweifelt, dass Edward Cullen nicht mit normalen Maßstäben zu messen war. Als ich herausfand, was er war, hatte mich das nicht so wahnsinnig überrascht – weil schon vorher klar gewesen war, dass er etwas anderes als ein Mensch sein musste.

Aber Jacob? Jacob, der einfach nur Jacob war und sonst nichts? Mein Freund Jacob? Jacob, der einzige Mensch, dem ich je nahegekommen war …

Aber er war gar kein Mensch.

Ich bekämpfte den Drang, wieder loszuschreien.

Was sagte das über mich?

Ich kannte die Antwort. Es bedeutete, dass mit mir irgendwas nicht stimmte. Warum sonst sollte mein Leben mit lauter Figuren aus Horrorfilmen bevölkert sein? Weshalb sonst könnten sie mir so wichtig sein, dass es riesige Stücke aus meiner Brust riss, wenn sie wieder ihrer eigenen phantastischen Wege gingen?

In meinem Kopf drehte und verschob sich alles; Dinge, die vorher eine einfache, klare Bedeutung gehabt hatten, bekamen jetzt eine ganz andere.

Es gab keine Sekte. Es hatte nie eine Sekte oder eine Gang gegeben. Nein, es war viel schlimmer. Sie waren ein *Rudel*.

Ein Rudel fünf unfassbar riesiger, vielfarbiger Werwölfe, die auf Edwards Lichtung direkt an mir vorbeispaziert waren …

Plötzlich hatte ich es wahnsinnig eilig. Ich schaute kurz auf die Uhr – es war viel zu früh, aber das war mir egal. Ich musste auf der Stelle nach La Push. Ich musste zu Jacob, damit er mir sagen konnte, dass ich nicht komplett den Verstand verloren hatte.

Ich zog die erstbesten sauberen Sachen an, die ich finden konnte, ohne darauf zu achten, ob sie zusammenpassten. Dann lief ich die Treppe hinunter, immer zwei Stufen auf einmal. Auf dem Weg zur Haustür wäre ich im Flur fast mit Charlie zusammengestoßen.

»Wo willst du hin?«, fragte er, überrascht, mich zu sehen. »Weißt du, wie spät es ist?«

»Ja. Ich muss zu Jacob.«

»Ich dachte, die Sache mit Sam …«

»Das spielt keine Rolle. Ich muss sofort mit ihm reden.«

»Es ist aber noch ziemlich früh.« Er runzelte die Stirn, als ich keine Miene verzog. »Möchtest du gar kein Frühstück?«

»Keinen Hunger.« Die Worte purzelten mir aus dem Mund. Charlie versperrte mir den Weg zur Haustür. Ich erwog, mich an ihm vorbeizudrängeln und zum Transporter zu laufen, aber ich wusste, dass er mich dafür später zur Rede stellen würde. »Ich komme bald wieder, okay?«

Wieder runzelte er die Stirn. »Auf direktem Weg zu Jacob, ja? Keine Zwischenstopps.«

»Natürlich nicht, wo sollte ich denn anhalten?« Die Worte überschlugen sich, so eilig hatte ich es.

»Ich weiß nicht«, gab er zu. »Es ist nur … es hat einen weiteren Übergriff gegeben – schon wieder die Wölfe. Ganz in der Nähe des Seebads bei den heißen Quellen. Diesmal gab es auch einen Zeugen. Das Opfer war nur zehn Meter von der Straße entfernt, als es verschwand. Es war ein Mann, und seine Frau hat nur wenige Minuten später, als sie ihn suchte, einen riesigen grauen Wolf gesehen. Da ist sie weggelaufen.«

Mein Magen sackte nach unten, als würde ich mit der Achterbahn einen Looping fahren. »Er ist von einem Wolf angegriffen worden?«

»Es gibt keine Spur von dem Mann – nur ein bisschen Blut, wie gehabt.« Ich sah Charlie an, wie sehr ihm die Sache zu schaffen machte. »Die Ranger sind zusammen mit Helfern losgezogen, alle bewaffnet. Viele Jäger sind ganz scharf darauf mitzumachen – auf die toten Wölfe sind Belohnungen ausgesetzt. Das heißt, dass da im Wald viele Waffen zusammenkommen, und das macht mir Sorgen.« Er schüttelte den Kopf. »Wenn die Leute übereifrig werden, passiert leicht mal ein Unfall …«

»Sie wollen die Wölfe erschießen?« Meine Stimme schoss drei Oktaven in die Höhe.

»Was bleibt uns anderes übrig? Was hast du denn?«, fragte er und sah mich aufmerksam an. Ich fühlte mich matt, bestimmt war ich noch blasser als sonst. »Du wirst doch jetzt nicht zur militanten Tierschützerin, oder?«

Ich konnte nicht antworten. Hätte er mich nicht angesehen, hätte ich den Kopf zwischen die Knie gelegt. Ich hatte nicht mehr an die verschwundenen Wanderer gedacht, die blutigen Spuren … Ich hatte das nicht mit meiner Entdeckung in Verbindung gebracht.

»He, Schatz, deswegen brauchst du doch keine Angst zu haben. Bleib einfach in der Stadt oder auf der Landstraße – nicht anhalten, okay?«

»Okay«, sagte ich schwach.

»Ich muss jetzt los.«

Erst jetzt schaute ich ihn richtig an und sah, dass er Wanderstiefel trug und seine Waffe um die Hüfte geschnallt hatte.

»Du machst doch nicht etwa auch Jagd auf die Wölfe, Dad?«

»Ich muss helfen, Bella. Da verschwinden Leute.«

Meine Stimme ging wieder hoch, jetzt fast hysterisch. »Nein! Nein, bleib hier! Das ist zu gefährlich!«

»Das ist mein Job, Bella. Keine Sorge – mir passiert schon nichts.« Er wandte sich zur Tür und hielt sie auf. »Willst du auch los?«

Ich zögerte, mein Magen fuhr immer noch Loopings. Was könnte ich sagen, um ihn aufzuhalten? Mir war so schwindelig, dass mir nichts einfiel.

»Bella?«

»Vielleicht ist es doch noch zu früh, um nach La Push zu fahren«, flüsterte ich.

»Finde ich auch«, sagte er, ging hinaus in den Regen und machte die Tür hinter sich zu.

Sobald er außer Sicht war, ließ ich mich zu Boden sinken und legte den Kopf zwischen die Knie.

Sollte ich Charlie hinterhergehen? Aber was sollte ich dann sagen?

Und was war mit Jacob? Er war mein bester Freund, ich musste ihn warnen. Wenn er wirklich ein – ich schauderte und musste mich zwingen, das Wort zu denken – Werwolf war (und ich wusste, dass es stimmte, ich spürte es), dann würden die Leute auf ihn schießen! Ich musste ihm und seinen Freunden sagen, dass man versuchen würde, sie zu töten, wenn sie als riesige Wölfe herumliefen. Ich musste ihnen sagen, dass sie damit aufhören sollten.

Sie mussten aufhören! Charlie war dort im Wald. Aber würde das für sie eine Rolle spielen? Ich wusste es nicht ... Bis jetzt waren nur Fremde verschwunden. Hatte das etwas zu bedeuten oder war es reiner Zufall?

Ich musste daran glauben, dass es wenigstens für Jacob eine Rolle spielte.

So oder so musste ich ihn warnen.

Oder ... doch nicht?

Jacob war mein bester Freund, war er womöglich auch ein Monster? Ein echtes, teuflisches Monster? Durfte ich ihn warnen, wenn er und seine Freunde ... *Mörder* waren? Wenn sie harmlose Wanderer kaltblütig abschlachteten? Wenn sie wahrhaftig Figuren aus einem Horrorfilm waren, war es dann nicht falsch, sie zu schützen?

Der Vergleich mit den Cullens drängte sich auf, ich konnte nichts dagegen tun. Ich schlang die Arme um meine Brust und kämpfte gegen das Loch an, während ich an sie dachte.

Natürlich hatte ich nicht die geringste Ahnung von Werwölfen. Wenn ich überhaupt eine Vorstellung hatte, dann war sie von den Werwölfen geprägt, die ich aus Filmen kannte – große behaarte Halbmenschen, so was in der Art. Ich wusste also auch nicht, weshalb sie auf die Jagd gingen – ob aus Hunger, Durst oder der Lust am Töten. Es war schwer, über sie zu urteilen, wenn man das nicht wusste.

Aber es konnte nicht mächtiger sein als das, wogegen die Cullens angingen in ihrem Bestreben, gut zu sein. Ich dachte an Esme – mir kamen die Tränen, als ich ihr liebes, freundliches Gesicht vor mir sah – und wie sie, die so mütterlich und liebevoll war, sich beschämt die Nase zuhalten und vor mir weglaufen musste, als ich blutete. Mächtiger konnte es nicht sein. Ich dachte an Carlisle, der jahrhundertelang gekämpft hatte, bis er den Geruch von Blut ignorieren und als Arzt Leben retten konnte. Etwas Schwereres konnte es nicht geben.

Die Werwölfe hatten sich für einen anderen Weg entschieden.

Wofür sollte *ich* mich jetzt entscheiden?

Mörder oder Beschützer?

Wenn es nicht ausgerechnet Jacob wäre, dachte ich kopfschüttelnd, als ich die waldgesäumte Straße nach La Push fuhr.

Ich wusste noch immer nicht genau, ob ich das Richtige tat, aber ich hatte einen Kompromiss mit mir geschlossen.

Ich würde Jacob und seinen Freunden nicht verzeihen, was sie taten. Jetzt verstand ich seine Worte der letzten Nacht – dass ich ihn vielleicht nicht wiedersehen wollte –, und ich hätte ihn auch anrufen können, wie er vorgeschlagen hatte, aber das wäre mir feige vorgekommen. Ich wollte wenigstens persönlich mit ihm sprechen, das war ich ihm schuldig. Ich musste ihm ins Gesicht sagen, dass ich nicht einfach über das hinwegsehen konnte, was da passierte. Ich konnte nicht mit einem Mörder befreundet sein und schweigen, während das Töten weiterging ... Damit würde ich selbst zum Monster werden. Aber es war auch undenkbar, ihn nicht zu warnen. Ich musste alles tun, um ihn zu schützen.

Ich hielt vor dem Haus der Blacks, die Lippen fest zusammengepresst. Es war schlimm genug, dass mein bester Freund ein Werwolf war. Musste er auch noch ein Monster sein?

Das Haus war dunkel, kein Licht hinter den Fenstern, aber es war mir egal, ob ich sie weckte. Mit voller Wucht hämmerte ich mit der Faust an die Tür, das Geräusch hallte von den Wänden zurück.

300

»Herein«, rief Billy kurz darauf, und ein Licht ging an.

Ich drehte den Türknauf, die Tür war unverschlossen. Billy lehnte in der Tür neben der kleinen Küche. Er hatte sich einen Bademantel über die Schultern gelegt, aber er saß noch nicht in seinem Rollstuhl. Als er mich sah, weiteten sich seine Augen kurz, dann wurde seine Miene wieder gleichmütig.

»Guten Morgen, Bella. Was treibt dich so früh her?«

»Hallo, Billy. Ich muss mit Jake reden. Wo ist er?«

»Ähm ... ich weiß nicht genau«, log er mit unbewegter Miene.

»Weißt du, was Charlie heute Morgen macht?«, fragte ich. Ich konnte diese ständigen Ausreden nicht mehr hören.

»Müsste ich das wissen?«

»Er und die Hälfte aller Männer aus der Stadt sind im Wald und machen Jagd auf riesige Wölfe.«

In Billys Gesicht zuckte es, dann guckte er mich wieder unbewegt an.

»Darüber wollte ich mit Jake reden, falls du nichts dagegen hast«, fuhr ich fort.

Billy schürzte die Lippen. »Ich wette, der schläft noch«, sagte er schließlich mit einer Kopfbewegung in Richtung Flur. »Er geht in letzter Zeit immer lange aus. Der Junge muss sich mal ausruhen – ich glaub, du lässt ihn besser schlafen.«

»Überlass das mal mir«, murmelte ich leise, als ich in den Flur ging. Billy seufzte.

Der Flur war nur einen Meter lang, und die einzige Tür führte in Jacobs winzige Kammer. Ohne anzuklopfen, stieß ich die Tür auf, sie knallte gegen die Wand.

Jacob, der immer noch dieselben schwarzen Shorts trug wie bei seinem nächtlichen Besuch bei mir, lag auf dem Doppelbett, das bis auf wenige Zentimeter an den Seiten den ganzen Raum einnahm. Obwohl er diagonal lag, war es nicht lang genug, seine

Füße ragten am einen Ende über den Rand und sein Kopf am anderen. Er schlief tief und fest und schnarchte leise. Bei dem lauten Knall der Tür hatte er noch nicht mal gezuckt.

Im Schlaf war sein Gesicht friedlich und weich, die Wut der letzten Zeit war wie weggewischt. Unter den Augen hatte er Ringe, die mir noch nie aufgefallen waren. Trotz seiner absurden Größe sah er jetzt sehr jung aus und sehr müde. Plötzlich tat er mir leid.

Ich ging wieder aus dem Zimmer und zog die Tür leise hinter mir zu.

Billy starrte mich neugierig und misstrauisch an, als ich langsam wieder ins Wohnzimmer kam.

»Ich glaub, ich lass ihn lieber schlafen.«

Billy nickte, und wir schauten uns einen Augenblick an. Ich hätte ihn liebend gern gefragt, was für eine Rolle er bei der ganzen Geschichte spielte. Wie fand er das, was aus seinem Sohn geworden war? Aber er hatte ja von Anfang an auf Sams Seite gestanden, also nahm er an den Morden wohl keinen großen Anstoß. Ich hatte keine Ahnung, wie er das vor sich selbst rechtfertigte.

In seinen dunklen Augen sah ich, dass auch er viele Fragen an mich hatte, doch auch er sprach sie nicht aus.

»Also«, sagte ich und brach das laute Schweigen, »ich geh für eine Weile runter zum Strand. Wenn Jacob aufwacht, sag ihm, dass ich da auf ihn warte, ja?«

»Ja, klar«, sagte Billy.

Ich wusste nicht, ob er das wirklich tun würde. Aber wenn nicht, hatte ich es immerhin versucht.

Ich fuhr zum First Beach und parkte auf dem leeren unbefestigten Parkplatz. Kein anderer Wagen stand dort. Es war immer noch dunkel – die trübe Zeit vor dem Sonnenaufgang an einem bewölkten Tag –, und als ich die Scheinwerfer ausschaltete, konnte man kaum etwas sehen. Ich musste warten, bis meine Augen sich an die Dunkelheit gewöhnt hatten, erst dann fand ich den Weg zum Strand. Es war kälter hier, der Wind pfiff vom schwarzen Wasser, und ich vergrub die Hände tief in den Taschen meiner Winterjacke. Wenigstens regnete es nicht mehr.

Ich ging am Uferdamm entlang hinunter zum Strand. Weder St. James noch die anderen Inseln waren zu sehen, nur die verschwommene Küstenlinie. Vorsichtig ging ich über die Steine und achtete darauf, nicht über das Treibholz zu stolpern.

Ich fand, was ich suchte, bevor ich überhaupt wusste, dass ich danach gesucht hatte. Es erhob sich aus der Dämmerung, als ich nur noch ein paar Meter entfernt war: ein langer, kalkweißer Treibholzbaum, der weit auf den Felsen gestrandet war. Wie die hageren Beine einer riesenhaften, bleichen Spinne streckten sich die Wurzeln zum Wasser hin. Ich war mir nicht sicher, ob es derselbe Baum war, auf dem Jacob und ich gesessen hatten, als wir uns zum ersten Mal unterhielten – ein Gespräch, das den Ausgangspunkt für so viele verwickelte Fäden meines Lebens darstellte –, er befand sich jedenfalls ungefähr an derselben Stelle. Ich setzte mich dorthin, wo ich damals gesessen hatte, und starrte hinaus auf das unsichtbare Meer.

Als ich Jacob gesehen hatte, wie er schlief, so unschuldig und verletzlich, waren meine Abscheu und meine Wut verflogen. Ich konnte immer noch nicht über das hinwegsehen, was da passierte, wie Billy es offenbar tat, aber ich konnte Jacob auch nicht verurteilen. So funktioniert die Liebe nicht, dachte ich. Wenn man jemanden erst mal gernhatte, konnte man ihn nicht mehr nüchtern betrachten. Jacob war mein Freund, ob er nun Menschen umbrachte oder nicht. Und ich wusste nicht, wie ich damit umgehen sollte.

Als ich daran dachte, wie friedlich er geschlafen hatte, verspürte ich einen überwältigenden Drang, ihn zu beschützen. Völlig absurd.

Absurd oder nicht, ich grübelte über sein friedliches Gesicht nach und versuchte eine Antwort zu finden, eine Möglichkeit, ihn zu beschützen, während der Himmel langsam etwas heller wurde.

»Hi, Bella.«

Jacobs Stimme kam aus der Dämmerung, und ich zuckte zusammen. Sie hatte leise, fast schüchtern geklungen, aber ich erschrak trotzdem, weil ich damit gerechnet hatte, dass seine Schritte auf den Steinen mich warnen würden. Ich sah seine Silhouette vor dem nahenden Sonnenaufgang – er sah riesig aus.

»Jake?«

Er stand mehrere Schritte von mir entfernt und trat unsicher von einem Fuß auf den anderen.

»Billy hat mir gesagt, dass du vorbeigekommen bist. Du hast nicht sehr lange gebraucht, was? Ich wusste, dass du es rauskriegst.«

»Ja, jetzt erinnere ich mich wieder an die richtige Geschichte«, flüsterte ich.

Eine lange Weile blieb es still, und obwohl es immer noch zu dunkel war, um gut zu sehen, kribbelte es auf meiner Haut, so als ob er mich prüfend anschaute. Offenbar konnte er meinen Gesichtsausdruck besser erkennen, denn als er wieder sprach, lag plötzlich Wut in seiner Stimme.

»Du hättest auch anrufen können«, sagte er schroff.

Ich nickte. »Ich weiß.«

Jacob begann auf den Steinen auf und ab zu gehen. Wenn ich ganz angestrengt lauschte, konnte ich durch das Geräusch der Wellen hindurch hören, wie seine Füße ganz leise die Steine streiften. Meine Schuhe hatten auf den Steinen geklappert wie Kastagnetten.

»Wieso bist du hergekommen?«, fragte er, ohne in seinem wütenden Schritt zu verharren.

»Ich dachte, es wäre besser, wenn wir uns gegenüberstehen.«
Er schnaubte. »O ja, viel besser.«

»Jacob, ich muss dich warnen …«

»Vor den Rangern und den Jägern? Keine Sorge, das wissen wir schon.«

»Keine Sorge?«, sagte ich ungläubig. »Jake, die sind bewaffnet! Sie stellen Fallen auf und es sind Belohnungen ausgesetzt und …«

»Wir können schon auf uns aufpassen«, knurrte er. Er ging weiter hin und her. »Die kriegen keinen von uns. Sie machen es nur noch schwieriger – sie werden auch bald verschwinden.«

»Jake!«, zischte ich.

»Wieso? Das wird so kommen.«

Meine Stimme war schwach vor Abscheu. »Wie kannst du … das sagen? Du kennst die Leute doch. Charlie ist auch dabei!« Bei dem Gedanken drehte sich mir der Magen um.

Er blieb unvermittelt stehen. »Was sollen wir denn noch tun?«, sagte er.

Die Sonne färbte die Wolken über uns silbrig rosa. Jetzt sah ich seinen Gesichtsausdruck. Zorn lag darin, Enttäuschung und das Gefühl, verraten worden zu sein.

»Kannst du … also, kannst du nicht versuchen, *kein* … Werwolf zu sein?«, flüsterte ich.

Er hob die Hände. »Als ob ich eine Wahl hätte!«, rief er. »Und was würde das auch ändern – wenn du dir Sorgen darum machst, dass Leute verschwinden.«

»Ich verstehe dich nicht.«

Er sah mich wütend an, die Augen schmal, den Mund zu einem Knurren verzerrt. »Weißt du, was mich so sauer macht, dass ich kotzen könnte?«

Ich zuckte vor seiner Feindseligkeit zurück. Er schien eine Antwort zu erwarten, deshalb schüttelte ich den Kopf.

»Du bist so eine Heuchlerin, Bella – da sitzt du und hast Angst vor mir! Ist das etwa gerecht?« Seine Hände bebten vor Zorn.

»Heuchlerin? Was hat es mit Heuchelei zu tun, wenn ich Angst vor einem Monster hab?«

»Bah!« Er stöhnte, presste die zitternden Hände an die Schläfen und kniff die Augen zu. »Weißt du überhaupt, was du da sagst?«

»Wieso?«

Er kam zwei Schritte auf mich zu und beugte sich wutentbrannt über mich. »Tja, tut mir leid, dass ich nicht das *richtige* Monster für dich bin, Bella. Ich bin wohl einfach nicht so cool wie dein Blutsauger, was?«

Ich sprang auf die Füße und starrte wütend zurück. »Nein, bist du nicht!«, rief ich. »Es geht nicht darum, was du *bist*, du Idiot, es geht darum, was du *tust*!«

»Was willst du damit sagen?«, brüllte er, und sein ganzer Körper bebte vor Zorn.

Ich war völlig perplex, als Edwards Stimme mich warnte. »Ganz vorsichtig, Bella«, hörte ich seine Samtstimme sagen. »Provozier ihn nicht zu sehr. Du musst ihn beruhigen.«

Selbst die Stimme in meinem Kopf verstand ich heute nicht.

Ich hörte trotzdem auf sie. Für diese Stimme würde ich alles tun.

»Jacob«, bat ich und versuchte sanft und ruhig zu sprechen. »Musst du denn unbedingt morden, Jacob? Gibt es keinen anderen Weg? Ich meine, wenn Vampire existieren können, ohne Menschen umzubringen, kannst du das dann nicht auch versuchen?«

Mit einem Ruck richtete er sich auf, als hätten meine Worte ihm einen elektrischen Schlag versetzt. Seine Augenbrauen zuckten hoch und seine Augen waren plötzlich weit aufgerissen.

»Menschen umbringen?«, fragte er.

»Was hast du denn gedacht, worüber wir hier reden?«

Jetzt zitterte er nicht mehr. Er schaute mich ungläubig und halb hoffnungsvoll an. »Ich dachte, wir reden über deine Abscheu vor Werwölfen.«

»Nein, Jake, nein. Es geht mir nicht darum, dass du ein … Wolf bist. Damit hab ich kein Problem.« In dem Moment, als ich das sagte, wusste ich, dass es stimmte. Es machte mir wirklich nichts aus, dass er sich in einen großen Wolf verwandelte – er war ja trotzdem Jacob. »Wenn du nur einen Weg finden könntest, niemanden zu verletzen … das macht mich so fertig. Das sind unschuldige Leute, Jake, Leute wie Charlie, und ich kann nicht einfach wegsehen, wenn du …«

»Das ist alles? Wirklich?«, unterbrach er mich und strahlte übers ganze Gesicht. »Du hast bloß Angst, weil ich ein Mörder bin? Das ist der einzige Grund?«

»Ist das nicht Grund genug?«

Er fing an zu lachen.

»Jacob Black, das ist absolut nicht witzig!«

»Ja klar«, sagte er, immer noch glucksend.

Mit einem großen Schritt kam er auf mich zu und umarmte mich so fest, dass ich mir vorkam wie in einem Schraubstock.

»Es macht dir wirklich und wahrhaftig nichts aus, dass ich mich in einen riesigen Hund verwandele?«, jubelte er mir ins Ohr.

»Nein«, keuchte ich. »Keine … Luft … Jake!«

Er ließ mich los und nahm meine Hände. »Ich bin kein Mörder, Bella.«

Ich schaute ihm ins Gesicht, und ich sah, dass er die Wahrheit sagte. Erleichterung durchströmte mich.

»Ehrlich nicht?«, fragte ich.

»Ehrlich nicht«, versprach er feierlich.

Ich schlang die Arme um ihn. Das erinnerte mich an den ersten Tag mit den Motorrädern – aber jetzt war er noch größer und ich kam mir noch mehr wie ein Kind vor.

Genau wie damals strich er mir übers Haar.

»Tut mir leid, dass ich dich Heuchlerin genannt hab«, sagte er.

»Tut mir leid, dass ich dich Mörder genannt hab.«

Er lachte.

Da fiel mir etwas ein, und ich trat einen Schritt zurück, damit ich ihm ins Gesicht sehen konnte. Ängstlich zog ich die Augenbrauen zusammen. »Und was ist mit Sam? Und den anderen?«

Er schüttelte den Kopf und lächelte, als wäre ihm eine große Last von den Schultern genommen. »Natürlich nicht. Weißt du nicht mehr, wie wir uns nennen?«

Das wusste ich noch sehr gut – gerade heute hatte ich noch daran gedacht. »Beschützer?«

»Genau.«

»Aber das verstehe ich nicht. Was geht da im Wald vor? Die verschwundenen Wanderer, das Blut?«

Sofort wurde sein Gesicht ernst und besorgt. »Wir versuchen unsere Arbeit zu tun, Bella. Wir versuchen sie zu beschützen, aber wir kommen immer ein bisschen zu spät.«

»Beschützen wovor? Läuft da im Wald wirklich ein Bär rum?«

»Bella, Schatz, wir beschützen die Menschen nur vor einem – unserem einzigen Feind. Nur deshalb gibt es uns – weil es sie gibt.«

Ich starrte ihn einen Moment verständnislos an, ehe ich plötzlich begriff. Das Blut wich mir aus dem Gesicht, und ein dünner, stummer Schreckensschrei kam mir über die Lippen.

Er nickte. »Ich hätte gedacht, wenigstens du würdest kapieren, was da wirklich abgeht.«

»Laurent«, flüsterte ich. »Er ist immer noch da.«

Jacob blinzelte zweimal, dann legte er den Kopf schief. »Wer ist Laurent?«

Ich versuchte, das Durcheinander in meinem Kopf zu sortieren, bevor ich antwortete. »Du weißt doch – du hast ihn auf der Lichtung gesehen. Du warst da …« Langsam wurde mir alles klar. »Du warst da und hast verhindert, dass er mich umbrachte …«

»Ach, der schwarzhaarige Blutsauger?« Er grinste, ein schmales, wütendes Grinsen. »So hieß er also?«

Ich schauderte. »Was hast du dir dabei gedacht?«, flüsterte ich. »Er hätte dich umbringen können! Jake, du weißt gar nicht, wie gefährlich …«

Er unterbrach mich mit einem erneuten Lachen. »Bella, ein einsamer Vampir ist kein großes Problem für ein Rudel so groß wie unseres. Es war ein Kinderspiel, es hat noch nicht mal richtig Spaß gemacht!«

»Was war ein Kinderspiel?«

»Den Blutsauger zu töten, der dich umbringen wollte. Na ja, das zählt nicht als Mord«, fügte er schnell hinzu. »Vampire zählen nicht als Menschen.«

Ich konnte die Worte nur hauchen. »Du … hast … Laurent … getötet?«

Er nickte. »Wir haben es zusammen gemacht«, korrigierte er.

»Laurent ist tot?«, flüsterte ich.

Seine Miene veränderte sich. »Du bist doch nicht sauer deswegen, oder? Er wollte dich umbringen, er war auf der Jagd, Bella, da waren wir uns sicher, bevor wir zuschlugen. Das weißt du doch, oder?«

»Natürlich. Nein, ich bin nicht sauer, ich bin …« Ich musste mich setzen. Ich taumelte einen Schritt zurück, bis ich den Treibholzbaum an den Waden spürte, dann ließ ich mich darauf nieder. »Laurent ist tot. Er kommt nicht mehr wieder.«

»Du bist nicht wütend? Er war kein Freund von dir oder so?«

»Ein Freund?« Ich starrte ihn an, verwirrt und schwindelig vor Erleichterung. Jetzt sprudelte es aus mir heraus, meine Augen wurden feucht. »Nein, Jake. Ich bin so … so *erleichtert*. Ich dachte, er würde mich finden – jede Nacht hab ich auf ihn gewartet und gehofft, dass er sich mit mir zufriedengeben und Charlie in Ruhe lassen würde. Ich hatte solche Panik, Jacob … Aber wie? Er war doch ein Vampir! Wie habt ihr ihn umgebracht? Er war so stark, so hart, wie Granit …«

Er setzte sich neben mich und legte mir tröstend einen Arm um die Schultern. »Dafür sind wir ja gemacht, Bella. Wir sind auch stark. Hättest du mir doch bloß gesagt, dass du solche Angst hattest. Das war ganz unnötig.«

»Du warst ja nicht da«, murmelte ich gedankenverloren.

»Ach ja, stimmt.«

»Moment mal, Jake – aber ich dachte, du wüsstest Bescheid. Gestern Nacht hast du gesagt, es wär zu gefährlich für dich, in meinem Zimmer zu sein. Da dachte ich, du wüsstest, dass ein Vampir kommen könnte. Hast du das nicht gemeint?«

Einen Augenblick lang sah er verwirrt aus, dann senkte er den Kopf. »Nein, das hab ich nicht gemeint.«

»Was denn dann?«

Er schaute mich schuldbewusst an. »Ich hab nicht gesagt, dass es für *mich* zu gefährlich wäre. Ich dachte an dich.«

»Wie meinst du das?«

Er schaute zu Boden und trat gegen einen Stein. »Es gibt mehr als einen Grund, weshalb ich nicht in deiner Nähe sein sollte, Bella. Zum einen sollte ich dir unser Geheimnis nicht verraten, aber es gibt noch einen anderen Grund. Es könnte gefährlich für *dich* sein. Wenn ich zu wütend werde ... mich zu sehr aufrege ... dann kann es passieren, dass ich dir wehtue.«

Ich dachte lange darüber nach. »Als du vorhin wütend warst ... als ich dich angeschrien hab ... und du gezittert hast ...?«

»Ja.« Er ließ den Kopf noch mehr hängen. »Das war ziemlich blöd von mir. Ich muss lernen, mich besser zu beherrschen. Ich hatte mir geschworen, nicht wütend zu werden, egal, was du sagst. Aber ... es hat mich so aus der Fassung gebracht, dass ich dich verlieren könnte ... dass du es nicht erträgst, was ich bin ...«

»Was würde passieren ... wenn du zu wütend wirst?«, flüsterte ich.

»Dann würde ich mich in einen Wolf verwandeln«, flüsterte er zurück.

»Brauchst du dafür keinen Vollmond?«

Er verdrehte die Augen. »An den Hollywoodfilmen ist nicht viel Wahres dran.« Dann seufzte er und wurde wieder ernst. »Wegen der verschwundenen Leute brauchst du nicht so panisch zu sein, Bella. Wir kümmern uns darum. Und auf Charlie und die anderen passen wir besonders auf – es wird ihnen nichts passieren. Vertrau mir.«

Erst jetzt begriff ich das, was doch auf der Hand lag, was ich sofort hätte kapieren müssen. Aber die Tatsache, dass Jacob und seine Freunde mit Laurent gekämpft hatten, hatte mich so aufgewühlt, dass ich es ganz übersehen hatte. Erst jetzt wurde mir klar, dass er wieder in der Gegenwart sprach.

Wir kümmern uns darum.

Es war nicht vorbei.

»Laurent ist tot«, stieß ich hervor, und mein ganzer Körper wurde eiskalt.

»Bella?«, sagte Jacob erschrocken und berührte meine aschfahle Wange.

»Wenn Laurent seit einer Woche tot ist … dann läuft jetzt jemand anders herum und mordet.«

Jacob nickte und sprach mit zusammengebissenen Zähnen. »Es waren zwei. Wir dachten, seine Gefährtin würde mit uns kämpfen – in unseren Legenden heißt es, dass sie stocksauer werden, wenn man ihre Gefährten umbringt –, aber sie rennt immer weg und kommt dann wieder. Wenn wir rauskriegen könnten, worauf sie aus ist, könnten wir sie uns leichter schnappen. Aber wir werden aus ihr nicht schlau. Sie kommt mal von der einen, mal von der anderen Seite, als ob sie unsere Verteidigung auf die Probe stellen will und nach dem richtigen Weg sucht – aber nach dem richtigen Weg wohin? Was ist ihr Ziel? Sam glaubt, dass sie uns auseinandertreiben will, um ihre Chancen zu verbessern …«

Seine Stimme wurde leiser, bis es sich anhörte, als käme sie durch einen langen Tunnel; ich konnte die einzelnen Wörter nicht mehr verstehen. Meine Stirn wurde schweißnass und mir drehte sich der Magen um.

Schnell wandte ich mich ab und beugte mich über den Baumstamm. Ich würgte vergeblich, mein leerer Magen zog sich vor Angst und Übelkeit zusammen, obwohl nichts darin war, was er hätte hergeben können.

Victoria war hier. Und sie suchte mich. Sie tötete Fremde im Wald. In dem Wald, wo Charlie auf der Jagd war …

In meinem Kopf drehte sich alles.

Hätte Jacob mich nicht bei den Schultern gefasst, wäre ich nach vorn auf die Steine gerutscht. Ich spürte seinen heißen Atem an der Wange. »Bella! Was ist los?«

»Victoria«, stieß ich hervor, sobald die Übelkeitskrämpfe sich so weit gelegt hatten, dass ich wieder sprechen konnte.

In meinem Kopf knurrte Edward wutentbrannt bei dem Namen.

Ich spürte, wie Jacob mich hochhob. Er nahm mich unbeholfen auf seinen Schoß, mein Kopf lag schlaff an seiner Schulter. Er versuchte mich so zu halten, dass ich nicht seitlich wegsackte, und strich mir das schweißnasse Haar aus dem Gesicht.

»Wer?«, fragte Jacob. »Bella, hörst du mich? Bella?«

»Sie war nicht Laurents Gefährtin«, stöhnte ich an seiner Schulter. »Sie waren nur alte Freunde …«

»Brauchst du Wasser? Einen Arzt? Sag mir, was ich machen soll«, sagte er verzweifelt.

»Ich bin nicht krank – ich hab nur Angst«, flüsterte ich. Angst war gar kein Ausdruck für das, was ich empfand.

Jacob tätschelte mir den Rücken. »Angst vor dieser Victoria?«

Ich nickte schaudernd.

»Victoria ist die Rothaarige?«

Ich zitterte wieder und wimmerte: »Ja.«

»Woher weißt du, dass sie nicht seine Gefährtin war?«

»Laurent hat mir gesagt, dass sie mit James zusammen war«, erklärte ich und spannte automatisch die Hand mit der Narbe an.

Jacob drehte meinen Kopf zu sich herum und hielt mein Gesicht in seiner großen Hand. Er schaute mich eindringlich an.

»Hat er dir noch irgendwas anderes erzählt, Bella? Das ist wichtig. Weißt du, was sie will?«

»Natürlich«, flüsterte ich. »Sie will *mich*.«

Er riss die Augen weit auf und verengte sie dann zu schmalen Schlitzen. »Warum?«, fragte er.

»Edward hat James getötet«, flüsterte ich. Jacob hielt mich so fest, dass mich das Loch nicht zerriss – er sorgte dafür, dass ich ganz blieb. »Sie wurde … stocksauer. Aber Laurent hat gesagt, sie fände es gerechter, mich umzubringen als Edward. Ein Gefährte für den anderen. Sie wusste nicht – und ich schätze, sie weiß immer noch nicht –, dass … dass …« Ich schluckte schwer. »Dass es zwischen uns nicht mehr so ist. Jedenfalls nicht für Edward.«

Das lenkte Jacob einen Moment ab, sein Gesichtsausdruck schwankte zwischen den verschiedensten Empfindungen. »Das war es also? Deshalb sind die Cullens weggezogen?«

»Ich bin ja nur ein Mensch. Nichts Besonderes«, erklärte ich mit einem schwachen Achselzucken.

In Jacobs Brust ertönte so etwas wie ein Knurren – kein echtes Knurren, nur die menschliche Entsprechung. »Wenn der bescheuerte Blutsauger echt so dämlich ist …«

»Bitte«, stöhnte ich. »Bitte nicht.«

Jacob zögerte, dann nickte er.

»Darum geht es ihr also«, sagte er, und seine Miene war jetzt ganz geschäftsmäßig. »Genau das mussten wir wissen. Wir müssen es den anderen sofort sagen.«

Er stand auf und zog mich hoch. Er hielt meine Taille mit beiden Händen umfasst, bis er sicher war, dass ich nicht umkippen würde.

»Mir geht's gut«, log ich.

Er nahm meine Hand. »Komm«, sagte er und zog mich zu meinem Transporter.

»Wo fahren wir hin?«, fragte ich.

»Ich weiß noch nicht genau«, gestand er. »Ich berufe ein Treffen ein. Warte einen Moment hier, ja?« Er lehnte mich an die Seite des Transporters und ließ meine Hand los.

»Wo willst du hin?«

»Bin gleich wieder da«, versprach er. Dann drehte er sich um und rannte über den Parkplatz, über die Straße und in den angrenzenden Wald. Schnell und geschmeidig wie ein Reh sprang er zwischen den Bäumen hindurch.

»Jacob!«, rief ich ihm mit heiserer Stimme nach, aber da war er schon weg.

Es war kein günstiger Moment, um allein gelassen zu werden. Kaum war Jacob außer Sicht, bekam ich auch schon keine Luft mehr. Ich hievte mich in den Wagen und verriegelte ihn sofort von innen. Trotzdem ging es mir nicht besser.

Victoria machte also schon Jagd auf mich. Nur reinem Glück war es zu verdanken, dass sie mich noch nicht gefunden hatte – Glück und fünf jungen Werwölfen. Ich atmete scharf aus. Jacob mochte sagen, was er wollte, die Vorstellung, dass er in Victorias Nähe kam, war entsetzlich. Es war mir egal, worein er sich verwandelte, wenn er wütend wurde. Ich sah sie im Geiste vor mir, mit zornigem Gesicht, flammendem Haar, tödlich, unbesiegbar …

Aber wenn es stimmte, was Jacob sagte, gab es Laurent nicht mehr. Konnte das sein? Edward – ich umschlang automatisch meine Brust – hatte mir erklärt, wie schwierig es war, einen Vampir zu töten. Nur einem anderen Vampir konnte das gelingen. Aber Jake hatte gesagt, Werwölfe seien dafür gemacht …

Er hatte gesagt, sie würden auf Charlie aufpassen – ich sollte darauf vertrauen, dass die Werwölfe meinen Vater beschützten. Aber wie konnte ich mich darauf verlassen? Keiner von uns war in Sicherheit! Am allerwenigsten Jacob, wenn er versuchte, sich zwischen Victoria und Charlie zu stellen … zwischen Victoria und mich …

Ich hatte das Gefühl, als könnte ich mich schon wieder übergeben.

Als es laut an die Scheibe klopfte, schrie ich erschrocken auf – aber es war nur Jacob, der schon zurück war. Erleichtert, mit zitternden Fingern öffnete ich die Tür.

»Du hast wirklich Angst, was?«, sagte er, als er einstieg.

Ich nickte.

»Brauchst du aber nicht. Wir passen auf dich auf – und auf Charlie auch. Versprochen.«

»Die Vorstellung, du könntest Victoria finden, ist noch schrecklicher als die Vorstellung, dass sie mich finden könnte«, flüsterte ich.

Er lachte. »Ein bisschen mehr Vertrauen musst du schon in uns haben. Das ist ja eine Beleidigung.«

Ich schüttelte nur den Kopf. Ich hatte schon zu viele Vampire in Aktion gesehen.

»Wo warst du denn gerade?«, fragte ich.

Er schob die Lippen vor und sagte nichts.

»Ist es ein Geheimnis?«

Er runzelte die Stirn. »Eigentlich nicht. Es ist aber ziemlich schräg. Ich will dir keine Angst einjagen.«

»Ach, weißt du, ich bin inzwischen einiges Schräge gewohnt.« Ich versuchte zu lächeln, aber es wollte nicht recht gelingen.

Jacob grinste ohne Anstrengung zurück. »Ja, das kann ich mir vorstellen. Also gut. Weißt du, wenn wir Werwölfe sind, dann können wir … einander hören.«

Ich zog verwirrt die Augenbrauen zusammen.

»Keine Geräusche«, fuhr er fort. »Wir hören ... Gedanken, die Gedanken der anderen Werwölfe, egal, wie weit wir voneinander entfernt sind. Bei der Jagd ist das sehr praktisch, aber ansonsten ist es total lästig. Es ist peinlich – man hat überhaupt keine Geheimnisse. Abgefahren, oder?«

»Hast du das gestern Nacht gemeint, als du gesagt hast, du würdest ihnen erzählen, dass du dich mit mir getroffen hast, auch wenn du das gar nicht willst?«

»Du kapierst aber schnell.«

»Danke.«

»Und es macht dir nichts aus?«

»Es ist nicht ... na ja, du bist nicht der Erste, den ich kenne, der das kann. So schräg kommt es mir also gar nicht vor.«

»Echt? Warte mal – redest du von deinen Blutsaugern?«

»Ich kann es nicht leiden, wenn du sie so nennst.«

Er lachte. »Na gut. Dann also die Cullens?«

»Nur ... nur Edward.« Ich legte mir heimlich einen Arm um die Brust.

Jacob sah überrascht aus – unangenehm überrascht. »Ich dachte, das wären bloß Legenden. Ich hab Geschichten über Vampire gehört, die ... besondere Fähigkeiten hatten, aber ich dachte, das wären nur Märchen.«

»Gibt es überhaupt noch irgendwas, das nur ein Märchen ist?«, fragte ich bitter.

Seine Miene verfinsterte sich. »Wahrscheinlich nicht. Okay, wir treffen uns jetzt mit Sam und den anderen an der Stelle, wo wir immer Motorrad fahren.«

Ich ließ den Transporter an und fuhr wieder auf die Straße.

»Hast du dich denn gerade in einen Wolf verwandelt, um mit Sam zu reden?«, fragte ich neugierig.

Jacob nickte, es schien ihm peinlich zu sein. »Ich hab es ganz kurz gemacht – ich hab versucht, nicht an dich zu denken, damit sie nicht wissen, was los ist. Ich hatte Angst, Sam würde mir verbieten, dich mitzubringen.«

»Das hätte mich nicht zurückgehalten.« Für mich war Sam immer noch der Böse. Sobald ich seinen Namen hörte, biss ich die Zähne zusammen.

»Aber mich hätte es zurückgehalten«, sagte Jacob jetzt missmutig. »Weißt du noch, wie ich gestern die Sätze nicht beenden konnte? Wie ich die Geschichte nicht zu Ende erzählen konnte?«

»Ja. Du sahst aus, als müsstest du würgen.«

Er lachte finster in sich hinein. »Ja. So ungefähr. Sam hatte mir verboten, es dir zu erzählen. Er ist … der Anführer des Rudels, weißt du. Er ist das Alphatier. Wenn er uns etwas befiehlt oder verbietet und es ihm ernst damit ist, dann müssen wir auf ihn hören.«

»Schräg«, murmelte ich.

»Und wie«, sagte er. »Das ist eben typisch für Wölfe.«

»Hm«, machte ich, mehr fiel mir dazu nicht ein.

»Ja, da gibt es eine ganze Menge, was man als Wolf lernen muss. Ich weiß noch lange nicht alles. Ich kann mir nicht vorstellen, wie es für Sam gewesen sein muss, als er ganz allein damit dastand. Es ist schon schlimm genug, wenn man das durchmacht und dabei ein ganzes Rudel als Unterstützung hat.«

»Sam war allein?«

»Ja.« Jacob senkte die Stimme. »Als ich mich … verwandelt habe, war es das Schrecklichste, das Entsetzlichste, was ich je erlebt hatte – schlimmer als alles, was ich mir hätte vorstellen können. Aber ich war nicht allein – da waren die Stimmen in meinem Kopf, die mir sagten, was passiert war und was ich tun sollte. Sonst hätte ich bestimmt den Verstand verloren. Sam dagegen …« Er schüttelte den Kopf. »Sam hatte keine Hilfe.«

Das änderte einiges. Wenn Jacob die Sache so erklärte, war es schwer, kein Mitleid mit Sam zu empfinden. Ich musste mich immer wieder daran erinnern, dass es keinen Grund mehr gab, ihn zu hassen.

»Sind die wohl sauer, wenn du mich mitbringst?«, fragte ich.

Er schnitt eine Grimasse. »Wahrscheinlich.«

»Vielleicht ist es besser, wenn ich nicht …«

»Nein, das geht in Ordnung«, versicherte er mir. »Du weißt zig Sachen, die uns helfen können. Du bist ja nicht irgendein ahnungsloser Mensch. Du bist so eine Art … ich weiß nicht, eine Spionin oder so. Du warst hinter den feindlichen Linien.«

Ich runzelte die Stirn. Das wollte Jacob von mir? Sollte ich ihnen Insiderinformationen liefern, damit sie ihre Feinde vernichten konnten? Doch ich war keine Spionin. Ich hatte die Informationen nicht gezielt gesammelt. Nach seinen Worten kam ich mir jetzt schon vor wie eine Verräterin.

Aber ich wollte doch, dass er Victoria das Handwerk legte, oder?

Nein.

Natürlich wollte ich, dass ihr das Handwerk gelegt wurde, vorzugsweise bevor sie mich zu Tode folterte oder Charlie in die Klauen bekam oder einen weiteren Wanderer. Aber ich wollte nicht, dass Jacob derjenige war, der ihr das Handwerk legte oder es auch nur versuchte. Jacob sollte nicht mal auf hundert Kilometer in ihre Nähe kommen.

»Wie das mit dem Blutsauger, der Gedanken lesen kann«, sagte er in meine Überlegungen hinein. »So was müssen wir wissen. So ein Mist, dass an diesen Geschichten was dran ist. Das verkompliziert die Sache. Sag mal, glaubst du, diese Victoria hat auch irgendwelche besonderen Fähigkeiten?«

»Ich glaube nicht.« Ich zögerte, dann seufzte ich. »Das hätte er bestimmt erwähnt.«

»Er? Ach so, du meinst Edward – oh, entschuldige. Das hatte ich vergessen. Du sagst seinen Namen ja nicht gern. Und hörst ihn auch nicht gern.«

Ich schlang die Arme um die Brust und versuchte, das Pochen in der Wunde zu ignorieren. »Ja, stimmt.«

»Tut mir leid.«

»Woher kennst du mich so gut, Jacob? Manchmal ist es, als könntest du *meine* Gedanken lesen.«

»Nein. Ich bin nur aufmerksam.«

Jetzt waren wir auf der kleinen unbefestigten Straße, wo Jacob mir damals das Motorradfahren beigebracht hatte.

»Aber so aufmerksam?«

»Ja, klar.«

Ich fuhr an den Straßenrand und schaltete den Motor aus.

»Du bist immer noch ziemlich unglücklich, oder?«, sagte er leise.

Ich nickte und starrte in den finsteren Wald, ohne etwas zu sehen.

»Hast du nie gedacht, dass du so vielleicht … besser dran bist?«

Ich atmete langsam ein und ließ den Atem dann herausströmen. »Nein.«

»Denn er war ja nicht der beste …«

»Bitte, Jacob«, flüsterte ich. »Können wir bitte aufhören, darüber zu reden? Ich halte das nicht aus.«

»Okay.« Er holte tief Luft. »Tut mir leid, dass ich davon angefangen hab.«

»Du brauchst dich nicht zu entschuldigen. Wenn die Dinge anders lägen, wäre es schön, endlich mal mit jemandem darüber zu sprechen.«

Er nickte. »Ja, ich fand es schon schwer, mein Geheimnis zwei Wochen vor dir zu bewahren. Es muss die Hölle sein, wenn man mit *gar keinem* reden kann.«

»Ja, es ist die Hölle«, sagte ich.

Jacob atmete scharf ein. »Sie sind hier. Komm.«

»Soll ich wirklich?«, fragte ich, während er seine Tür öffnete. »Vielleicht ist es besser, wenn ich nicht dabei bin.«

»Damit kommen die schon klar«, sagte er und grinste. »Wer hat Angst vorm bösen Wolf?«

»Ha, ha«, sagte ich. Aber dann stieg ich aus und lief schnell vorn um den Wagen herum, um nah bei Jacob zu sein. Ich erinnerte mich nur zu gut an die riesigen Monster auf der Wiese. Meine Hände zitterten wie zuvor Jacobs, aber nicht vor Wut, sondern vor Angst.

Jake nahm meine Hand und drückte sie. »Auf geht's.«

Wie eine Familie

Ich lehnte mich an Jacob, während ich den Blick auf der Suche nach den anderen Werwölfen in den Wald schweifen ließ. Als sie hinter den Bäumen hervorkamen, waren sie nicht das, was ich erwartet hatte. Ich hatte immer noch das Bild der Wölfe im Kopf gehabt. Jetzt waren sie nur vier sehr große halbnackte Jungs.

Wieder erinnerten sie mich an Brüder, an Vierlinge. Ihre Bewegungen, als sie sich auf der anderen Straßenseite aufstellten, waren beinahe synchron; sie hatten alle die gleichen langen, gewölbten Muskeln unter der rostbraunen Haut, das gleiche kurzgeschnittene schwarze Haar, und selbst ihre Mimik änderte sich zeitgleich.

Anfangs sahen sie neugierig und abwartend aus. Als sie mich entdeckten, wie ich mich halb hinter Jacob versteckte, wurden sie alle im selben Moment wütend.

Sam war immer noch der Größte, obwohl Jacob ihn schon fast eingeholt hatte. Sam ging eigentlich nicht mehr als Junge durch. Sein Gesicht war älter – nicht in dem Sinn, dass er Falten hätte oder gealtert aussähe, aber es war reifer, ein abgeklärter Ausdruck lag darin.

»Was ist passiert, Jacob?«, wollte er wissen.

Einer der anderen, die ich nicht kannte – Jared oder Paul –, drängte sich an Sam vorbei und platzte heraus, ehe Jacob die Sache erklären konnte.

»Warum kannst du dich nicht an die Regeln halten, Jacob?«, schrie er. »Was denkst du dir bloß dabei? Ist sie wichtiger als alles andere – als der ganze Stamm? Als die Leute, die umgebracht werden?«

»Sie kann uns helfen«, sagte Jacob ruhig.

»Helfen!«, rief der wütende Junge. Seine Arme fingen an zu zittern. »O ja, ganz bestimmt! Wahrscheinlich kann das Vampirliebchen es gar nicht erwarten, uns zu helfen!«

»Sprich nicht so über sie!«, rief Jacob.

Ein Schaudern durchfuhr den anderen Jungen, lief über seine Schultern und seinen Rücken herunter.

»Paul! Ganz ruhig!«, befahl Sam.

Paul schüttelte den Kopf hin und her, nicht aus Trotz, sondern als ob er versuchte, sich zu konzentrieren.

»Mensch, Paul«, murmelte einer der anderen Jungen, vermutlich Jared. »Reiß dich mal zusammen.«

Paul ließ den Kopf zu ihm herumfahren und fletschte verärgert die Zähne. Dann wanderte sein Blick zu mir. Jacob stellte sich vor mich.

Das gab den Ausschlag.

»Ja, nimm sie nur in Schutz!«, brüllte Paul außer sich. Noch ein Schaudern, ein Zucken durchfuhr seinen Korper. Er warf den Kopf zurück, und jetzt kam ein richtiges Brüllen aus seiner Kehle.

»Paul!«, riefen Jacob und Sam gleichzeitig.

Paul schien vornüberzufallen, er bebte heftig. Kurz bevor er den Boden berührte, ertönte ein lautes, scharfes Reißen, und der Junge explodierte.

Dunkelsilbernes Fell platzte aus ihm heraus und verschmolz zu einer Gestalt, die mehr als fünfmal so groß war wie er – eine monströse Gestalt, geduckt, sprungbereit.

Der Wolf bleckte die Zähne, und wieder erhob sich ein Knurren in seiner gewaltigen Brust. Der Blick seiner dunklen, zornigen Augen war auf mich gerichtet.

Im selben Moment rannte Jacob über die Straße und direkt auf das Monster zu.

»Jacob!«, schrie ich.

Mitten im Lauf wurde auch Jacob plötzlich geschüttelt. Mit dem Kopf voran sprang er in die Luft.

Wieder war ein scharfes Reißen zu hören, und jetzt explodierte auch Jacob. Er platzte aus seiner Haut – schwarze und weiße Stofffetzen flogen in die Luft. Die Verwandlung ging so schnell vor sich, dass ich sie, hätte ich nur einmal geblinzelt, nicht mitbekommen hätte. Jacob war in der Luft, und im nächsten Moment war er schon der riesige rostbraune Wolf – so riesig, dass ich mir nicht vorstellen konnte, wie er in Jacobs Körper passen sollte.

Er ging geradewegs auf den anderen Werwolf los. Wie Donnergrollen hallte ihr wütendes Knurren von den Bäumen wider.

Dort, wo Jacob verschwunden war, flatterten die schwarzen und weißen Stofffetzen, die Reste seiner Kleidung, zu Boden.

»Jacob!«, schrie ich wieder und taumelte vorwärts.

»Bleib, wo du bist, Bella«, befahl Sam. Bei dem Gebrüll der kämpfenden Wölfe konnte ich ihn kaum verstehen. Sie schnappten und bissen, sie versuchten mit ihren scharfen Zähnen die Kehle des anderen zu erwischen. Der Jacob-Wolf schien überlegen zu sein, er war deutlich größer als der andere und anscheinend auch stärker. Immer wieder rammte er die Schulter gegen den grauen Wolf und stieß ihn zurück in den Wald.

»Bringt sie zu Emily«, rief Sam den anderen zu, die den

Kampf gespannt verfolgten. Jacob hatte den grauen Wolf von der Straße gedrängt und sie verschwanden im Wald, doch ihr Knurren war immer noch laut zu hören. Sam lief hinter ihnen her und kickte im Laufen seine Schuhe fort. Als er in den Wald rannte, zitterte er am ganzen Leib.

Das Knurren und Beißen entfernte sich. Plötzlich verstummten die Geräusche und auf der Straße war es ganz still.

Einer der Jungen prustete los.

Ich starrte ihn an – meine Augen waren weit aufgerissen und fühlten sich so starr an, als könnte ich gar nicht mehr blinzeln.

Offenbar lachte der Junge über meinen Gesichtsausdruck. »Na, so was kriegst du wohl nicht alle Tage zu sehen«, kicherte er. Er kam mir entfernt bekannt vor – er hatte ein schmaleres Gesicht als die anderen ... Embry Call.

»Ich schon«, grummelte Jared. »Tagtäglich.«

»Ach was, Paul kriegt doch nicht jeden Tag einen Wutanfall«, widersprach Embry, immer noch grinsend. »Höchstens an zwei von drei Tagen.«

Jared hob etwas Weißes vom Boden auf. Er hielt es hoch und zeigte es Embry, in schlappen Streifen hing es von seiner Hand herab.

»Total zerfetzt«, sagte Jared. »Billy hat gesagt, das ist das letzte Paar, das er sich leisten kann – jetzt muss Jacob wohl barfuß laufen.«

»Der hier hat überlebt«, sagte Embry und hob einen weißen Turnschuh hoch. »Jake muss eben auf einem Bein hüpfen«, fügte er lachend hinzu.

Jared sammelte verschiedene Stofffetzen auf. »Nimm Sams Schuhe mit, ja? Alles Übrige kann in den Müll.«

Embry nahm die Schuhe, dann lief er dorthin, wo Sam im Wald verschwunden war. Kurz darauf kam er mit einer abgeschnittenen Jeans überm Arm zurück. Jared sammelte die zerrissenen Überbleibsel von Jacobs und Pauls Sachen ein und knüllte sie zusammen. Erst jetzt schien ihm wieder einzufallen, dass ich auch noch da war.

Er betrachtete mich prüfend.

»Du wirst doch nicht ohnmächtig oder übergibst dich oder so?«, wollte er wissen.

»Ich glaub nicht«, stieß ich hervor.

»Du siehst nicht so gut aus. Setz dich lieber mal hin.«

»Okay«, murmelte ich. Zum zweiten Mal an diesem Morgen legte ich den Kopf zwischen die Knie.

»Jake hätte uns warnen sollen«, beschwerte sich Embry.

»Er hätte seine Freundin nicht hierherbringen dürfen. Was hat er sich dabei gedacht?«

»Tja, jetzt ist der Wolf aus dem Sack.« Embry seufzte. »Da kommt noch einiges auf dich zu, Jake.«

Ich hob den Kopf und starrte die beiden Jungen an, die das alles offenbar so locker nahmen. »Macht ihr euch gar keine Sorgen um die beiden?«, fragte ich.

Embry blinzelte überrascht. »Wieso sollten wir uns denn Sorgen machen?«

»Sie könnten sich doch gegenseitig verletzen!«

Embry und Jared lachten schallend.

»Ich hoffe, Paul kriegt ein bisschen was von ihm ab«, sagte Jared. »Das würde ihm ganz recht geschehen.«

Ich wurde blass.

»Ja, ganz bestimmt!«, rief Embry. »Hast du Jake denn nicht gesehen? Selbst Sam hätte sich nicht so im Flug verwandeln können. Er hat gesehen, dass Paul die Beherrschung verlor, und er hat – wie lange? – eine halbe Sekunde gebraucht, um ihn anzugreifen. Der Junge ist begnadet.«

»Paul kämpft aber schon länger. Ich wette zehn Dollar, dass er ihn verwundet.«

»Die Wette gilt. Jake ist ein Naturtalent. Paul hat keine Chance.«

Grinsend reichten sie sich die Hand.

Ich versuchte mich damit zu beruhigen, dass sie sich keine Sorgen machten, aber das brutale Bild der kämpfenden Werwölfe ließ sich nicht verscheuchen. Mir drehte sich der Magen um, der sich wund und leer anfühlte, ich hatte Kopfschmerzen vor Sorge.

»Los, wir gehen zu Emily. Sie hat bestimmt was zu essen für uns.« Embry schaute zu mir herab. »Kannst du uns mitnehmen?«

»Klar«, stieß ich mühsam hervor.

Jared zog eine Augenbraue hoch. »Vielleicht ist es besser, wenn du fährst, Embry. Sie sieht immer noch so aus, als ob sie sich jeden Moment übergibt.«

»Gute Idee. Wo ist der Schlüssel?«, fragte Embry.

»Steckt.«

Embry öffnete die Beifahrertür. »Rein mit dir«, sagte er fröhlich, hob mich mit einer Hand hoch und verfrachtete mich auf den Sitz. Er taxierte den verbleibenden Platz. »Du musst hinten rein«, sagte er zu Jared.

»Kein Problem. Ich hab sowieso einen schwachen Magen. Ich will nicht dadrin sein, wenn sie loskotzt.«

»Ich glaub nicht, dass sie so zimperlich ist. Schließlich gibt sie sich mit Vampiren ab.«

»Fünf Dollar?«, fragte Jared.

»Abgemacht. Ich hab aber ein schlechtes Gewissen, wenn ich dich so abzocke.«

Embry stieg ein und ließ den Motor an, während Jared behände auf die Ladefläche sprang. Kaum waren wir allein, sagte Embry leise zu mir: »Bitte nicht kotzen, ja? Ich hab nur zehn Dollar, und wenn Paul Jacob erwischt hat ...«

»Okay«, flüsterte ich.

Embry fuhr zurück zum Dorf.

»Hey, wie hat Jake es überhaupt geschafft, die Anordnung zu umgehen?«

»Die ... was?«

»Ähm, den Befehl. Du weißt schon, nichts auszuplaudern. Wie hat er es dir erzählt?«

»Ach so«, sagte ich und dachte daran, wie Jake letzte Nacht versucht hatte, die Wahrheit herauszuwürgen. »Er hat es mir nicht erzählt. Ich hab es erraten.«

Embry schürzte die Lippen, er sah überrascht aus. »Hmm. Ja, das geht wohl.«

»Wohin fahren wir?«, fragte ich.

»Zu Emily. Sie ist Sams Freundin ... oder mittlerweile ist sie wohl seine Verlobte. Die anderen kommen dann nach, wenn Sam ihnen für das, was gerade passiert ist, eins auf den Deckel gegeben hat. Und wenn Paul und Jake ein paar neue Klamotten aufgetrieben haben, falls Paul überhaupt noch welche hat.«

»Weiß Emily ...?«

»Ja. Und he, starr sie nicht an. Sonst wird Sam sauer.«

Ich runzelte die Stirn. »Wieso sollte ich sie anstarren?«

Embry schien sich nicht wohl in seiner Haut zu fühlen. »Du hast ja gerade selbst gesehen, dass man gefährlich lebt, wenn man sich mit Werwölfen abgibt.« Er wechselte schnell das Thema. »Es macht dir doch nichts aus, was wir mit dem schwarzhaarigen Blutsauger auf der Lichtung gemacht haben, oder? Es hat nicht so ausgesehen, als wärst du mit ihm befreundet, aber ...« Embry zuckte die Achseln.

»Nein, ich war nicht mit ihm befreundet.«

»Ein Glück. Wir wollen keinen Streit anfangen, du weißt schon, nicht den Vertrag brechen.«

»Ach ja, vor ewigen Zeiten hat Jake mir mal von einem Vertrag erzählt. Wieso brecht ihr den Vertrag, wenn ihr Laurent umbringt?«

»Laurent«, wiederholte er und schnaubte, als fände er es lustig, dass der Vampir einen Namen hatte. »Na ja, genau genommen befanden wir uns im Revier der Cullens. Außerhalb unseres Gebiets dürfen wir keinen von ihnen angreifen, jedenfalls keinen Cullen, es sei denn, sie brechen den Vertrag als Erste. Wir wussten nicht, ob der Schwarzhaarige ein Verwandter von ihnen war oder so. Es sah so aus, als ob du ihn kanntest.«

»Wie können sie den Vertrag brechen?«

»Indem sie einen Menschen beißen. Jake war nicht scharf darauf, es so weit kommenzulassen.«

»Ach so. Ähm, danke, dass ihr nicht gewartet habt.«

»War uns ein Vergnügen.« Es klang so, als meinte er das ganz wörtlich.

Embry fuhr an dem letzten Haus an der Landstraße vorbei und bog dann in einen schmalen Schotterweg ein. »Dein Transporter ist aber eine lahme Ente«, bemerkte er.

»Tut mir leid.«

Am Ende des Weges stand ein winziges Haus, das irgendwann einmal grau gewesen war. Neben der verwitterten blauen Tür war nur ein einziges kleines Fenster, aber der Blumenkasten darunter war voller leuchtender Ringelblumen in Orange und Gelb, die dem Haus etwas Fröhliches gaben.

Embry öffnete die Wagentür und schnupperte. »Mmm, Emily kocht.«

Jared sprang von der Ladefläche und ging zur Tür, aber Embry hielt ihn auf. Er schaute mich bedeutungsvoll an und räusperte sich.

»Ich hab meine Brieftasche grad nicht dabei«, sagte Jared.

»Macht nichts. Ich werd's mir merken.«

Sie gingen die eine Stufe zum Haus hoch und marschierten, ohne anzuklopfen, hinein. Zaghaft folgte ich ihnen.

Wie in Billys Haus gab es auch hier eine kleine Wohnküche. Eine junge Frau mit seidiger, kupferfarbener Haut und langen, glatten, rabenschwarzen Haaren stand an der Anrichte neben der Spüle. Sie nahm große Muffins aus einer Dose und legte sie auf einen Pappteller. Einen Augenblick lang dachte ich, Embry hätte mir gesagt, ich sollte Emily nicht anstarren, weil sie so schön war.

Dann fragte sie mit melodischer Stimme: »Habt ihr Hunger?«, und drehte sich zu uns herum, ein Lächeln auf der einen Gesichtshälfte.

Die rechte Gesichtshälfte war vom Haaransatz bis zum Kinn von drei dicken Narben entstellt. Obwohl sie längst verheilt waren, waren sie immer noch rot. Eine Narbe zog ihr rechtes Auge, dunkel und mandelförmig, am Augenwinkel nach unten, eine andere verzerrte die rechte Seite ihres Mundes zu einer ständigen Grimasse.

Ich war heilfroh, dass Embry mich gewarnt hatte, und guckte schnell auf die Muffins in ihren Händen. Sie dufteten herrlich – nach frischen Blaubeeren.

»Oh«, sagte Emily überrascht. »Wer ist das denn?«

Ich schaute auf und versuchte mich auf ihre linke Gesichtshälfte zu konzentrieren.

»Bella Swan«, sagte Jared und zuckte die Achseln. Offensichtlich hatten sie schon über mich gesprochen. »Wer sonst?«

»Dann hat Jacob es also doch irgendwie hingekriegt«, murmelte sie. Sie starrte mich an, und keine der Hälften ihres einst schönen Gesichts war freundlich. »Du bist also das Vampirmädchen.«

Ich merkte, wie ich mich versteifte. »Ja. Und du bist das Wolfsmädchen?«

Sie lachte, ebenso wie Embry und Jared. Die linke Hälfte ihres Gesichts taute auf. »So kann man es sagen.« Sie wandte sich zu Jared. »Wo ist Sam?«

»Bella, ähm, hat Paul heute Morgen überrascht.«

Emily verdrehte das gesunde Auge. »Ach, Paul«, seufzte sie. »Glaubst du, sie bleiben lange weg? Ich wollte gerade mit den Eiern anfangen.«

»Keine Sorge«, sagte Embry. »Falls sie sich verspäten, sorgen wir schon dafür, dass nichts verkommt.«

Emily lachte in sich hinein, dann öffnete sie den Kühlschrank. »Das glaub ich sofort«, sagte sie. »Bella, hast du Hunger? Nimm dir doch einen Muffin.«

»Danke.« Ich nahm mir einen und begann daran zu knabbern. Er schmeckte köstlich, und es tat gut, etwas in den angegriffenen Magen zu bekommen. Embry nahm sich den dritten und schob ihn ganz in den Mund.

»Lass deinen Brüdern auch ein paar«, mahnte Emily und schlug ihm leicht mit einem Holzlöffel auf den Kopf. Das Wort »Brüder« überraschte mich, aber die anderen schienen sich nicht zu wundern.

»Fresssack«, sagte Jared.

Ich lehnte mich an die Anrichte und beobachtete die drei, die sich neckten, als wären sie eine Familie. Emilys Küche sah freundlich und hell aus, mit weißen Schränken und hellen Holzdielen. Auf dem kleinen runden Tisch stand ein angesprungener blauweißer Porzellankrug, der übervoll mit Wildblumen war. Embry und Jared schienen sich hier ganz zu Hause zu fühlen.

Emily verrührte eine gigantische Menge Eier, mehrere Dutzend, in einer großen gelben Schüssel. Sie hatte die Ärmel ihres lavendelfarbenen T-Shirts hochgeschoben, und ich sah, dass die Narben über ihren rechten Arm bis zum Handrücken liefen. Embry hatte Recht, wenn man sich mit Werwölfen abgab, lebte man wirklich gefährlich.

Die Haustür ging auf und Sam kam herein.

»Emily«, sagte er, und in seiner Stimme lag so viel Liebe, dass ich mich schämte und mir wie ein Eindringling vorkam, als er mit einem Schritt den Raum durchmaß und ihr Gesicht in seine großen Hände nahm. Er beugte sich zu ihr herab und küsste die dunklen Narben auf ihrer rechten Wange, bevor er ihre Lippen küsste.

»He, lass das gefälligst sein«, beschwerte sich Jared. »Ich esse.«

»Dann iss und halt die Klappe«, sagte Sam und küsste wieder Emilys entstellten Mund.

»Bah!«, stöhnte Embry.

Das hier war schlimmer als jeder romantische Film, es war so echt, dass es jubelte vor Freude und Leben und wahrer Liebe. Ich legte den Muffin hin und verschränkte die Arme vor der leeren Brust. Ich starrte auf die Blumen und versuchte ihr Glück und das entsetzliche Pochen meiner Wunden auszublenden.

Als Jacob und Paul hereinkamen, war ich dankbar für die Ablenkung, und gleichzeitig völlig irritiert, als ich sah, dass sie lachten. Paul boxte Jacob in die Schulter und Jacob konterte mit einem Nierenschlag. Sie lachten wieder. Beide waren offenbar heil geblieben.

Jacob schaute sich um, bis er mich sah – allein und unbeholfen in der hintersten Ecke der Küche.

»Hi, Bella«, sagte er vergnügt. Auf dem Weg zu mir schnappte er sich zwei Muffins vom Tisch. »Tut mir leid wegen vorhin«, sagte er leise. »Wie geht's dir?«

»Ganz gut, keine Sorge. Die Muffins sind lecker.« Ich nahm meinen Muffin wieder und knabberte daran. Kaum war Jacob an meiner Seite, tat es in meiner Brust nicht mehr so weh.

»O nein!«, jammerte Jared plötzlich.

Ich schaute auf, und er und Embry inspizierten gerade einen verblassenden rosa Kratzer auf Pauls Unterarm. Embry grinste frohlockend.

»Fünfzehn Dollar!«, brüllte er.

»Warst du das?«, flüsterte ich Jacob zu, als mir die Wette wieder einfiel.

»Ich hab ihn kaum berührt. Bis Sonnenuntergang ist davon nichts mehr zu sehen.«

»Bis Sonnenuntergang?« Ich betrachtete den Kratzer auf Pauls Arm. Komisch, er sah aus, als wäre er schon mehrere Wochen alt.

»Das ist typisch für Wölfe«, flüsterte Jacob.

Ich nickte und versuchte, nicht verstört auszusehen.

»Bei dir alles in Ordnung?«, fragte ich leise.

»Ich hab keinen Kratzer abgekriegt.« Er sah ziemlich selbstgefällig aus.

»He, Jungs«, rief Sam mit lauter Stimme, und alle in dem kleinen Raum verstummten. Emily stand am Herd und schob ihre Eiermischung in einer großen Pfanne herum, aber Sams Hand lag noch immer an ihrer Hüfte. »Jacob hat Neuigkeiten für uns.«

»Ich weiß jetzt, was die Rothaarige will«, sagte Jacob an Jared und Embry gerichtet. »Das wollte ich euch vorhin schon erzählen.« Er trat gegen den Stuhl, auf den Paul sich gesetzt hatte.

»Und?«, fragte Jared.

Jacobs Miene wurde ernst. »Sie will tatsächlich ihren Gefährten rächen – aber das war gar nicht der schwarzhaarige Blutsauger, den wir getötet haben. Die Cullens haben letztes Jahr ihren Gefährten um die Ecke gebracht, und jetzt ist sie hinter Bella her.«

Obwohl das für mich nichts Neues war, zitterte ich.

Jared, Embry und Emily starrten mich mit offenem Mund an.

»Sie ist doch nur ein Mädchen«, protestierte Embry.

»Ich hab nicht behauptet, dass es logisch ist. Aber das ist der Grund, weshalb sie versucht hat, an uns vorbeizukommen. Sie wollte nach Forks.«

Sie starrten mich immer noch mit offenem Mund an, eine ganze Weile. Ich duckte mich.

»Na super«, sagte Jared schließlich, und seine Mundwinkel verzogen sich zu einem Lächeln. »Damit hätten wir einen Köder.«

Mit verblüffender Geschwindigkeit schnappte Jacob sich einen Dosenöffner von der Anrichte und zielte damit auf Jareds Kopf. Blitzschnell fuhr Jareds Hand hoch, und er fing den Dosenöffner gerade noch, bevor er im Gesicht getroffen wurde.

»Bella ist keine Beute.«

»Du weißt, was ich meine«, sagte Jared unerschrocken.

»Dann ändern wir also unsere Strategie«, sagte Sam, ohne auf ihr Gezänk einzugehen. »Wir lassen ein paar Schlupflöcher und gucken, ob sie drauf reinfällt. Wir müssen uns dann zwar aufteilen, und das gefällt mir nicht. Aber wenn sie wirklich hinter Bella her ist, wird sie wahrscheinlich nicht versuchen, das auszunutzen.«

»Quil wird wohl sehr bald zu uns stoßen«, murmelte Embry.

»Dann können wir uns in zwei gleich große Gruppen aufteilen.«

Alle senkten den Blick. Ich schaute Jacob ins Gesicht, und er sah so verzweifelt aus wie gestern Nachmittag. Hier in dieser fröhlichen Küche schienen sie mit ihrem Schicksal im Reinen zu sein, doch keiner der Werwölfe wünschte seinem Freund dasselbe.

»Na, darauf wollen wir uns lieber nicht verlassen«, sagte Sam leise, dann sprach er in normaler Lautstärke weiter: »Paul, Jared und Embry übernehmen das äußere Gelände, Jacob und ich das innere. Wenn wir sie gestellt haben, kommen wir alle zusammen.«

Emily gefiel es offensichtlich nicht, dass Sam in der kleineren Gruppe war. Als ich ihre Unruhe bemerkte, schaute ich zu Jacob und machte mir auch Sorgen.

Sam fing meinen Blick auf. »Jacob meint, dass es am besten ist, wenn du dich so viel wie möglich hier in La Push aufhältst. Nur für alle Fälle. Hier wird sie dich nicht so leicht finden.«

»Und was ist mit Charlie?«, fragte ich.

»Das Basketballturnier ist immer noch im Gang«, sagte Jacob. »Da dürften Billy und Harry es hinkriegen, dass Charlie die meiste Zeit hier ist, wenn er nicht arbeitet.«

»Moment mal«, sagte Sam und hob eine Hand. Sein Blick huschte zu Emily und dann wieder zu mir. »Das ist Jacobs Vorschlag, aber du musst für dich selbst entscheiden. Du solltest die Risiken ganz genau abwägen. Heute Morgen hast du gesehen, wie leicht es hier gefährlich werden kann, wie schnell die Sache aus dem Ruder läuft. Wenn du dich dafür entscheidest, bei uns zu bleiben, kann ich nicht für deine Sicherheit garantieren.«

»Ich werde ihr nichts tun«, murmelte Jacob und senkte den Blick.

Sam tat so, als hätte er nichts gehört. »Wenn es irgendeinen anderen Ort gibt, an dem du dich sicher fühlst …«

Ich biss mir auf die Lippe. Wo könnte ich hin, ohne jemand anders in Gefahr zu bringen? Wieder schrak ich davor zurück, Renée in die Sache hineinzuziehen – sie auch in Gefahr zu bringen, nur weil ich Zielscheibe war … »Ich will Victoria nicht irgendwo anders hinlocken«, flüsterte ich.

Sam nickte. »Da hast du Recht. Es ist besser, wenn sie hier ist, wo wir der Sache ein Ende bereiten können.«

Ich zuckte zusammen. Ich wollte nicht, dass Jacob oder einer der anderen Victoria ein Ende bereitete. Ich schaute Jake ins Gesicht – er sah gelassen aus, fast so, wie ich ihn kannte, bevor die Wolfsgeschichte angefangen hatte, und es schien ihn überhaupt nicht zu belasten, dass er auf Vampirjagd gehen sollte.

»Ihr seid doch vorsichtig, oder?«, fragte ich mit einem hörbaren Kloß im Hals.

Die Jungs prusteten erheitert los. Alle lachten mich aus – bis auf Emily. Ich begegnete ihrem Blick, und auf einmal konnte ich in ihrem entstellten Gesicht eine Symmetrie erkennen. Ihr Gesicht war immer noch schön, und es war bewegt von einer Sorge, die noch viel heftiger war als meine. Ich musste den Blick abwenden, ehe die Liebe, die sich hinter dieser Sorge verbarg, mir wieder wehtat.

»Das Essen ist fertig«, verkündete sie dann, und vergessen war die Strategiebesprechung. Die Jungs stürmten an den Tisch – der winzig war und so aussah, als könnten sie ihn jeden Moment zum Einsturz bringen – und verschlangen in Rekordgeschwindigkeit die Eier aus der überdimensionalen Pfanne, die Emily in die Mitte gestellt hatte. Emily aß, wie ich, an die Anrichte gelehnt, um dem Tumult am Tisch zu entgehen, und schaute den Jungs liebevoll zu. Sie waren ihre Familie, das sah man ihr an.

Alles in allem war es ein wenig anders, als ich es von einem Rudel Werwölfe erwartet hätte.

Ich verbrachte den Tag in La Push, größtenteils bei Billy. Er sprach Charlie zu Hause und auf der Wache auf den Anrufbeantworter, und zum Abendessen kam Charlie mit zwei Pizzen an. Es war nur gut, dass er große geholt hatte, denn eine davon aß Jacob ganz allein auf.

Es entging mir nicht, dass Charlie uns beide den ganzen Abend misstrauisch beäugte, vor allem Jacob, der sich so verändert hatte. Er fragte ihn nach seinen Haaren, aber Jacob zuckte nur die Achseln und sagte, so sei es praktischer.

Ich wusste, dass Jacob, sobald Charlie und ich fort waren, wieder losziehen würde – er würde wieder als Wolf herumlaufen, wie er es mit Unterbrechungen schon den ganzen Tag getan hatte. Ständig lagen er und seine »Brüder« auf der Lauer und warteten auf ein Zeichen von Victorias Rückkehr. Aber da sie sie letzte Nacht von den heißen Quellen vertrieben hatten – Jacob zufolge hatten sie sie fast bis nach Kanada gejagt –, musste sie erst einen neuen Vorstoß wagen.

Ich machte mir keine Hoffnung, dass sie aufgeben könnte. So ein Glück hatte ich nicht.

Nach dem Abendessen begleitete Jacob mich zu meinem Transporter und wartete darauf, dass Charlie zuerst losfuhr.

»Du brauchst heute Nacht keine Angst zu haben«, sagte Jacob, während Charlie so tat, als käme er mit seinem Gurt nicht zurecht. »Wir sind im Wald und passen auf.«

»Ich hab keine Angst um mich selbst«, versprach ich.

»Du bist albern. Vampire jagen macht Spaß. Das ist noch das Beste an dem ganzen Schlamassel.«

Ich schüttelte den Kopf. »Ich bin vielleicht albern, aber du bist echt gestört.«

Er kicherte. »Ruh dich mal aus, Bella, Schatz. Du siehst müde aus.«

»Ich werd's versuchen.«

Charlie drückte ungeduldig auf die Hupe.

»Bis morgen«, sagte Jacob. »Komm morgen früh gleich vorbei.«

»Mach ich.«

Ich fuhr voraus, und Charlie fuhr hinter mir her. Ich achtete kaum auf die Scheinwerfer im Rückspiegel. Stattdessen überlegte ich, wo Sam und Jared und Embry und Paul wohl herumliefen. Ich fragte mich, ob Jacob schon zu ihnen gestoßen war.

Als wir zu Hause waren, lief ich schnell zur Treppe, aber Charlie holte mich sofort ein.

»Was ist los, Bella?«, fragte er, bevor ich entwischen konnte. »Ich dachte, Jacob wäre Mitglied in einer Gang und ihr beiden hättet Streit.«

»Wir haben uns wieder vertragen.«

»Und die Gang?«

»Ich weiß nicht – Jungs in dem Alter kann man einfach nicht verstehen. Die sind mir ein Rätsel. Aber ich hab Sam Uley und seine Verlobte kennengelernt, Emily. Sie macht einen netten Eindruck.« Ich zuckte die Schultern. »War wohl alles nur ein Missverständnis.«

Seine Miene veränderte sich. »Ich wusste gar nicht, dass Sam und Emily es jetzt offiziell gemacht haben. Das freut mich. Armes Mädchen.«

»Weißt du, was mit ihr passiert ist?«

»Sie wurde von einem Bären angegriffen, während der Laich-
zeit der Lachse – ein schrecklicher Unfall. Das ist jetzt über ein
Jahr her. Ich hab gehört, dass es Sam unheimlich mitgenommen
hat.«

»Das ist ja furchtbar«, sagte ich. Vor über einem Jahr. Jede
Wette, dass es passiert war, als es nur einen Werwolf in La Push
gab. Ich schauderte bei der Vorstellung, wie Sam sich jedes Mal
fühlen musste, wenn er Emilys Gesicht sah.

In dieser Nacht lag ich lange wach und versuchte die Ereignisse des Tages zu ordnen. Ich rollte den Tag von hinten auf, angefangen beim Abendessen mit Billy, Jacob und Charlie über
den langen Nachmittag bei den Blacks, wo ich ungeduldig auf
Jacobs Auftauchen gewartet hatte, und Emilys Küche bis zu dem
schockierenden Kampf der Werwölfe und dem Gespräch mit
Jacob am Strand …

Ich musste an das denken, was Jacob heute Morgen gesagt
hatte – dass ich eine Heuchlerin sei. Ich wollte mich nicht so sehen – aber machte ich mir da vielleicht nur etwas vor?

Ich rollte mich zusammen. Nein, Edward war kein Mörder.
Selbst in seiner dunkleren Vergangenheit hatte er wenigstens
niemals Unschuldige umgebracht.

Aber wenn es so gewesen wäre? Wenn er sich, während ich
ihn kannte, genauso verhalten hätte wie jeder andere Vampir?
Wenn Menschen im Wald verschwunden wären, genau wie
jetzt? Hätte ich mich dann von ihm ferngehalten?

Ich schüttelte traurig den Kopf. Liebe ist irrational, dachte
ich wieder. Je mehr man jemanden liebte, desto unlogischer
wurde alles.

Ich drehte mich um und versuchte an etwas anderes zu denken – und ich dachte an Jacob und seine Brüder, wie sie durch
die Nacht liefen. Ich schlief ein mit dem Gedanken an die

Wölfe, die mich, unsichtbar im Dunkel der Nacht, vor Gefahren beschützten. Als ich träumte, war ich wieder im Wald, doch ich streifte nicht umher. Ich hielt Emilys vernarbte Hand, während wir in die Schatten starrten und ungeduldig auf die Rückkehr unserer Werwölfe warteten.

Der Druck steigt

Es wurde wieder Frühling in Forks. Als ich am Montagmorgen aufwachte, blieb ich ein paar Sekunden liegen und ließ diese Tatsache auf mich wirken. Letztes Jahr zum Frühlingsanfang war ich auch von einem Vampir gejagt worden. Hoffentlich wurde das nicht zur Tradition.

An das Leben in La Push hatte ich mich bereits gewöhnt. Den Sonntag hatte ich größtenteils am Strand verbracht, während Charlie bei Billy geblieben war. Ich hatte vorgegeben, mit Jacob zusammen zu sein, aber Jacob war die meiste Zeit beschäftigt gewesen, also war ich allein herumgelaufen, damit Charlie keinen Verdacht schöpfte.

Immer wenn Jacob vorbeigekommen war, um nach mir zu sehen, hatte er sich dafür entschuldigt, dass er mich so viel allein ließ. Sein Zeitplan sei nicht immer so chaotisch, aber solange Victoria frei herumlief, waren die Wölfe in Alarmbereitschaft.

Wenn wir zusammen am Strand spazieren gingen, hielt er jetzt immer meine Hand.

Deshalb musste ich darüber nachdenken, was Jared gesagt hatte, dass Jacob »seine Freundin« mitgebracht hätte. So sah es für einen Außenstehenden wohl aus. Solange Jacob und ich wussten, wie es wirklich war, konnten mir solche Sprüche eigentlich egal sein. Und sie wären mir wohl auch egal gewesen, hätte ich nicht gewusst, dass Jacob unsere Beziehung nur allzu gern so gehabt hätte, wie sie sich den anderen darstellte. Aber es fühlte sich gut an, wenn er meine Hand wärmte, und so wehrte ich mich nicht dagegen.

Dienstagnachmittag musste ich arbeiten, und Jacob fuhr mir mit dem Motorrad hinterher, um sicherzugehen, dass ich heil ankam. Das entging Mike natürlich nicht.

»Gehst du mit dem Kleinen aus La Push?«, fragte er mit kaum verhohlenem Groll.

Ich zuckte die Schultern. »Nicht direkt. Aber ich verbringe den größten Teil meiner Zeit mit Jacob. Er ist mein bester Freund.«

Mike kniff die Augen wissend zusammen. »Mach dir nichts vor, Bella. Der Typ ist doch total in dich verknallt.«

»Ich weiß.« Ich seufzte. »Das Leben ist kompliziert.«

»Und Mädchen sind grausam«, sagte Mike leise.

Das kam mir ein bisschen zu einfach vor.

Als Charlie und ich an diesem Abend bei Billy waren, kamen Sam und Emily noch vorbei. Emily brachte einen Kuchen mit, der auch einen härteren Mann als Charlie zum Schmelzen gebracht hätte. Während sie über dieses und jenes plauderten, merkte ich, wie sich Charlies Ressentiments gegen Gangs in La Push, falls er sie je gehegt hatte, in Wohlgefallen auflösten.

Jake und ich verdrückten uns etwas früher, um noch eine Weile für uns zu sein. Wir gingen in seine Werkstatt und setzten uns in den Golf. Jacob legte den Kopf zurück, die Erschöpfung zeichnete sich in seinem Gesicht ab.

»Du brauchst ein bisschen Schlaf, Jacob.«

»Den krieg ich schon irgendwann.«

Er nahm meine Hand. Seine Haut brannte auf meiner.

»Ist das eigentlich typisch für Wölfe?«, fragte ich. »Dass du so heiß bist?«

»Ja. Unsere Körpertemperatur liegt etwas höher als bei normalen Menschen. Zwischen 42 und 43 Grad. Ich friere überhaupt nicht mehr. Ich könnte mich so« – er zeigte auf seinen nackten Oberkörper – »in einen Schneesturm stellen, ohne dass es mir was ausmachen würde. Die Schneeflocken würden sich da, wo ich stehe, in Regentropfen verwandeln.«

»Und dass deine Wunden ganz schnell heilen, ist das auch typisch für euch?«

»Ja, willst du mal sehen? Das ist echt cool.« Er riss die Augen auf und grinste. Er beugte sich über mich zum Handschuhfach und kramte eine Weile darin herum. Dann holte er ein Taschenmesser heraus.

»Nein, das will ich nicht sehen!«, rief ich, als ich begriff, was er vorhatte. »Leg das wieder weg!«

Jacob kicherte, aber er legte das Messer zurück an seinen Platz. »Na gut. Aber es ist trotzdem praktisch, dass unsere Wunden so schnell verheilen. Man kann ja nicht einfach zum Arzt gehen, wenn man eine Körpertemperatur hat, bei der man eigentlich tot sein müsste.«

»Ja, da hast du wohl Recht.« Ich dachte einen Moment darüber nach. »Und dass ihr so groß seid, hat das auch damit zu tun? Macht ihr euch deshalb Sorgen um Quil, weil er so wächst?«

»Ja, und weil sein Großvater gesagt hat, dass man auf Quils Stirn ein Spiegelei braten könnte.« Sofort sah Jacob wieder verzweifelt aus. »Jetzt kann es nicht mehr lange dauern. Es gibt kein bestimmtes Alter … es baut sich immer weiter auf, und auf einmal …« Er brach ab, und es dauerte eine Weile, bis er weitersprechen konnte. »Manchmal kann es vorzeitig ausgelöst werden, wenn man sich wahnsinnig über irgendwas aufregt. Aber ich musste mich über nichts aufregen – ich war *glücklich*.« Er lachte bitter. »Vor allem deinetwegen. Deshalb ist es bei mir nicht eher passiert. Stattdessen hat es sich in meinem Innern immer weiter angestaut – ich war eine wandelnde Zeitbombe. Weißt du, was bei mir der Auslöser war? Ich kam vom Kino nach Hause und Billy sagte, ich sähe merkwürdig aus. Mehr nicht, aber da bin ich ausgerastet. Und dann bin ich … ich bin explodiert. Ich hätte ihm fast das Gesicht zerkratzt – meinem eigenen Vater!« Er schauderte und wurde blass.

»Ist es wirklich so schlimm, Jake?«, fragte ich ängstlich. Ich hätte ihm so gern geholfen.

»Nein, es ist nicht schlimm«, sagte er. »Nicht mehr. Seit du es weißt, ist es viel besser. Vorher war es echt hart.« Er beugte sich zu mir und legte seine Wange auf meinen Kopf.

Er schwieg eine Zeit lang, und ich fragte mich, was er wohl dachte. Vielleicht wollte ich es auch gar nicht wissen.

»Was ist das Schwerste daran?«, flüsterte ich und dachte immer noch, dass ich ihm so gern helfen würde.

»Das Schwerste ist, dass man jederzeit die Beherrschung verlieren kann«, sagte er langsam. »Das Gefühl, meiner selbst nicht sicher zu sein – dass du vielleicht gar nicht in meiner Nähe sein solltest, dass niemand in meiner Nähe sein sollte. Dass ich ein Monster bin, das jemanden verletzen könnte. Du hast ja Emily gesehen. Sam hat nur eine Sekunde die Beherrschung verloren … und sie war ihm zu nah. Und jetzt kann er es nie wiedergutmachen. Ich höre seine Gedanken – ich weiß, wie er sich fühlt … Wer will schon ein Albtraum sein, ein Monster? Und bei mir geht die Verwandlung ja so schnell vor sich, ich kann das besser als die anderen – bin ich deswegen noch weniger menschlich als Embry oder Sam? Manchmal hab ich Angst, mich selbst zu verlieren.«

»Ist das schwer? Sich selbst wiederzufinden?«

»Am Anfang schon«, sagte er. »Man braucht ein wenig Übung, um sich hin- und herzuverwandeln. Aber mir fällt es leichter.«

»Warum?«, fragte ich.

»Weil Ephraim Black der Großvater meines Vaters war und Quil Ateara der Großvater meiner Mutter.«

»Quil?«, fragte ich verwirrt.

»Sein Urgroßvater«, erklärte Jacob. »Der Quil, den du kennst, ist mein Cousin zweiten Grades.«

»Aber was spielt es für eine Rolle, wer deine Urgroßväter waren?«

»Ephraim und Quil waren im letzten Rudel. Der Dritte war Levi Uley. Ich habe es von beiden Seiten im Blut. Ich hatte überhaupt keine Chance. So wie auch Quil keine Chance hat.«

Er sah trostlos aus.

»Und was ist das Beste daran?«, fragte ich, um ihn aufzuheitern.

»Das Beste«, sagte er, und jetzt lächelte er plötzlich wieder, »ist die Geschwindigkeit.«

»Besser als mit dem Motorrad?«

Er nickte begeistert. »Kein Vergleich.«

»Wie schnell kannst du …?«

»Rennen?«, ergänzte er. »Schnell genug. Womit soll ich es vergleichen? Wir haben … wie hieß er noch mal, Laurent? … gefangen. Ich schätze, darunter kannst du dir mehr vorstellen als andere Leute.«

Ja, darunter konnte ich mir etwas vorstellen. Ich konnte es nicht glauben – dass die Wölfe schneller waren als Vampire. Wenn die Cullens rannten, wurden sie unsichtbar, so schnell waren sie.

»Und jetzt erzähl du mir mal was, was *ich* noch nicht weiß«, sagte er. »Über Vampire. Wie hast du das ausgehalten, mit ihnen zusammen zu sein? Hattest du nicht totale Panik?«

»Nein«, sagte ich kurz angebunden.

Mein Ton ließ ihn einen Moment zögern.

»Warum hat dein Blutsauger diesen James eigentlich umgebracht?«, fragte er plötzlich.

»James hatte versucht, mich umzubringen – für ihn war es wie ein Spiel. Aber er hat verloren. Weißt du noch, als ich im letzten Frühjahr in Phoenix im Krankenhaus lag?«

Jacob atmete scharf ein. »So nah ist er dir gekommen?«

»Sehr, sehr nah.« Ich strich über die Narbe. Jacob bemerkte es, weil er die Hand festhielt, die ich bewegte.

»Was ist das? Die komische Narbe, die sich so kalt anfühlt?« Er betrachtete sie genauer, mit neuen Augen, und jetzt stockte ihm der Atem.

»Ja, es ist das, was du denkst«, sagte ich. »Da hat James mich gebissen.«

Seine Augen traten hervor, und sein Gesicht wurde merkwürdig fahl unter der rostbraunen Haut. Er sah aus, als würde ihm schlecht.

»Aber wenn er dich gebissen hat …? Müsstest du dann nicht …?« Er konnte nicht weitersprechen.

»Edward hat mir das Leben gerettet«, flüsterte ich. »Er hat das Gift herausgesaugt – du weißt schon, wie wenn man von einer Klapperschlange gebissen worden ist.« Ich zuckte zusammen, als es in meiner Brust zu pochen begann.

Doch ich war nicht die Einzige, die zusammenzuckte. Neben mir zitterte Jacob am ganzen Körper. Selbst das Auto wackelte.

»Vorsicht, Jake. Ganz ruhig.«

»Ja«, keuchte er. »Ruhig.« Er schüttelte schnell den Kopf hin und her. Kurz darauf zitterten nur noch seine Hände.

»Alles okay?«

»Ja, so gut wie. Erzähl mir irgendwas anderes. Ich muss an was anderes denken.«

»Was willst du wissen?«

»Ich weiß nicht.« Er hatte die Augen geschlossen und versuchte sich zu beruhigen. »Vielleicht was über die besonderen Fähigkeiten. Konnte noch einer von den anderen Cullens so was? Wie das Gedankenlesen?«

Ich zögerte einen Moment. Stellte man so eine Frage nicht eher einer Spionin als einer Freundin? Aber wozu sollte ich verheimlichen, was ich wusste? Es spielte keine Rolle mehr, und ihm würde es helfen, die Selbstbeherrschung wiederzufinden.

Ich sprach schnell, das Bild von Emilys zerstörtem Gesicht im Kopf, Gänsehaut an den Armen. Ich konnte mir nicht vorstellen, wie der rostbraune Wolf in den Golf passen sollte – wenn Jacob sich jetzt verwandelte, würde er die ganze Werkstatt sprengen.

»Jasper konnte ... er konnte sozusagen die Gefühle der Leute um ihn herum kontrollieren. Nicht böswillig, sondern zum Beispiel, um jemanden zu beruhigen. Er wäre Paul bestimmt eine große Hilfe«, stichelte ich matt. »Und Alice konnte in die Zukunft sehen. Aber sie konnte sie nicht mit Gewissheit vorhersagen. Was sie sah, konnte sich verändern, wenn jemand sich doch anders entschied ...«

Wie damals, als sie mich hatte sterben sehen ... oder als sie gesehen hatte, dass ich eine von ihnen wurde. Zwei Dinge, die nicht passiert waren. Und das eine würde nun auch nie passieren. In meinem Kopf drehte es sich – es war, als würde ich nicht mehr genug Sauerstoff bekommen.

Jacob saß jetzt wieder vollkommen ruhig neben mir.

»Warum machst du das?«, fragte er. Er zog leicht an meinem einen Arm, aber als er merkte, dass ich nicht so leicht losließ, gab er auf. Ich hatte noch nicht mal gemerkt, dass ich die Arme um die Brust geschlungen hatte. »Das machst du immer, wenn du dich aufregst. Warum?«

»Es tut weh, an sie zu denken«, flüsterte ich. »Dann ist es, als könnte ich nicht atmen … als würde ich in Stücke zerfallen …« Es war verrückt, wie viel ich Jacob jetzt anvertraute. Wir hatten keine Geheimnisse mehr voreinander.

Er strich mir übers Haar. »Es ist alles gut, Bella, alles gut. Ich fange nicht wieder davon an. Entschuldige.«

»Schon okay.« Ich schnappte nach Luft. »Das passiert andauernd. Du kannst nichts dafür.«

»Wir zwei sind ganz schön fertig, was?«, sagte Jacob. »Immer in der Gefahr, uns zu verlieren.«

»Jämmerlich«, sagte ich, immer noch atemlos.

»Immerhin haben wir uns«, sagte er. Der Gedanke schien ihn zu trösten.

Mich tröstete er auch. »Ja, immerhin«, sagte ich.

Und wenn wir zusammen waren, war alles gut. Aber Jacob hatte eine schreckliche, gefährliche Aufgabe, die er erledigen musste, und deshalb saß ich oft allein in La Push fest, weil es dort sicherer für mich war, und hatte nichts, womit ich mich von meinen Sorgen ablenken konnte.

Es war mir unangenehm, immer bei Billy rumzuhängen. Zuerst lernte ich für eine Matheklausur, die nächste Woche anstand, aber ich konnte nicht unendlich lange Mathe pauken. Als ich nichts Zwingendes mehr zu tun hatte, fühlte ich mich verpflichtet, mich mit Billy zu unterhalten – das verlangte die Höflichkeit. Aber Billy war auch nicht besonders gut darin, etwas zur Unterhaltung beizusteuern, und ich fühlte mich unbehaglich.

Am Mittwoch beschloss ich, zur Abwechslung einmal Emily zu besuchen. Am Anfang war es richtig nett. Emily war ein fröhlicher Mensch, der nie still saß. Ich lief hinter ihr her, während sie in dem kleinen Haus und im Garten herumflitzte, den makellosen Fußboden schrubbte, ein winziges Unkraut auszupfte, ein kaputtes Scharnier reparierte, Wolle in einen alten Webstuhl zog und nebenbei die ganze Zeit kochte. Sie beschwerte sich ein wenig darüber, dass die Jungs jetzt, wo sie so viel herumliefen, noch mehr Hunger hätten, aber ich merkte, dass es ihr im Grunde nichts ausmachte, für sie zu sorgen. Es war angenehm, mit ihr zusammen zu sein – schließlich waren wir jetzt beide Wolfsmädchen.

Aber nach ein paar Stunden kam Sam vorbei. Ich blieb nur, bis ich in Erfahrung gebracht hatte, dass es Jacob gutging und nichts weiter passiert war, dann ergriff ich die Flucht. Die Aura von Liebe und Glück, die die beiden umgab, war noch schwerer zu ertragen, wenn niemand anders dabei war, der sie abschwächte.

Also ging ich am Strand spazieren, hin und her über die Steine, immer wieder.

Das Alleinsein bekam mir nicht. Seit Jacob und ich angefangen hatten, uns alles zu erzählen, hatte ich viel zu viel über die Cullens geredet und viel zu oft an sie gedacht. Ich versuchte mich abzulenken, und es gab vieles, woran ich denken konnte: Ich machte mir schreckliche Sorgen um Jacob und seine Wolfsbrüder, ich hatte Angst um Charlie und die anderen, die sie für Raubtiere hielten, meine Beziehung zu Jacob wurde immer enger, ohne dass ich mich bewusst dafür entschieden hätte, und ich wusste nicht, was ich dagegen machen sollte. Doch keine dieser sehr realen, sehr wichtigen Sorgen konnte auf Dauer den Schmerz in meiner Brust überlagern. Schließlich konnte ich nicht einmal mehr gehen, weil ich keine Luft mehr bekam. Ich setzte mich auf eine Stelle, wo die Steine halbwegs trocken waren, und kauerte mich zusammen.

So fand Jacob mich, und ich sah ihm an, dass er wusste, was los war.

»Tut mir leid«, sagte er, zog mich hoch und umfasste meine Schultern. Erst jetzt merkte ich, dass mir kalt war. Seine Wärme ließ mich erschauern, aber wenigstens konnte ich jetzt wieder atmen.

»Ich verderbe dir die ganzen Frühjahrsferien«, sagte Jacob, als wir zurückgingen.

»Ach was. Ich hatte sowieso nichts vor. Ich glaub, ich mach mir gar nichts aus den Frühjahrsferien.«

»Morgen nehm ich mir frei. Die anderen können mal ohne mich losziehen. Dann unternehmen wir irgendwas, was Spaß macht.«

Das Wort kam mir in meinem jetzigen Leben vollkommen fehl am Platz vor, fast unverständlich. »Spaß?«

»Genau das brauchst du jetzt. Hmmm …« Nachdenklich schaute er über die hohen grauen Wellen. Während er den Blick über den Horizont schweifen ließ, schien ihm plötzlich etwas einzufallen.

»Ich hab's!«, rief er. »Noch ein Versprechen, das ich halten muss.«

»Wovon redest du?«

Er ließ meine Hand los und zeigte zum südlichen Ende des Strandes, wo die flachen Steine an den steilen Klippen endeten. Verständnislos starrte ich dorthin.

»Hatte ich dir nicht versprochen, dass wir zusammen von den Klippen springen?«

Ich schauderte.

»Ja, das wird ziemlich kalt – aber nicht so kalt wie heute. Spürst du, dass sich das Wetter ändert? Morgen wird es wärmer. Bist du bereit?«

Das dunkle Wasser sah nicht sehr einladend aus, und von hier aus wirkten die Klippen sogar noch höher.

Aber es war Tage her, dass ich Edwards Stimme zuletzt gehört hatte. Das war wahrscheinlich ein Teil des Problems. Ich war süchtig nach dem Klang meiner Halluzination. Wenn sie zu lange ausblieb, wurde alles noch schlimmer. Ein Sprung von der Klippe hätte bestimmt den gewünschten Effekt.

»Klar, ich bin dabei. Das wird ein Spaß.«

»Abgemacht«, sagte er und legte mir einen Arm um die Schultern.

»Okay – so, und jetzt musst du mal ein bisschen schlafen.« Die Ringe unter seinen Augen sahen allmählich so aus, als wären sie für immer in die Haut eingebrannt, und das gefiel mir nicht.

Am nächsten Morgen wurde ich früh wach und schmuggelte Wechselklamotten in den Transporter. Mit Sicherheit würde Charlie von dem Plan für den heutigen Tag ungefähr so viel halten wie von der Sache mit den Motorrädern.

Bei der Aussicht auf eine Ablenkung von den vielen Sorgen empfand ich fast so etwas wie Vorfreude. Vielleicht machte die Sache ja wirklich Spaß. Ein Date mit Jacob, ein Date mit Edward … Ich lachte finster in mich hinein. Auch wenn Jake sagte, wir seien beide ganz schön fertig – ich war diejenige, die wirklich fertig war. Im Vergleich zu mir war ein Werwolf geradezu normal.

Ich hatte damit gerechnet, dass Jacob mich vor dem Haus erwarten würde, wie er es sonst immer tat, wenn er meinen Transporter kommen hörte. Als ich ihn nicht sah, dachte ich, er schliefe vielleicht noch. Ich richtete mich darauf ein zu warten – er sollte sich möglichst lange ausruhen. Er hatte dringend Schlaf nötig, und außerdem konnte es so noch ein bisschen wärmer werden. Jacob hatte Recht behalten, das Wetter hatte sich über Nacht geändert. Eine dicke Wolkenschicht drückte schwer auf die Luft, darunter war es warm und stickig. Ich ließ meinen Pullover im Wagen.

Leise klopfte ich an die Tür.

»Komm rein, Bella«, sagte Billy.

Er saß am Küchentisch und aß Cornflakes.

»Schläft Jake noch?«

»Ähm, nein.« Er legte den Löffel zur Seite und zog die Augenbrauen zusammen.

»Was ist los?«, fragte ich. Ich sah ihm an, dass etwas passiert war.

»Embry, Jared und Paul sind heute Morgen auf eine frische Spur gestoßen. Sam und Jake sind hinterher, um zu helfen. Sam war ganz optimistisch – sie haben sie am Rand der Berge in die Enge getrieben. Er glaubt, heute könnte es ihnen gelingen, der Sache ein Ende zu bereiten.«

»O nein, Billy«, flüsterte ich. »O nein.«

Er lachte in sich hinein, ein tiefes, leises Lachen. »Gefällt es dir in La Push etwa so gut, dass du hier noch länger absitzen willst?«

»Mach keine Witze, Billy. Dafür ist die Sache zu gefährlich.«

»Du hast Recht«, sagte er, immer noch belustigt. Der Blick seiner alten Augen war unergründlich. »Es ist eine heikle Sache.«

Ich biss mir auf die Lippe.

»Aber es ist nicht so gefährlich für sie, wie du vielleicht denkst. Sam weiß, was er tut. Mach dir lieber Sorgen um dich selbst. Die Vampirfrau will nicht mit ihnen kämpfen. Sie versucht nur, an ihnen vorbeizukommen – zu dir.«

»Woher will Sam wissen, was er tut?«, fragte ich und wischte seine Sorge um mich beiseite. »Sie haben doch erst einen einzigen Vampir umgebracht – vielleicht war das reines Glück.«

»Wir nehmen das, was wir tun, sehr ernst, Bella. Nichts ist vergessen worden. Alles, was sie wissen müssen, wurde seit Generationen von Vater zu Sohn weitergegeben.«

Das sollte wohl ein Trost sein, aber die Erinnerung an die wilde, katzenhafte, tödliche Victoria war noch zu lebendig. Wenn sie nicht an den Wölfen vorbeikam, würde sie irgendwann versuchen, sie zu überwältigen.

Billy wandte sich wieder seinem Frühstück zu; ich setzte mich aufs Sofa und zappte wahllos durch die Fernsehprogramme. Ich hielt es jedoch nicht lange aus, schon bald fühlte ich mich in dem kleinen Raum eingesperrt und ertrug es nicht, dass ich wegen der Vorhänge nicht einmal zum Fenster hinausschauen konnte.

»Ich gehe zum Strand«, sagte ich unvermittelt zu Billy und verschwand schnell zur Tür hinaus.

Es half nicht so viel, draußen zu sein, wie ich gehofft hatte. Die Wolken drückten mit einem unsichtbaren Gewicht herab, und so blieb das klaustrophobische Gefühl. Auf dem Weg zum Strand kam mir der Wald seltsam verlassen vor. Ich sah keine Tiere, weder Vögel noch Eichhörnchen. Ich hörte auch keine Vögel. Die Stille war unheimlich, nicht einmal der Wind rauschte in den Bäumen.

Ich wusste, dass das alles nur am Wetter lag, aber es machte mich trotzdem nervös. Selbst mit meinen schwachen menschlichen Sinnen spürte ich, dass sich ein größerer Sturm ankündigte. Ein Blick zum Himmel bestätigte dieses Gefühl; die Wolken kreisten träge, obwohl unten kein Wind ankam. Die niedrigsten Wolken waren rauchgrau, aber durch die Lücken hindurch sah ich eine weitere Schicht in schauriges Lila getaucht. Der Himmel hatte heute wilde Pläne. Die Tiere gingen bereits in Deckung.

Sobald ich am Strand ankam, bereute ich es, dort hingegangen zu sein – hier war ich schon allzu oft gewesen. Fast jeden Tag war ich hier allein spazieren gegangen. So viel anders als meine Albträume war das auch nicht. Aber wo sollte ich sonst hin? Ich schlenderte zu dem Treibholzbaum und setzte mich ans Ende, so dass ich mich an die verzweigten Wurzeln anlehnen konnte. Nachdenklich starrte ich zum wütenden Himmel hinauf und wartete darauf, dass die ersten Tropfen die Stille durchbrachen.

Ich versuchte, nicht an die Gefahr zu denken, in der Jacob und seine Freunde schwebten. Denn Jacob durfte einfach nichts zustoßen. Die Vorstellung war unerträglich. Ich hatte schon zu viel verloren – würde das Schicksal mir auch noch das letzte bisschen Frieden nehmen? Das wäre mehr, als ich ertragen könnte. Aber vielleicht hatte ich gegen irgendein ungeschriebenes Gesetz verstoßen, eine Grenze überschritten und war deshalb verdammt. Vielleicht war es ein Fehler, sich so viel mit Mythen und Legenden zu beschäftigen und der menschlichen Welt den Rücken zuzukehren. Vielleicht …

Nein. Jacob würde nichts zustoßen. Daran musste ich glauben, sonst würde ich das nicht überstehen.

»Agrr!«, stöhnte ich und sprang von dem Baumstamm. Ich konnte nicht still sitzen, das war noch schlimmer, als herumzulaufen.

Ich hatte mich so darauf eingestellt, heute Edwards Stimme zu hören. Es war das Einzige, was den Tag erträglich gemacht hätte. Die Wunde hatte in letzter Zeit zu eitern begonnen, als wollte sie sich rächen für die Zeit, in der Jacobs Nähe sie beruhigt hatte. Sie brannte und pochte unaufhörlich.

Während ich hin und her ging, wurde die Brandung stärker, die Wellen brachen sich an den Felsen, aber es gab immer noch keinen Wind. Ich fühlte mich vom Druck des Sturms wie paralysiert. Alles wirbelte um mich herum, aber dort, wo ich stand, war es ganz ruhig. Eine leichte elektrische Spannung lag in der Luft – ich merkte, dass meine Haare statisch aufgeladen waren.

Weiter draußen tobten die Wellen wütender als am Ufer. Ich sah, wie sie gegen die Klippen donnerten. Große weiße Gischtwolken spritzten in den Himmel. Die Luft bewegte sich immer noch nicht, obwohl die Wolken jetzt schon schneller kreisten. Es sah unheimlich aus – als ob sie sich aus eigenem Antrieb bewegten. Ich schauderte, obwohl ich wusste, dass es nur am Luftdruck lag.

Die Klippen lagen wie eine schwarze, gezackte Klinge vor dem bleiernen Himmel. Als ich dort hinaufstarrte, dachte ich an den Tag, als Jacob mir von Sam und seiner Gang erzählt hatte. Ich dachte an die Jungs – die Werwölfe –, wie sie sich in die Tiefe stürzten. Ich hatte das Bild der fallenden, wirbelnden jungen Männer noch genau vor Augen. Ich stellte mir die grenzenlose Freiheit während des Falls vor … Ich stellte mir vor, wie Edwards Stimme geklungen hätte – wütend, samten, traumhaft … Der Schmerz in meiner Brust loderte auf.

Es musste doch möglich sein, ihn zu löschen. Er wurde mit jeder Sekunde unerträglicher. Ich starrte zu den Klippen und den donnernden Wellen.

Nun ja, warum nicht? Warum sollte ich ihn nicht jetzt gleich löschen?

Jacob hatte mir schließlich versprochen, dass wir von den Klippen springen würden. Und nur weil Jacob nicht da war, sollte ich auf die Ablenkung verzichten, die ich so dringend brauchte – umso dringender, gerade weil Jacob sein Leben aufs Spiel setzte? Er setzte es im Wesentlichen für mich aufs Spiel. Wenn ich nicht wäre, würde Victoria nicht hier herumlaufen und morden … sondern irgendwo anders, weit weg. Wenn Jacob irgendwas zustieße, wäre es meine Schuld.

Diese Erkenntnis stach so tief, dass ich zurück zur Straße lief, zu meinem Transporter an Billys Haus.

Wie man zu der Straße an den Klippen kam, wusste ich, doch den kleinen Weg zu dem Felsvorsprung musste ich suchen. Während ich ihn entlangfuhr, hielt ich nach Abzweigungen Ausschau, denn ich wusste, dass Jacob mit mir auf den niedrigeren Felsvorsprung wollte, nicht nach ganz oben. Doch der Weg wand sich in einer einzigen schmalen Spur hoch bis zum Felsrand, ohne dass ich irgendwo hätte abbiegen können. Ich hatte keine Zeit, einen anderen Weg zu suchen – der Sturm kam jetzt rasch auf. Endlich spürte ich den Wind, die Wolken drückten noch stärker herab. In dem Moment, als ich dort ankam, wo der unbefestigte Weg am Felsvorsprung endete, fielen die ersten Tropfen und klatschten mir aufs Gesicht.

Ich brauchte mir gar nicht groß einzureden, ich hätte keine Zeit mehr, den anderen Pfad zu suchen – ich wollte unbedingt von ganz oben springen. Das war das Bild, das ich im Kopf hatte. Ich wollte den langen Fall, das Gefühl zu fliegen.

Ich wusste, dass dies das Dümmste, Waghalsigste war, was ich je gemacht hatte. Bei dem Gedanken musste ich lächeln. Schon ließ der Schmerz nach, als wüsste mein Körper, dass Edwards Stimme nur wenige Sekunden entfernt war …

Das Wasser klang sehr weit weg. Ich verzog das Gesicht, als

ich daran dachte, wie kalt es sein würde. Aber das konnte mich nicht abschrecken.

Der Wind wehte jetzt stärker und peitschte den Regen, so dass er um mich herumwirbelte.

Ich ging an den Felsrand und schaute in das Nichts vor mir. Meine Zehen tasteten sich vor, bis sie den Felsrand spürten. Ich holte tief Luft und hielt den Atem an. Ich wartete.

»Bella.«

Ich lächelte und atmete aus.

Ja? Ich antwortete nicht laut, aus Angst, die schöne Illusion zu zerstören. Er hörte sich so echt an, so nah. Nur wenn er mich tadelte wie jetzt, konnte ich mich richtig an seine Stimme erinnern – an den samtenen Klang und den melodischen Tonfall, die zusammen die schönste Stimme der Welt ausmachten.

»Tu es nicht«, bat er.

Du wolltest doch, dass ich ein Mensch bleibe, erinnerte ich ihn. *Jetzt sieh mich an.*

»Bitte. Mir zuliebe.«

Aber sonst bleibst du ja nicht bei mir.

»Bitte.« Es war nur ein Flüstern in dem peitschenden Regen, der mir die Haare zerzauste und die Kleider durchweichte – ich war so nass, als hätte ich bereits einen Sprung hinter mir.

Ich stellte mich auf die Ballen.

»Nein, Bella!« Jetzt war er wütend, und seine Wut war so wunderbar.

Ich lächelte und streckte die Arme vor, als wollte ich einen Kopfsprung machen. Ich hielt das Gesicht in den Regen. Aber jahrelanges Schwimmen in öffentlichen Schwimmbädern hatte mich geprägt – beim ersten Mal immer mit den Füßen voraus. Ich beugte mich vor, ging in die Knie, um mehr Schwung zu bekommen …

Und dann stieß ich mich von der Klippe.

Als ich wie ein Meteor durch die Luft sauste, schrie ich, aber es war kein Angstschrei, sondern ein Freudenschrei. Der Wind widersetzte sich, versuchte vergebens, die unbesiegbare Schwerkraft zu bekämpfen, schubste mich und wirbelte mich herum, so dass ich mich in einer Spirale nach unten bewegte wie eine Rakete, die auf die Erde kracht.

Ja! Das Wort hallte mir durch den Kopf, als ich die Wasseroberfläche durchschnitt. Es war eisig, kälter, als ich befürchtet hatte, aber die Kälte verstärkte das Hochgefühl noch.

Ich war stolz auf mich, als ich noch tiefer in das eiskalte schwarze Wasser eintauchte. Ich hatte überhaupt keine Panik empfunden – es war das reine Adrenalin. Der Sprung war wirklich überhaupt nicht schlimm. Was war da schon groß dabei?

In diesem Moment wurde ich von der Strömung erfasst.

Ich war so mit den hohen, steilen Klippen beschäftigt gewesen, dass ich an das dunkle Wasser, das auf mich wartete, gar keine Gedanken verschwendet hatte. Ich wäre nie darauf gekommen, dass die eigentliche Gefahr in der Tiefe lauerte, unter der wogenden Oberfläche.

Es fühlte sich an, als würden sich die Wellen um mich streiten. Sie warfen mich hin und her, als wollten sie mich in Stücke reißen und unter sich aufteilen. Theoretisch wusste ich, wie man einem Brandungsrückstrom am besten entkam: immer parallel zum Strand schwimmen und nicht versuchen, ans Ufer zu gelangen. Doch dieses Wissen half wenig, wenn man nicht wusste, wo das Ufer war.

Ich wusste noch nicht einmal, wo oben und unten war.

Das wütende Wasser war in allen Richtungen schwarz, es gab kein Licht, das mich an die Oberfläche geführt hätte. Im Wettstreit mit der Luft war die Schwerkraft mächtig, den Wellen jedoch hatte sie nichts entgegenzusetzen – ich spürte nicht, dass es mich nach unten zog oder dass ich in irgendeine Richtung sank. Nur das Donnern der Strömung, die mich rundherum schleuderte wie eine Stoffpuppe.

Ich zwang mich, die Luft anzuhalten, den Mund nicht zu öffnen, damit das letzte bisschen Sauerstoff nicht entweichen konnte.

Es überraschte mich nicht, wieder Edwards Stimme zu hören. Das war er mir schon schuldig angesichts der Tatsache, dass ich dabei war zu sterben. Was mich überraschte, war die Tatsache, dass ich mir dessen so sicher war. Ich würde ertrinken. Ich ertrank gerade.

»Schwimm weiter!«, flehte Edward eindringlich in meinem Kopf.

Wohin? Um mich herum war nur Finsternis. Ich konnte nirgendwohin schwimmen.

»Reiß dich zusammen!«, befahl er. »Wehe, du gibst jetzt auf!«

Meine Arme und Beine wurden taub vom kalten Wasser. Die Schläge der Wellen spürte ich nicht mehr so sehr wie zuvor. Jetzt war es eher ein Schwindelgefühl, ein hilfloses Herumwirbeln im Wasser.

Aber ich hörte auf ihn. Ich zwang meine Arme, sich zu strecken, zwang meine Beine, fester zu treten, obwohl ich jede Sekunde in eine andere Richtung schaute. Es nützte bestimmt nichts. Wozu sollte das gut sein?

»Du musst kämpfen!«, schrie er. »Verdammt, Bella, kämpf!«

Warum?

Ich wollte nicht mehr kämpfen. Und es lag weder an der Benommenheit noch an der Kälte, noch daran, dass mir die Arme versagten, als meine Muskeln vor Erschöpfung aufgaben. Ich war einfach froh darüber, dass es vorbei war. Diese Art zu sterben war besser als die anderen, denen ich bisher ins Auge geschaut hatte. Sonderbar friedlich.

Die Gewissheit, dass das Ende kommen würde, war tröstlich. Einen Moment lang dachte ich an das Klischee, dass man, bevor man stirbt, das eigene Leben in Sekundenschnelle vorüberziehen sieht. Da hatte ich mehr Glück. Wer wollte schon eine Wiederholung sehen?

Ich sah *ihn*, warum sollte ich da noch kämpfen? Es war so deutlich, so viel schärfer als jede Erinnerung. Mein Unterbewusstsein hatte Edward bis ins kleinste Detail gespeichert und ihn für diesen letzten Augenblick bewahrt. Ich sah sein makelloses Gesicht, als wäre er tatsächlich da, den Ton seiner eisigen Haut, die Form seiner Lippen, die Linie seines Kinns, das goldene Funkeln seiner wütenden Augen. Er war selbstverständlich wütend darüber, dass ich aufgab. Er hatte die Zähne zusammengebissen und seine Nasenlöcher waren vor Zorn gebläht.

»Nein! Nein, Bella!«

Mein Blick war von dem eiskalten Wasser getrübt, aber seine Stimme war deutlicher denn je. Ich achtete nicht auf seine Worte und konzentrierte mich nur auf den Klang seiner Stimme. Warum sollte ich kämpfen, wenn ich doch so glücklich war? Selbst als meine Lunge nach mehr Luft schrie und meine Beine sich in der eisigen Kälte verkrampften, war ich glücklich. Ich hatte vergessen, wie wahres Glück sich anfühlte.

Glück. Das machte das Sterben einigermaßen erträglich.

In diesem Moment siegte die Strömung und drückte mich plötzlich gegen etwas Hartes, einen Felsen, der in der Dunkelheit unsichtbar gewesen war. Er stieß mir hart in die Brust wie eine Eisenstange, der Atem wich zischend aus meiner Lunge und verschwand in einer dicken Wolke aus Silberblasen. Wasser strömte mir in die Kehle, es brannte und würgte mich. Es war, als würde ich weggezogen, weg von Edward und tiefer in die Finsternis, auf den Grund des Ozeans.

Leb wohl, ich liebe dich, war mein letzter Gedanke.

Was wäre wenn?

In diesem Moment stieß ich mit dem Kopf durch die Wasseroberfläche.

Wie verwirrend. Ich war mir so sicher gewesen, dass ich auf den Grund sank.

Die Strömung ließ nicht nach. Wieder warf sie mich gegen die Felsen, sie trafen mich hart im Rücken, immer aufs Neue, pressten mir das Wasser aus der Lunge. Ich spie erstaunliche Mengen aus, reinste Sturzbäche kamen mir aus Mund und Nase. Das Salz brannte und meine Lunge brannte und ich hatte so viel Wasser im Hals, dass ich nicht atmen konnte, und die Felsen taten mir im Rücken weh. Aus irgendeinem Grund wurde ich nicht mehr von den Wellen mitgerissen, obwohl das Wasser um mich herum immer noch toste. Rings um mich her sah ich nichts als Wasser, das mir ins Gesicht schlug.

»Du musst atmen!«, schrie jemand, außer sich vor Angst, und ich spürte einen schmerzhaften Stich, als ich die Stimme erkannte – denn es war nicht Edwards.

Ich konnte unmöglich gehorchen. Der Wasserfall, der aus meinem Mund kam, hörte nie so lange auf, dass ich Luft holen konnte. Meine ganze Brust war von dem schwarzen, eisigen, brennenden Wasser erfüllt.

Wieder rammte mich der Felsen in den Rücken, genau zwischen die Schulterblätter, und ich würgte einen weiteren Wasserschwall aus der Lunge.

»Atmen, Bella! Los!«, flehte Jacob.

Jetzt hatte ich auf einmal schwarze Punkte vor Augen, die immer größer wurden und kein Licht vorbeiließen.

Wieder traf mich der Felsen.

Er war nicht so kalt wie das Wasser, er fühlte sich heiß auf meiner Haut an. Ich merkte, dass es Jacobs Hand war; er versuchte mir das Wasser aus der Lunge zu schlagen. Auch die Eisenstange war … warm gewesen … Mir schwirrte der Kopf, die schwarzen Punkte überlagerten alles …

Starb ich denn schon wieder? Aber diesmal war es gar nicht so angenehm wie letztes Mal. Hier war es nur dunkel, es gab nichts Schönes zu sehen. Das Geräusch der sich brechenden Wellen wurde zu einem ruhigen, gleichmäßigen Rauschen, das sich so anhörte, als käme es aus …

»Bella?«, sagte Jacob. Er klang immer noch nervös, aber nicht mehr so verzweifelt wie vorhin. »Bella, Schatz, hörst du mich?«

In meinem Kopf sauste und drehte sich alles schwindelerregend, als wäre ich immer noch im Wasser …

»Wie lange war sie bewusstlos?«, fragte jemand anders.

Die Stimme, die nicht Jacob gehörte, schreckte mich auf, schärfte meine Wahrnehmung.

Ich merkte, dass ich mich nicht mehr bewegte. Die Strömung zog nicht länger an mir – das Rauschen und Schwanken war nur in meinem Kopf. Die Fläche unter mir war flach und unbewegt. Sie fühlte sich körnig an meinen nackten Armen an.

»Ich weiß nicht«, sagte Jacob, immer noch voller Sorge. Seine Stimme war ganz nah. Hände – so warm, dass es nur seine sein konnten – strichen mir nasse Haare von den Wangen. »Ein paar

Minuten vielleicht. Es hat nicht lange gedauert, sie an den Strand zu schleppen.«

Das leise Rauschen in meinen Ohren waren nicht die Wellen – es war die Luft, die wieder durch meine Lunge strömte. Bei jedem Atemzug brannte es – mein Hals war so rau, als hätte ich ihn mit Stahlwolle gescheuert. Aber ich atmete.

Und ich fror. Unzählige scharfe, eisige Perlen strichen mir über Gesicht und Arme und machten die Kälte noch schlimmer.

»Sie atmet. Sie kommt schon durch. Aber wir müssen sie aus der Kälte schaffen. Gefällt mir gar nicht, wie ihre Haut sich verfärbt ...« Jetzt erkannte ich Sams Stimme.

»Meinst du, wir können sie bewegen?«

»Sie hat sich beim Fall doch nicht am Rücken verletzt, oder?«

»Ich weiß nicht.«

Sie zögerten.

Ich versuchte die Augen zu öffnen. Es dauerte einen Moment, aber dann sah ich die dunkellila Wolken, aus denen der kalte Regen auf mich niederprasselte. »Jake?«, krächzte ich.

Jacobs Gesicht schob sich vor den Himmel. »Oh!«, stieß er hervor, und er sah erleichtert aus. Seine Augen waren regennass. »Oh, Bella! Wie geht es dir? Hörst du mich? Hast du Schmerzen?«

»N-nur im Ha-Hals«, stammelte ich. Meine Lippen bebten vor Kälte.

»Na, dann bringen wir dich hier mal weg«, sagte Jacob. Er schob die Arme unter meinen Körper und hob mich ohne Anstrengung hoch – wie eine leere Schachtel. Seine Brust war nackt und warm; er beugte sich vor, um mich vor dem Regen zu schützen. Mein Kopf lehnte schlaff an seinem Arm. Ich starrte teilnahmslos zurück auf das wütende Wasser, das den Sand hinter Jacob peitschte.

»Hast du sie?«, fragte Sam.

»Ja, jetzt schaff ich's allein. Du kannst wieder zum Krankenhaus fahren. Ich komme später nach. Danke, Sam.«

In meinem Kopf drehte sich immer noch alles. Im ersten Moment begriff ich nichts von dem, was Jacob gesagt hatte. Sam antwortete nicht und ich fragte mich, ob er wohl schon weg war.

Als Jacob mich forttrug, wirbelte das Wasser den Sand hinter uns auf, als wäre es wütend darüber, dass ich entkommen war. Als ich so ins Leere starrte, meinte ich plötzlich einen Farbspritzer zu sehen – einen Moment lang tanzte eine kleine Flamme auf dem schwarzen Wasser. Das war verrückt, und ich fragte mich, ob ich überhaupt richtig bei Bewusstsein war. Mir schwirrte immer noch der Kopf von der Erinnerung an das schwarze, strudelnde Wasser, in dem ich so orientierungslos gewesen war, dass ich nicht mehr wusste, wo oben und unten war. Vollkommen orientierungslos … aber irgendwie hatte Jacob …

»Wie hast du mich gefunden?«, krächzte ich.

»Ich hab dich gesucht«, sagte er. Er rannte jetzt fast durch den Regen, den Strand hinauf zur Straße. »Ich hab die Reifenspuren verfolgt, bis ich deinen Transporter gefunden hatte, und dann hörte ich dich schreien …« Er schauderte. »Warum bist du gesprungen, Bella? Hast du nicht gemerkt, dass ein Orkan aufkam? Hättest du nicht auf mich warten können?« Jetzt, da die Anspannung nachließ, wurde er wütend.

»Tut mir leid«, murmelte ich. »Das war dämlich.«

»Ja, das war echt dämlich«, sagte er, und als er nickte, flogen Regentropfen aus seinem Haar. »Kannst du die dämlichen Sachen nicht lieber machen, wenn ich dabei bin? Wenn ich ständig damit rechnen muss, dass du hinter meinem Rücken von irgendwelchen Klippen springst, kann ich mich nicht konzentrieren.«

»Okay«, sagte ich. »Kein Problem.« Ich hatte eine Stimme wie ein Kettenraucher. Ich versuchte mich zu räuspern – und zuckte vor Schmerzen zusammen, denn es fühlte sich so an, als würde man mir mit einem Messer in die Kehle stechen. »Was ist heute passiert? Habt ihr … sie gefunden?« Jetzt war es an mir zu schaudern, obwohl ich nicht mehr so fror, weil er mich mit seinem glühend heißen Körper wärmte.

Jacob schüttelte den Kopf. Er rannte immer noch, als er die Straße zu seinem Haus hochlief. »Nein. Sie ist ins Wasser geflüchtet – dort sind die Blutsauger uns überlegen. Deshalb bin ich zum Strand gerannt – ich hatte Angst, sie könnte plötzlich zurückschwimmen. Du verbringst so viel Zeit dort allein …« Er verstummte, seine Stimme stockte.

»Sam ist mit dir gekommen … sind die anderen auch alle wieder da?«

»Ja. So gut wie.«

Ich versuchte seine Miene zu entschlüsseln und blinzelte in den trommelnden Regen. Sein Blick war starr vor Sorge und Schmerz.

Jetzt erst begriff ich die Worte, die er vorhin zu Sam gesagt hatte. »Du hast … was vom Krankenhaus gesagt. Ist jemand verletzt? Hat sie euch angegriffen?« Meine Stimme sprang eine Oktave höher, was sich bei meiner Heiserkeit merkwürdig anhörte.

»Nein, nein. Als wir wiederkamen, hatte Emily schlechte Nachrichten für uns. Es ist Harry Clearwater. Er hatte heute Morgen einen Herzinfarkt.«

»Harry?« Ich schüttelte den Kopf und versuchte die Worte zu verarbeiten. »O nein! Weiß Charlie es schon?«

»Ja. Er ist auch dort, zusammen mit meinem Vater.«

»Kommt Harry durch?«

Jacobs Blick wurde wieder starr. »Im Moment sieht es nicht so rosig aus.«

Plötzlich hatte ich so ein schlechtes Gewissen, dass mir ganz elend wurde. Ich bereute diesen hirnlosen Sprung von der Klippe zutiefst. Um mich sollte sich jetzt wirklich niemand Sorgen machen. Einen idiotischeren Zeitpunkt hätte ich mir für meine waghalsige Aktion kaum aussuchen können.

»Was kann ich tun?«, fragte ich.

In diesem Moment hörte es auf zu regnen. Wir gingen schon durch die Tür, ehe ich merkte, dass wir bei Jacob zu Hause angelangt waren. Der Sturm toste gegen das Dach.

»Du kannst hierbleiben«, sagte Jacob, als er mich auf das kleine Sofa legte. »Das meine ich wörtlich – genau hier. Ich hole dir trockene Klamotten.«

Während Jacob in seinem Zimmer herumkramte, wartete ich, bis meine Augen sich an die Dunkelheit im Raum gewöhnt hatten. Ohne Billy wirkte das vollgestopfte Wohnzimmer so leer, fast verlassen. Es hatte etwas merkwürdig Unheilvolles – wahrscheinlich nur, weil ich wusste, wo er war.

Kurz darauf kam Jacob zurück. Er warf mir einen Stapel grauer Baumwollsachen zu. »Die sind dir garantiert viel zu groß, aber was Besseres hab ich nicht. Ich, äh, ich geh dann mal vor die Tür, damit du dich umziehen kannst.«

»Bitte geh nicht. Ich bin noch zu schlapp, um mich umzuziehen. Bleib einfach hier bei mir.«

Jacob setzte sich auf den Boden neben mich und lehnte sich mit dem Rücken ans Sofa. Ich fragte mich, wann er wohl zuletzt geschlafen hatte. Er sah genauso erschöpft aus, wie ich mich fühlte.

Er legte den Kopf neben meinen und gähnte. »Ich könnte mich jetzt gut eine Weile ausruhen …«

Die Augen fielen ihm zu. Ich ließ meine auch zufallen.

Armer Harry. Arme Sue. Ich wusste, dass Charlie außer sich sein würde. Harry war einer seiner besten Freunde. Obwohl Jake die Lage so schlimm dargestellt hatte, hoffte ich inständig, dass Harry durchkam. Für Charlie. Für Sue und Leah und Seth …

Billys Sofa stand direkt an der Heizung, und trotz der nassen Sachen war mir warm. Meine Lunge tat schrecklich weh, trotzdem konnte ich mich kaum wach halten. Ich fragte mich kurz, ob es wohl ein Fehler war zu schlafen … oder galt das nicht für Ertrinken, sondern für Gehirnerschütterung? Jacob fing leise zu schnarchen an, und das Geräusch wirkte beruhigend wie ein Schlaflied. Schnell döste ich weg.

Zum ersten Mal seit langem hatte ich einen ganz normalen Traum. Nur eine verschwommene Wanderung durch alte Erinnerungen – blendend helle Eindrücke von der Sonne in Phoenix, das Gesicht meiner Mutter, ein wackliges Baumhaus, eine verwaschene Decke, eine Wand mit Spiegeln, eine Flamme auf dem schwarzen Wasser … Sobald ein neues Bild kam, war das vorige vergessen.

Allein das letzte Bild blieb mir im Gedächtnis haften. Es war unbedeutend – nur ein Bühnenbild. Ein Balkon bei Nacht, ein gemalter Mond, der am Himmel stand. Ich sah, wie das Mädchen im Nachthemd an der Brüstung lehnte und mit sich selbst redete.

Unbedeutend … aber als ich langsam wieder erwachte, hatte ich Julia im Kopf.

Jacob schlief noch, er war auf den Boden gesackt und atmete tief und gleichmäßig. Im Haus war es jetzt noch dunkler als zuvor, draußen war es völlig schwarz geworden. Ich war steif, aber warm und fast trocken. Bei jedem Atemzug brannte es in meinem Hals.

Ich musste aufstehen, und sei es nur, um etwas zu trinken. Aber mein Körper wollte nur schlaff liegen bleiben und sich nie wieder bewegen.

Also dachte ich stattdessen noch ein bisschen über Julia nach.

Ich überlegte, was sie wohl gemacht hätte, wenn Romeo sie verlassen hätte, nicht weil er verbannt war, sondern weil er das Interesse verloren hätte. Wenn Rosalind ihn nicht ignoriert und er seine Meinung geändert hätte. Wenn er, anstatt Julia zu heiraten, einfach verschwunden wäre.

Ich glaubte zu wissen, wie es Julia ergangen wäre.

Sie wäre nicht einfach zur Tagesordnung übergegangen. Sie hätte ihn nicht vergessen, da war ich mir sicher. Selbst wenn sie alt und grau geworden wäre, hätte sie immer Romeos Bild vor Augen gehabt. Und am Ende hätte sie sich damit abgefunden.

Ich fragte mich, ob sie letztlich wohl Paris geheiratet hätte, ihren Eltern zuliebe, um des lieben Friedens willen. Nein, wahrscheinlich nicht, dachte ich. Aber in der Geschichte erfuhr man auch nicht viel über Paris. Er war nur ein Platzhalter, eine Bedrohung, jemand, der sie zum Handeln zwang.

Aber wenn an Paris mehr dran gewesen ware? Wenn er Julias Freund gewesen wäre? Ihr allerbester Freund? Wenn er der Einzige gewesen wäre, dem sie die entsetzliche Geschichte mit Romeo anvertrauen konnte? Der Einzige, der sie verstand und der ihr wieder das Gefühl gab, halbwegs menschlich zu sein? Wenn er geduldig und freundlich wäre? Sich um sie kümmerte? Wenn Julia wüsste, dass sie ohne ihn nicht überleben könnte? Wenn er sie wirklich lieben würde und sie glücklich sehen wollte?

Und ... wenn sie Paris nun liebte? Nicht wie Romeo. Nicht

im Entferntesten, nein. Aber doch so sehr, dass sie ihn auch glücklich sehen wollte?

Jacobs langsamer, tiefer Atem war das einzige Geräusch im Zimmer – wie ein Schlaflied, das man einem Kind vorsummte, wie das Flüstern eines Schaukelstuhls, wie das Ticken einer alten Uhr … So klang Trost.

Wenn Romeo wirklich fortgegangen und nie wiedergekommen wäre, hätte es dann eine Rolle gespielt, ob Julia Paris' Antrag angenommen hätte? Vielleicht hätte sie versuchen sollen, sich in dem bisschen Leben, das ihr geblieben war, einzurichten. Vielleicht wäre das ihre letzte Chance gewesen, doch noch so etwas Ähnliches wie Glück zu finden.

Ich seufzte, und dann stöhnte ich, als der Seufzer im Hals kratzte. Ich interpretierte zu viel in die Geschichte hinein. Romeo hatte seine Meinung nicht geändert. Deshalb war sein Name unvergessen und für immer mit ihrem verwoben: Romeo und Julia. Deshalb war es eine gute Geschichte. »Julia wird verlassen und tröstet sich mit Paris« wäre kein Bestseller geworden.

Ich schloss die Augen und ließ mich wieder treiben, ließ die Gedanken von dem blöden Stück abschweifen, an das ich nicht mehr denken wollte. Stattdessen dachte ich über die Wirklichkeit nach – darüber, dass ich von der Klippe gesprungen war und wie hirnrissig das gewesen war. Und nicht nur der Sprung von der Klippe, auch das mit den Motorrädern. Wenn mir nun etwas zugestoßen wäre! Wie wäre es Charlie dann gegangen? Harrys Herzinfarkt hatte alles in ein anderes Licht gerückt. Ich wollte die Dinge lieber nicht in diesem neuen Licht sehen, weil das – wenn ich ehrlich war – hieße, dass ich mein Verhalten ändern musste. Könnte ich so leben?

Vielleicht. Es würde nicht einfach sein. Es wäre sogar ganz

schrecklich, meine Halluzinationen aufzugeben und zu versuchen, mich wie ein erwachsener Mensch zu benehmen. Aber vielleicht sollte ich das tun. Und vielleicht konnte ich es auch. Wenn ich Jacob hatte.

Ich konnte diese Entscheidung nicht sofort treffen. Es tat zu weh. Ich musste an etwas anderes denken.

Bilder meines unbesonnenen Sprungs am Nachmittag gingen mir durch den Kopf ... das Gefühl während des Falls, das schwarze Wasser, die tosende Brandung ... Edwards Gesicht ... an dieser Stelle verharrte ich lange. Jacobs warme Hände, als er versuchte, wieder Leben in mich hineinzupumpen ... der stechende Regen, der aus lilafarbenen Wolken kam ... die seltsame Flamme auf den Wellen ...

Dieser Farbblitz auf dem Wasser war mir irgendwie bekannt vorgekommen. Natürlich konnte es kein richtiges Feuer gewesen sein ...

Meine Gedanken wurden vom Geräusch eines Autos unterbrochen, das sich draußen durch den Matsch kämpfte. Ich hörte, wie es vor dem Haus hielt und wie Türen aufgingen und wieder zugeschlagen wurden. Ich überlegte, ob ich mich aufsetzen sollte, entschied mich aber dagegen.

Billys Stimme war leicht zu erkennen, aber er sprach ungewöhnlich leise, so dass nur ein ernstes Gemurmel zu hören war.

Die Tür ging auf und das Licht wurde eingeschaltet. Ich blinzelte, im ersten Moment konnte ich nichts sehen. Jake schrak aus dem Schlaf auf, keuchte und sprang auf die Füße.

»Entschuldigung«, brummte Billy. »Haben wir euch geweckt?«

Langsam erfasste mein Blick sein Gesicht, und als ich den Ausdruck darin sah, füllten sich meine Augen mit Tränen.

»O nein, Billy!«, stöhnte ich.

Er nickte langsam, das Gesicht versteinert vor Trauer. Jake ging zu ihm und nahm ihn bei der Hand. Der Schmerz ließ Billys Gesicht plötzlich kindlich erscheinen.

Sam stand direkt hinter Billy und schob den Rollstuhl durch die Tür. Sein Gesicht war schmerzverzerrt, und von seiner üblichen Gelassenheit war nichts zu spüren.

»Es tut mir so leid«, flüsterte ich.

Billy nickte. »Das wird für alle sehr schwer.«

»Wo ist Charlie?«

»Dein Vater ist noch mit Sue im Krankenhaus. Es muss eine Menge … geregelt werden.«

Ich schluckte schwer.

»Ich fahre lieber wieder zurück«, murmelte Sam und verschwand schnell zur Tür hinaus.

Billy entzog Jacob seine Hand und fuhr durch die Küche in sein Zimmer.

Jacob starrte ihm eine Weile nach, dann setzte er sich wieder neben mich auf den Boden. Er schlug die Hände vors Gesicht. Ich rieb seine Schulter, ich hätte so gern irgendwas Tröstliches gesagt.

Nach einer langen Zeit nahm Jacob meine Hand und legte sie an seine Wange.

»Wie geht es dir? Alles in Ordnung? Ich hätte dich eigentlich zum Arzt fahren müssen.« Er seufzte.

»Mach dir um mich keine Sorgen«, krächzte ich.

Er wandte den Kopf und schaute mich an. Seine Augen waren rot gerändert. »Du siehst aber nicht so gut aus.«

»Mir geht's auch nicht so gut.«

»Ich hol deinen Wagen und fahr dich nach Hause – wenn Charlie kommt, musst du zu Hause sein.«

»Ja, das ist wahr.«

Während ich auf ihn wartete, lag ich matt auf dem Sofa. Aus Billys Zimmer war nichts zu hören. Ich kam mir vor wie ein heimlicher Zuschauer, der durch die Ritzen einen Kummer sieht, der nicht der seine ist.

Jake brauchte nicht lange. Der röhrende Motor des Transporters durchbrach die Stille früher, als ich erwartet hatte. Wortlos half Jacob mir vom Sofa auf und ließ den Arm um meine Schulter, als ich draußen in der Kälte anfing zu zittern. Ohne zu fragen, setzte er sich auf den Fahrersitz, dann zog er mich neben sich und hielt mich fest im Arm. Ich legte den Kopf an seine Brust.

»Wie kommst du nach Hause?«, fragte ich.

»Ich gehe nicht nach Hause. Wir haben die Rothaarige immer noch nicht gefangen, erinnerst du dich?«

Als ich jetzt schauderte, hatte es nichts mit der Kälte zu tun.

Danach sprachen wir während der ganzen Fahrt nicht mehr. Die Kälte hatte mich aufgeweckt. Ich hatte jetzt einen klaren Kopf, konnte wieder denken.

Was wäre wenn? Was sollte ich tun?

Ich konnte mir ein Leben ohne Jacob nicht vorstellen – schon vor dem bloßen Gedanken schrak ich zurück. Er war für mich lebenswichtig geworden. Aber alles so zu belassen, wie es war ... war das grausam, wie Mike mir vorgeworfen hatte?

Ich dachte daran, dass ich mir einmal gewünscht hatte, Jacob wäre mein Bruder. Jetzt wurde mir klar, dass ich ihn einfach für mich haben wollte. Es fühlte sich nicht brüderlich an, wenn er mich so hielt wie jetzt. Es fühlte sich nur schön an – warm und tröstlich und vertraut. Sicher. Jacob war ein sicherer Hafen.

Ich konnte ihn für mich haben. Es stand in meiner Macht.

Ich müsste ihm alles erzählen, das wusste ich. Sonst wäre es unfair. Ich müsste es richtig erklären, damit er begriff, dass ich nicht zur Ruhe kommen würde, dass er viel zu gut für mich war. Dass ich kaputt war, wusste er ja schon, das würde ihn nicht überraschen, aber er musste wissen, *wie* kaputt. Ich müsste sogar eingestehen, dass ich verrückt war – ihm von Edwards Stimme erzählen. Er müsste alles erfahren, bevor er seine Entscheidung traf.

Aber selbst wenn ich das bedachte, wusste ich, dass er mich trotzdem nehmen würde. Er würde sich noch nicht mal die Zeit nehmen, darüber nachzudenken.

Wäre es so falsch, wenn ich versuchte, Jacob glücklich zu machen? Selbst wenn die Liebe, die ich für ihn empfand, nur ein schwaches Echo dessen war, was ich empfinden konnte, selbst wenn mein Herz weit weg war und meinem flatterhaften Romeo nachtrauerte, wäre es so verkehrt?

Jacob hielt vor unserem dunklen Haus und schaltete den Motor ab. Ganz plötzlich war es still. Wie so oft schien er mit meinen Gedanken im Einklang zu sein.

Er nahm mich in die Arme, drückte mich an seine Brust, umschlang mich. Es fühlte sich schön an. Fast so, als wäre ich wieder ein ganzer Mensch.

Ich hatte geglaubt, er dächte an Harry, aber dann sagte er: »Entschuldige. Ich weiß, dass du nicht so empfindest wie ich, Bella. Ich schwöre dir, es ist mir egal. Ich bin einfach so froh, dass dir nichts passiert ist – ich könnte singen, aber das will keiner hören.« Er lachte mir sein kleines kehliges Lachen ins Ohr.

Mein Atem ging einen Tick schneller, und in meinem Hals scheuerte es.

Würde Edward, bei aller Gleichgültigkeit, die er womöglich

empfand, nicht auch wollen, dass ich so glücklich war, wie es unter den Umständen möglich war? Oder hatte er nicht mal mehr so viel für mich übrig, dass er mir das wünschte? Doch, das würde er mir bestimmt gönnen: dass ich einen kleinen Teil der Liebe, die er nicht haben wollte, meinem Freund Jacob gab. Schließlich war es nicht dieselbe Liebe.

Jacob legte seine warme Wange an mein Haar.

Wenn ich das Gesicht jetzt zur Seite drehen, wenn ich die Lippen an seine nackte Schulter drücken würde … ich wusste ganz genau, wie es dann weitergehen würde. Heute Abend würde ich nichts mehr erklären müssen.

Aber konnte ich das tun? Konnte ich mein Herz verraten, um mein armseliges Leben zu retten?

Ich hatte Schmetterlinge im Bauch, als ich daran dachte, den Kopf zu drehen.

Und dann hörte ich Edwards Samtstimme, genauso deutlich, als ob ich in Gefahr schwebte.

»Sei glücklich«, flüsterte er.

Ich erstarrte.

Jacob spürte, dass ich mich steif machte, ließ mich los und öffnete die Tür.

Warte, wollte ich sagen. *Einen Moment.* Aber ich war immer noch wie gebannt und lauschte auf das Echo von Edwards Stimme in meinem Kopf.

Die Luft, die in den Transporter wehte, war vom Sturm abgekühlt.

»Oh!«, entfuhr es Jacob, als hätte ihm jemand in den Magen geboxt. »Verdammter Mist!«

Er schlug die Tür zu und drehte im selben Moment den Schlüssel im Zündschloss herum. Ich fragte mich, wie er das überhaupt schaffte, so sehr zitterten seine Hände.

»Was ist?«

Er gab zu schnell Gas, der Motor stotterte und erstarb.

»Vampir«, stieß er hervor.

Das Blut wich mir aus dem Kopf und mir wurde schwindelig.
»Woher weißt du das?«

»Weil ich es rieche! Verdammt!«

Mit wütendem Blick suchte er die Straße ab. Er schien die Zuckungen, die durch seinen Körper liefen, kaum zu bemerken.
»Soll ich mich verwandeln oder sie hier rausbringen?«, zischte er vor sich hin.

Den Bruchteil einer Sekunde schaute er mich an, sah meinen panischen Blick und mein weißes Gesicht und suchte dann wieder die Straße ab. »Okay. Ich bring dich hier raus.«

Der Motor sprang röhrend an. Mit quietschenden Reifen wendete Jacob und steuerte unsere einzige mögliche Zuflucht an. Die Scheinwerfer fluteten über den Asphalt, erleuchteten den Saum des schwarzen Waldes und strahlten plötzlich von einem Wagen zurück, der gegenüber von unserem Haus parkte.

»Halt an!«, stieß ich hervor.

Es war ein schwarzer Wagen – und ich kannte ihn. Ich war zwar alles andere als ein Autokenner, aber diesen Wagen kannte ich ganz genau. Es war ein Mercedes S55 AMG. Ich wusste, wie viel PS er hatte und welche Farbe der Innenraum hatte. Ich wusste, wie es sich anfühlte, wenn der starke Motor durch die Karosserie schnurrte. Ich kannte den satten Geruch der Ledersitze und die extra dunkel getönten Fenster, durch die es selbst mittags aussah, als würde es dämmern.

Es war Carlisles Wagen.

»Halt an!«, schrie ich wieder, lauter diesmal, weil Jacob den Wagen durch die Straße jagte.

»Was?!«

»Es ist nicht Victoria. Halt an, los! Ich will zurück.«

Er trat so fest auf die Bremse, dass ich mich am Armaturenbrett abstützen musste.

»Was?«, fragte er entsetzt. Mit schreckerfüllten Augen starrte er mich an.

»Es ist Carlisles Wagen. Es sind die Cullens.«

Er sah, wie ein Hoffnungsschimmer in meinem Gesicht erwachte, und ein heftiges Zucken ging durch seinen Körper.

»Hey, ganz ruhig, Jake. Es ist alles in Ordnung. Keine Gefahr.«

»Ja, ganz ruhig«, keuchte er, senkte den Kopf und schloss die Augen. Während er sich darauf konzentrierte, nicht zu explodieren und zu einem Wolf zu werden, starrte ich durch die Heckscheibe zu dem schwarzen Wagen.

Es ist nur Carlisle, sagte ich mir. Nicht mehr erwarten. Vielleicht noch Esme ... *Aufhören*, befahl ich mir. Nur Carlisle. Das war schon viel. Mehr, als ich mir je wieder erhofft hatte.

»In eurem Haus ist ein Vampir«, zischte Jacob. »Und du willst dahin zurück?«

Widerstrebend löste ich den Blick von dem Mercedes – ich hatte Angst, dass er verschwand, sobald ich wegguckte – und schaute Jacob an.

»Klar«, sagte ich, verwundert über seine Frage. Natürlich wollte ich zurück.

Während ich Jacob ansah, verhärtete sich sein Gesicht und gefror zu der bitteren Maske, von der ich geglaubt hätte, sie sei für immer verschwunden. Kurz vorher sah ich in seinen Augen das Gefühl aufblitzen, verraten worden zu sein. Seine Hände zitterten noch immer. Er sah zehn Jahre älter aus als ich.

Er atmete tief durch. »Bist du dir sicher, dass das keine Falle ist?«, fragte er langsam und mit belegter Stimme.

»Das ist keine Falle. Es ist Carlisle. Fahr zurück!«

Ein Schauder durchfuhr seine breiten Schultern, aber sein Blick war ausdruckslos und kühl. »Nein.«

»Jake, es ist wirklich …«

»Nein. Da musst du schon selber gehen, Bella.« Es war wie ein Schlag ins Gesicht, ich zuckte zurück. Er biss die Zähne zusammen, immer wieder.

»Hör zu, Bella«, sagte er mit harter Stimme. »Ich kann nicht zurückfahren. Dadrin sitzt mein Feind.«

»Das stimmt doch gar nicht …«

»Ich muss es Sam sofort sagen. Das ändert alles. Wir können uns nicht auf ihrem Territorium erwischen lassen.«

»Jake, es ist doch kein Krieg!«

Er hörte mir nicht zu. Er legte den Leerlauf ein und sprang bei laufendem Motor aus dem Wagen.

»Leb wohl, Bella«, rief er über die Schulter. »Ich hoffe, du stirbst nicht.« Dann rannte er in die Dunkelheit. Er zitterte so sehr, dass sein Körper zu verschwimmen schien. Noch ehe ich den Mund öffnen konnte, um ihn zu rufen, war er schon außer Sicht.

Mit schlechtem Gewissen blieb ich wie versteinert sitzen. Was hatte ich Jacob angetan?

Aber das schlechte Gewissen hielt mich nicht lange auf.

Ich rutschte auf den Fahrersitz und legte den Gang ein. Meine Hände zitterten jetzt fast so sehr wie Jacobs vorhin, und ich hatte Mühe, mich zu konzentrieren. Dann wendete ich vorsichtig und fuhr zurück zu unserem Haus.

Als ich die Scheinwerfer ausgeschaltet hatte, war es stockfinster. Charlie war offenbar so überstürzt aufgebrochen, dass er vergessen hatte, das Verandalicht einzuschalten. Als ich zu unserem Haus starrte, das ganz im Schatten lag, kamen mir plötzlich Zweifel. Wenn es nun doch eine Falle war?

Ich schaute wieder zu dem Wagen, der in der Dunkelheit fast unsichtbar war. Nein. Den Wagen kannte ich.

Trotzdem zitterten meine Hände noch mehr als zuvor, als ich nach dem Schlüssel griff. Ich schloss auf, und die Tür sprang sofort auf, im Flur war es schwarz.

Ich wollte etwas zur Begrüßung rufen, aber mein Hals war ausgetrocknet. Ich konnte nicht richtig atmen.

Ich ging hinein und tastete nach dem Lichtschalter. Es war so schwarz – so schwarz wie das Wasser … Wo war denn nur der Schalter?

Genau wie das schwarze Wasser mit der orangefarbenen Flamme, die auf der Oberfläche geflackert hatte. Eine Flamme, die unmöglich ein Feuer sein konnte, aber was sonst …? Meine Finger tasteten die Wand ab, immer noch auf der Suche, immer noch zitternd …

Plötzlich hallte etwas in meinem Kopf wider, das Jacob heute Nachmittag gesagt hatte, und auf einmal begriff ich, was es bedeutete … *Sie ist ins Wasser geflüchtet*, hatte er gesagt. *Dort sind die Blutsauger uns überlegen. Deshalb bin ich zum Strand gerannt – ich hatte Angst, sie könnte plötzlich zurückschwimmen.*

Meine tastende Hand erstarrte, mein ganzer Körper wurde stocksteif, als mir klarwurde, weshalb mir die merkwürdige orangerote Farbe auf dem Wasser bekannt vorgekommen war.

Victorias Haar, das wild im Wind flatterte, ihr feuerfarbenes Haar …

Sie war da gewesen. Sie war im Wasser gewesen, ganz nah bei Jacob und mir. Wenn Sam nicht dabei gewesen wäre, wenn wir nur zu zweit gewesen wären …? Ich konnte nicht atmen, ich konnte mich nicht rühren.

Das Licht ging an, obwohl meine erstarrte Hand den Schalter immer noch nicht gefunden hatte.

Ich blinzelte in das grelle Licht und sah, dass jemand auf mich wartete.

ÜBERRASCHENDER BESUCH

Vollkommen reglos und unnatürlich weiß stand sie im Flur und wartete, eindringlich sah sie mich mit ihren großen schwarzen Augen an, unvorstellbar schön war sie.

Einen Moment lang zitterten mir die Knie und ich wäre fast gefallen. Dann stürmte ich ihr entgegen.

»Alice, oh, Alice!«, rief ich, als ich gegen sie knallte.

Ich hatte vergessen, wie hart sie war – als würde man mit dem Kopf zuerst gegen eine Zementwand rennen.

»Bella?« Sie sagte es mit einer seltsamen Mischung aus Erleichterung und Verwirrung.

Ich schlang die Arme um sie und keuchte, um so viel wie möglich vom Duft ihrer Haut einzuatmen. Er war mit nichts zu vergleichen – weder mit Blumen noch mit Gewürzen, Zitrus oder Moschus. Kein Parfüm auf der Welt kam ihm gleich. Mein Gedächtnis war ihm nicht gerecht geworden.

Ich merkte gar nicht, dass mein Keuchen in etwas anderes überging – erst als Alice mich aufs Sofa im Wohnzimmer zog und mein Gesicht auf ihren Schoß bettete, wurde mir bewusst, dass ich schluchzte. Es fühlte sich an, als würde ich mich in einen kühlen Stein kuscheln, aber einen Stein, der sich tröstlich an meinen Körper schmiegte. Sanft rieb sie mir über den Rücken und wartete, bis ich mich wieder gefasst hatte.

»Es … tut mir leid«, sprudelte es aus mir heraus. »Ich … freu mich nur so … dich zu sehen!«

»Schon gut, Bella. Alles ist gut.«

»Ja«, rief ich. Und ausnahmsweise schien es wirklich einmal so zu sein.

Alice seufzte. »Ich hatte ganz vergessen, wie stürmisch du bist«, sagte sie missbilligend.

Ich schaute sie durch meine Tränen an. Sie hatte das Gesicht abgewandt und die Lippen fest zusammengepresst. Ihre Augen waren pechschwarz.

»Oh«, sagte ich, als ich merkte, was los war. Sie hatte Durst. Und ich roch appetitanregend. Darüber hatte ich mir schon lange keine Gedanken mehr machen müssen. »Tut mir leid.«

»Ich bin selber schuld. Ich war zu lange nicht mehr auf der Jagd. Ich sollte mehr darauf achten, dass mein Durst nicht so groß wird. Aber ich hatte es heute so eilig.« Dann starrte sie mich wütend an. »Womit wir beim Thema wären. Würdest du bitte erklären, wie es kommt, dass du noch am Leben bist?«

Ich stockte und hörte mit einem Mal auf zu weinen. Mir war sofort klar, was passiert sein musste und weshalb Alice hier war.

Ich schluckte laut. »Du hast gesehen, wie ich gefallen bin.«

»Nein«, widersprach sie und kniff die Augen zusammen. »Ich habe gesehen, wie du *gesprungen* bist.«

Ich schürzte die Lippen und versuchte mir eine Erklärung auszudenken, die sich nicht völlig durchgeknallt anhörte.

Alice schüttelte den Kopf. »Ich habe ihm gesagt, dass es so kommen würde, doch er wollte mir nicht glauben. ›Bella hat es versprochen‹«, sagte sie und imitierte seine Stimme dabei so perfekt, dass ich vor Schreck erstarrte, während mir der Schmerz durch die Brust fuhr. »›Schau nicht in ihre Zukunft‹«, zitierte sie ihn weiter. »›Wir haben schon genug Schaden angerichtet.‹«

»Aber auch, wenn ich nicht nach etwas Bestimmtem suche, heißt das nicht unbedingt, dass ich nichts sehe«, fuhr sie fort. »Ich habe dich nicht beobachtet, Bella, das schwöre ich. Aber ich bin eben auf dich eingestellt ... Als ich dich springen sah, habe ich gar nicht groß überlegt, ich habe einfach die nächste Maschine genommen. Ich wusste, dass ich zu spät kommen würde, aber es war unmöglich, *nichts* zu tun. Und dann komme ich hierher und denke, ich könnte Charlie vielleicht helfen, und wer kreuzt hier auf? Du.« Sie schüttelte den Kopf, diesmal vor Verwirrung. Ihre Stimme klang angestrengt. »Ich hab gesehen, wie du ins Wasser eingetaucht bist, und ich habe gewartet, aber du bist nicht wieder hochgekommen. Was ist geschehen? Und wie konntest du Charlie so etwas antun? Hast du überhaupt darüber nachgedacht, was das für ihn bedeuten würde? Und für meinen Bruder? Kannst du dir überhaupt vorstellen, was Edward ...«

In dem Moment, als sie seinen Namen aussprach, fiel ich ihr ins Wort. Ich hätte sie weitersprechen lassen, selbst als mir klarwurde, welchem Missverständnis sie erlegen war, nur um den glockenklaren Klang ihrer Stimme zu hören, aber jetzt musste ich sie unterbrechen.

»Alice, ich wollte mich nicht umbringen.«

Sie sah mich misstrauisch an. »Heißt das, du bist nicht von der Klippe gesprungen?«

»Schon, aber ...« Ich verzog das Gesicht. »Nur zum Vergnügen.«

Ihre Miene wurde hart.

»Ich hatte ein paar von Jacobs Freunden von der Klippe springen sehen«, erklärte ich. »Es sah ... spannend aus, und ich hab mich so gelangweilt ...«

Sie wartete.

»Ich hatte nicht bedacht, dass der Sturm so einen Einfluss auf die Strömung haben würde. Ehrlich gesagt, hatte ich überhaupt nicht groß an das Wasser gedacht.«

Alice glaubte mir nicht. Ich sah ihr an, dass sie immer noch dachte, ich hätte mich umbringen wollen. Ich versuchte es anders. »Also, wenn du mich hast springen sehen, wieso hast du Jacob dann nicht gesehen?«

Sie legte den Kopf schräg und sah mich verwirrt an.

»Es stimmt«, fuhr ich fort, »wenn Jacob nicht hinterhergesprungen wäre und mich gerettet hätte, wär ich wahrscheinlich ertrunken. Okay, nicht nur wahrscheinlich, sondern mit Sicherheit. Aber er ist ja gesprungen, und er hat mich rausgeholt, und dann hat er mich wohl ans Ufer gezogen, aber das hab ich nicht richtig mitgekriegt. Ich kann nicht mehr als eine Minute unter Wasser gewesen sein, bevor er mich gerettet hat. Wie kommt es, dass du das nicht gesehen hast?«

Sie zog verblüfft die Brauen zusammen. »Jemand hat dich herausgeholt?«

»Ja. Jacob hat mich gerettet.«

Ich betrachtete sie, als die unterschiedlichsten Gefühle über ihr Gesicht huschten. Irgendetwas beunruhigte sie – vielleicht die Tatsache, dass sie die Ereignisse nicht genau gesehen hatte? Ich war mir nicht sicher. Dann beugte sie sich vor und schnupperte an mir.

Ich erstarrte.

»Sei nicht albern«, murmelte sie und beschnupperte mich wieder.

»Was soll das?«

Sie überging meine Frage. »Wer war gerade mit dir da draußen? Es hat sich angehört, als ob ihr Streit hättet.«

»Jacob Black. Er ist … sozusagen mein bester Freund. Jedenfalls war er das …« Ich dachte an Jacobs wütenden, verletzten Gesichtsausdruck und fragte mich, wie er jetzt zu mir stand.

Alice nickte, sie sah besorgt aus.

»Was ist?«

»Ich weiß nicht«, sagte sie. »Ich weiß nicht, was es bedeutet.«

»Na, jedenfalls bin ich nicht tot.«

Sie verdrehte die Augen. »Es war töricht von ihm, zu denken, du könntest allein überleben. Ich kenne niemanden, der einen solchen Hang zu lebensgefährlichen Dummheiten hat wie du.«

»Ich hab aber überlebt«, betonte ich.

Sie dachte an etwas anderes. »Wenn die Strömung zu stark für dich war, wie hat dieser Jacob es dann geschafft?«

»Jacob ist … stark.«

Mein kurzes Zögern entging ihr nicht, und sie hob die Augenbrauen.

Ich kaute eine Weile auf der Lippe herum. War das ein Geheimnis oder nicht? Und wenn es eins war, wem war ich dann mehr verpflichtet, Jacob oder Alice?

Ich entschied, dass es zu schwer war, das Geheimnis für mich zu behalten. Jacob wusste alles, warum nicht auch Alice?

»Weißt du, er ist … eine Art Werwolf«, gestand ich schnell. »Die Quileute verwandeln sich in Wölfe, wenn Vampire in der Nähe sind. Sie kennen Carlisle von ganz früher. Warst du damals schon bei Carlisle?«

Alice starrte mich einen Moment an, dann fasste sie sich wieder und blinzelte mehrmals. »Das erklärt dann wohl den Geruch«, murmelte sie. »Aber erklärt es auch, was ich nicht gesehen habe?« Kleine Denkfalten bildeten sich auf ihrer Porzellanstirn.

»Welchen Geruch?«, fragte ich.

»Du stinkst wie die Pest«, sagte sie gedankenverloren. Ihre Stirn lag immer noch in Falten. »Ein Werwolf? Bist du dir sicher?«

»Ganz sicher«, sagte ich und zuckte zusammen, als ich daran dachte, wie Paul und Jacob auf der Straße miteinander gekämpft hatten. »Dann warst du wohl nicht bei Carlisle, als das letzte Mal Werwölfe in Forks waren?«

»Nein. Da hatte ich ihn noch nicht gefunden.« Alice war immer noch in Gedanken versunken. Plötzlich riss sie die Augen weit auf und sah mich entsetzt an. »Dein bester Freund ist ein Werwolf?«

Ich nickte einfältig.

»Wie lange geht das schon?«

»Nicht lange«, sagte ich, als müsste ich mich verteidigen. »Er ist erst seit ein paar Wochen ein Werwolf.«

Sie sah mich finster an. »Ein *junger* Werwolf? Das ist ja noch schlimmer! Edward hatte Recht – du ziehst die Gefahr magnetisch an. Hattest du nicht versprochen, keinen Unsinn zu machen?«

»Werwölfe sind ganz in Ordnung«, murmelte ich. Ihr vorwurfsvoller Ton kränkte mich.

»Bis sie einen Wutanfall bekommen.« Sie schüttelte heftig den Kopf. »Überleg doch mal, Bella, ohne Vampire könntest du in Sicherheit sein. Aber du musst dich mit den erstbesten Monstern anfreunden, die dir über den Weg laufen.«

Ich wollte nicht mit Alice streiten – ich zitterte immer noch vor Freude darüber, dass sie wirklich und wahrhaftig da war, dass ich ihre Marmorhaut berühren und ihre Stimme hören durfte, die einem Windspiel glich – aber sie hatte vollkommen unrecht.

»Alice, die Vampire haben die Stadt gar nicht richtig verlassen, jedenfalls nicht alle. Das ist ja gerade das Problem. Wenn die Werwölfe nicht wären, hätte Victoria mich schon längst gefangen. Das heißt, Laurent hätte mich noch viel früher gekriegt, wenn Jake und seine Freunde nicht gewesen wären.«

»Victoria?«, zischte sie. »Laurent?«

Ich nickte. Der Ausdruck in ihren schwarzen Augen beunruhigte mich ein kleines bisschen. Ich tippte mir auf die Brust. »Gefahrenmagnet, du weißt doch.«

Sie schüttelte wieder den Kopf. »Erzähl mir alles, von Anfang an.«

Ich schönte den Anfang der Geschichte und ließ die Motorräder und Edwards Stimme aus, aber alles andere erzählte ich ihr bis zum heutigen Missgeschick. Meine dürftigen Erklärungen zum Thema Klippen und Langeweile überzeugten Alice nicht, deshalb erzählte ich schnell von der seltsamen Flamme, die ich auf dem Wasser gesehen hatte, und was ich davon hielt. An dieser Stelle wurden ihre Augen schmal wie kleine Schlitze. Es war seltsam, sie so zu sehen ... sie sah gefährlich aus – wie ein Vampir. Ich schluckte schwer und erzählte dann von Harry.

Sie hörte mir zu, ohne mich zu unterbrechen. Hin und wieder schüttelte sie den Kopf, und die Falten auf ihrer Stirn vertieften sich. Am Ende sah es so aus, als wären sie für immer in ihre Marmorstirn eingemeißelt. Sie sagte immer noch nichts, als ich schließlich verstummte; Harrys plötzlicher Tod machte mir immer noch zu schaffen. Ich dachte an Charlie, der bald nach Hause kommen musste. Wie es ihm wohl ging?

»Unser Fortgehen hat dir gar nicht geholfen, was?«, murmelte Alice.

Ich lachte auf – es klang leicht hysterisch. »Darum ging es doch nie, oder? Ihr seid ja schließlich nicht mir zuliebe abgereist.«

Alice starrte einen Moment finster zu Boden. »Nun ja ... ich habe heute wohl übereilt gehandelt. Ich hätte mich nicht einmischen sollen.«

Ich merkte, wie mir das Blut aus dem Gesicht wich. Mein Magen zog sich zusammen. »Bitte bleib, Alice«, flüsterte ich.

Meine Hände krampften sich um die Ärmel ihrer weißen Bluse und ich bekam keine Luft mehr. »Lass mich nicht allein.«

Ihre Augen weiteten sich. »Also gut«, sie sprach langsam und ruhig, »heute Abend gehe ich nicht mehr weg. Und jetzt atme mal tief durch.«

Ich versuchte es, obwohl ich meine Lunge nicht richtig spürte.

Sie beobachtete mich, während ich mich darauf konzentrierte zu atmen. Sie wartete, bis ich etwas ruhiger geworden war, dann sagte sie:

»Du siehst furchtbar aus, Bella.«

»Ich wär heute fast ertrunken«, erinnerte ich sie.

»Das ist aber nicht alles. Du bist völlig fertig.«

Ich zuckte zusammen. »Ich reiße mich zusammen, so gut es geht.«

»Wie meinst du das?«

»Es war nicht leicht. Ich bin noch nicht damit durch.«

Sie runzelte die Stirn. »Ich hab's ihm ja gesagt«, sagte sie zu sich selbst.

»Alice.« Ich seufzte. »Was hast du denn erwartet? Ich meine, außer dass ich tot sein könnte? Hattest du gedacht, ich würde rumspringen und vor mich hin pfeifen? Du kennst mich doch.«

»Das stimmt, Bella, aber ich hatte gehofft.«

»Dann bin ich ja nicht die Einzige, die so blöd ist.«

Das Telefon klingelte.

»Das ist bestimmt Charlie«, sagte ich und rappelte mich auf. Ich nahm Alice bei der steinernen Hand und zog sie mit in die Küche. Ich wollte sie nicht aus den Augen lassen.

»Charlie?«, sagte ich in die Muschel.

»Nein, ich bin's«, sagte Jacob.

»Jake!«

Alice schaute mich prüfend an.

»Ich wollte mich nur vergewissern, dass du noch lebst«, sagte Jacob wütend.

»Mir geht's gut. Ich hab dir doch gesagt, dass es nicht ...«

»Ja. Hab schon verstanden. Tschüss.«

Jacob hatte aufgelegt.

Ich seufzte, legte den Kopf in den Nacken und starrte an die Decke. »Das wird noch ein Problem.«

Alice drückte meine Hand. »Die sind nicht begeistert darüber, dass ich hier bin.«

»Nicht direkt. Aber das geht sie gar nichts an.«

Alice legte mir einen Arm um die Schultern. »Und was jetzt?«, sagte sie nachdenklich. Sie schien mit sich selbst zu reden. »Wir haben einiges zu tun. Ein paar ungelöste Probleme zu klären.«

»Was haben wir denn zu tun?«

Plötzlich trat ein vorsichtiger Ausdruck in ihr Gesicht. »Ich weiß nicht genau ... ich muss erst mit Carlisle sprechen.«

Wollte sie so bald schon wieder weg? Mein Magen zog sich erneut zusammen.

»Kannst du nicht bleiben?«, bat ich. »Bitte! Nur eine Weile. Ich hab dich so vermisst.« Meine Stimme versagte.

»Wenn du glaubst, dass das eine gute Idee ist.« Sie sah nicht glücklich aus.

»Ja, glaub ich. Du kannst hierbleiben – Charlie wird sich freuen.«

»Ich habe ein Haus, Bella.«

Ich nickte enttäuscht. Sie schaute mich an und zögerte.

»Nun ja, ich müsste zumindest einen Koffer mit Kleidern holen.«

Ich fiel ihr um den Hals. »Alice, du bist die Beste!«

»Und ich glaube, ich muss auf die Jagd gehen. Auf der Stelle«, fügte sie gequält hinzu.

»Entschuldige.« Ich ging einen Schritt zurück.

»Schaffst du es, eine Stunde lang keine Dummheiten zu machen?«, fragte sie zweifelnd. Ehe ich antworten konnte, hob sie einen Finger und schloss die Augen. Ihr Gesicht wurde für ein paar Sekunden glatt und ausdruckslos.

Dann schlug sie die Augen auf und gab sich selbst die Antwort. »Ja, dir wird nichts passieren. Jedenfalls nicht heute Nacht.« Sie verzog das Gesicht. Selbst wenn sie Grimassen schnitt, sah sie aus wie ein Engel.

»Du kommst doch wieder?«, sagte ich mit kleiner Stimme.

»Ich verspreche es – eine Stunde.«

Ich warf einen Blick auf die Uhr über dem Küchentisch. Alice lachte, beugte sich vor und gab mir einen flüchtigen Kuss auf die Wange. Dann war sie verschwunden.

Ich holte tief Luft. Alice würde wiederkommen. Plötzlich ging es mir so viel besser.

Während ich auf sie wartete, hatte ich viel zu tun. Duschen stand ganz oben auf meiner Liste. Als ich mich auszog, schnupperte ich an mir, aber ich roch nur Meersalz und Algen. Ich fragte mich, was Alice gemeint haben konnte, als sie sagte, ich würde stinken.

Nach dem Duschen ging ich wieder in die Küche. Es sah nicht so aus, als ob Charlie heute irgendwas gegessen hatte, und wenn er wiederkam, hatte er bestimmt Hunger. Ich hantierte in der Küche herum und summte dabei unmelodisch vor mich hin.

Während sich der Auflauf in der Mikrowelle drehte, legte ich Decken und ein altes Kissen aufs Sofa. Alice würde es nicht brauchen, aber Charlie musste es sehen. Ich gab mir alle Mühe, nicht auf die Uhr zu gucken. Ich wollte mich nicht unnötig in Panik versetzen. Alice hatte es versprochen.

Schnell schlang ich ein bisschen vom Auflauf herunter, ohne

es zu schmecken – ich spürte nur den Schmerz in meinem rauen Hals, wenn ich schluckte. Ich hatte vor allem Durst; ich trank bestimmt zwei Liter Wasser. Von dem vielen Meerwasser, das ich geschluckt hatte, war ich ganz ausgetrocknet.

Dann ging ich wieder ins Wohnzimmer, um zur Ablenkung den Fernseher einzuschalten.

Und da saß Alice schon auf ihrem improvisierten Bett. Ihre Augen hatten die Farbe von flüssigem Karamell. Sie lächelte und klopfte aufs Kissen. »Danke.«

»Du bist früh dran«, sagte ich erfreut.

Ich setzte mich neben sie und lehnte den Kopf an ihre Schulter. Sie umfasste mich mit ihren kalten Armen und seufzte.

»Bella. Was machen wir nur mit dir?«

»Ich weiß nicht«, sagte ich. »Ich hab wirklich alles versucht.«

»Das glaube ich dir.«

Es blieb still.

»Weiß ... weiß er ...« Ich holte tief Luft. Zwar konnte ich seinen Namen jetzt denken, aber es war immer noch schwer, ihn auszusprechen. »Weiß Edward, dass du hier bist?« Ich konnte die Frage nicht zurückhalten. Schließlich war es mein Schmerz. Damit würde ich mich befassen, wenn sie weg war, nahm ich mir vor, aber schon bei der Vorstellung wurde mir übel.

»Nein.«

Dafür konnte es nur eine Erklärung geben. »Dann ist er nicht bei Carlisle und Esme?«

»Er schaut alle paar Monate vorbei.«

»Ach so.« Er war immer noch unterwegs und genoss die Zerstreuung. Schnell fragte ich nach etwas weniger Heiklem. »Du hast gesagt, du bist mit dem Flugzeug gekommen ... Von wo denn?«

»Ich war in Denali. Bei Tanyas Familie.«

»Ist Jasper auch hier? Ist er mitgekommen?«

Sie schüttelte den Kopf. »Er war dagegen, dass ich mich einmische. Wir hatten versprochen …« Sie beendete den Satz nicht, dann sagte sie in verändertem Ton: »Und du meinst, Charlie hat nichts dagegen, dass ich hier bin?« Sie klang besorgt.

»Charlie ist ganz begeistert von dir, Alice.«

»Na, das werden wir gleich sehen.«

Und tatsächlich hörte ich ein paar Sekunden darauf, wie der Streifenwagen in die Einfahrt fuhr. Schnell sprang ich auf und lief zur Tür.

Charlie kam langsam und mit hängenden Schultern zum Haus, er hatte den Blick gesenkt. Ich ging ihm entgegen, er sah mich nicht, bis ich ihn umarmte. Er drückte mich fest.

»Das mit Harry tut mir so leid, Dad.«

»Ich werde ihn wirklich vermissen«, murmelte Charlie.

»Wie geht es Sue?«

»Sie ist ganz benommen, als hätte sie es noch nicht richtig begriffen. Sam ist bei ihr …« Mal flüsterte er, dann sprach er wieder lauter. »Die armen Kinder. Leah ist nur ein Jahr älter als du, und Seth ist erst vierzehn …« Er schüttelte den Kopf.

Er hielt mich immer noch eng umschlungen, als er ins Haus ging.

»Ähm, Dad?« Ich dachte mir, dass ich ihn besser warnen sollte. »Rate mal, wer hier ist!«

Er sah mich verständnislos an. Dann schaute er sich schnell um und entdeckte den Mercedes auf der anderen Straßenseite. Der schwarze Lack spiegelte den Schein der Verandalampe wider. Bevor er reagieren konnte, stand Alice schon in der Tür.

»Hallo, Charlie«, sagte sie gedämpft. »Es tut mir leid, dass ich zu so einem unglücklichen Zeitpunkt komme.«

»Alice Cullen?« Er starrte die schmale Gestalt vor sich an, als traute er seinen Augen nicht. »Alice, bist du das?«

»Ich bin's«, bestätigte sie. »Ich war gerade in der Gegend.«

»Ist Carlisle ...?«

»Nein, ich bin allein.«

Sowohl Alice als auch ich wussten, dass Charlies Frage eigentlich nicht Carlisle gegolten hatte. Er umarmte mich ein wenig fester.

»Sie kann doch hierbleiben, oder?«, bat ich. »Ich hab sie schon eingeladen.«

»Ja, natürlich«, sagte Charlie mechanisch. »Wir freuen uns, dass du uns besuchst, Alice.«

»Danke, Charlie. Ich weiß, dass der Zeitpunkt schlecht gewählt ist.«

»Nein, das ist gar kein Problem. Ich werd sowieso viel unterwegs sein, um Harrys Familie zu helfen, da ist es schön für Bella, wenn sie ein bisschen Gesellschaft hat.«

»Auf dem Tisch steht Abendessen für dich, Dad«, sagte ich.

»Danke, Bella.« Er drückte mich noch einmal kurz, dann schlurfte er in die Küche.

Alice setzte sich wieder aufs Sofa, und ich setzte mich neben sie. Diesmal war sie diejenige, die mich an sich zog.

»Du siehst müde aus.«

»Ja«, sagte ich und zuckte die Schultern. »So ist das eben bei mir, wenn ich gerade dem Tod von der Schippe gesprungen bin ... Was sagt Carlisle eigentlich dazu, dass du hier bist?«

»Er weiß nichts davon. Er und Esme waren auf einem Jagdausflug. Er wird sich sicher melden, sobald er wiederkommt.«

»Aber du erzählst *ihm* doch nichts davon ... wenn er wieder vorbeischaut?«, fragte ich. Sie wusste, dass ich jetzt nicht Carlisle meinte.

»Nein. Er würde mir den Kopf abreißen«, sagte Alice grimmig. Ich lachte kurz und seufzte dann.

Ich wollte nicht schlafen. Ich wollte die ganze Nacht aufbleiben und mit Alice reden. Und ich hätte auch gar nicht so müde sein dürfen, schließlich hatte ich den ganzen Tag bei Jacob auf dem Sofa gelegen. Aber ich war vollkommen erschöpft davon, dass ich fast ertrunken wäre, und konnte die Augen nicht länger offen halten. Ich legte den Kopf an Alice' steinerne Schulter, und der Schlaf, in den ich glitt, war friedlicher, als ich zu hoffen gewagt hätte.

Ich erwachte früh aus diesem tiefen, traumlosen Schlaf und fühlte mich ausgeruht, aber steif. Ich lag auf dem Sofa unter den Decken, die ich Alice hingelegt hatte, und hörte sie in der Küche mit Charlie reden. Es klang so, als ob Charlie ihr Frühstück machte.

»War es sehr schlimm, Charlie?«, fragte Alice, und zuerst dachte ich, sie sprächen über die Clearwaters.

Charlie seufzte. »O ja, es war entsetzlich.«

»Erzähl mir davon. Ich möchte genau wissen, was passiert ist, nachdem wir abgereist sind.«

Eine Weile war nichts zu hören, außer einer Schranktür, die geschlossen, und einer Herdplatte, die ausgeschaltet wurde. Ich krümmte mich zusammen und wartete.

»Ich bin mir noch nie so hilflos vorgekommen«, begann Charlie langsam. »Ich wusste einfach nicht, was ich machen sollte. Diese erste Woche – ich dachte, ich müsste sie ins Krankenhaus einliefern. Sie hat nicht gegessen, nicht getrunken und sich nicht bewegt. Dr. Gerandy warf mit Begriffen wie ›katatonisch‹ um sich, aber ich habe ihn nicht raufgelassen, um sie zu untersuchen. Ich hatte Angst, das könnte sie in Panik versetzen.«

»Aber sie hat wieder herausgefunden?«

»Ich hatte Renée herbestellt, sie sollte sie mit nach Florida nehmen. Ich wollte einfach nicht derjenige sein ... falls sie ins Krankenhaus musste oder so. Ich hoffte, es würde ihr helfen, bei ihrer Mutter zu sein. Aber als wir anfingen, ihre Sachen zu packen, rastete sie völlig aus. Ich hab sie noch nie so außer sich gesehen. Sie ist eigentlich nicht der Typ für Wutanfälle, aber sie ist wirklich total ausgeflippt. Sie hat ihre Klamotten durch die Gegend geschmissen und gebrüllt, wir könnten sie nicht zwingen mitzugehen – und dann fing sie schließlich an zu weinen. Ich dachte, das wäre vielleicht der Wendepunkt. Ich habe nicht widersprochen, als sie darauf bestand, hierzubleiben ... und anfangs schien sie sich auch zu erholen ...«

Charlie verstummte. Es war schwer, ihm zuzuhören und zu erfahren, wie viel Kummer ich ihm bereitet hatte.

»Aber?«, fragte Alice.

»Sie ging wieder zur Schule und zur Arbeit, sie aß und schlief und machte ihre Hausaufgaben. Wenn man sie direkt ansprach, antwortete sie. Aber sie war ... leer. Ihre Augen waren ausdruckslos. Da waren viele Kleinigkeiten – sie hörte keine Musik mehr, ich fand mehrere CDs zerbrochen im Mülleimer. Sie las nicht, sie wollte nicht im Wohnzimmer sein, wenn der Fernseher lief – allerdings hat sie sowieso nie viel ferngesehen. Schließlich begriff ich, was das Ganze sollte – sie ging allem aus dem Weg, was sie an ihn hätte erinnern können. Wir sprachen kaum miteinander; ich hatte ständig Angst, ich könnte etwas sagen, was sie aufregte – schon bei den kleinsten Kleinigkeiten zuckte sie zusammen –, und von ihr kam auch nie etwas. Wenn ich sie etwas fragte, antwortete sie, aber das war's auch schon. Sie war immer allein. Sie rief ihre Freunde nicht zurück, und nach einer Weile riefen sie gar nicht mehr an. Wo sie war, war die Nacht der lebenden Toten. Ich höre sie immer noch im Schlaf schreien ...«

Ich konnte fast sehen, wie er schauderte. Auch ich schauderte bei der Erinnerung. Und dann seufzte ich. Es war mir überhaupt nicht gelungen, ihn zu täuschen, keine Sekunde lang.

»Es tut mir so leid, Charlie«, sagte Alice betrübt.

»*Du* kannst ja nichts dafür.« Es war deutlich herauszuhören, dass er sehr wohl jemandem die Verantwortung dafür gab. »Du warst ihr immer eine gute Freundin.«

»Jetzt scheint es ihr aber doch besserzugehen.«

»Ja. Seit sie sich mit Jacob Black trifft, ist es bergauf gegangen. Ihre Wangen haben ein wenig Farbe, wenn sie nach Hause kommt, ihre Augen leuchten. Sie ist glücklicher.« Er schwieg einen Augenblick, und als er weitersprach, klang seine Stimme verändert. »Er ist ein Jahr oder so jünger als sie, und ich weiß, dass sie ihn früher immer nur als Freund betrachtet hat, aber ich glaube, jetzt ist da ein bisschen mehr, oder es könnte jedenfalls mehr werden.« Das klang beinahe streitlustig. Es war eine Warnung, zwar nicht an Alice gerichtet, aber sie sollte sie weiterleiten. »Jake wirkt älter, als er ist«, fuhr er fort, »er kümmert sich um seinen Vater, der im Rollstuhl sitzt. Daran ist er gewachsen. Und er ist ein hübscher Junge – kommt ganz nach der Mutter. Er tut Bella gut, weißt du«, betonte Charlie.

»Dann ist es schön, dass sie ihn hat«, sagte Alice.

Charlie stieß einen tiefen Seufzer aus. »Na ja, ich übertreibe wohl ein bisschen. Ich weiß nicht … obwohl sie Jacob hat, sehe ich hin und wieder etwas in ihrem Blick, und dann frage ich mich, ob ich überhaupt eine Ahnung habe, was sie durchmacht. Es ist nicht normal, Alice, und … es macht mir Angst. Es ist wirklich nicht normal. Nicht so, als wäre sie … verlassen worden, sondern als wäre jemand gestorben.« Seine Stimme versagte.

Es war tatsächlich so, als wäre jemand gestorben – *ich*. Denn ich hatte nicht nur die einzig wahre Liebe verloren – falls das noch nicht ausreichte, um jemanden umzubringen. Ich hatte auch eine ganze Zukunft verloren, eine Familie – das ganze Leben, für das ich mich entschieden hatte …

Als Charlie weitersprach, klang er verzweifelt. »Ich weiß nicht, ob sie je darüber hinwegkommt – ich bin mir nicht sicher, ob es in ihrer Natur liegt, sich von so einer Sache zu erholen. Sie war immer so ein beständiges Mädchen. Sie lässt die Dinge nicht so leicht hinter sich, sie ändert ihre Meinung nicht.«

»Ja, sie ist einmalig«, sagte Alice trocken.

»Und, Alice …« Charlie zögerte. »Du weißt ja, wie sehr ich dich mag, und ich merke, dass sie sich freut, dich zu sehen, aber … ich mache mir ein bisschen Sorgen, was dein Besuch bei ihr anrichtet.«

»Ich auch, Charlie, ich auch. Hätte ich das gewusst, wäre ich nicht gekommen. Es tut mir leid.«

»Du brauchst dich nicht zu entschuldigen. Wer weiß? Vielleicht tut es ihr ja sogar gut.«

»Hoffentlich behältst du Recht.«

Eine lange Zeit schwiegen sie, Gabeln kratzten über die Teller und Charlie kaute. Ich fragte mich, wo Alice wohl das Essen versteckte.

»Alice, ich muss dich was fragen«, sagte Charlie unbeholfen. Alice blieb ruhig. »Frag nur.«

»Er kommt doch nicht auch vorbei, oder?« Ich hörte die unterdrückte Wut in Charlies Stimme.

Alice antwortete in leisem, beschwichtigendem Ton. »Er weiß nicht einmal, dass ich hier bin. Als ich zuletzt mit ihm sprach, war er in Südamerika.«

Ich erstarrte, als ich das hörte, und lauschte angestrengt.

»Immerhin«, schnaubte Charlie. »Na, ich hoffe, er amüsiert sich.«

Jetzt klang Alice' Stimme zum ersten Mal etwas härter. »Du solltest nicht vorschnell urteilen, Charlie.« Ich wusste, wie es in ihren Augen blitzte, wenn sie in diesem Ton sprach.

Ein Stuhl wurde zurückgeschoben und schabte laut über den Fußboden. Ich war mir sicher, dass Charlie aufgestanden war – es war undenkbar, dass Alice so einen Krach machen würde. Der Wasserhahn wurde aufgedreht, Wasser spritzte in eine Schüssel.

Es hörte sich nicht so an, als ob sie noch mehr über Edward sagen würden, deshalb entschloss ich mich, allmählich wach zu werden.

Ich drehte mich um und ließ die Sprungfedern extra quietschen. Dann gähnte ich laut.

In der Küche war es ganz still.

Ich reckte mich und stöhnte.

»Alice?«, sagte ich unschuldig. Meine raue Stimme passte gut zu der Farce.

»Ich bin in der Küche, Bella«, rief Alice. Sie schien keinen Verdacht zu hegen, dass ich gelauscht haben könnte. Allerdings war sie gut darin, so etwas zu verbergen.

Kurz darauf musste Charlie los – er wollte Sue Clearwater bei den Vorbereitungen für die Beerdigung helfen. Ohne Alice wäre es ein langer Tag geworden. Sie erwähnte ihre Abreise nicht, und ich fragte nicht danach. Ich wusste, dass es unvermeidlich war, aber vorerst verdrängte ich es.

Stattdessen sprachen wir über ihre Familie – über alle bis auf einen.

Carlisle arbeitete nachts in Ithaca und lehrte an der Universität von Cornell. Esme restaurierte ein denkmalgeschütztes Haus aus dem siebzehnten Jahrhundert, das im Wald nördlich der Stadt lag. Emmett und Rosalie waren für ein paar Monate zu weiteren Flitterwochen nach Europa aufgebrochen, aber inzwischen waren sie wieder zurück. Jasper war auch an der Universität von Cornell, er studierte jetzt Philosophie. Und Alice hatte in eigener Sache geforscht und war den Informationen nachgegangen, die ich im letzten Frühjahr zufällig herausbekommen hatte. Sie hatte die Irrenanstalt ausfindig gemacht, wo sie die letzten Jahre ihres menschlichen Lebens verbracht hatte. Des Lebens, an das sie keinerlei Erinnerung hatte.

»Ich hieß Mary Alice Brandon«, erzählte sie ruhig. »Ich hatte eine kleine Schwester namens Cynthia. Ihre Tochter – meine Nichte – lebt heute noch in Biloxi.«

»Hast du herausgefunden, weshalb sie dich dort ... eingeliefert haben?« Was trieb Eltern zu so einer extremen Entscheidung? Selbst wenn die Tochter Zukunftsvisionen hatte ...

Sie schüttelte nur den Kopf, der Blick ihrer Topasaugen war nachdenklich. »Ich habe nicht viel über sie herausbekommen. Ich habe mir all die alten Zeitungen auf Mikrofiche angesehen. Meine Familie wurde nicht oft erwähnt, sie gehörte nicht zu den gesellschaftlichen Kreisen, die die Zeitungen beherrschten. Die Verlobung meiner Eltern war angezeigt und Cynthias Verlobung.« Der Name kam ihr schwer über die Lippen. »Meine Geburt ist auch angezeigt worden ... und mein Tod. Ich habe mein Grab gefunden. Und ich habe meine Einweisungspapiere aus den Anstaltsarchiven stibitzt. Das Datum der Einweisung stimmt mit dem auf meinem Grabstein überein.«

Ich wusste nicht, was ich sagen sollte, und nach kurzem Schweigen ging Alice zu leichteren Themen über.

Bis auf den einen waren die Cullens jetzt wieder versammelt und verbrachten die Frühjahrsferien bei Tanya und ihrer Familie in Denali. Selbst den nichtigsten Neuigkeiten lauschte ich allzu begierig. Kein einziges Mal erwähnte sie den einen, der mich am meisten interessierte, und dafür war ich ihr dankbar. Es reichte mir schon, Geschichten von der Familie zu hören, zu der ich einst so gern dazugehört hätte.

Charlie kam erst zurück, als es schon dunkel war, und er sah noch erschöpfter aus als am Abend zuvor. Am nächsten Morgen würde er sofort wieder zum Reservat fahren, denn dann fand Harrys Beerdigung statt, also ging er früh ins Bett. Ich blieb wieder bei Alice auf dem Sofa.

Als Charlie vor Sonnenaufgang die Treppe herunterkam, war er fast ein Fremder. Er trug einen alten Anzug, den ich noch nie an ihm gesehen hatte. Das Jackett war offen, vermutlich war es zu eng geworden und ließ sich nicht mehr zuknöpfen. Die Krawatte war für die gegenwärtige Mode ein wenig zu breit. Er ging auf Zehenspitzen zur Tür, um uns nicht zu wecken. Ich ließ ihn gehen und tat so, als schliefe ich, und Alice auf dem Sofa tat dasselbe.

Sobald er aus der Tür war, setzte Alice sich auf. Sie hatte vollständig bekleidet unter der Decke gelegen.

»Und was machen wir heute?«, fragte sie.

»Ich weiß nicht – kannst du irgendwas Interessantes sehen, was heute passiert?«

Sie lächelte und schüttelte den Kopf. »Aber es ist ja auch noch früh.«

Dadurch, dass ich so viel Zeit in La Push verbracht hatte, war zu Hause vieles liegengeblieben, und ich beschloss, ein wenig Hausarbeit nachzuholen. Ich wollte Charlie etwas Gutes tun – vielleicht ging es ihm ja schon ein kleines bisschen besser, wenn er in ein sauberes, aufgeräumtes Haus zurückkam. Mit dem Badezimmer fing ich an, denn dort fiel es besonders auf, dass lange nicht gründlich geputzt worden war.

Während ich arbeitete, lehnte Alice am Türrahmen und erkundigte sich beiläufig nach meinen oder besser unseren Schulfreunden und was sie seit ihrem Weggang getrieben hatten. Obwohl sie sich nichts anmerken ließ, meinte ich ihre Missbilligung zu spüren, als sie sah, wie wenig ich erzählen konnte. Aber vielleicht hatte ich auch bloß ein schlechtes Gewissen, weil ich gestern Morgen ihr Gespräch mit Charlie belauscht hatte.

Ich steckte buchstäblich bis zu den Ellbogen im Putzmittel und schrubbte den Boden der Badewanne, als es an der Tür klingelte.

Sofort schaute ich zu Alice. Sie sah verdutzt aus, fast besorgt, und das war merkwürdig. Es war eigentlich unmöglich, Alice zu überraschen.

»Moment!«, rief ich zur Haustür, stand auf und ging schnell zum Waschbecken, um mir die Arme abzuspülen.

»Bella«, sagte Alice, und sie klang ein wenig frustriert. »Ich glaube, ich habe erraten, wer das ist, deshalb verschwinde ich lieber.«

»Erraten?«, wiederholte ich. Seit wann musste Alice raten?

»Wenn sich hier meine ungeheuerliche Fehlleistung von gestern wiederholt, dann ist es höchstwahrscheinlich Jacob Black oder einer seiner … Freunde.«

Ich starrte sie an und versuchte aus ihren Worten schlau zu werden. »Du kannst Werwölfe nicht *sehen*?«

Sie verzog das Gesicht. »Sieht ganz so aus.« Sie war ganz offensichtlich verärgert über diese Tatsache – *höchst* verärgert.

Es klingelte wieder – schnell und ungeduldig.

»Du musst nirgendwo hingehen, Alice. Du warst zuerst hier.«

Sie lachte ihr kleines Silberlachen – es hatte einen dunklen Beiklang. »Glaube mir – es ist nicht ratsam, dass Jacob Black und ich zusammen in einem Zimmer sind.«

Sie küsste mich schnell auf die Wange, bevor sie in Charlies Zimmer verschwand – und von dort zweifellos zum Fenster hinaus.

Da klingelte es wieder.

Die Beerdigung

Ich stürmte die Treppe hinunter und riss die Tür auf.

Natürlich war es Jacob. Selbst wenn sie in diesem Punkt blind war, schwer von Begriff war Alice nicht.

Er stand etwa zwei Meter von der Haustür entfernt und rümpfte angewidert die Nase. Abgesehen davon war sein Gesicht glatt – wie eine Maske. Aber er konnte mich nicht täuschen, ich sah das leichte Zittern seiner Hände.

Die Feindseligkeit war fast spürbar. Es erinnerte mich an den Nachmittag, als er sich für Sam und gegen mich entschieden hatte, und ich merkte, wie ich mit einem Ruck das Kinn hob und in Verteidigungsstellung ging.

Jacobs Golf stand mit laufendem Motor am Straßenrand, Jared saß am Steuer und Embry auf dem Beifahrersitz. Ich begriff, was das bedeutete: Sie hatten Angst, ihn allein herkommen zu lassen. Das machte mich traurig und auch ein bisschen wütend. So waren die Cullens nicht.

»Hi«, sagte ich schließlich, als er weiter schwieg.

Er schürzte die Lippen, er blieb immer noch auf Abstand. Sein Blick wanderte am Haus entlang.

Ich biss die Zähne zusammen. »Sie ist nicht hier. Brauchst du irgendwas?«

Er zögerte. »Du bist allein?«

»Ja.« Ich seufzte.

»Kann ich kurz mit dir reden?«

»Na klar, Jacob. Komm rein.«

Jacob schaute über die Schulter zurück zu seinen Freunden im Auto. Ich sah, wie Embry ganz leicht den Kopf schüttelte. Aus irgendeinem Grund brachte mich das total auf die Palme.

Ich biss wieder die Zähne zusammen. *Feigling*«, sagte ich leise.

Jacob schaute wieder zu mir, er verzog ärgerlich die dichten schwarzen Brauen über den tiefliegenden Augen. Er reckte das Kinn vor und marschierte – anders konnte man die Art, wie er ging, nicht bezeichnen – an mir vorbei ins Haus.

Ich sah erst Jared und dann Embry eindringlich an – ihre harten Blicke gefielen mir nicht, dachten sie allen Ernstes, ich würde es zulassen, dass Jacob angegriffen wurde? –, bevor ich die Tür schloss.

Jacob stand hinter mir im Flur und starrte auf das Durcheinander von Decken im Wohnzimmer.

»Pyjama-Party?«, fragte er sarkastisch.

»Ja«, gab ich ebenso bissig zurück. Ich konnte es nicht leiden, wenn Jacob sich so benahm. »Was geht's dich an?«

Er rümpfte wieder die Nase, als würde ihn ein Geruch stören. »Wo ist deine ›Freundin‹?« Die Anführungszeichen waren unüberhörbar.

»Sie macht ein paar Besorgungen. Sag mal, Jacob, was willst du eigentlich?«

Irgendetwas im Zimmer schien ihn noch nervöser zu machen – seine langen Arme zitterten. Ohne meine Frage zu beantworten, ging er in die Küche und ließ den Blick unruhig hin und her wandern.

Ich folgte ihm. Er ging an der kleinen Anrichte auf und ab.

»Hey«, sagte ich und stellte mich ihm in den Weg. Er blieb stehen und starrte mich an. »Was hast du für ein Problem?«

»Es gefällt mir nicht, dass ich hier sein muss.«

Das saß. Ich zuckte zusammen, und sein Blick wurde hart.

»Dann tut es mir leid, dass du herkommen musstest«, murmelte ich. »Warum sagst du mir nicht, was du willst, damit du wieder gehen kannst?«

»Ich muss dir nur ein paar Fragen stellen. Es wird nicht lang dauern. Wir müssen zurück zur Beerdigung.«

»Gut. Bringen wir es hinter uns.« Wahrscheinlich übertrieb ich es mit der Feindseligkeit, aber er sollte nicht sehen, wie weh er mir tat. Ich wusste, dass ich ungerecht war. Schließlich hatte ich gestern Abend meine ›Vampirfreundin‹ ihm vorgezogen. Ich hatte ihn zuerst verletzt.

Er atmete durch, und plötzlich hörten seine Hände auf zu zittern. Sein Gesicht wurde maskenhaft ruhig.

»Eine von den Cullens wohnt hier bei dir«, stellte er fest.

»Ja. Alice Cullen.«

Er nickte gedankenverloren. »Wie lange bleibt sie?«

»So lange sie will.« Mein Ton war immer noch streitlustig.

»Könntest du ihr wohl … bitte … von der anderen erzählen – Victoria?«

Ich spürte, wie ich blass wurde. »Das hab ich schon.«

Er nickte. »Du sollst wissen, dass wir, solange jemand von den Cullens hier ist, nur unser eigenes Land bewachen können. Nur in La Push bist du sicher. Hier kann ich dich nicht mehr beschützen.«

»Gut«, sagte ich kleinlaut.

Er wandte den Blick ab und schaute zum hinteren Fenster hinaus. Er sprach nicht weiter.

»War's das?«

Er wandte den Blick nicht vom Fenster, als er antwortete. »Eins noch.«

Ich wartete, aber es kam nichts. »Was denn?«, fragte ich schließlich.

»Kommen die anderen jetzt auch zurück?«, fragte er in kühlem, ruhigem Ton. Es erinnerte mich an Sams gelassene Art. Jacob wurde immer mehr wie Sam ... Ich fragte mich, warum mich das so störte.

Jetzt war ich diejenige, die stumm blieb. Er schaute mich forschend an.

»Und?«, fragte er. Hinter der ruhigen Maske versuchte er krampfhaft die Anspannung zu verbergen.

»Nein«, sagte ich endlich. Widerstrebend. »Sie kommen nicht zurück.«

Seine Miene blieb unverändert. »Gut. Das war alles.«

Ich starrte ihn an, mein Ärger wuchs wieder. »Na, dann geh schon. Geh und erzähl Sam, dass die Gruselmonster nicht kommen, um euch zu holen.«

»Gut«, sagte er wieder, immer noch ruhig.

Das war es offenbar. Jacob ging schnell aus der Küche. Ich wartete darauf, dass die Haustür ins Schloss fiel, aber es blieb still. Ich hörte die Uhr über dem Herd ticken und wunderte mich wieder darüber, wie leise er sich bewegen konnte.

Was für eine Katastrophe. Wie war es nur möglich, dass ich in so kurzer Zeit alles kaputt gemacht hatte?

Ob er mir verzeihen würde, wenn Alice weg war? Und wenn nicht?

Ich sackte an der Anrichte zusammen und vergrub das Gesicht in den Händen. Wieso hatte ich alles zerstört? Aber was hätte ich anders machen können? Selbst im Nachhinein fiel mir nichts Besseres ein, keine perfekte Strategie.

»Bella …?«, fragte Jacob besorgt.

Ich nahm die Hände vom Gesicht und sah Jacob, der zögernd in der Küchentür stand; er war noch gar nicht gegangen. Erst als ich sah, dass meine Hände nass waren, merkte ich, dass ich weinte.

Jacob sah jetzt gar nicht mehr gelassen aus, sondern ängstlich und unsicher. Er stellte sich mir gegenüber und senkte den Kopf, so dass wir uns besser anschauen konnten.

»Ich hab's schon wieder gemacht, stimmt's?«

»Was hast du gemacht?«, fragte ich mit schwacher Stimme.

»Mein Versprechen gebrochen. Tut mir leid.«

»Schon gut«, murmelte ich. »Diesmal hab ich ja angefangen.«

Sein Gesicht war verzerrt. »Ich wusste, wie du zu ihnen stehst. Es hätte mich nicht so aus der Fassung bringen dürfen.«

Ich sah den Abscheu in seinem Blick. Ich hätte ihm gern erklärt, wie Alice wirklich war, sie in Schutz genommen, aber ich spürte, dass jetzt nicht der richtige Moment dafür war.

Deshalb sagte ich wieder nur: »Tut mir leid.«

»Am besten machen wir uns keine Sorgen deswegen, okay? Sie ist doch nur zu Besuch, oder? Wenn sie abreist, ist alles wieder wie vorher.«

»Kann ich nicht mit euch beiden gleichzeitig befreundet sein?«, fragte ich, und meine Stimme verriet, wie verletzt ich war.

Er schüttelte langsam den Kopf. »Nein, ich fürchte, das geht nicht.«

Ich schniefte und starrte auf seine großen Füße. »Aber du wartest auf mich, oder? Du bist immer noch mein Freund, obwohl ich Alice auch gernhabe?«

Ich schaute nicht auf, weil ich Angst hatte, wie er auf meine letzte Äußerung reagieren würde. Es dauerte eine Weile, bis er antworten konnte, es war also wahrscheinlich gut, dass ich ihn nicht ansah.

»Ja, du wirst immer meine Freundin sein«, sagte er schroff. »Ganz egal, wen oder was du gernhast.«

»Versprochen?«

»Versprochen.«

Ich spürte seine Arme um meinen Körper und lehnte mich an seine Brust. Ich schniefte immer noch. »Was für ein Durcheinander.«

»Ja.« Dann schnupperte er an meinem Haar und sagte: »Puh!«

»Was ist?«, fragte ich. Ich schaute auf und sah, dass er schon wieder die Nase rümpfte. »Wieso schnuppern alle an mir? Ich stinke nicht!«

Er lächelte ein wenig. »Doch – du riechst nach ihnen. Igitt. Zu süß – eklig süß. Und … eisig. Es brennt mir in der Nase.«

»Echt?« Wie merkwürdig. Alice roch einfach himmlisch. Jedenfalls für einen Menschen. »Aber warum findet Alice dann auch, dass ich stinke?«

Jetzt war sein Lächeln wie weggewischt. »Hm. Vielleicht rieche ich für sie auch nicht so gut.«

»Also, für mich riecht ihr beide gut.« Ich lehnte den Kopf wieder an seine Brust. Sobald er zur Tür hinaus wäre, würde ich ihn schrecklich vermissen. Es war eine gemeine Zwickmühle – einerseits wollte ich Alice am liebsten für immer dabehalten. Wenn sie mich verließe, würde ich sterben – es würde sich zumindest so anfühlen. Aber wie sollte ich es andererseits ertragen, Jake nicht zu sehen? Was für ein Chaos, dachte ich.

»Du wirst mir fehlen«, flüsterte Jacob, und es war wie ein Echo meiner Gedanken. »Jede Sekunde. Ich hoffe, sie reist bald ab.«

»Es müsste doch nicht so sein, Jake.«

Er seufzte. »Doch, glaub mir, Bella. Du … hast sie gern. Also komme ich besser nicht in ihre Nähe. Ich weiß nicht, ob ich mich genügend in der Gewalt habe. Sam wäre stocksauer, wenn ich den Vertrag brechen würde, und« – jetzt wurde er sarkastisch – »du wärst wahrscheinlich auch nicht begeistert, wenn ich deine Freundin umbringen würde.«

Bei seinen Worten wich ich zurück, aber er verstärkte seinen Griff, wollte mich noch nicht freigeben. »Es hat keinen Sinn, die Tatsachen zu leugnen. So liegen die Dinge nun mal, Bella.«

»Es gefällt mir aber absolut nicht, wie die Dinge liegen.«

Jacob löste einen Arm und fasste mir unters Kinn, so dass ich ihn ansehen musste. »Ja. Es wär leichter, wenn wir beide Menschen wären, was?«

Ich seufzte.

Wir schauten uns lange in die Augen. Seine Hand glühte auf meiner Haut. Ich wusste, dass in meinem Gesicht nur wehmütige Trauer lag – ich wollte nicht Abschied nehmen, und sei es auch nur für kurze Zeit. Erst spiegelte sein Gesichtsausdruck meinen, doch dann, als keiner von uns wegschaute, veränderte er sich.

Er hob auch die andere Hand und strich mir mit den Fingerspitzen über die Wange. Ich spürte, dass seine Hände zitterten, aber diesmal nicht vor Wut. Er hielt mein Gesicht zwischen seinen heißen Händen.

»Bella«, flüsterte er.

Ich war wie erstarrt.

Nein! Ich hatte mich noch nicht entschieden. Ich wusste nicht, ob ich das konnte, und jetzt hatte ich keine Zeit mehr, darüber nachzudenken. Aber es wäre dumm zu glauben, ich könnte ihn jetzt zurückweisen, ohne dass es Konsequenzen hätte.

Ich starrte ihn an. Er war nicht *mein* Jacob, aber er könnte es sein. Ich mochte sein Gesicht, es war mir vertraut. In so vielerlei Hinsicht liebte ich ihn wirklich. Er war mein Trost, mein sicherer Hafen. In diesem Moment könnte ich die Entscheidung treffen, dass er zu mir gehörte.

Alice war vorübergehend zurückgekehrt, aber das änderte nichts. Die wahre Liebe war für immer verloren. Der Prinz würde nie zurückkehren, um mich aus meinem verwunschenen Schlaf zu erlösen. Schließlich war ich keine Prinzessin. Und was sagten die Märchen über *andere* Küsse? Die irdischen, die keinen Zauber lösten?

Vielleicht würde es ganz einfach sein – so wie es ganz einfach war, seine Hand zu halten oder mich von ihm umarmen zu lassen. Vielleicht wäre es ein schönes Gefühl. Vielleicht würde es sich nicht wie Betrug anfühlen. Und wen betrog ich auch schon? Nur mich selbst.

Ohne den Blick von mir zu wenden, beugte Jacob sich zu mir herab. Und ich hatte immer noch keine Ahnung, was ich tun sollte.

Das schrille Klingeln des Telefons ließ uns beide zusammenfahren, aber er wandte sich nicht von mir ab. Er zog die eine Hand weg und nahm den Hörer, aber die andere Hand lag noch immer an meiner Wange. Der Blick seiner dunklen Augen gab mich nicht frei. Ich war zu verwirrt, um zu reagieren oder die Störung auszunutzen.

»Bei Swan«, sagte Jacob, und seine heisere Stimme war leise und eindringlich.

Als der Anrufer antwortete, veränderte Jacob sich augenblicklich. Er straffte sich und ließ mein Gesicht los. Sein Blick wurde leer, sein Gesicht ausdruckslos, und ich hätte den kläglichen Rest meines Collegegeldes darauf verwettet, dass am anderen Ende der Leitung Alice war.

Als ich mich gefasst hatte, streckte ich die Hand nach dem Telefon aus. Jacob beachtete mich gar nicht.

»Der ist nicht da«, sagte er, und es klang drohend.

Darauf folgte eine ganz kurze Antwort, offenbar eine Nachfrage, denn Jacob fügte widerwillig hinzu: »Er ist auf der Beerdigung.«

Dann legte er auf. »Dreckiger Blutsauger«, stieß er leise hervor. Als er mich wieder ansah, hatte sein Gesicht sich in eine verbitterte Maske verwandelt.

»Wer war das und wieso hast du einfach aufgelegt?«, sagte ich wütend. »Das ist *unser* Telefon und *unser* Haus!«

»Immer mit der Ruhe! *Er* hat aufgelegt!«

»Er? Wer war denn dran?«

»*Dr.* Carlisle Cullen«, stieß er verächtlich hervor.

»Warum hast du ihn mir nicht gegeben?«

»Er hat nicht nach dir gefragt«, sagte Jacob kalt. Sein Gesicht war glatt und ausdruckslos, aber seine Hände bebten. »Er hat gefragt, wo Charlie ist, und das hab ich ihm gesagt. Ich glaube nicht, dass ich da gegen irgendwelche Höflichkeitsregeln verstoßen habe.«

»Jetzt hör mir mal zu, Jacob Black …«

Aber er hörte mir nicht zu. Stattdessen schaute er schnell über die Schulter, als hätte ihn jemand aus dem Nebenzimmer gerufen. Er riss die Augen auf und erstarrte, dann fing er an zu zittern. Automatisch spitzte ich die Ohren, aber ich hörte nichts.

»Leb wohl, Bella«, stieß er hervor und wirbelte herum zur Haustür.

Ich rannte ihm nach. »Was ist los?«

Und dann stieß ich mit ihm zusammen, als er leise fluchend zurückfuhr. Wieder wirbelte er herum und stieß mich dabei zur Seite. Ich stolperte und fiel hin, und meine Beine verhedderten sich mit seinen.

»Mist, aua!«, protestierte ich, als er beide Beine hastig losriss.

Während ich versuchte, mich aufzurappeln, sauste er zur Hintertür, doch plötzlich erstarrte er wieder.

Am Treppenabsatz stand Alice, reglos.

»Bella«, brachte sie mühsam heraus.

Ich kam auf die Füße und taumelte ihr entgegen. Ihr Blick war benommen und weit weg, ihr Gesicht verzerrt und weiß wie ein Bettlaken. Ihr zarter Körper zitterte in einem inneren Aufruhr.

»Alice, was hast du?«, rief ich. Ich legte ihr die Hände aufs Gesicht, um sie zu beruhigen.

Mit vor Schmerz weit aufgerissenen Augen sah sie mich an.

»Edward«, flüsterte sie nur.

Mein Körper reagierte schneller, als mein Verstand die Bedeutung ihrer Worte erfasste. Im ersten Moment begriff ich nicht, warum sich das Zimmer drehte und woher das hohle Rauschen in meinen Ohren kam. Mein Verstand arbeitete, ohne zu begreifen, warum Alice so verzweifelt aussah und was das mit Edward zu tun haben könnte, während mein Körper schon schwankte und sich in die Ohnmacht flüchtete, bevor die Wirklichkeit zuschlagen konnte.

Die Treppe war eigenartig schief.

Plötzlich hatte ich Jacobs zornige Stimme im Ohr, er stieß einen Schwall von Flüchen aus. Ich merkte, dass mich das störte. Seine neuen Freunde hatten eindeutig einen schlechten Einfluss auf ihn.

Ich lag auf dem Sofa, ohne zu wissen, wie ich dorthin gelangt war, und Jacob fluchte immer noch. Es fühlte sich an wie ein Erdbeben – das Sofa unter mir wackelte.

»Was hast du mit ihr gemacht?«, wollte er von Alice wissen.

Sie beachtete ihn nicht. »Bella? Bella, reiß dich zusammen. Wir müssen uns beeilen.«

»Bleib, wo du bist«, sagte Jacob warnend.

»Reg dich ab, Jacob Black«, befahl Alice. »Du willst doch nicht, dass das in ihrer Gegenwart passiert.«

»Ich glaube nicht, dass ich Probleme habe, mich zu beherrschen«, gab er zurück, doch seine Stimme klang jetzt ein wenig kühler.

»Alice?«, sagte ich schwach. »Was ist passiert?«, fragte ich, obwohl ich es nicht hören wollte.

»Ich weiß nicht«, jammerte sie plötzlich. »Was denkt der sich bloß?«

Trotz der Schwindelgefühle versuchte ich mich aufzusetzen. Ich merkte, dass ich mich an Jacobs Arm festhielt. Er war es, der bebte, nicht das Sofa.

Als mein Blick Alice gefunden hatte, nahm sie gerade ein kleines silbernes Mobiltelefon aus ihrer Handtasche. Sie wählte so schnell, dass ihre Finger in der Bewegung verschwammen.

»Rose, ich muss auf der Stelle mit Carlisle sprechen«, sagte sie hastig. »Gut, sobald er zurück ist. Nein, dann bin ich im Flugzeug. Sag mal, hast du was von Edward gehört?«

Jetzt schwieg Alice und lauschte, während sich ein immer entsetzterer Ausdruck auf ihrem Gesicht ausbreitete. Ihr Mund öffnete sich zu einem kleinen entgeisterten Oh, und das Telefon in ihrer Hand zitterte.

»Warum?«, stieß sie hervor. »Warum in aller Welt hast du das getan, Rosalie?«

412

Als sie die Antwort hörte, biss sie die Zähne zusammen. Ihre Augen wurden ganz schmal und sprühten Funken.

»Tja, da liegst du aber zweimal daneben, Rosalie, das macht es etwas schwierig, oder?«, fragte sie bissig. »Ja, genau. Sie ist wohlauf – ich hatte mich geirrt ... Das ist eine lange Geschichte ... Aber auch was das angeht, irrst du, deshalb rufe ich an ... Ja, genau das habe ich gesehen.«

Alice' Stimme war sehr hart. »Dafür ist es ein wenig zu spät, Rose. Spar dir deine Reue für jemanden auf, der dir Glauben schenkt.« Mit einer schnellen Handbewegung klappte Alice das Telefon zu.

Als sie mich wieder ansah, war ihr Blick gequält.

»Alice«, platzte ich heraus. Sie durfte jetzt noch nichts sagen. Ich brauchte ein paar Sekunden, ehe sie wieder sprach und mit ihren Worten die Überreste meines Lebens zerstörte. »Alice, Carlisle ist aber wieder da. Er hat gerade angerufen, bevor ...«

Sie starrte mich ausdruckslos an. »Wie lange ist das her?«, fragte sie mit hohler Stimme.

»Eine halbe Minute bevor du gekommen bist.«

»Was hat er gesagt?« Jetzt war sie ganz konzentriert und wartete auf meine Antwort.

»Ich habe nicht mit ihm gesprochen.« Mein Blick wanderte zu Jacob.

Jetzt richtete sie ihren durchdringenden Blick auf ihn. Er zuckte zurück, wich jedoch nicht von meiner Seite. Er saß unbeholfen da, fast als wollte er mich mit seinem Körper abschirmen.

»Er wollte Charlie sprechen, und ich hab ihm gesagt, dass er nicht hier ist«, murmelte Jacob gereizt.

»War das alles?«, fragte Alice eisig.

»Dann hat er den Hörer aufgelegt«, schoss Jacob zurück. Ein Beben lief über seinen Rücken, und ich bebte mit.

»Du hast ihm gesagt, dass Charlie auf der Beerdigung ist«, erinnerte ich ihn.

Mit einem Ruck wandte Alice den Blick zu mir. »Was hat er genau gesagt?«

»Er hat gesagt ›Der ist nicht da‹, und als Carlisle gefragt hat, wo Charlie ist, hat Jacob gesagt: ›Er ist auf der Beerdigung.‹«

Alice stöhnte und sank auf die Knie.

»Sag es mir, Alice«, flüsterte ich.

»Das war nicht Carlisle am Telefon«, sagte sie verzweifelt.

»Nennst du mich einen Lügner?«, knurrte Jacob neben mir.

Alice ging nicht darauf ein, sie schaute in mein verwirrtes Gesicht.

»Das war Edward.« Ihre Worte waren nur ein ersticktes Flüstern. »Er glaubt, du wärst tot.«

Mein Verstand fing wieder an zu arbeiten. Es waren nicht die Worte, die ich gefürchtet hatte, und vor Erleichterung konnte ich wieder klarer denken.

»Rosalie hat ihm erzählt, ich hätte mich umgebracht, stimmt's?«, sagte ich. Ich seufzte, und die Anspannung wich.

»Ja«, sagte Alice, und ihre Augen blitzten wieder vor Zorn. »Man muss ihr zugutehalten, dass sie es geglaubt hat. Dafür, dass meine Visionen so unzureichend funktionieren, verlassen sie sich viel zu sehr darauf. Aber dass sie ihn aufgespürt hat, um ihm das zu erzählen! Hat sie nicht begriffen … oder kümmerte es sie nicht …?« Ihre Stimme erstarb vor Entsetzen.

»Und als Edward hier angerufen hat, dachte er, Jacob meinte *meine* Beerdigung«, begriff ich jetzt. Es tat weh zu wissen, wie nah ich seiner Stimme gewesen war. Ich grub die Fingernägel in Jacobs Arm, aber er zuckte nicht mit der Wimper.

Alice sah mich mit einem merkwürdigen Blick an. »Das regt dich gar nicht auf?«, flüsterte sie.

»Na ja, das ist wirklich ein dummer Zufall, aber das wird sich ja alles aufklären. Wenn er das nächste Mal anruft, erfährt er ... wie ... es ... in Wirklichkeit ...« Ich verstummte. Unter ihrem Blick blieben mir die Worte im Hals stecken.

Warum war sie so panisch? Warum wechselte ihr Gesichtsausdruck zwischen Mitleid und Entsetzen? Was hatte sie gerade zu Rosalie am Telefon gesagt? Irgendetwas darüber, was sie gesehen hatte ... Und Rosalies Reue; Rosalie wäre niemals reumütig wegen irgendwas, das mir zustieß. Aber wenn sie ihrer Familie etwas angetan hätte, ihrem Bruder ...

»Bella«, flüsterte Alice. »Edward wird nicht wieder anrufen. Er hat ihr geglaubt.«

»Ich. Verstehe. Nicht.« Ich formte die Worte stumm mit den Lippen. Für die Worte, die sie dazu bringen könnten zu erklären, was sie meinte, fehlte mir die Luft.

»Er fährt nach Italien.«

Es dauerte einen Herzschlag lang, bis ich begriff.

Als Edwards Stimme jetzt zu mir zurückkam, war es nicht die perfekte Imitation meiner Halluzinationen. Es war nur der schwache Abklatsch meiner Erinnerung. Doch die Worte allein reichten aus, um mir die Brust aufzureißen und eine klaffende Wunde zu hinterlassen. Worte aus einer Zeit, da ich alles darauf verwettet hätte, dass er mich liebte.

Nun ja, ich hatte nicht vor, ohne dich weiterzuleben, hatte er gesagt, als wir hier in diesem Zimmer Romeo und Julia beim Sterben zugeschaut hatten. *Aber ich wusste nicht, wie ich es anstellen sollte – ich wusste, dass Emmett und Jasper mir niemals dabei helfen würden ... daher erwog ich, nach Italien zu reisen und die Volturi herauszufordern ... Jedenfalls sollte man die Volturi nicht verärgern. Es sei denn, man will sterben.*

Es sei denn, man will sterben.

»NEIN!« Nach den geflüsterten Worten war mein Aufschrei so laut, dass wir alle zusammenzuckten. Das Blut schoss mir ins Gesicht, als mir klarwurde, was Alice gesehen hatte.

»Nein! Nein, nein, nein! Das kann er nicht machen! Nein!«

»In dem Moment, als Jacob bestätigte, dass es zu spät sei, dich zu retten, stand sein Entschluss fest.«

»Aber er … er hat mich verlassen! Er wollte mich nicht mehr! Was kann es ihm schon ausmachen? Er wusste doch, dass ich irgendwann sterben würde!«

»Ich glaube nicht, dass er je vorhatte, dich lange zu überleben«, sagte Alice ruhig.

»Wie kann er es wagen!«, schrie ich. Jetzt war ich wieder auf den Füßen, und Jacob erhob sich unschlüssig, um sich zwischen Alice und mich zu stellen.

»Oh, geh weg, Jacob!« Ungeduldig boxte ich mich an seinem zitternden Körper vorbei. »Was machen wir jetzt?«, fragte ich Alice. Es musste irgendeine Möglichkeit geben. »Können wir ihn nicht anrufen? Oder kann Carlisle ihn anrufen?«

Sie schüttelte den Kopf. »Das habe ich als Erstes versucht. Er hat sein Mobiltelefon in irgendeinen Mülleimer in Rio geworfen – ein Fremder ist drangegangen …«, flüsterte sie.

»Vorhin hast du gesagt, wir müssten uns beeilen. Womit beeilen? Los, das machen wir, egal, was es ist!«

»Bella, ich … ich glaube nicht, dass ich dich bitten kann …« Sie verstummte unschlüssig.

»Sag schon!«, befahl ich.

Sie legte mir die Hände auf die Schultern und hielt mich fest. »Möglicherweise kommen wir zu spät. Ich sah, wie er zu den Volturi ging … und um den Tod bat.« Wir schauderten beide und meine Augen waren plötzlich blind. Fieberhaft blinzelte ich die Tränen weg. »Jetzt kommt es ganz darauf an, was sie ihm antworten. Das sehe ich erst, wenn sie ihre Entscheidung treffen. Doch wenn sie nein sagen, und das ist gut möglich – Aro hat Carlisle gern und möchte ihm sicher nicht wehtun –, hat Edward einen Plan in der Hinterhand. Die Volturi versuchen ihre Stadt um jeden Preis zu schützen. Edward ist davon überzeugt, dass sie ihn, sollte er auf irgendeine Weise den Frieden gefährden, aufhalten werden. Und er hat Recht. Das werden sie.«

Ich starrte sie mit zusammengebissenen Zähnen an. Bis jetzt hatte sie mir noch keinen überzeugenden Grund dafür genannt, dass wir immer noch hier rumstanden.

»Sollten sie ihm also den Gefallen tun, kommen wir zu spät. Wenn sie nein sagen und es ihm schnell genug gelingt, sie zu provozieren, kommen wir auch zu spät. Falls er jedoch seinem Hang zum Drama nachgibt ... dann haben wir vielleicht noch Zeit.«

»Dann los!«

»Hör mir zu, Bella. Ob wir rechtzeitig kommen oder nicht, wir begeben uns mitten in die Stadt der Volturi. Hat er Erfolg, so werden sie mich als seine Komplizin betrachten. Du bist für sie ein Mensch, der nicht nur zu viel weiß, sondern auch zu gut riecht. Es ist sehr wahrscheinlich, dass sie uns alle miteinander vernichten – nur dass es in deinem Fall weniger eine Strafe als ein Festschmaus sein wird.«

»Und deshalb sind wir noch hier?«, fragte ich ungläubig.

»Wenn du Angst hast, fliege ich allein.« Ich überschlug, wie viel Geld ich noch auf dem Konto hatte, und überlegte, ob Alice mir den Rest wohl leihen würde.

»Ich habe nur Angst, dass sie dich umbringen.«

Ich schnaubte verächtlich. »Ich komme sowieso tagtäglich fast um! Sag mir, was ich tun soll!«

»Schreib Charlie einen Zettel. Ich telefoniere mit den Fluggesellschaften.«

»Charlie«, stieß ich hervor.

Nicht dass ich ihn irgendwie beschützen könnte, aber konnte ich ihn hier alleinlassen, wenn womöglich …

»Ich lasse es nicht zu, dass Charlie irgendwas zustößt.« Jacob sagte es schroff und ärgerlich. »Scheiß auf den Vertrag.«

Ich schaute ihn an, und sein Blick wurde finster, als er die Panik in meinen Augen sah.

»Beeil dich, Bella«, drängte Alice.

Ich rannte in die Küche, riss die Schubladen auf und warf bei der Suche nach einem Stift alles zu Boden. Eine glatte braune Hand hielt mir einen hin.

»Danke«, murmelte ich und zog die Kappe mit den Zähnen ab. Wortlos reichte er mir den kleinen Block, den wir für unsere Telefonnotizen benutzten. Ich riss die erste Seite ab.

Dad, schrieb ich. *Ich bin mit Alice unterwegs. Edward steckt in Schwierigkeiten. Du kannst mir Hausarrest verpassen, wenn ich wiederkomme. Ich weiß, dass es der falsche Moment ist. Verzeih mir. Ich hab Dich lieb. Bella.*

»Bitte bleib«, flüsterte Jacob. Jetzt, da Alice außer Sichtweite war, war sein Zorn verraucht.

Ich hatte keine Zeit, mit ihm zu streiten. »Bitte, bitte, *bitte* kümmere dich um Charlie«, sagte ich, als ich zurück ins Wohnzimmer sauste. Alice wartete im Flur mit einer Tasche über der Schulter.

»Hol deine Brieftasche – du brauchst einen Ausweis. *Bitte* sag, dass du einen Reisepass hast. Ich habe jetzt keine Zeit, einen zu fälschen.«

Ich nickte, dann rannte ich die Treppe hoch. Mir wurden die Knie weich vor Dankbarkeit dafür, dass meine Mutter Phil damals an einem Strand in Mexiko heiraten wollte. Natürlich war das ins Wasser gefallen, wie all ihre Pläne. Aber da hatte ich schon alle praktischen Dinge geregelt.

Ich sauste durchs Zimmer, stopfte meine Brieftasche, ein sauberes T-Shirt und eine Hose in den Rucksack, schließlich warf ich noch die Zahnbürste dazu. Dann stürmte ich die Treppe hinunter. Das Gefühl des Déjà-vu schnürte mir fast die Luft ab. Immerhin musste ich mich, anders als beim letzten Mal – als ich aus Forks geflüchtet war, um blutrünstigen Vampiren zu entkommen, nicht um sie aufzusuchen –, nicht persönlich von Charlie verabschieden.

Jacob und Alice standen sich vor der geöffneten Tür feindselig gegenüber. So weit, wie sie auseinanderstanden, wäre man nicht auf die Idee gekommen, dass sie miteinander redeten. Keiner von beiden schien meine lautstarke Rückkehr zu bemerken.

»Du kannst dich vielleicht notfalls beherrschen, aber diese Blutsauger, zu denen du sie bringst ...«, beschimpfte Jacob sie wütend.

»Ja, da hast du Recht, du Hund.« Auch Alice war geladen. »Die Volturi verkörpern unser wahres Wesen – sie sind der Grund dafür, dass dir die Haare zu Berge stehen, wenn du mich riechst. Sie sind der Stoff, aus dem deine Albträume sind, das, wovor du dich instinktiv fürchtest. Dessen bin ich mir wohl bewusst.«

»Und du servierst sie ihnen auf dem silbernen Tablett!«, rief er.

»Meinst du etwa, es ist besser, sie hier alleinzulassen, wo Victoria sie jagt?«

»Mit der Rothaarigen werden wir schon fertig.«

»Und warum ist sie dann immer noch unterwegs?«

Jacob knurrte, und ein Schauder lief durch seinen Körper.

»Hört damit auf!«, rief ich beiden ungeduldig zu. »Ihr könnt euch streiten, wenn wir wiederkommen, jetzt müssen wir los!«

Alice eilte zum Auto. Ich rannte hinter ihr her, dann lief ich automatisch zurück und schloss die Haustür ab.

Jacob hielt mit zitternder Hand meinen Arm fest. »Bitte, Bella. Ich flehe dich an.«

Tränen glitzerten in seinen dunklen Augen. Ich hatte einen Kloß im Hals.

»Jake, ich muss …«

»Du musst überhaupt nichts. Wirklich nicht. Du könntest hier bei mir bleiben. Du könntest am Leben bleiben. Für Charlie. Für mich.«

Der Motor von Carlisles Mercedes schnurrte; das Tuckern wurde schneller, als Alice den Motor ungeduldig aufheulen ließ.

Ich schüttelte so heftig den Kopf, dass die Tränen flogen. Ich entzog Jacob meinen Arm, und er hielt mich nicht zurück.

»Du sollst nicht sterben, Bella«, stieß er hervor. »Bleib hier. Bleib.«

Wenn ich ihn nun nie wiedersah?

Als ich daran dachte, wurde ein Schluchzen aus dem stummen Weinen. Ich schlang ihm die Arme um die Mitte, umfasste ihn für einen allzu kurzen Moment und verbarg das tränennasse Gesicht an seiner Brust. Er legte mir seine große Hand auf den Kopf, als wollte er mich festhalten.

»Leb wohl, Jake.« Ich nahm seine Hand aus meinem Haar und drückte ihm einen Kuss hinein. Ich hätte es nicht ertragen, ihm ins Gesicht zu schauen. »Es tut mir leid«, flüsterte ich.

Dann wirbelte ich herum und rannte zum Auto. Die Beifahrertür stand schon offen. Ich warf meinen Rucksack nach hinten, schlüpfte hinein und schlug die Tür zu.

»Pass auf Charlie auf!«, rief ich aus dem Fenster, aber Jacob war nicht mehr zu sehen. Als Alice fest aufs Gaspedal trat und mit quietschenden Reifen wendete – es klang wie ein menschlicher Schrei –, sah ich einen weißen Fetzen am Waldrand. Es war ein Stück von einem Schuh.

Wettlauf mit der Zeit

Wir erreichten die Maschine in allerletzter Sekunde, und dann begann eine wahre Tortur. Das Flugzeug stand auf dem Rollfeld, während die Stewards und Stewardessen gemächlich den Gang auf und ab gingen und kontrollierten, ob die Taschen auch alle richtig in den Gepäckfächern untergebracht waren. Die Piloten lehnten sich aus dem Cockpit und plauderten mit ihnen, wenn sie vorbeikamen. Alice hielt mich an der Schulter fest und sorgte dafür, dass ich auf dem Sitz blieb, während ich nervös auf- und ab-hüpfte.

»So ist es immer noch schneller, als wenn wir laufen würden«, ermahnte sie mich leise.

Ich nickte im Takt zu meinem Gehüpfe.

Endlich entfernte sich das Flugzeug träge vom Flughafen-gebäude und begann so langsam zu beschleunigen, dass es eine Qual war. Kurz vor dem Abheben erwartete ich irgendein Ge-fühl von Erleichterung, doch meine rasende Ungeduld legte sich nicht.

Noch bevor wir die endgültige Flughöhe erreicht hatten, nahm Alice ihr Mobiltelefon von dem Tischchen am Sitz vor ihr und wandte der Stewardess, die sie missbilligend ansah, den Rücken zu. Irgendetwas in meinem Blick hielt die Stewardess davon ab, herüberzukommen und Alice zurechtzuweisen.

Ich versuchte auszublenden, was Alice Jasper mit gedämpfter Stimme erzählte, denn ich wollte die Worte nicht noch einmal hören. Einige drangen trotzdem zu mir durch.

»Ich bin mir nicht sicher, ich sehe ihn dauernd etwas anderes tun, er entscheidet sich immer wieder um … Ein Amoklauf durch die Stadt, die Wachen niederschlagen, auf der großen Piazza ein Auto über den Kopf stemmen … alles Mögliche, was sie bloßstellen würde – er weiß, dass er sie damit am schnellsten zum Handeln zwingen könnte … Nein, kannst du nicht.« Alice' Stimme wurde immer leiser, bis ich sie kaum noch verstehen konnte, obwohl ich direkt neben ihr saß. Umso konzentrierter lauschte ich. »Sag Emmett, dass er das lassen soll … Dann fahr Emmett und Rosalie hinterher und hol sie zurück … Überleg doch mal, Jasper. Was wird er wohl tun, wenn er einen von uns sieht?«

Sie nickte. »Genau. Ich glaube, Bella ist unsere einzige Chance, wenn wir überhaupt eine haben … Ich tue mein Möglichstes, aber bereite Carlisle auf das Schlimmste vor – es sieht nicht gut aus.«

Dann lachte sie, und ihre Stimme stockte. »Daran habe ich auch schon gedacht … Ja, versprochen.« Ihre Stimme wurde flehend. »Nein, komm mir nicht hinterher. Ich verspreche es dir, Jasper. Irgendwie komme ich da raus … Und ich liebe dich.«

Sie legte auf und lehnte sich mit geschlossenen Augen in den Sitz zurück. »Ich hasse es, ihn anzulügen.«

»Du musst mir alles erzählen, Alice«, flehte ich. »Ich verstehe das nicht. Warum hast du Jasper gesagt, er soll Emmett aufhalten? Warum sollen sie nicht kommen und uns helfen?«

»Aus zwei Gründen«, flüsterte sie, immer noch mit geschlossenen Augen. »Den ersten habe ich ihm genannt. Wir *könnten* versuchen, Edward selbst aufzuhalten – wenn Emmett ihn zu fassen bekäme, könnten wir ihn womöglich aufhalten und davon überzeugen, dass du lebst. Aber wir können uns ja nicht an Edward heranschleichen. Und wenn er merkt, dass wir hinter ihm her sind, beeilt er sich nur umso mehr. Dann wirft er womöglich einen Buick durch eine Mauer oder so, und dann bringen die Volturi ihn um. Womit wir beim zweiten Grund wären, und den konnte ich Jasper nicht verraten. Denn wenn sie dort sind und die Volturi Edward töten, dann würde es zum Kampf kommen. Bella.« Sie schlug die Augen auf und sah mich flehend an. »Wenn wir nur die leiseste Chance hätten zu gewinnen … wenn wir vier meinen Bruder retten könnten, indem wir für ihn kämpfen, dann wäre es etwas anderes. Doch das können wir nicht, und ich will Jasper nicht auf diese Weise verlieren.«

Ich begriff, warum sie mit ihrem Blick um Verständnis flehte. Sie schützte Jasper, auf unsere Kosten – und vielleicht auch auf Edwards Kosten. Ich konnte sie verstehen, ich machte ihr keinen Vorwurf. Ich nickte.

»Aber kann Edward dich nicht hören?«, fragte ich. »Weiß er nicht, sobald er deine Gedanken hört, dass ich lebe und dass das Ganze völlig unnötig ist?«

Nicht dass sein Verhalten sich irgendwie rechtfertigen ließ, so oder so. Ich konnte immer noch nicht fassen, dass er so auf meinen vermeintlichen Tod reagieren konnte. Es war völlig absurd! Ich erinnerte mich noch schmerzlich genau an seine Worte an jenem Tag auf dem Sofa, als wir zuschauten, wie Romeo und Julia sich umbrachten, erst sie, dann er. *Ich hatte nicht vor, ohne dich weiterzuleben*, hatte er gesagt, als wäre das die einzig logische Konsequenz. Doch die Worte, die er im Wald gesagt hatte, als er mich verließ, hatten das alles zunichtegemacht – mit aller Macht.

»Wenn er zuhören würde, könnte er das«, erklärte sie. »Aber ob du es glaubst oder nicht, man kann auch in Gedanken lügen.

Selbst wenn du gestorben wärst, würde ich versuchen, ihn aufzuhalten. Und dann würde ich ›Sie lebt, sie lebt‹ denken, so fest
ich könnte. Und das weiß er.«

Ich knirschte frustriert mit den Zähnen.

»Wenn ich das hier irgendwie ohne dich machen könnte,
Bella, würde ich dich nicht in solch eine Gefahr bringen. Es ist
nicht richtig.«

»Sei nicht albern. Ich bin die Letzte, um die du dir Sorgen
machen solltest.« Ich tat ihre Bedenken mit einem ungeduldi-
gen Kopfschütteln ab. »Was hast du eigentlich damit gemeint,
als du gesagt hast, du musstest Jasper anlügen?«

Sie lächelte grimmig. »Ich habe ihm versprochen, mich aus
dem Staub zu machen, bevor sie auch mich umbringen. Das
kann ich überhaupt nicht versprechen – unmöglich.« Sie sah
mich eindringlich an, als wollte sie mich dazu bringen, die Gefahr ernster zu nehmen.

»Wer sind diese Volturi?«, flüsterte ich. »Warum sind sie so
viel gefährlicher als Emmett, Jasper, Rosalie und du?« Es war
schwer, sich das vorzustellen.

Sie atmete tief durch und warf dann plötzlich einen finsteren
Blick über meine Schulter. Ich wandte mich zur anderen Seite
und sah gerade noch, dass der Mann auf dem Platz am Gang
rasch wegschaute, als würde er uns gar nicht beachten. Mit seinem dunklen Anzug, der Krawatte und dem Laptop auf den
Knien wirkte er wie ein Geschäftsmann. Während ich ihn verärgert anstarrte, klappte er den Computer auf und setzte sich de-
monstrativ einen Kopfhörer auf.

Ich beugte mich näher zu Alice hinüber. Als sie mir die Geschichte zuflüsterte, berührten ihre Lippen fast meine Ohren.

»Ich war überrascht, dass du den Namen kennst«, sagte sie.
»Dass du sofort geschaltet hast, als ich sagte, er sei auf dem Weg

nach Italien. Ich hatte gedacht, ich müsste es dir erklären. Was hat Edward dir erzählt?«

»Er hat nur gesagt, dass sie eine alte, mächtige Familie sind – fast wie eine königliche Familie. Und dass man sie sich nicht zum Feind machen sollte, es sei denn, man möchte … sterben«, flüsterte ich. Das letzte Wort brachte ich nur mit Mühe heraus.

»Du musst verstehen«, sagte sie, jetzt langsam und überlegt, »dass wir Cullens in mehr als einer Hinsicht einzigartig sind, mehr … als du weißt … Es ist … nicht normal, dass so viele von uns friedlich zusammenleben. Bei Tanyas Familie ist es auch so, und Carlisle vermutet, dass es die Enthaltsamkeit ist, die es uns leichter macht, zivilisiert zu sein und Bindungen einzugehen, die auf Liebe beruhen und nicht bloß auf Überlebensinstinkt und Eigennutz. Selbst James' kleiner Dreierzirkel war schon ungewöhnlich groß – und du hast gesehen, wie problemlos Laurent ihn verlassen hat. Unsereins ist im Allgemeinen allein oder zu zweit unterwegs. Soweit ich weiß, sind wir Cullens die größte existierende Familie, mit einer Ausnahme, den Volturi. Ursprünglich waren sie zu dritt: Aro, Caius und Marcus.«

»Ich habe sie gesehen«, murmelte ich. »Auf dem Bild in Carlisles Arbeitszimmer.«

Alice nickte. »Im Laufe der Zeit kamen noch zwei Frauen hinzu, und seitdem sind die fünf eine Familie. Genau weiß ich es nicht, aber ich vermute, ihr hohes Alter ist der Grund dafür, dass sie so friedlich zusammenleben können. Sie sind über dreitausend Jahre alt. Es mag auch sein, dass sie ihrer Talente wegen toleranter sind als andere. Wie Edward und ich haben auch Aro und Marcus besondere Fähigkeiten.«

Ehe ich nachfragen konnte, fuhr sie schon fort: »Vielleicht ist es auch nur ihre Liebe zur Macht, die sie zusammenhält. Königliche Familie ist eine treffende Beschreibung.«

»Aber wenn es nur fünf sind …«

»Die fünf bilden die Familie«, verbesserte sie mich. »Da sind die Wachen noch nicht mitgezählt.«

Ich atmete tief durch. »Das klingt … gefährlich.«

»Das ist es auch«, sagte sie. »Als wir das letzte Mal von ihnen gehört haben, gab es neun ständige Wachen. Dann gibt es noch andere, die eher … vorübergehend sind. Das wechselt. Und viele von ihnen haben ebenfalls besondere, ungeheure Talente; Talente, gegen die meine Künste aussehen wie ein simpler Zaubertrick. Die Volturi wählen sie gezielt nach ihren Begabungen aus.«

Ich öffnete den Mund und klappte ihn wieder zu. Ich wollte gar nicht so genau wissen, wie schlecht unsere Aussichten wirklich waren.

Sie nickte, als wüsste sie genau, was ich dachte. »Sie haben nicht oft Auseinandersetzungen mit anderen. Niemand ist so dumm, sich mit ihnen anzulegen. Sie bleiben in ihrer Stadt und verlassen sie nur, wenn die Pflicht ruft.«

»Die Pflicht?«, fragte ich.

»Hat Edward dir nicht erzählt, was sie tun?«

»Nein«, sagte ich verdutzt.

Alice blickte noch einmal über meinen Kopf hinweg zu dem Geschäftsmann, dann legte sie ihre kalten Lippen wieder an mein Ohr.

»Es hat seine Gründe, dass er sie die königliche Familie genannt hat … die herrschende Klasse. Im Laufe der Jahrtausende haben sie es übernommen, für die Einhaltung unserer Regeln zu sorgen, was nichts anderes heißt, als Missetäter zu bestrafen. Darum kümmern sie sich akribisch.«

Ich riss entsetzt die Augen auf. »Es gibt Regeln?«, fragte ich viel zu laut.

»Pst!«

»Hätte mir das nicht mal jemand erzählen können?«, flüsterte ich wütend. »Ich meine ... ich wollte ein ... ich wollte eine von euch werden! Hätte mir nicht mal jemand die Regeln erklären können?«

Alice kicherte leise über meine Reaktion. »So kompliziert ist es gar nicht, Bella. Es gibt nur eine wesentliche Einschränkung – und wenn du nachdenkst, kommst du wahrscheinlich von selbst drauf.«

Ich dachte nach. »Nein, keine Ahnung.«

Sie schüttelte enttäuscht den Kopf. »Vielleicht liegt es zu sehr auf der Hand. Wir müssen unsere Existenz geheim halten.«

»Ach so«, murmelte ich. Das lag allerdings auf der Hand.

»Das ist äußerst wichtig, und die meisten von uns müssen nicht daran erinnert werden«, fuhr sie fort. »Aber nach ein paar Jahrhunderten fängt der eine oder andere an, sich zu langweilen. Oder dreht durch. Wie auch immer. Und dann schreiten die Volturi ein, bevor sie oder wir Übrigen kompromittiert werden können.«

»Dann will Edward ...«

»Er hat vor, sie in ihrer eigenen Stadt zu verraten – der Stadt, die sie heimlich schon seit dreitausend Jahren beherrschen, seit der Zeit der Etrusker. Sie sind so darauf bedacht, ihre Stadt zu schützen, dass sie die Jagd innerhalb der Stadtmauern verboten haben. Volterra ist wahrscheinlich die sicherste Stadt der Welt – zumindest was Vampirangriffe angeht.«

»Aber du hast doch gesagt, dass sie die Stadt nicht verlassen. Wovon leben sie denn dann?«

»Sie verlassen die Stadt tatsächlich nicht. Sie lassen sich ihre Nahrung von außen bringen, manchmal von sehr weit her. Auf diese Weise haben die Wachen etwas zu tun, wenn sie nicht gerade Abtrünnige liquidieren oder Volterra vor Verrat schützen …«

»Vor Situationen wie dieser, vor Edward«, beendete ich ihren Satz. Es fiel mir inzwischen erstaunlich leicht, seinen Namen auszusprechen. Wieso eigentlich? Vielleicht, weil ich nicht vorhatte, noch viel länger zu leben, ohne ihn zu sehen. Oder überhaupt zu leben, falls wir zu spät kamen. Es war tröstlich zu wissen, dass es bald vorbei sein würde.

»Ich wage zu bezweifeln, dass sie eine Situation wie diese schon einmal erlebt haben«, murmelte sie gereizt. »Es gibt nicht viele selbstmörderische Vampire.«

Ein Laut entfuhr mir, ganz leise nur, doch Alice schien zu verstehen, dass es ein Schmerzensschrei war. Sie schlang ihren dünnen starken Arm um meine Schultern.

»Wir tun, was wir können, Bella. Es ist noch nicht zu spät.«

»Noch nicht.« Ich ließ mich von ihr trösten, obwohl ich wusste, dass sie uns keine großen Chancen gab. »Und wenn wir es vermasseln, kriegen uns die Volturi.«

Alice erstarrte. »Du sagst das, als wäre es etwas Gutes.«

Ich zuckte die Achseln.

»Hör auf damit, Bella, sonst kehren wir in New York um und fliegen zurück nach Forks.«

»Was?«

»Du weißt genau, was ich meine. Wenn wir zu spät kommen, um Edward zu retten, werde ich alles tun, um dich zurück zu Charlie zu bringen, und ich will nicht, dass du mir Schwierigkeiten machst. Hast du verstanden?«

»Klar, Alice.«

Sie rückte ein wenig von mir ab, so dass sie mir einen wütenden Blick zuwerfen konnte. »Keinen Ärger.«

»Großes Indianerehrenwort«, murmelte ich.

Sie verdrehte die Augen.

»Und jetzt muss ich mich konzentrieren. Ich will versuchen zu sehen, was er vorhat.«

Sie ließ den Arm um meine Schulter liegen, doch ihr Kopf sank zurück in das Polster. Sie schloss die Augen, legte eine Hand an die Wange und rieb mit den Fingerspitzen über die Schläfe.

Eine ganze Weile beobachtete ich sie fasziniert. Irgendwann wurde sie vollkommen reglos, ihr Gesicht war wie versteinert. Minuten vergingen, und hätte ich es nicht besser gewusst, hätte ich gedacht, sie wäre eingeschlafen. Ich wagte nicht, sie zu stören.

Ich versuchte an irgendetwas Unverfängliches zu denken. Auf keinen Fall durfte ich über die Schrecken nachdenken, die uns bevorstanden, oder, noch schlimmer, die Möglichkeit, dass wir versagten, jedenfalls nicht, wenn ich nicht laut schreien wollte.

Ich durfte mir aber auch keine Hoffnungen machen. Wenn ich ganz, ganz großes Glück hatte, konnte ich Edward vielleicht irgendwie retten. Doch ich durfte mir nicht einbilden, dass ich dann mit ihm zusammenbleiben könnte. Ich war genau wie vorher, nichts Besonderes. Es war also abwegig zu glauben, dass er jetzt plötzlich wieder mit mir zusammen sein wollte. Ihn zu sehen und ihn ein zweites Mal zu verlieren …

Ich kämpfte gegen den Schmerz an. Das war der Preis, den ich zahlen musste, wenn ich ihm das Leben retten wollte. Ich war bereit, ihn zu zahlen.

Im Flugzeug lief jetzt ein Spielfilm, und mein Nachbar schaute gespannt zu. Ich sah, wie die Figuren sich über den kleinen Bildschirm bewegten, aber ich konnte nicht mal sagen, ob es ein Liebesfilm oder ein Horrorstreifen war.

Nach einer Ewigkeit begann das Flugzeug mit dem Sinkflug auf New York City. Alice blieb in ihrer Trance. Ich zauderte, streckte die Hand aus, um sie zu berühren, und zog sie wieder zurück. Das ging bestimmt zehnmal so, bevor das Flugzeug mit einem Rums aufsetzte.

»Alice«, sagte ich schließlich. »Alice, wir müssen aussteigen.« Ich berührte sie am Arm.

Ganz langsam öffnete sie die Augen. Sie schüttelte einen Augenblick den Kopf.

»Gibt's was Neues?«, fragte ich leise, da ich mir deutlich bewusst war, dass der Mann neben mir lauschte.

»Nicht richtig«, sagte sie so leise, dass ich es kaum verstand. »Er kommt näher. Er überlegt gerade, wie er seine Bitte vorbringen soll.«

Wir mussten uns beeilen, um unseren Anschlussflug zu erreichen, doch das war gut – besser als langes Warten. Sobald das Flugzeug in der Luft war, schloss Alice wieder die Augen und glitt in die gleiche Starre wie vorher zurück. Ich wartete so geduldig wie möglich. Als es draußen dunkel wurde, ließ ich das Rollo hoch, aber die Finsternis vor dem Fenster anzustarren war auch nicht besser, als das Rollo anzustarren.

Ich war froh darüber, dass ich monatelange Übung darin hatte, meine Gedanken zu beherrschen. Statt über die schrecklichen Möglichkeiten nachzugrübeln, die ich – egal was Alice sagte – nicht überleben wollte, konzentrierte ich mich auf geringfügigere Probleme. Zum Beispiel, was ich Charlie erzählen würde, falls ich zurückkam. Dieses Problem war so heikel, dass ich zu keiner befriedigenden Lösung kam, so lange ich auch nachdachte. Und Jacob? Er hatte versprochen, auf mich zu warten, aber galt dieses Versprechen noch? Würde ich ganz alleine in Forks enden, ohne irgendjemanden? Dann wollte ich lieber gar nicht überleben, ganz gleich, wie die Sache ausging.

Als Alice mich an der Schulter rüttelte, kam es mir vor, als wären nur wenige Sekunden vergangen – ich hatte nicht gemerkt, dass ich eingeschlafen war.

»Bella«, flüsterte sie, doch ihre Stimme war ein wenig zu laut in der abgedunkelten Kabine voller schlafender Menschen.

Ich war sofort hellwach – so lange hatte ich offensichtlich nicht geschlafen.

»Ist was passiert?«

Alice' Augen schimmerten in dem schwachen Licht der Leselampe in der Reihe hinter uns.

»Ja.« Sie lächelte grimmig. »Etwas Gutes. Sie beratschlagen noch, aber es steht schon fest, dass sie ihm eine Absage erteilen werden.«

»Die Volturi?«

»Natürlich, Bella, hör mir doch mal zu. Ich weiß jetzt, was sie ihm sagen werden.«

»Erzähl's mir.«

Ein Steward kam auf Zehenspitzen den Gang herunter. »Kann ich den Damen ein Kissen bringen?« Sein gedämpftes Flüstern war ein einziger Vorwurf für unser vergleichsweise lautes Gespräch.

»Nein, vielen Dank.« Alice schenkte ihm ein so reizendes Lächeln, dass er sich völlig benommen umdrehte und den Gang hinunterstolperte.

»Erzähl's mir«, hauchte ich fast lautlos.

Sie flüsterte mir ins Ohr. »Sie sind an ihm interessiert ... sie glauben, seine Fähigkeit könnte ihnen nützlich sein. Sie wollen ihm einen Platz in ihrer Familie anbieten.«

»Was wird er tun?«

»Das kann ich noch nicht sagen, aber ich wette, es wird spannend.« Sie grinste wieder. »Das ist die erste gute Nachricht ...

endlich. Sie sind neugierig; im Grunde wollen sie ihn nicht zerstören – ›Verschwendung‹ wird Aro es nennen – und das könnte reichen. Dann ist er gezwungen, sich etwas einfallen zu lassen, und je länger er dafür braucht, umso besser für uns.«

Das reichte nicht, um mich optimistisch zu stimmen; und ich war auch bei weitem nicht so erleichtert wie sie. Es war immer noch gut möglich, dass wir zu spät kamen. Und falls ich gar nicht erst in die Stadt der Volturi gelangte, würde ich Alice nicht daran hindern können, mich wieder nach Hause zu schleppen.

»Alice?«

»Ja?«

»Eins versteh ich nicht. Wie kannst du das so deutlich sehen? Und dann siehst du manchmal Dinge, die in weiter Ferne liegen … und die dann gar nicht passieren.«

Sie kniff die Augen zusammen. Ob sie ahnte, woran ich dachte?

»Ich sehe es klar und deutlich, weil es jetzt gerade und ganz in unserer Nähe geschieht, und weil ich mich sehr darauf konzentriere. Das, was in weiter Ferne liegt und einfach auf mich einsturmt – das sind nur Schnipsel, vage Möglichkeiten. Hinzu kommt, dass ich meinesgleichen leichter sehen kann als Menschen. Bei Edward ist es noch einfacher, weil er mir so nahe steht.«

»Mich siehst du aber auch manchmal«, erinnerte ich sie.

Sie schüttelte den Kopf. »Nicht so deutlich.«

Ich seufzte. »Schade, dass du bei mir nicht Recht behalten hast. Mit dem, was du ganz am Anfang gesehen hast, noch bevor wir uns kennengelernt haben …«

»Wovon redest du?«

»Da hast du gesehen, dass ich eine von euch werde.« Ich formte die Worte fast nur mit den Lippen.

Sie seufzte. »Damals lag das durchaus im Bereich des Möglichen.«

»Damals«, wiederholte ich.

»Weißt du, Bella, eigentlich …« Sie zögerte, doch dann sprach sie schnell weiter. »Ehrlich gesagt finde ich das Ganze inzwischen mehr als lächerlich. Ich überlege hin und her, ob ich dich nicht eigenhändig verwandeln soll.«

Starr vor Schreck sah ich sie an. Ich wehrte mich sofort gegen ihre Worte. Eine solche Hoffnung durfte ich gar nicht erst aufkommen lassen, falls sie es sich doch wieder anders überlegte.

»Habe ich dich jetzt erschreckt?«, fragte sie. »Ich dachte, das wolltest du.«

»Das will ich auch!«, sagte ich atemlos. »Oh, Alice, tu's jetzt! Dann könnte ich dir viel besser helfen – und wäre dir nicht länger ein Klotz am Bein. Beiß mich!«

»Pst!«, warnte sie mich. Der Steward schaute schon wieder in unsere Richtung. »Sei vernünftig«, flüsterte sie. »Dafür haben wir jetzt nicht genug Zeit. Wir müssen morgen Volterra erreichen. Du würdest dich tagelang vor Schmerzen winden.« Sie verzog das Gesicht. »Und ich glaube nicht, dass die anderen Passagiere es sonderlich gut aufnehmen würden.«

Ich biss mir auf die Lippe. »Wenn du es nicht jetzt gleich tust, überlegst du es dir bestimmt wieder anders.«

»Nein.« Sie runzelte unglücklich die Stirn. »Ich glaube nicht. Er wird wütend sein, aber was soll er schon machen?«

Mein Herz schlug schneller. »Nichts.«

Sie lachte leise und seufzte dann. »Du vertraust mir zu sehr, Bella. Ich weiß nicht mal genau, ob ich es kann. Womöglich bringe ich dich noch um.«

»Darauf lasse ich es ankommen.«

»Du bist wirklich seltsam, sogar für einen Menschen.«

»Danke.«

»Nun ja, im Augenblick ist das sowieso alles Theorie. Erst mal müssen wir den morgigen Tag überleben.«

»Wo du Recht hast …« Doch wenn wir diesen Tag überlebten, hatte ich wenigstens etwas, worauf ich hoffen konnte. Falls Alice ihr Versprechen hielt – und falls sie mich nicht umbrachte –, dann konnte Edward so vielen Zerstreuungen hinterherlaufen, wie er wollte, und ich konnte ihm folgen. Ich würde es gar nicht zulassen, dass er sich zerstreuen ließ. Wenn ich schön und stark wäre, bräuchte er so etwas vielleicht gar nicht.

»Versuch noch ein bisschen zu schlafen«, sagte sie. »Ich wecke dich, wenn's was Neues gibt.«

»In Ordnung«, murmelte ich, obwohl ich mir sicher war, dass auf Schlaf jetzt nicht mehr zu hoffen war. Alice zog die Füße auf den Sitz, schlang die Arme um die Beine und legte die Stirn auf die Knie. Sie schaukelte vor und zurück und konzentrierte sich.

Ich lehnte den Kopf an und betrachtete sie, und als Nächstes sah ich, dass sie das Rollo zuzog und die schwache Dämmerung am östlichen Himmel ausblendete.

»Was ist los?«, murmelte ich.

»Sie haben ihm eine Absage erteilt«, sagte sie leise. Ich merkte sofort, dass ihre Begeisterung verflogen war.

Vor Panik blieben mir die Worte fast im Hals stecken. »Was hat er jetzt vor?«

»Zuerst war es ein großer Wirrwarr. Ich bekam nur Flimmerbilder, so schnell änderte er seine Pläne.«

»Was für Pläne?«, drängte ich.

»Eine Stunde lang war es ganz schlimm«, flüsterte sie. »Er beschloss, auf die Jagd zu gehen.«

Sie schaute mich an und sah, dass ich nichts begriff.

»In der Stadt«, erklärte sie mir. »Es war ganz knapp. Erst im letzten Moment hat er sich dagegen entschieden.«

»Er möchte Carlisle nicht enttäuschen«, murmelte ich.

»Wahrscheinlich«, sagte sie.

»Haben wir genug Zeit?« Während ich das sagte, änderte sich der Druck in der Kabine. Ich spürte, wie sich das Flugzeug abwärtsneigte.

»Hoffentlich – wenn er bei seinem letzten Plan bleibt, vielleicht.«

»Was hat er vor?«

»Er hält sich an die einfachste Methode. Er tritt einfach hinaus in die Sonne.«

Er tritt einfach hinaus in die Sonne. Das war alles.

Das würde reichen. Das Bild von Edward auf der Lichtung – glühend, schimmernd, als bestünde seine Haut aus einer Million Diamanten – war in meine Erinnerung gebrannt. Niemand, der das gesehen hatte, würde es je vergessen. Das konnten die Volturi unmöglich zulassen. Nicht, wenn sie wollten, dass ihre Stadt auch weiterhin kein Aufsehen erregte.

Ich schaute in das leicht graue Glühen, das durch die Fenster drang. »Wir kommen zu spät«, flüsterte ich, und vor Panik versagte mir die Stimme.

Sie schüttelte den Kopf. »Im Augenblick neigt er zum Melodramatischen. Er will das größtmögliche Publikum haben, also wird er die große Piazza wählen, direkt unter dem Glockenturm. Die Mauern sind dort hoch. Er wird warten, bis die Sonne direkt im Zenit steht.«

»Dann haben wir bis Mittag?«

»Wenn wir Glück haben. Wenn er bei seinem Entschluss bleibt.«

Der Pilot verkündete über die Bordsprechanlage, zuerst auf

Französisch und dann auf Englisch, dass wir nun landen würden. Es machte »pling«, und die Lämpchen für die Sicherheitsgurte leuchteten auf.

»Wie weit ist es von Florenz nach Volterra?«

»Kommt ganz drauf an, wie schnell man fährt ... Bella?«

»Ja?«

Sie sah mich forschend an. »Hast du eigentlich was gegen Autodiebstahl?«

Wenige Schritte neben mir hielt mit quietschenden Reifen ein leuchtend gelber Porsche, quer über dem Heck stand in kursiven silbernen Lettern das Wort TURBO. Alle Leute auf dem überfüllten Flughafenvorplatz starrten auf das Auto.

»Mach schon, Bella!«, rief Alice ungeduldig durch das geöffnete Beifahrerfenster.

Ich lief hinüber, sprang in den Wagen und dachte, dass ich ebenso gut einen schwarzen Strumpf über dem Gesicht tragen könnte.

»Mensch, Alice«, beschwerte ich mich. »Konntest du nicht ein noch auffälligeres Auto klauen?«

Der Innenraum war mit schwarzem Leder verkleidet, die Scheiben waren getönt. Man fühlte sich geborgen im Wageninnern, wie in der Nacht.

Alice fädelte sich bereits – mit viel zu hoher Geschwindigkeit – durch den dichten Flughafenverkehr, huschte in winzige Lücken zwischen den Autos, während ich immer wieder zusammenzuckte und nach dem Sicherheitsgurt suchte.

»Entscheidend ist«, sagte sie, »ob ich ein schnelleres Auto hätte klauen können, und das glaube ich nicht. Ich hatte Glück.«

»Das wird uns an der Straßensperre bestimmt ein Trost sein.«

Sie lachte trällernd. »Vertrau mir, Bella. Wenn eine Straßensperre errichtet wird, dann höchstens hinter uns.« Und zum Beweis trat sie fest aufs Gas.

Ich hätte wohl aus dem Fenster schauen sollen, als zuerst Florenz und dann die Landschaft der Toskana an uns vorbeisausten. Dies war meine allererste Reise überhaupt, und vielleicht auch meine letzte. Doch Alice' Fahrstil jagte mir Angst ein, obwohl ich wusste, dass ich ihr am Steuer vertrauen konnte. Außerdem hatte ich viel zu große Panik, um die Hügel oder die von Mauern umgebenen Städte, die aus der Ferne aussahen wie Burgen, überhaupt wahrzunehmen.

»Kannst du noch mehr sehen?«

»Irgendetwas ist da im Gange«, murmelte Alice. »Ein Fest oder so. In den Straßen sind ganz viele Menschen und rote Fahnen. Der Wievielte ist heute?«

Ich war mir nicht ganz sicher. »Vielleicht der Fünfzehnte?«

»Das nenne ich Ironie des Schicksals. Heute ist der Tag des heiligen Markus.«

»Und das heißt?«

Sie kicherte finster. »Die Stadt feiert jedes Jahr ein Fest. Der Legende nach vertrieb vor tausendfünfhundert Jahren ein christlicher Missionar namens Pater Marcus – der Marcus der Volturi – alle Vampire aus Volterra. Der Legende nach ist er in Rumänien den Märtyrertod gestorben, nachdem er versucht hatte, die Vampirplage zu bekämpfen. Das ist natürlich Unsinn – in Wirklichkeit hat er die Stadt nie verlassen. Aber daher kommt dieser ganze abergläubische Kram mit Kreuzen und Knoblauch und dergleichen. Pater Marcus hat sie schließlich erfolgreich eingesetzt. Und Volterra wird nicht mehr von Vampiren geplagt, also scheint es zu funktionieren.« Ihr Lächeln war zynisch. »Inzwischen ist es mehr ein Stadtfest und eine Würdigung der

Polizei, schließlich ist Volterra eine erstaunlich sichere Stadt. Und das hält man der Polizei zugute.«

Allmählich dämmerte mir, was sie mit »Ironie des Schicksals« gemeint hatte. »Die sind bestimmt nicht begeistert, wenn Edward ihnen ausgerechnet am Festtag des heiligen Markus alles vermasselt, was?«

Sie schüttelte verbissen den Kopf. »Nein. Sie werden sehr schnell eingreifen.«

Ich wandte den Blick ab und musste mich beherrschen, um mir nicht zu fest auf die Unterlippe zu beißen. Bluten war im Moment nicht besonders empfehlenswert.

Die Sonne stand erschreckend hoch am blassblauen Himmel.

»Er hat immer noch vor, es am Mittag zu tun?«, fragte ich.

»Ja. Er hat beschlossen zu warten. Und sie warten auf ihn.«

»Sag mir, was ich tun soll.«

Sie hielt den Blick auf die kurvenreiche Straße gerichtet – die Tachonadel berührte das rechte Ende der Anzeige.

»Du brauchst gar nichts zu tun. Er muss dich nur sehen, bevor er in die Sonne tritt. Und er muss dich sehen, bevor er mich sieht.«

»Wie sollen wir das hinkriegen?«

Ein kleines rotes Auto schien rückwärtszufahren, als Alice an ihm vorbeibretterte.

»Wir fahren, so weit es geht, heran, und dann läufst du in die Richtung, die ich dir zeige.«

Ich nickte.

»Gib Acht, dass du nicht stolperst«, fügte sie hinzu. »Für Gehirnerschütterungen haben wir heute keine Zeit.«

Ich stöhnte auf. Das wäre typisch für mich – alles zu verderben, aus reiner Ungeschicklichkeit die Welt zu zerstören.

Die Sonne stieg immer höher, während wir ihr entgegenrasten. Sie stand zu strahlend hell am Himmel, und das versetzte mich in Panik. Vielleicht entschloss er sich, gar nicht bis zum Mittag zu warten.

»Da«, sagte Alice plötzlich und zeigte auf die von Mauern umgebene Stadt auf dem nächsten Hügel.

Ich starrte hinüber und spürte den allerersten Anflug einer neuen Angst. Seit gestern Morgen – es schien eine Woche her zu sein –, als Alice am Fuß der Treppe seinen Namen ausgesprochen hatte, hatte mich nur eine einzige Angst beherrscht. Doch als ich jetzt auf die alten ockerfarbenen Mauern und Türme starrte, die den steilen Hügel krönten, spürte ich, wie mich eine andere, selbstsüchtigere Angst durchströmte.

Vermutlich war die Stadt sehr schön. Mir jagte sie nichts als Angst und Schrecken ein.

»Volterra«, verkündete Alice mit ausdrucksloser, eisiger Stimme.

VOLTERRA

Wir begannen die steile Straße hinaufzufahren, und der Verkehr wurde immer dichter. Als wir höher kamen, fuhren die Autos so nah hintereinander, dass Alice sich nicht mehr in Windeseile zwischen ihnen hindurchfädeln konnte. Wir drosselten das Tempo und krochen hinter einem kleinen hellbraunen Peugeot her.

»Alice«, stöhnte ich und schaute auf die Uhr. Die Zeit schien immer schneller zu vergehen.

»Es gibt keinen anderen Weg in die Stadt«, sagte sie, um mich zu beruhigen. Aber sie klang so angespannt, dass es nicht den gewünschten Effekt hatte.

Die Autos schlichen weiter, Stoßstange an Stoßstange. Die Sonne knallte vom Himmel, sie schien ihren höchsten Stand schon erreicht zu haben.

Eins nach dem anderen krochen die Autos auf die Stadt zu. Wir waren schon fast da, als mir auffiel, dass einige Leute ihren Wagen am Straßenrand parkten und ausstiegen, um das letzte Stück zu Fuß zu gehen. Erst dachte ich, sie täten das aus Ungeduld – was ich gut hätte verstehen können. Doch als wir um eine Serpentine bogen, sah ich den überfüllten Parkplatz vor den Stadtmauern, die Menschenmengen, die durch die Tore gingen. Niemand durfte mit dem Auto hindurch.

»Alice«, flüsterte ich eindringlich.

»Ich weiß«, sagte sie. Ihr Gesicht war wie aus Eis gemeißelt. Jetzt, da wir so langsam fuhren, dass man etwas erkennen konnte, fiel mir auf, dass es sehr windig war. Die Leute, die sich vor dem Tor drängten, hielten ihre Hüte fest und strichen sich die Haare aus dem Gesicht, ihre Kleider blähten sich. Außerdem fiel mir auf, dass die Farbe Rot allgegenwärtig war. Rote T-Shirts, rote Hüte, rote Fahnen, die wie lange Bänder am Tor herabhingen und vom Wind gepeitscht wurden – plötzlich sah ich, wie der leuchtend karmesinrote Schal, den eine Frau sich ums Haar gebunden hatte, von einer Bö erfasst wurde. Er wirbelte hoch und schlängelte sich in der Luft, als wäre er lebendig. Sie sprang ebenfalls hoch und versuchte ihn zu fangen, aber er flatterte immer höher, ein blutiger Farbklecks vor den leblosen alten Mauern.

»Bella.« Alice sprach schnell, ihre Stimme war leise und erregt. »Ich weiß nicht, wie die Wache hier entscheiden wird – wenn es nicht klappt, musst du allein hinein. Du musst rennen. Frag immer nach dem Palazzo dei Priori und renn in die Richtung, die man dir weist. Verlauf dich nicht.«

»Palazzo dei Priori, Palazzo dei Priori«, sagte ich immer wieder und versuchte mir den Namen zu merken.

»Oder frag nach dem Campanile, das ist der Glockenturm. Ich fahre außen herum und versuche eine abgelegene Stelle zu finden, wo ich über die Mauer klettern kann.«

Ich nickte. »Palazzo dei Priori.«

»Edward wird beim Glockenturm an der Nordseite der Piazza stehen. Rechts ist eine schmale Gasse, dort steht er im Schatten. Du musst seine Aufmerksamkeit auf dich lenken, ehe er in die Sonne treten kann.«

Ich nickte heftig.

Alice war jetzt fast ganz vorn in der Schlange. Ein Mann in marineblauer Uniform lenkte den Verkehr weg von dem überfüllten Parkplatz. Alle wendeten und fuhren zurück, um einen Parkplatz am Straßenrand zu suchen. Dann war Alice an der Reihe.

Der uniformierte Mann gab uns gelangweilt Handzeichen, ebenfalls zu wenden. Aber Alice beschleunigte, fuhr um ihn herum und steuerte auf das Tor zu. Er schrie uns an, blieb jedoch, wo er war, und winkte wild, damit der Fahrer des nächsten Wagens nicht unserem schlechten Beispiel folgte.

Der Mann am Tor trug die gleiche Uniform. Als wir näher kamen, gingen Scharen von Touristen an uns vorbei, drängten sich auf den Gehwegen und starrten neugierig zu dem drängelnden, protzigen Porsche.

Der Wächter trat mitten auf die Straße. Alice lenkte den Wagen mit Bedacht, ehe sie anhielt. Jetzt knallte auf meiner Seite die Sonne ins Fenster, während Alice sich im Schatten befand. Schnell fasste sie hinter den Sitz und holte etwas aus ihrer Tasche.

Mit verärgertem Gesicht kam der Wächter um den Wagen herum und tippte wütend an die Scheibe.

Alice ließ die Scheibe halb herunter, und als er ihr Gesicht hinter dem dunklen Glas sah, musste er zweimal hinschauen.

»Tut mir leid, Miss.« Er sprach Englisch mit starkem Akzent. »Heute nur Ausflugsbusse in die Stadt.« Er sagte es entschuldigend, als hätte er lieber bessere Nachrichten für die auffallend schöne Frau.

»Dies ist ein Privatausflug«, sagte Alice und schenkte ihm ein gewinnendes Lächeln. Sie hielt eine Hand aus dem Fenster in die Sonne. Ich erstarrte, doch dann sah ich, dass sie einen hautfarbenen Handschuh trug, der bis zum Ellbogen ging. Sie nahm seine Hand, die er immer noch erhoben hatte, und zog sie in den Wagen. Sie legte ihm etwas hinein und schloss seine Finger darum.

Als er die Hand herauszog und auf die dicke Geldrolle starrte, guckte er fassungslos. Ganz außen sah ich einen Eintausend-Dollar-Schein.

»Soll das ein Witz sein?«, murmelte er.

Alice lächelte strahlend. »Nur wenn Sie darüber lachen können.«

Er starrte sie mit weit aufgerissenen Augen an. Nervös schaute ich auf die Uhr am Armaturenbrett. Wenn Edward sich an seinen Plan hielt, blieben uns nur noch fünf Minuten.

»Ich habe es ein kleines bisschen eilig«, sagte sie, immer noch lächelnd.

Der Wächter blinzelte zweimal, dann steckte er das Geld in die Tasche. Er trat einen Schritt zurück und winkte uns durch. Von den Vorübergehenden schien niemand die Transaktion bemerkt zu haben. Alice fuhr in die Stadt, und wir seufzten beide erleichtert.

Die Straße war sehr schmal, und das Kopfsteinpflaster war von demselben verblichenen Zimtbraun wie die Gebäude, die die Straße – eigentlich eher eine Gasse – beschatteten. Rote Fahnen zierten die Mauern, sie hingen nur wenige Meter voneinander entfernt und flatterten im Wind.

Es war voll, und wegen der vielen Fußgänger kamen wir nur langsam voran.

»Jetzt ist es nicht mehr weit«, sagte Alice, um mich aufzumuntern. Kaum hatte sie das gesagt, fasste ich den Türgriff, um mich auf ihr Kommando jederzeit auf die Straße stürzen zu können.

Sie fuhr schnell an, nur um bald darauf wieder abrupt zu bremsen. Die Leute schwangen die Fäuste und beschimpften uns, und ich war froh, dass ich kein Wort verstand. Dann bog Alice in eine kleine Gasse ein, die bestimmt nicht für Autos gedacht war; die Leute drückten sich erschrocken in die Hauseingänge, als wir uns vorbeizwängten. Schließlich stieß die Gasse wieder auf eine breite Straße. Hier waren die Gebäude größer, sie neigten sich hoch über uns zueinander, so dass kein Sonnenlicht auf den Boden traf – die flatternden roten Fahnen zu beiden Seiten berührten sich fast. Hier war die Menschenmenge noch dichter. Alice hielt an. Noch ehe wir standen, hatte ich die Tür schon aufgerissen.

Alice zeigte geradeaus, dort öffnete sich die Straße weit. »Da drüben ist es – wir sind hier am südlichen Ende der Piazza. Lauf hinüber, bis du rechts neben dem Glockenturm bist. Ich komme dann nach …«

Ganz plötzlich hielt sie den Atem an, und als sie wieder sprach, war ihre Stimme ein Zischen. »Sie sind *überall*!«

Ich erstarrte, doch sie schob mich aus dem Wagen. »Denk nicht an sie. Du hast zwei Minuten. Lauf, Bella, lauf!«, rief sie und stieg aus dem Auto, während sie sprach.

Ich nahm mir nicht die Zeit zu schauen, wie Alice im Schatten verschwand. Ich machte auch die Tür nicht hinter mir zu. Ich schubste eine dicke Frau zur Seite und rannte mit gesenktem Kopf drauflos, und das Einzige, worauf ich achtete, war das holprige Pflaster unter meinen Füßen.

Am Ende der schattigen Straße wurde ich von dem gleißenden Sonnenlicht geblendet, das auf die große Piazza knallte. Der Wind wehte mir ins Gesicht, peitschte mir die Haare in die Augen und nahm mir die Sicht. Es war kein Wunder, dass ich die Menschenmenge erst wahrnahm, als ich direkt in sie hineinlief.

Zwischen den eng zusammengedrängten Körpern gab es keinen Durchgang, keinen Spalt. Wütend schubste ich die Leute und wehrte mich gegen die Hände, die zurückschubsten. Während ich mich durchboxte, wurde ich in allen möglichen Sprachen beschimpft und war froh, dass ich nichts davon verstand. Ich sah verschwommene Gesichter, verärgert und überrascht, und drum herum das allgegenwärtige Rot. Eine blonde Frau keifte mich an, und der rote Schal, den sie um den Hals geschlungen hatte, erschien mir wie eine grausige Wunde. Ein kleiner Junge, den ein Mann auf den Schultern trug, damit er über die Menge hinwegsehen konnte, grinste auf mich herab, mit Vampirzähnen aus Plastik im Mund.

Ich war mitten im Gedränge und wurde in die falsche Richtung geschoben. Nur gut, dass die Uhr weithin zu sehen war, sonst hätte ich die Orientierung verloren. Doch beide Zeiger der Uhr wiesen empor zu der gnadenlosen Sonne, und obwohl ich rücksichtslos drängelte, wusste ich, dass ich zu spät kam. Ich war noch nicht mal halb über die Piazza. Ich konnte es nicht schaffen. Ich war ein dummer, langsamer Mensch, und deshalb mussten wir alle sterben.

Hoffentlich konnte wenigstens Alice entkommen. Hoffentlich sah sie mich, sah, dass ich versagt hatte, damit sie nach Hause zu Jasper zurückkehren konnte.

Über die wütenden Rufe hinweg versuchte ich einen Laut der Überraschung oder des Erschreckens, vielleicht sogar einen Aufschrei zu hören, der mir verraten würde, dass Edward entdeckt worden war.

Doch da war eine Lücke in der Menge – ich sah eine freie Fläche vor mir. Schnell schob ich mich hindurch, und erst als ich mir die Schienbeine an einer niedrigen Steinmauer stieß, merkte ich, dass sich in der Mitte der Piazza ein großer, quadratischer Brunnen befand.

Ich weinte fast vor Erleichterung, als ich ein Bein über den

Rand schwang und durch das knietiefe Wasser lief. Es spritzte wie wild, als ich durch den Brunnen watete. Selbst in der Sonne war der Wind eisig, und das Wasser machte die Kälte geradezu schmerzhaft. Aber der Brunnen war sehr groß, binnen weniger Sekunden hatte ich die Mitte der Piazza und noch etwas mehr überquert. Als ich am anderen Ende des Brunnens angelangt war, benutzte ich die niedrige Mauer als Sprungbrett und stürzte mich in die Menge.

Jetzt machten die Leute mir bereitwillig Platz, um dem eiskalten Wasser auszuweichen, das von meinen triefnassen Kleidern spritzte, während ich rannte. Wieder schaute ich hoch zur Uhr.

Ein tiefer, wummernder Schlag dröhnte über die Piazza. Er ließ die Steine unter meinen Füßen erbeben. Kinder weinten und hielten sich die Ohren zu. Und während ich rannte, fing ich an zu schreien.

»Edward!«, schrie ich, obwohl ich wusste, dass es sinnlos war. Die Menge war zu laut, und ich war atemlos von der Anstrengung. Aber ich konnte nicht aufhören zu schreien.

Wieder schlug die Uhr. Ich rannte an einem Kind in den Armen seiner Mutter vorbei – seine Haare waren fast weiß im grellen Sonnenlicht. Einige große Männer in roten Jacketts drohten mir, als ich durch ihre Gruppe stürmte. Wieder schlug die Uhr.

Hinter den Männern in Jacketts war eine Lücke in der Menge, ein bisschen Platz zwischen den Touristen, die unter dem Turm ziellos umherschlenderten. Ich versuchte die schmale dunkle Gasse rechts von dem Glockenturm auszumachen. Doch es standen immer noch zu viele Leute im Weg. Wieder schlug die Uhr.

Jetzt konnte ich kaum noch etwas erkennen. Der Wind peitschte mir ins Gesicht und brannte mir in den Augen. Ich war mir nicht sicher, ob das der Grund für meine Tränen war oder ob ich aus Verzweiflung weinte, als die Uhr wieder schlug.

Eine vierköpfige Familie stand dem Eingang der Gasse am nächsten. Die beiden Mädchen trugen karmesinrote Kleider, die dunklen Haare hatten sie mit passenden Bändern zurückgebunden. Der Vater war nicht groß. Knapp über seiner Schulter meinte ich etwas Helles zu erkennen. Ich raste auf sie zu und versuchte durch die brennenden Tränen hindurch etwas zu erkennen. Die Uhr schlug, und das kleinere der beiden Mädchen hielt sich die Ohren zu.

Das ältere Mädchen, das der Mutter bis zur Taille ging, umklammerte das Bein der Mutter und starrte in die Schatten hinter ihnen. Sie zog die Mutter am Ellbogen und zeigte in die dunkle Gasse. Die Uhr schlug, und ich war jetzt ganz nah.

Ich war so nah, dass ich ihre hohe Stimme hörte. Ihr Vater starrte mich verdattert an, als ich auf sie zugesaust kam und mit heiserer Stimme immer wieder Edwards Namen rief.

Das ältere Mädchen kicherte, sagte etwas zu seiner Mutter und zeigte wieder ungeduldig in den Schatten.

Ich sauste um den Vater herum, der das kleine Mädchen beschützend an sich zog, und raste in die dunkle Gasse hinter ihnen, als die Uhr über mir erneut schlug.

»Edward, nein!«, schrie ich, doch meine Stimme verlor sich in dem dröhnenden Glockenschlag.

Jetzt sah ich ihn. Und ich sah, dass er mich nicht sah.

Er war es wirklich, keine Halluzination. Reglos wie eine Statue stand Edward direkt am Eingang der Gasse. Er hatte die Augen geschlossen, dunkellila Ringe lagen darunter, die Arme hingen entspannt herab, die Handflächen zeigten nach vorn. Sein Gesicht sah sehr friedlich aus, als träumte er einen angenehmen Traum. Die Marmorhaut seiner Brust war nackt – zu seinen Füßen lag ein kleiner Haufen weißer Stoff. Das Licht, das vom Boden der Piazza widergespiegelt wurde, schimmerte leicht auf seiner Haut.

Ich hatte noch nie etwas Schöneres gesehen – das wusste ich, selbst als ich rannte, keuchte und schrie. Und auf einmal bedeuteten die vergangenen sieben Monate nichts mehr. Und seine Worte im Wald bedeuteten auch nichts. Und es spielte keine Rolle, ob er mich nicht wollte. Ich würde immer nur ihn wollen, solange ich lebte.

Die Uhr schlug, und er machte einen großen Schritt in Richtung Sonne.

»Nein!«, schrie ich. »Edward, sieh mich an!«

Er hörte mich nicht. Er lächelte ganz leicht. Er hob den Fuß, um den nächsten Schritt zu tun, der ihn ins direkte Sonnenlicht führen würde.

Ich prallte so heftig gegen ihn, dass ich hingeknallt wäre, wenn er mich nicht aufgefangen hätte. Es verschlug mir den Atem, mein Kopf wurde zurückgeschleudert.

Langsam öffnete er die dunklen Augen, als die Uhr wieder schlug.

Stumm vor Überraschung schaute er mich an.

»Erstaunlich«, sagte er, und seine schöne Stimme klang verwundert und gleichzeitig ein wenig belustigt. »Carlisle hatte Recht.«

»Edward!«, versuchte ich zu sagen, aber meine Stimme trug nicht. »Du musst wieder in den Schatten! Los, beweg dich!«

Er wirkte wie betäubt. Sanft strich er mir mit der Hand über die Wange. Er schien gar nicht zu merken, dass ich versuchte, ihn zurückzuschieben. Es war, als würde ich gegen eine Hauswand drücken. Die Uhr schlug, aber er reagierte nicht.

Es war merkwürdig – ich wusste, dass wir uns in Lebensgefahr befanden, und trotzdem ging es mir in diesem Moment gut. Ich fühlte mich heil. Ich fühlte das Herz in meiner Brust rasen, das Blut floss wieder heiß und schnell durch meine Adern. Meine

Lunge füllte sich mit dem süßen Duft seiner Haut. Es war, als hätte es nie ein Loch in meiner Brust gegeben. Ich war vollständig – so als hätte es nie eine Wunde gegeben.

»Ich kann nicht glauben, wie schnell es ging. Ich habe gar nichts gespürt – sie sind sehr gut«, sagte er nachdenklich, schloss wieder die Augen und drückte die Lippen an mein Haar. Seine Stimme war wie Samt und Honig. »Der Tod, der deines Odems Balsam sog, hat über deine Schönheit nichts vermocht«, murmelte er, und ich erkannte die Zeilen, die Romeo in Julias Gruft sprach. Jetzt schlug die Uhr zum letzten Mal. »Du riechst genau wie immer«, fuhr er fort. »Also ist dies vielleicht doch die Hölle. Aber das ist mir gleich. Ich nehme sie hin.«

»Ich bin nicht tot«, sagte ich. »Und du auch nicht! Bitte, Edward, wir müssen hier weg. Sie können nicht mehr weit sein!«

Ich versuchte mich aus seiner Umarmung zu befreien und er runzelte verwirrt die Stirn.

»Wie bitte?«, fragte er höflich.

»Wir sind nicht tot, noch nicht! Aber wir müssen hier weg, bevor die Volturi …«

Allmählich schien er zu begreifen. Ehe ich ausreden konnte, wirbelte er mich plötzlich ohne jede Anstrengung herum. Jetzt war ich mit dem Rücken gegen die steinerne Wand gepresst und er stand mit dem Rücken zu mir, während er in die Gasse starrte. Die Arme hatte er schützend vor mir ausgebreitet.

Ich linste unter seinem Arm hindurch und sah zwei dunkle Gestalten aus der Finsternis heraustreten.

»Ich grüße euch, meine Herren.« Edwards Stimme klang ruhig und freundlich. »Ich glaube nicht, dass ich eure Dienste heute in Anspruch nehmen muss. Doch ich wäre euch sehr verbunden, wenn ihr eurem Meister meinen Dank ausrichten könntet.«

»Sollen wir diese Unterhaltung nicht an einem geeigneteren Ort fortsetzen?«, flüsterte eine sanfte Stimme drohend.

»Ich glaube, das wird nicht nötig sein.« Edwards Stimme klang jetzt härter. »Ich kenne eure Anweisungen, Felix. Ich habe gegen keine Regel verstoßen.«

»Felix wollte dich lediglich auf die Nähe der Sonne aufmerksam machen«, sagte der andere Schatten beschwichtigend. Beide steckten in rauchgrauen Umhängen, die bis zum Boden gingen und sich im Wind bauschten. »Lasst uns ein besseres Versteck suchen.«

»Ich komme sofort nach«, sagte Edward trocken. »Bella, geh du doch wieder auf die Piazza und schau dir das Fest weiter an!«

»Nein, bring das Mädchen ruhig mit«, flüsterte der erste Schatten mit anzüglichem Unterton.

»Das werde ich nicht tun.« Alle Höflichkeit war mit einem Mal verschwunden. Edwards Stimme war kalt und tonlos. Er verlagerte das Gewicht ein winziges bisschen, und ich spürte, dass er sich auf einen Kampf vorbereitete.

»Nein.« Meine Stimme war nur ein Flüstern.

»Schscht«, murmelte er, nur zu mir.

»Felix«, mahnte der zweite, bedächtigere Schatten. »Nicht hier.« Er wandte sich zu Edward: »Aro würde einfach gern noch einmal mit dir plaudern, jetzt, wo du dich entschlossen hast, doch auf unsere Hilfe zu verzichten.«

»Selbstverständlich«, sagte Edward. »Doch das Mädchen kann gehen.«

»Ich fürchte, das ist nicht möglich«, sagte der höfliche Schatten bedauernd. »Wir müssen uns an die Regeln halten.«

»Dann fürchte *ich*, dass ich Aros Einladung nicht annehmen kann, Demetri.«

»Ganz wie du wünschst«, schnurrte Felix. Meine Augen gewöhnten sich an die Dunkelheit, und ich sah jetzt, dass Felix sehr groß und breitschultrig war. Seine Statur erinnerte mich an Emmetts.

»Aro wird enttäuscht sein.« Demetri seufzte.

»Er wird schon darüber hinwegkommen«, erwiderte Edward.

Felix und Demetri rückten näher an den Eingang der Gasse und traten etwas weiter auseinander, damit sie sich Edward von zwei Seiten nähern konnten. Sie wollten ihn weiter in die Gasse drängen, um kein Aufsehen zu erregen. Kein Lichtreflex drang an ihre Haut, die Umhänge schützten sie.

Edward rührte sich nicht von der Stelle. Indem er mich schützte, stürzte er sich ins Verderben.

Plötzlich schnellte Edwards Kopf herum und er schaute in die Dunkelheit der gewundenen Gasse. Demetri und Felix taten dasselbe – eine Reaktion auf ein Geräusch oder eine Bewegung, die zu fein für meine Sinne war.

»Wir wollen uns doch benehmen, oder?«, sagte jemand in singendem Tonfall. »Es sind Damen zugegen.«

Leichtfüßig trat Alice neben Edward, ihre Haltung war lässig. Nichts wies auf eine unterschwellige Spannung hin. Sie sah so klein aus, so zerbrechlich. Ihre zarten Arme schlenkerten herum wie die eines Kindes.

Und doch strafften Felix und Demetri sich, ihre Umhänge flatterten leicht, als ein Windstoß durch die Gasse fuhr. Felix guckte ärgerlich. Offenbar passte es ihnen nicht, wenn das Kräfteverhältnis ausgeglichen war.

»Wir sind hier nicht allein«, erinnerte sie die beiden.

Demetri schaute verstohlen über die Schulter. Ein paar Meter weiter auf der Piazza stand die Familie mit den Mädchen in den roten Kleidern und beobachtete uns. Die Mutter sprach aufgeregt mit ihrem Mann, während sie den Blick auf uns gerichtet hatte. Als Demetri zurückschaute, wandte sie den Blick ab. Der Mann ging ein paar Schritte weiter auf die Piazza und tippte einem der Männer in den roten Jacketts auf die Schulter.

Demetri schüttelte den Kopf. »Bitte, Edward, wir wollen doch vernünftig sein«, sagte er.

»O ja«, stimmte Edward zu. »Und jetzt werden wir heimlich, still und leise davongehen.«

Demetri seufzte frustriert. »Lass uns die Sache zumindest irgendwo besprechen, wo wir ungestört sind.«

Jetzt gesellten sich sechs Männer in roten Jacketts zu der Familie, die uns besorgt beobachtete. Bestimmt sahen sie, dass Edward mich vor etwas oder jemandem beschützte, und waren deshalb beunruhigt. Ich hätte ihnen am liebsten zugeschrien, sie sollten wegrennen.

Edward biss hörbar die Zähne zusammen. »Nein.«

Felix lächelte.

»Genug jetzt.«

Die Stimme war hoch und schrill, und sie kam aus dem Dunkel der Gasse.

Ich schaute unter Edwards Arm hindurch und sah, wie eine kleine, verhüllte Gestalt auf uns zukam. An der Art, wie sie sich bewegte, erkannte ich, dass es noch eine von ihnen war. Wer auch sonst?

Erst dachte ich, es wäre ein Junge. Der Neuankömmling war so klein wie Alice und hatte strähnige, blassbraune, kurzgeschnittene Haare. Der Körper unter dem fast schwarzen Umhang sah schlank und androgyn aus. Aber das Gesicht war zu hübsch für einen Jungen. Gegen dieses Gesicht mit den großen Augen und den vollen Lippen hätte ein Botticelli-Engel ausgesehen wie ein hässlicher Zwerg. Selbst wenn man die ausdruckslosen, karmesinroten Augen berücksichtigte.

Sie war so klein, dass es mich wunderte, wie die anderen auf ihr Erscheinen reagierten. Felix und Demetri entspannten sich sofort, gaben die Angriffsstellung auf und traten wieder in die Schatten der überhängenden Mauern.

Edward ließ die Arme sinken, auch er nahm eine entspannte Haltung an – aber weil er sich ergab.

»Jane.« Es war ein Seufzer des Erkennens und der Resignation.

Alice verschränkte mit teilnahmslosem Gesichtsausdruck die Arme vor der Brust.

»Mir nach«, sagte Jane. Ihre kindliche Stimme hatte einen monotonen Klang. Sie wandte uns den Rücken zu und verschwand leise in der Dunkelheit.

Mit hämischem Grinsen wies Felix uns an, vorzugehen.

Alice folgte der kleinen Jane. Edward legte mir einen Arm um die Taille und ging neben Alice her. Die Gasse wurde schmaler und führte leicht bergab. Ich schaute Edward an, drängende Fragen im Blick, aber er schüttelte nur den Kopf. Die anderen hinter uns konnte ich nicht hören, aber ich war mir sicher, dass sie da waren.

»Alice«, sagte Edward im Plauderton. »Ich sollte mich wohl nicht darüber wundern, dir hier zu begegnen.«

»Es war mein Fehler«, antwortete Alice im selben Ton. »Also musste ich die Sache wieder geradebiegen.«

»Was ist geschehen?« Er sprach mit höflicher, gelangweilter Stimme, als interessierte es ihn kaum – vermutlich wegen der Lauscher hinter uns.

»Das ist eine lange Geschichte.« Alice' Blick huschte zu mir und schnell wieder zurück. »Kurz gesagt, sie ist zwar von einer Klippe gesprungen, aber sie wollte sich nicht umbringen. Bella ist unter die Extremsportler gegangen.«

Ich wurde rot und guckte starr geradeaus, hinter dem dunklen Schatten her, den ich nicht mehr sehen konnte. Ich konnte mir vorstellen, was Edward jetzt in Alice' Gedanken hörte. Fast ertrunken, von Vampiren gejagt, mit Werwölfen befreundet ...

»Hm«, sagte Edward nur, und der beiläufige Ton war verschwunden.

Die Gasse, die immer noch abwärtsführte, machte jetzt eine weite Kurve und endete an einem flachen, fensterlosen Backsteingebäude. Die kleine Jane war nirgends zu sehen.

Ohne zu zögern, ging Alice auf die Wand zu. Dann glitt sie behände durch eine Öffnung in der Straße nach unten.

Es sah aus wie ein Gully, der in die tiefste Stelle der Straße eingelassen worden war. Erst als Alice verschwand, fiel mir auf, dass der Rost halb zur Seite geschoben war. Das Loch war klein und schwarz.

Ich schrak zurück.

»Keine Angst, Bella«, sagte Edward leise. »Alice fängt dich auf.«

Zweifelnd betrachtete ich die Öffnung. Wenn Demetri und Felix nicht stumm und selbstgefällig hinter uns gewartet hätten, wäre Edward sicher vorangegangen.

Ich ging in die Hocke und schwang die Beine in die enge Öffnung.

»Alice?«, flüsterte ich mit zitternder Stimme.

»Ich bin hier, Bella«, sagte sie. Ihre Stimme kam weit aus der Tiefe, und ich war alles andere als beruhigt.

Edward fasste meine Handgelenke – seine Hände fühlten sich an wie Steine im Winter – und ließ mich in die Finsternis hinab.

»Bist du bereit?«, fragte er.

»Lass sie los!«, rief Alice.

Ich schloss die Augen, kniff sie panisch zu, um die Finsternis nicht sehen zu müssen, und presste die Lippen aufeinander, um nicht zu schreien. Edward ließ mich los.

Es ging lautlos und schnell. Nur eine halbe Sekunde lang spürte ich den Luftzug am Körper, dann atmete ich schnaufend aus und landete in Alice' Armen.

Das würde blaue Flecken geben, ihre Arme waren sehr hart. Sie hielt mich aufrecht.

Unten war es dämmrig, aber nicht stockdunkel. Das Licht, das oben durch die Öffnung drang, kam unten als schwacher Schimmer an, der von dem feuchten Steinboden gespiegelt wurde. Einen Moment lang war das Licht ausgeblendet, dann war Edward als schwacher weißer Glanz neben mir. Er legte mir einen Arm um die Schultern, zog mich dicht an sich und führte mich schnell weiter. Ich schlang beide Arme um seinen kalten Körper und bewegte mich stolpernd und tastend über das holprige Steinpflaster. Das Geräusch des schweren Gitters, das wieder über den Gully geschoben wurde, hallte metallisch, endgültig.

Das dämmrige Licht von der Straße verlor sich bald in der Finsternis. Meine stolpernden Schritte hallten durch den schwarzen Raum; er hörte sich sehr groß an, aber ich war mir nicht sicher. Es gab keine Geräusche außer meinem panischen Herzschlag und meinen Schritten auf den nassen Steinen – nur einmal hörte ich ein ungeduldiges Seufzen hinter uns.

Edward hielt mich ganz fest. Mit der freien Hand berührte er mein Gesicht, sein Daumen fuhr sanft über meine Lippen. Hin und wieder spürte ich, wie er das Gesicht an mein Haar drückte. Mir wurde klar, dass es mehr als diese Wiedervereinigung nicht geben würde, und ich presste mich enger an ihn.

Für den Moment fühlte es sich so an, als ob er mich wollte, und das machte das Grauen wett, das von dem unterirdischen Tunnel und den Vampiren hinter uns ausging. Wahrscheinlich hatte er nur Schuldgefühle – deshalb war er auch hierhergekommen, um zu sterben, als er glaubte, ich hätte mich seinetwegen umgebracht. Doch ich spürte, wie er mir stumm die Lippen an die Stirn drückte, und es war mir egal, weshalb er das tat. Wenigstens konnte ich noch einmal bei ihm sein, bevor ich starb. Das war besser als ein langes Leben.

Ich hätte ihn gern gefragt, was jetzt genau passieren würde. Ich wollte unbedingt wissen, wie wir sterben würden – als ob es weniger schlimm wäre, wenn man es im Voraus wusste. Doch hier konnte ich nicht unbemerkt sprechen, nicht einmal flüstern. Die anderen konnten alles hören – jeden meiner Atemzüge, jeden Herzschlag.

Der Weg führte immer weiter nach unten, immer tiefer unter die Erde, und ich konnte vor Beklemmung kaum noch atmen. Nur Edwards Hand, die beruhigend an meinem Gesicht lag, hielt mich davon ab, laut zu schreien.

Ich wusste nicht, woher das Licht kam, aber langsam wurde das Schwarz zu Dunkelgrau. Wir befanden uns in einem niedrigen gewölbten Tunnel. Eine schwarze Flüssigkeit rann in langen Bahnen die grauen Steine hinunter, als würden sie Tinte bluten.

Ich zitterte und dachte, es wäre vor Angst. Erst als ich mit den Zähnen klapperte, merkte ich, dass ich fror. Meine Kleider waren immer noch nass, und die Temperatur unter der Stadt war winterlich. Und Edwards Haut war auch nicht wärmer.

Er bemerkte es im selben Moment wie ich und ließ mich los, jetzt hielt er nur noch meine Hand.

»N-n-nein«, klapperte ich und schlang die Arme um ihn. Es war mir egal, ob ich fror. Wer wusste, wie viel Zeit uns noch blieb?

Er rieb meinen Arm mit seiner kalten Hand, um mich zu wärmen.

Schnell gingen wir durch den Tunnel, jedenfalls kam es mir schnell vor. Irgendjemand hinter mir – vermutlich Felix – ärgerte sich darüber, dass ich so langsam war, und ich hörte ihn hin und wieder seufzen.

Am Ende des Tunnels war ein Gitter – die Eisenstäbe waren rostig, aber so dick wie mein Arm. Eine kleine Tür aus dünneren, verschlungenen Gitterstäben stand offen. Edward duckte sich und schob mich hinter Alice her in einen größeren, helleren Raum aus Stein. Mit einem lauten Klirren schlug das Gitter hinter uns zu, dann hörte man ein Schloss zuschnappen. Ich wagte nicht, mich umzuschauen.

Auf der anderen Seite des langen Raums war eine niedrige, schwere Holztür, die offen stand.

Wir gingen hindurch, und ich schaute mich überrascht um. Die Spannung wich aus meinem Körper. Edward neben mir erstarrte und biss die Zähne fest zusammen.

Das Urteil wird gefällt

Wir befanden uns in einem hell erleuchteten, unauffälligen Flur. Die Wände waren in einem abgetönten Weiß gehalten, auf dem Boden lag grauer Teppichboden. An der Decke hingen in gleichmäßigem Abstand die üblichen rechteckigen Neonleuchten. Es war wärmer hier und dafür war ich dankbar. Nach der Finsternis und Kälte der makaberen Abwasserkanäle wirkte dieser Flur geradezu freundlich.

Edward schien das anders zu sehen. Er starrte düster den langen Flur entlang zu der schmächtigen, schwarz gewandeten Gestalt am Aufzug.

Dann zog er mich weiter, Alice ging an meiner anderen Seite. Die schwere Tür fiel knarrend hinter uns zu, und ich hörte, wie ein Riegel vorgeschoben wurde.

Jane stand am Aufzug, mit einer Hand hielt sie uns die Tür auf. Ihr Gesicht war vollkommen ausdruckslos.

Sobald die drei Vampire, die zu den Volturi gehörten, den Aufzug betreten hatten, waren sie ganz gelöst. Sie machten die Umhänge auf und setzten die Kapuzen ab. Felix und Demetri hatten beide einen leicht olivfarbenen Teint, der in Verbindung mit ihrer Blässe eigenartig aussah. Felix trug die schwarzen Haare kurz, aber Demetris Haare fielen ihm bis auf die Schultern. Ihre Augen waren um die Iris herum blutrot, nach innen wurden sie immer dunkler, und um die Pupille herum waren sie schwarz. Unter den Umhängen trugen sie moderne unauffällige Kleidung. Ich drückte mich in die Ecke und presste mich fest an Edward. Er rieb immer noch meinen Arm, ohne Jane auch nur eine Sekunde aus den Augen zu lassen.

Die Fahrt mit dem Aufzug war schnell vorbei, wir stiegen aus und gelangten in eine Art noble Empfangshalle. Die Wände waren holzvertäfelt, die Böden mit dicken, tiefgrünen Teppichen bedeckt. Es gab keine Fenster, stattdessen hingen überall hell erleuchtete Gemälde der toskanischen Landschaft. Helle Ledersofas standen in gemütlichen Grüppchen zusammen, und auf den glänzenden Tischen standen Kristallvasen mit leuchtend bunten Blumensträußen. Der Geruch der Blumen erinnerte mich an eine Leichenhalle.

Mitten im Raum war ein hoher Tresen aus glänzendem Mahagoni. Verblüfft starrte ich die Frau dahinter an.

Sie war groß, hatte dunkle Haut und grüne Augen. Unter normalen Umständen hätte man sie als sehr hübsch empfunden, doch nicht hier. Denn sie war genauso menschlich wie ich. Ich begriff nicht, was diese Frau hier tat, sie schien sich unter den Vampiren pudelwohl zu fühlen.

Sie lächelte höflich zur Begrüßung. »Guten Tag, Jane«, sagte sie. Sie wirkte nicht im mindesten überrascht, als sie Janes Begleitung sah. Weder über Edward, dessen nackte Brust im weißen Licht schwach leuchtete, noch über mich, zerzaust und vergleichsweise hässlich.

Jane nickte. »Gianna.« Sie ging weiter zu einer Flügeltür am anderen Ende des Raums, und wir folgten ihr.

Als Felix am Tresen vorbeikam, zwinkerte er Gianna zu, und sie kicherte.

Hinter der Flügeltür befand sich ein weiterer Empfangsraum. Dort wartete ein bleicher Junge im perlgrauen Anzug, der Janes

Zwillingsbruder hätte sein können. Seine Haare waren dunkler und seine Lippen nicht ganz so voll, aber er war genauso hübsch. Er kam auf uns zu und begrüßte uns. Er lächelte Jane an und streckte die Arme nach ihr aus. »Jane.«

»Alec«, sagte sie und umarmte ihn. Sie küssten sich auf die Wangen. Dann schaute er uns an.

»Sie schicken dich nach einem aus und du bringst uns gleich zwei ... zweieinhalb«, verbesserte er sich mit einem Blick zu mir. »Gute Arbeit.«

Sie lachte – es klang sprühend vor Freude, wie das Jauchzen eines Babys.

»Schön, dass du wieder bei uns bist, Edward«, sagte Alec. »Diesmal scheinst du besser aufgelegt zu sein.«

»Unwesentlich«, sagte Edward tonlos. Ich schaute in sein hartes Gesicht und fragte mich, wie seine Stimmung zuvor noch düsterer gewesen sein konnte.

Alec kicherte und betrachtete mich, während ich mich an Edward festklammerte. »Und deswegen der ganze Aufstand?«, fragte er ungläubig.

Edward lächelte nur verächtlich. Dann erstarrte er.

»Die gehört mir«, rief Felix beiläufig von hinten.

Edward drehte sich um, ein leises Knurren erhob sich in seiner Brust. Felix lächelte – er hielt die Hand mit der Handfläche nach oben und winkte Edward zu sich heran.

Alice berührte Edward am Arm. »Ganz ruhig«, sagte sie.

Sie tauschten einen langen Blick, und ich hätte gern gehört, was sie zu ihm sagte. Vermutlich gab sie ihm zu verstehen, dass er Felix nicht angreifen sollte, denn Edward holte tief Luft und wandte sich wieder zu Alec.

»Aro wird sich so freuen, dich wiederzusehen«, sagte Alec, als wäre nichts geschehen.

»Wir sollten ihn nicht warten lassen«, sagte Jane.

Edward nickte kurz.

Alec und Jane hielten sich an den Händen und gingen uns voran in einen weiteren großen, prunkvollen Flur – hörte das denn nie auf?

Die Türen am Ende des Flurs, die vollständig mit Gold verkleidet waren, ließen sie unbeachtet. Stattdessen blieben sie in der Mitte des Flurs stehen, schoben ein Stück der Vertäfelung zur Seite und legten eine schlichte Holztür frei. Sie war unverschlossen, Alec hielt sie Jane auf.

Als Edward mich hindurchführte, hätte ich am liebsten aufgestöhnt. Der Raum auf der anderen Seite war aus demselben alten Stein wie die Piazza, die Gasse und der Tunnel. Und es war wieder kalt und dunkel.

Der steinerne Vorraum war nicht groß. Er öffnete sich bald zu einem helleren, geräumigen Raum, kreisrund wie der riesige Turm eines Schlosses ... und genau das war es vermutlich auch. Hoch über uns drang durch längliche Fensterspalte das helle Sonnenlicht herein, das in schmalen Rechtecken auf den Steinfußboden fiel. Es gab kein künstliches Licht. Die einzigen Möbel im Raum waren mehrere massive Holzstühle, die aussahen wie Throne. Sie waren in unregelmäßigem Abstand direkt an der runden Steinwand aufgestellt. Mitten in dem kreisrunden Raum lag in einer kleinen Vertiefung ein weiterer Gully. Ich fragte mich, ob sie ihn wohl als Ausgang benutzten, wie das Loch in der Straße.

In dem Raum hatten sich eine Handvoll Leute zu einem, wie es schien, lockeren Gespräch zusammengefunden. Das Gemurmel leiser, sanfter Stimmen lag wie ein feines Summen in der Luft. Zwei blasse Frauen in Strandkleidern ruhten sich im Sonnenlicht aus, und ihre Haut warf das Licht wie Prismen in sprühenden Regenbogen an die ockerfarbenen Wände.

Als wir hereinkamen, wandten sich die makellosen Gesichter uns zu. Die meisten der Unsterblichen trugen schlichte Hosen und Hemden, mit denen sie auf der Straße nicht weiter auffallen würden. Doch der Mann, der als Erster sprach, trug einen der langen Umhänge. Er war pechschwarz und schleifte über den Fußboden. Im ersten Moment hielt ich sein langes, tiefschwarzes Haar für die Kapuze seines Umhangs.

»Jane, Liebes, du bist wieder da!«, rief er hocherfreut. Seine Stimme war nur ein leises Seufzen.

Er schwebte auf sie zu, und die Bewegung war von einer so übernatürlichen Anmut, dass ich ihn mit offenem Mund anstarrte. Selbst Alice, die bei jeder Bewegung zu tanzen schien, konnte da nicht mithalten.

Ich staunte noch mehr, als er näher heranschwebte und ich sein Gesicht sehen konnte. Es sah anders aus als die außergewöhnlich anziehenden Gesichter der Übrigen, die sich um ihn scharten, als er sich uns näherte – einige folgten ihm, andere gingen wie Leibwächter vor ihm her. Ich war unentschieden, ob ich sein Gesicht schön finden sollte oder nicht. Es war zwar perfekt geschnitten, doch er unterschied sich von den anderen Vampiren nicht weniger als ich. Seine Haut war durchscheinend weiß wie die Haut einer Zwiebel und sah genauso zart aus – sie bildete einen harten Kontrast zu dem langen schwarzen Haar, das sein Gesicht umrahmte. Ich verspürte den merkwürdigen, erschreckenden Drang, seine Wange zu berühren, um zu fühlen, ob sie weicher war als die von Edward oder Alice oder ob sie pudrig wie Kreide war. Seine Augen waren rot wie die der anderen Vampire, aber ihre Farbe war milchig trüb; ich fragte mich, ob der Schleier seine Sicht beeinträchtigte.

Er schwebte auf Jane zu, nahm ihr Gesicht in seine ebenfalls papiernen Hände, küsste sie leicht auf die vollen Lippen, dann glitt er einen Schritt zurück.

»Ja, Meister.« Jane lächelte, jetzt sah sie aus wie ein Engelskind. »Ich habe ihn dir lebendig gebracht, wie du es wünschtest.«

»Ach, Jane.« Auch er lächelte. »Du bist mir ein solcher Trost.«

Jetzt richtete er den trüben Blick auf uns, und das Lächeln wurde strahlend, geradezu ekstatisch.

»Und auch Alice und Bella!«, rief er hocherfreut und klatschte in die Hände. »Was für eine schöne Überraschung! Wunderbar!«

Ich starrte ihn erschrocken an, als er unsere Namen so vertraulich gebrauchte, als wären wir alte Freunde, die mal eben vorbeischauten.

Er wandte sich zu unserem hünenhaften Begleiter. »Felix, sei so lieb und berichte meinen Brüdern von unserer Gesellschaft. Gewiss möchten sie sich das nicht entgehen lassen.«

»Ja, Meister.« Felix nickte und verschwand in die Richtung, aus der wir gekommen waren.

»Siehst du, Edward?« Der sonderbare Vampir drehte sich um und lächelte Edward wie ein liebevoller und gleichzeitig strenger Großvater an. »Was habe ich dir gesagt? Bist du nicht froh, dass ich dir gestern nicht gab, wonach du verlangtest?«

»Ja, Aro, das bin ich«, sagte er und nahm mich noch fester in den Arm.

»Ich freue mich immer so, wenn eine Geschichte gut ausgeht.« Aro seufzte. »Das passiert viel zu selten. Aber ich will alles ganz genau wissen. Wie ist es dazu gekommen? Alice?« Neugierig schaute er Alice mit seinen verschleierten Augen an. »Dein Bruder schien dich für unfehlbar zu halten, aber offenbar hat er da etwas übersehen.«

464

»Oh, ich bin alles andere als unfehlbar.« Sie schenkte ihm ein strahlendes Lächeln. Sie sah ganz gelassen aus, nur die Hände hatte sie zu festen kleinen Fäusten geballt. »Wie du siehst, verursache ich ebenso oft Probleme, wie ich sie löse.«

»Du bist zu bescheiden«, schalt er sie. »Ich habe einige deiner erstaunlichen Verdienste gesehen, und ich muss zugeben, dass mir noch nie ein vergleichbares Talent untergekommen ist. Wunderbar!«

Alice schaute rasch zu Edward hinüber, was Aro nicht entging.

»Entschuldige, wir sind einander gar nicht richtig vorgestellt worden, nicht wahr? Es kommt mir so vor, als würde ich dich schon kennen, aber da bin ich vielleicht etwas zu voreilig. Dein Bruder hat uns gestern auf seltsame Weise miteinander bekannt gemacht. Ich habe nämlich einige Talente mit deinem Bruder gemeinsam, nur dass ich, im Gegensatz zu ihm, eingeschränkt bin«, sagte Aro neidvoll und schüttelte den Kopf.

»Aber unendlich viel mächtiger«, fügte Edward trocken hinzu. Er schaute Alice an und erklärte schnell: »Aro braucht Körperkontakt, um die Gedanken eines anderen zu hören, aber dafür hört er viel mehr als ich. Wie du weißt, kann ich nur hören, was jemandem in dem Moment durch den Kopf geht. Aro hört alles, was derjenige jemals gedacht hat.«

Alice zog die feinen Augenbrauen hoch, und Edward nickte kaum merklich.

Auch das entging Aro nicht.

»Aber aus der Entfernung hören zu können …« Aro seufzte und deutete mit einer Handbewegung den Austausch an, der soeben zwischen den beiden stattgefunden hatte. »Das stelle ich mir so *praktisch* vor.«

Dann schaute er über unsere Schultern zur Tür. Alle wandten

den Kopf in dieselbe Richtung, auch Jane, Alec und Demetri, die stumm neben uns standen.

Ich drehte mich als Letzte um. Felix war wieder da, und hinter ihm kamen zwei weitere schwarz gewandete Männer angeschwebt. Beide hatten große Ähnlichkeit mit Aro, der eine hatte sogar das gleiche wallende Haar. Der andere hatte schneeweiße Haare, die ihm bis zu den Schultern gingen. Ihre Gesichter hatten die gleiche papierne Haut.

Jetzt war das Trio von Carlisles Gemälde komplett, alle drei sahen noch genauso aus wie vor dreihundert Jahren, als das Bild gemalt worden war.

»Marcus, Caius, schaut!«, sagte Aro mit sanfter Stimme. »Bella lebt doch noch, und Alice ist mit ihr hier. Ist das nicht wundervoll?«

Keiner der beiden sah so aus, als wäre »wundervoll« das erste Wort, das ihm dazu eingefallen wäre. Der dunkelhaarige Mann sah tödlich gelangweilt aus, als hätte er Aros Begeisterungsstürme schon seit zu vielen Jahrtausenden erlebt. Der andere machte unter dem schneeweißen Haar ein verdrießliches Gesicht.

Ihr mangelndes Interesse konnte Aros Freude nicht dämpfen.

»Lasst uns die Geschichte hören.« Aro sang es fast mit seiner federleichten Stimme.

Der weißhaarige uralte Vampir schwebte davon, er bewegte sich auf einen der hölzernen Throne zu. Der andere blieb neben Aro stehen, dann streckte er die Hand aus. Im ersten Moment dachte ich, er wolle Aros Hand nehmen. Aber er berührte nur kurz seine Handfläche, dann ließ er den Arm wieder sinken. Aro hob eine schwarze Braue. Es wunderte mich, dass seine papierne Haut dabei nicht zerknitterte.

Edward schnaubte ganz leise, und Alice schaute ihn neugierig an.

»Danke, Marcus«, sagte Aro. »Sehr interessant.«

Erst da begriff ich, dass Marcus Aro seine Gedanken mitgeteilt hatte.

Marcus sah nicht im mindesten interessiert aus. Er glitt von Aro weg und gesellte sich zu dem anderen, offenbar Caius, der auf einem der Throne saß. Zwei der anderen Vampire folgten ihm leise – Leibwächter, wie ich schon vermutet hatte. Ich sah, dass die beiden Frauen in Strandkleidern sich auf dieselbe Weise neben Caius gestellt hatten. Die Vorstellung, ein Vampir könnte einen Leibwächter brauchen, kam mir etwas albern vor, aber vielleicht waren die Alten ja so zerbrechlich, wie ihre Haut aussah.

Aro schüttelte den Kopf. »Erstaunlich«, sagte er. »Wirklich erstaunlich.«

Alice sah frustriert aus. Edward wandte sich zu ihr und erklärte schnell und leise: »Marcus kann Beziehungen sehen. Er ist überrascht darüber, wie innig unsere ist.«

Aro lächelte. »So praktisch«, wiederholte er. Dann wandte er sich an uns. »Es gehört eine ganze Menge dazu, Marcus zu überraschen, das kann ich euch versichern.«

Ich schaute in Marcus' lebloses Gesicht und glaubte Aro sofort.

»Es ist wirklich schwer zu verstehen, selbst jetzt«, sagte Aro nachdenklich und starrte auf Edwards Arm, mit dem er mich umschlungen hielt. Ich konnte Aros sprunghaftem Gedankengang kaum folgen. Ich gab mir alle Mühe, nichts zu verpassen. »Wie erträgst du es, so nah neben ihr zu stehen?«

»Es erfordert eine gewisse Anstrengung«, antwortete Edward ruhig.

»Aber dennoch – *la tua cantante!* Was für eine Verschwendung!«

Edward lachte grimmig. »Ich betrachte es eher als Preis.«

Aro war skeptisch. »Ein sehr hoher Preis.«

»Verzichtskosten.«

Aro lachte. »Hätte ich sie in deinen Erinnerungen nicht selbst gerochen, hätte ich es nicht für möglich gehalten, dass das Blut eines Menschen ein so starkes Verlangen auslösen kann. Ich selbst habe nie etwas Vergleichbares empfunden. Die meisten von uns würden für ein solches Geschenk viel geben, während du …«

»… es verschwendest«, ergänzte Edward sarkastisch.

Aro lachte wieder. »Ach, wie ich meinen Freund Carlisle vermisse! Du erinnerst mich an ihn – allerdings war er nicht so wütend.«

»Carlisle stellt mich noch in vielerlei anderer Hinsicht in den Schatten.«

»Ich hätte nie gedacht, dass Carlisle ausgerechnet in puncto Selbstbeherrschung übertroffen werden könnte, aber von dir kann er sich noch eine Scheibe abschneiden.«

»Wohl kaum.« Edward klang jetzt ungeduldig. Als wäre er das Vorspiel leid. Meine Angst wurde dadurch nur noch größer, unwillkürlich versuchte ich mir vorzustellen, was wohl als Nächstes anstand.

»Ich freue mich über seinen Erfolg«, sagte Aro nachdenklich. »Ich nehme deine Erinnerungen an ihn als Geschenk, obwohl sie mich außerordentlich verwundern. Es überrascht mich selbst, dass ich mich so für ihn freue, über seinen Erfolg auf dem unorthodoxen Weg, den er gewählt hat. Ich hatte erwartet, dass er mit der Zeit geschwächt und ausgezehrt sein würde. Ich hatte ihn verspottet wegen seines Vorhabens, Gleichgesinnte zu finden. Doch in gewisser Weise bin ich froh darüber, dass ich Unrecht hatte.«

Edward antwortete nicht.

»Aber *deine* Selbstbeherrschung!« Aro seufzte. »Ich wusste nicht, dass man so stark sein kann. Sich gegen einen solchen Sirenengesang zu stählen, nicht nur einmal, sondern immer wieder – hätte ich es nicht selbst gespürt, würde ich es nicht glauben.«

Edward erwiderte Aros bewundernden Blick, ohne eine Miene zu verziehen. Ich kannte sein Gesicht gut genug – daran hatte die Zeit nichts geändert –, um zu ahnen, dass es unter der Oberfläche brodelte. Ich gab mir Mühe, gleichmäßig zu atmen.

»Wenn ich nur daran denke, wie sehr sie dich reizt …« Aro kicherte. »Da bekomme selbst ich Durst.«

Edward spannte die Muskeln an.

»Keine Sorge«, versicherte Aro ihm. »Ich tue ihr nichts. Aber eins möchte ich unbedingt wissen.« Er sah mich mit großem Interesse an. »Darf ich?«, fragte er begierig und hob eine Hand.

»Frag sie selbst«, sagte Edward tonlos.

»Natürlich, wie unhöflich von mir!«, rief Aro. »Bella«, sagte er jetzt zu mir. »Es fasziniert mich, dass du die einzige Ausnahme von Edwards beeindruckendem Talent darstellst – wie interessant, dass es so etwas gibt! Und da unsere Talente sich in vielerlei Hinsicht gleichen, frage ich mich, ob du mir freundlicherweise einen Versuch gewähren würdest – damit ich feststellen kann, ob du auch für mich eine Ausnahme bist?«

Ich schaute Edward entsetzt an. Obwohl Aro so übertrieben höflich tat, ging ich nicht davon aus, dass ich eine Wahl hatte. Die Vorstellung, dass ich ihm erlauben sollte, mich anzufassen, war grauenhaft, und doch war es eigenartig verlockend, seine papierne Haut zu berühren.

Edward nickte mir aufmunternd zu – entweder weil er überzeugt war, dass Aro mir nichts tun würde, oder weil ich sowieso keine Wahl hatte, das wusste ich nicht.

Ich wandte mich wieder zu Aro und hob langsam die Hand. Ich zitterte.

Er schwebte auf mich zu, sein Gesichtsausdruck sollte wohl beruhigend sein. Doch seine papiernen Züge waren zu merkwürdig, zu fremd und beängstigend, um mich beruhigen zu können. Der Ausdruck auf seinem Gesicht war selbstsicherer, als es seine Worte gewesen waren.

Aro streckte seine fragil aussehende Hand aus und legte sie an meine. Sie war hart und fühlte sich gleichzeitig brüchig an – eher wie Schiefer als wie Granit – und noch kälter als erwartet.

Er lächelte mich mit seinen verschleierten Augen an, und es war unmöglich, den Blick abzuwenden. Sie hielten mich auf eigenartige, unangenehme Weise gefangen.

Während ich ihn ansah, veränderte sich sein Gesichtsausdruck. Die Selbstsicherheit geriet ins Wanken und verwandelte sich erst in Zweifel, dann in Unglauben, bis er schließlich in einer freundlichen Maske verharrte.

»Wirklich sehr interessant«, sagte er, als er meine Hand losließ und sich zurückzog.

Mein Blick huschte zu Edward, und obwohl er sich nichts anmerken ließ, meinte ich eine gewisse Selbstzufriedenheit bei ihm zu erkennen.

Aro schwebte weiter zurück, er sah nachdenklich aus. Eine Weile sagte er nichts und ließ den Blick zwischen uns dreien hin- und herwandern. Dann schüttelte er plötzlich den Kopf.

»Das ist eine Premiere«, sagte er zu sich selbst. »Ich wüsste zu gern, ob sie auch gegen unsere anderen Fähigkeiten immun ist. ... Jane, Liebes?«

»Nein!«, knurrte Edward. Alice packte ihn am Arm, um ihn zurückzuhalten. Er schüttelte sie ab.

Die kleine Jane lächelte Aro glücklich an. »Ja, Meister?«

Jetzt knurrte Edward wahrhaftig, es war ein reißender Laut und er sah Aro hasserfüllt an. Es war mucksmäuschenstill geworden, alle starrten ihn an, als beginge er gerade einen peinlichen Fauxpas. Ich sah, wie Felix hoffnungsvoll grinste und einen Schritt näher trat. Aro warf ihm nur einen Blick zu, da erstarrte er und sein Grinsen verzog sich zu einem Schmollen.

Dann sagte Aro: »Jane, ich frage mich, ob Bella wohl auch *dir* gegenüber immun ist.«

Ich konnte Aro über Edwards wütendes Knurren hinweg kaum verstehen. Er ließ mich los und stellte sich so vor mich, dass ich von den Blicken der anderen abgeschirmt war. Caius wandte sich mit seinem Gefolge in unsere Richtung, um zuzuschauen.

Jane wandte sich mit einem seligen Lächeln zu uns.

»Nein!«, schrie Alice, als Edward sich auf das kleine Mädchen stürzte.

Bevor ich etwas tun konnte, bevor irgendjemand zwischen die beiden treten konnte, bevor Aros Leibwächter auch nur zucken konnten, lag Edward schon am Boden.

Niemand hatte ihn berührt, aber er lag auf dem Steinboden und krümmte sich vor Schmerzen. Entsetzt starrte ich ihn an.

Jane lächelte ihn nur an, und jetzt fügte sich alles zusammen. Was Alice über die *ungeheuren Talente* der Volturi gesagt hatte, weshalb Jane von allen so ehrerbietig behandelt wurde und weshalb Edward sich ihr in den Weg geworfen hatte, bevor sie mir das antun konnte.

»Hör auf!«, kreischte ich, und meine Stimme hallte in der Stille, als ich einen Satz nach vorn machte, um mich zwischen sie zu stellen. Aber Alice umklammerte mich mit beiden Armen und gab mich nicht frei. Kein Laut kam Edward über die Lippen, während er sich am Boden krümmte. Ich hatte das Gefühl, mein Kopf müsse explodieren, so weh tat es mir, ihm zuzusehen.

»Jane«, sagte Aro ruhig. Sie schaute sofort auf, während sie weiterhin verklärt lächelte, ihr Blick war fragend. Sobald sie wegschaute, war Edward ruhig.

Aro machte eine Kopfbewegung in meine Richtung.

Jane richtete ihr Lächeln auf mich.

Ich erwiderte ihren Blick nicht. Ich versuchte immer noch vergeblich, mich aus Alice' eisernem Griff zu befreien, während ich zu Edward schaute.

»Es geht ihm gut«, flüsterte Alice gepresst. Während sie das sagte, setzte er sich auf und sprang mühelos auf die Füße. Sein Blick traf meinen, und Entsetzen lag darin. Erst dachte ich, das käme davon, was er gerade durchgemacht hatte. Doch dann schaute er schnell zu Jane und wieder zu mir – und plötzlich sah er erleichtert aus.

Auch ich schaute zu Jane, die jetzt nicht mehr lächelte. Sie starrte mich wütend an, die Zähne zusammengebissen, während sie sich konzentrierte. Ich wich zurück und wartete auf den Schmerz.

Nichts geschah.

Edward war wieder an meiner Seite. Er berührte Alice am Arm, und sie ließ mich los.

Aro fing an zu lachen. »Hahaha«, machte er. »Das ist wunderbar!«

Jane zischte frustriert und beugte sich vor wie zum Sprung.

»Ärgere dich nicht, Liebes«, sagte Aro tröstend und legte ihr eine puderleichte Hand auf die Schulter. »Sie widersetzt sich uns allen.«

Jane zog die Oberlippe zurück und warf mir wieder einen zornigen Blick zu.

»Hahaha«, gluckste Aro wieder. »Alle Achtung, Edward, dass du die Schmerzen so stumm ertragen hast. Ich habe Jane einmal gebeten, es bei mir zu machen – aus purer Neugier.« Er schüttelte bewundernd den Kopf.

Edward starrte ihn angewidert an.

»Was machen wir denn jetzt mit euch?«, sagte Aro und seufzte.

Edward und Alice strafften sich. Darauf hatten sie gewartet. Ich begann zu zittern.

»Ich nehme an, es besteht keine Chance, dass du deine Meinung geändert hast?«, fragte Aro Edward hoffnungsvoll. »Dein Talent würde unsere kleine Gemeinschaft aufs Vorzüglichste bereichern.«

Edward zögerte. Aus dem Augenwinkel sah ich, wie Felix und Jane das Gesicht verzogen.

Edward schien seine Worte genau abzuwägen, bevor er sprach. »Lieber … nicht.«

»Alice?«, fragte Aro, immer noch hoffnungsvoll. »Hättest du vielleicht Interesse, dich uns anzuschließen?«

»Nein, danke«, sagte Alice.

»Und du, Bella?« Aro zog die Augenbrauen hoch.

Edward zischte ganz leise. Ich starrte Aro verblüfft an. Sollte das ein Scherz sein? Oder fragte er mich allen Ernstes, ob ich zum Abendessen bleiben wollte?

Der weißhaarige Caius brach schließlich das Schweigen.

»Was soll das?«, fragte er Aro; obwohl er nur flüsterte, war seine Stimme klar und deutlich.

»Caius, du musst doch sehen, was in ihr steckt«, sagte Aro mit freundlichem Tadel. »Seit wir Jane und Alec gefunden haben, habe ich nicht mehr so ein vielversprechendes Talent gesehen. Kannst du dir vorstellen, was sich für Möglichkeiten böten, wenn sie eine von uns wäre?«

Caius wandte sich verärgert ab. Janes Augen funkelten vor Empörung über den Vergleich.

Edward neben mir schäumte vor Wut. Ich hörte es in seiner Brust rumoren, gleich würde er losknurren. Ich konnte es nicht zulassen, dass er sich in Gefahr brachte.

»Nein, danke«, flüsterte ich. Meine Stimme versagte vor Angst.

Aro seufzte. »Das ist bedauerlich. Solch eine Verschwendung.«

Edward zischte. »Mitmachen oder sterben, ist das die Devise? Das hatte ich mir schon gedacht, als wir *hierher* geführt wurden. So viel zu euren Gesetzen.«

Ich wunderte mich über seinen Ton. Er klang zornig, aber gleichzeitig schienen seine Worte wohlüberlegt – als hätte er sie mit Bedacht gewählt.

»Natürlich nicht.« Aro blinzelte verwundert. »Wir waren bereits hier versammelt, Edward, weil wir Heidis Rückkehr erwarten. Nicht deinetwegen.«

»Aro«, zischte Caius. »Das Gesetz verlangt nach ihnen.«

Edward schaute Caius wütend an. »Warum das?«, fragte er. Bestimmt wusste er, was Caius dachte, aber offenbar wollte er es laut hören.

Caius zeigte mit einem knöchernen Finger auf mich. »Sie weiß zu viel. Du hast unsere Geheimnisse verraten.« Seine Stimme war dünn wie Papier, genau wie seine Haut.

»An eurer Farce hier sind auch einige Menschen beteiligt«, erinnerte Edward ihn, und ich dachte an die hübsche Frau am Empfangsschalter unten.

Caius' Miene veränderte sich. Sollte das ein Lächeln sein?

»Ja«, sagte er. »Aber wenn wir sie nicht mehr gebrauchen können, werden sie unserer Ernährung dienen. Das hast du mit dieser hier nicht vor. Bist du für den Fall, dass sie unsere Geheimnisse verrät, bereit, sie zu töten? Das bezweifle ich«, höhnte er.

»Ich würde nie …«, setzte ich an. Meine Stimme war immer noch ein Flüstern. Mit einem eisigen Blick brachte Caius mich zum Schweigen.

»Und du hast auch nicht vor, sie zu einer von uns zu machen«, fuhr Caius fort. »Daher ist sie eine Schwachstelle. Allerdings ist nur ihr Leben verwirkt. Du kannst gehen, wenn du möchtest.«

Edward bleckte die Zähne.

»Das dachte ich mir schon«, sagte Caius, und es klang erfreut. Felix beugte sich geifernd vor.

»Es sei denn …«, unterbrach Aro. Er schien unglücklich über den Verlauf des Gesprächs. »Es sei denn, du hättest doch vor, sie unsterblich zu machen.«

Edward schürzte die Lippen und überlegte einen Moment, ehe er antwortete. »Und wenn es so wäre?«

Aro lächelte, jetzt war er wieder zufrieden. »Nun, dann stünde es dir frei, zu gehen und mich meinem Freund Carlisle zu empfehlen.« Er schien zu zögern. »Aber ich fürchte, du müsstest es schon ehrlich meinen.«

Aro streckte die Hand aus.

Caius, dessen Miene sich immer mehr verfinstert hatte, beruhigte sich wieder.

Edwards Lippen formten sich zu einem wütenden Strich. Er starrte mich an, und ich starrte zurück.

»Bitte«, flüsterte ich.

War ihm die Vorstellung wirklich so zuwider? Würde er lieber *sterben*, als mich zu verwandeln? Ich fühlte mich, als hätte man mir in den Magen getreten.

Edward senkte gequält den Blick.

Da ging Alice auf Aro zu, sie hatte die Hand wie er erhoben.

Sie sagte nichts, und Aro musste seine besorgten Leibwächter zur Seite winken, die Alice abwehren wollten. Aro ging ihr entgegen und nahm mit einem habgierigen Glitzern im Blick ihre Hand.

Er beugte den Kopf über ihrer beider Hände und schloss die Augen, während er sich konzentrierte. Alice stand unbeweglich da, ihr Gesicht verriet keine Regung. Ich hörte, wie Edward die Zähne zusammenschlug.

Niemand bewegte sich. Aro schien über Alice' Hand wie erstarrt. Die Sekunden verstrichen und ich wurde immer nervöser. Ich fragte mich, wie viel Zeit vergehen konnte, bevor es zu lange war. Bevor es bedeutete, dass etwas verkehrt war – noch verkehrter, als es sowieso schon war.

Ein weiterer quälender Moment verging, dann brach Aro das Schweigen.

»Hahaha«, lachte er, den Kopf immer noch gebeugt. Langsam hob er den Blick und seine Augen leuchteten vor Erregung. »Das war *faszinierend*!«

Alice lächelte trocken. »Es freut mich, dass es dir gefallen hat.«

»Zu sehen, was du gesehen hast – vor allem das, was noch nicht geschehen ist!« Er schüttelte verwundert den Kopf.

»Was jedoch geschehen wird«, erinnerte sie ihn ruhig.

»Ja, ja, es ist entschieden. Gewiss wird es keine Probleme geben.«

Caius sah bitter enttäuscht aus, und Felix und Jane schienen genauso zu empfinden.

»Aro«, beschwerte sich Caius.

»Lieber Caius.« Aro lächelte. »Zürne nicht. Denk an die Möglichkeiten! Selbst wenn sie sich uns heute nicht anschließen, so können wir doch immer noch auf die Zukunft hoffen. Stell dir die Freude vor, die allein die junge Alice in unseren kleinen Haushalt bringen würde ... Außerdem bin ich schrecklich neugierig, was aus Bella wird!«

Aro schien überzeugt. War ihm nicht bewusst, wie unbeständig Alice' Visionen waren? Dass sie sich heute entschließen konnte, mich zu verwandeln, und morgen schon ihre Meinung ändern konnte? Eine Million winziger Entscheidungen, ihre eigenen und die so vieler anderer – Edwards zum Beispiel –, konnten ihren Weg und damit die Zukunft beeinflussen.

Und spielte es überhaupt eine Rolle, dass Alice dazu bereit war, wenn es für Edward eine so abstoßende Vorstellung war, dass ich ein Vampir werden könnte? Wenn der Tod für ihn eine bessere Möglichkeit war, als mich immer bei sich zu haben, einen unsterblichen Plagegeist? In meiner Panik spürte ich, wie ich in Verzweiflung versank, darin ertrank ...

»Dann dürfen wir jetzt gehen?«, fragte Edward gleichmütig.

»Ja, ja«, sagte Aro mit zuckersüßer Stimme. »Aber bitte besucht uns einmal wieder. Es war so spannend!«

»Und wir werden euch auch besuchen«, versprach Caius. Er hatte die Augen halb geschlossen und sah mit seinen schweren Lidern aus wie eine Eidechse. »Um sicherzugehen, dass ihr es auch zu Ende bringt. Ich an eurer Stelle würde nicht zu lange warten. Eine zweite Chance gibt es bei uns nicht.«

Edward biss die Zähne fest zusammen, nickte jedoch.

Caius grinste höhnisch und schwebte zurück zu Marcus, der immer noch reglos und desinteressiert dasaß.

Felix stöhnte.

»Ach, Felix.« Aro lächelte amüsiert. »Heidi muss jeden Augenblick hier sein. Geduld.«

»Hmmm.« Edwards Stimme hatte einen neuen Klang. »Wenn das so ist, verschwinden wir lieber so schnell wie möglich.«

»Ja«, sagte Aro. »Das ist eine gute Idee. Es kommt ja immer mal wieder zu Unfällen. Aber bitte wartet unten bis zum Einbruch der Dunkelheit, wenn es euch nichts ausmacht.«

»Natürlich«, sagte Edward, während es mich bei der Vorstellung gruselte, noch so lange warten zu müssen, bevor wir hier rauskonnten.

»Eins noch«, sagte Aro und zeigte mit einem Finger auf Felix. Felix trat sofort vor, und Aro band den grauen Umhang los, den der riesige Vampir trug, und zog ihn von seinen Schultern. Er warf ihn Edward zu. »Nimm den. Du fällst ein wenig auf.«

Edward zog den langen Umhang an, ohne die Kapuze aufzusetzen.

Aro seufzte. »Steht dir gut.«

Edward grinste, doch plötzlich wurde seine Miene hart und er warf einen Blick über die Schulter. »Vielen Dank, Aro. Wir warten unten.«

»Auf Wiedersehen, meine jungen Freunde«, sagte Aro, und seine Augen leuchteten, als er in dieselbe Richtung starrte.

»Kommt«, sagte Edward, der es plötzlich eilig hatte.

Demetri gab uns ein Zeichen, ihm zu folgen, dann ging er den Weg zurück, den wir gekommen waren, einen anderen Ausgang gab es offenbar nicht.

Schnell zog Edward mich neben sich. Alice ging nah an meiner anderen Seite, ihre Miene war starr.

»Nicht schnell genug«, murmelte sie.

Ich starrte sie erschrocken an, doch sie wirkte nur verstimmt. Erst da hörte ich das Stimmengewirr – laute, raue Stimmen – aus dem Vorraum.

»Das ist ja echt ein Ding hier«, dröhnte eine derbe Männerstimme.

»So mittelalterlich«, schwärmte eine Frau mit schriller Stimme.

Ein Pulk von Menschen kam durch die kleine Tür und drängte in die kleinere Steinkammer. Demetri gab uns zu verstehen, dass wir Platz machen sollten. Wir drückten uns an die kalte Wand und ließen sie durch.

Das Paar ganz vorn, dem Akzent nach zu urteilen Amerikaner, schaute sich prüfend um.

»Ein herzliches Willkommen allen Gästen! Willkommen in Volterra!«, hörte ich Aro aus dem großen Turmzimmer säuseln.

Hinter dem Paar kamen die anderen Leute, insgesamt mindestens vierzig. Einige schauten sich um wie Touristen. Manche machten sogar Fotos. Andere sahen irritiert aus, als würde die Geschichte, mit der man sie hierhergeführt hatte, nicht mehr so richtig passen. Vor allem eine kleine dunkelhäutige Frau fiel mir auf. Um den Hals trug sie einen Rosenkranz, das Kreuz hielt sie fest in der Hand. Sie ging langsamer als die anderen, berührte hin und wieder jemanden und stellte Fragen in einer fremden Sprache. Niemand schien sie zu verstehen, und sie klang immer panischer.

Edward zog mein Gesicht an seine Brust, aber es war zu spät. Ich hatte schon verstanden.

Sobald sich eine kleine Lücke auftat, schob Edward mich schnell zur Tür hinaus. Ich spürte den entsetzten Ausdruck auf meinem Gesicht und die Tränen, die mir in die Augen stiegen.

In dem prunkvollen goldenen Flur war es still, niemand war dort bis auf eine Frau, wunderschön, wie eine Statue. Neugierig starrte sie uns an, vor allem mich.

»Willkommen daheim, Heidi«, begrüßte Demetri sie.

Heidi lächelte abwesend. Sie erinnerte mich an Rosalie, obwohl sie ihr überhaupt nicht ähnlich sah – es war nur ihre Schönheit, die ebenso außergewöhnlich und unvergesslich war. Ich konnte den Blick nicht abwenden.

Ihre Kleidung unterstrich ihre Schönheit noch. Die erstaunlich langen Beine, die in einer dunklen Strumpfhose steckten, wurden durch einen superknappen Minirock betont. Das langärmelige Oberteil war hochgeschlossen, aber es war aus rotem Vinyl und extrem eng anliegend. Ihre langen mahagonifarbenen Haare glänzten, und ihre Augen waren von einem ganz eigenartigen Lila – vielleicht trug sie blaue Kontaktlinsen über den roten Augen.

»Demetri«, antwortete sie mit seidiger Stimme, und ihr Blick huschte zwischen meinem Gesicht und Edwards grauem Umhang hin und her.

»Guter Fang«, lobte Demetri sie, und plötzlich verstand ich ihr aufreizendes Outfit – sie war nicht nur der Fischer, sondern gleichzeitig der Köder.

»Danke.« Sie schenkte ihm ein umwerfendes Lächeln. »Kommst du nicht?«

»Sofort. Lass mir ein paar übrig.«

Heidi nickte und verschwand durch die Tür, nicht ohne mir noch einen letzten neugierigen Blick zuzuwerfen.

Edward ging so schnell, dass ich rennen musste, um mit ihm Schritt zu halten. Aber wir kamen trotzdem nicht durch die verzierte Tür am Ende des Ganges, ehe das Geschrei losging.

DIE FLUCHT

Demetri verließ uns in der überreich geschmückten Empfangshalle, wo Gianna immer noch hinter dem glänzenden Tresen saß. Fröhlich dahinplätschernde Musik erklang aus unsichtbaren Lautsprechern.

»Geht nicht vor Einbruch der Dunkelheit«, warnte er uns noch.

Edward nickte, und Demetri ging eilig davon.

Gianna schien keineswegs überrascht, obwohl sie sich über Edwards geliehenen Umhang wohl ihre Gedanken machte.

»Geht es?«, fragte Edward so leise, dass nur ich es hören konnte. Seine Stimme war rau – soweit Samt rau sein kann – vor Sorge. Er schien immer noch beunruhigt über unsere Lage.

»Sieh lieber zu, dass sie sich setzt, bevor sie hinfällt«, sagte Alice. »Sie bricht gleich zusammen.«

Erst in diesem Moment merkte ich, dass ich zitterte, ich zitterte wie verrückt, mein ganzer Körper vibrierte, bis meine Zähne klapperten und der Raum um mich herum zu wackeln und zu verschwimmen schien. Eine wahnsinnige Sekunde lang fragte ich mich, ob Jacob sich so fühlte, bevor er sich in einen Werwolf verwandelte.

Ich hörte ein Geräusch, das ich nicht einordnen konnte, ein merkwürdiges, verzweifeltes Kreischen, das so gar nicht zu der so heiteren Hintergrundmusik passte. Vor lauter Zittern wusste ich nicht, woher das Geräusch kam.

»Scht, Bella, scht«, sagte Edward und zog mich zu dem Sofa, das am weitesten von der neugierigen Frau am Tresen entfernt war.

»Ich glaube, sie hat einen hysterischen Anfall. Vielleicht solltest du sie ohrfeigen«, schlug Alice vor.

Edward warf ihr einen wütenden Blick zu.

Da begriff ich. Oh. *Ich* machte das Geräusch. Das war das Schluchzen, das aus meiner Brust kam. Deshalb wurde ich so geschüttelt.

»Es ist alles gut, jetzt kann dir nichts mehr passieren, es ist gut«, sagte er immer wieder. Er zog mich auf seinen Schoß und wickelte mich in den dicken Wollumhang, um mich vor seiner kalten Haut zu schützen.

Ich wusste, dass es idiotisch war, jetzt daran zu denken. Aber wie viel Zeit hatte ich noch, ihn anzuschauen? Er war gerettet, ich war gerettet, und sobald wir in Freiheit waren, konnte er mich verlassen. Dass die Tränen mir den Blick so verschleierten, war die reine Verschwendung – Irrsinn.

Doch hinter meinen Augen, wo die Tränen das Bild nicht wegwaschen konnten, sah ich immer noch das panische Gesicht der Frau mit dem Rosenkranz.

»All die Menschen«, schluchzte ich.

»Ich weiß«, flüsterte er.

»Es ist so schrecklich.«

»Ja. Ich hätte dir das gern erspart.«

Ich legte den Kopf an seine kalte Brust und wischte mir die Augen mit dem dicken Umhangstoff ab. Ich atmete ein paarmal tief ein und aus, um mich zu beruhigen.

»Kann ich Ihnen behilflich sein?«, fragte eine höfliche Stimme.

Es war Gianna, die sich über Edwards Schulter beugte. Ihr Blick war besorgt und doch professionell und distanziert. Es schien ihr nichts auszumachen, dass ihr Gesicht nur wenige Zentimeter von einem feindlichen Vampir entfernt war. Entweder hatte sie keine Ahnung, was vorging, oder sie machte ihren Job sehr gut.

»Nein«, sagte Edward kalt.

Sie nickte, lächelte mir zu und verschwand.

Ich wartete, bis sie außer Hörweite war. »Weiß sie, was hier geschieht?«, fragte ich mit leiser, heiserer Stimme. Ich hatte mich langsam wieder im Griff, mein Atem ging regelmäßiger.

»Ja. Sie weiß alles«, sagte Edward.

»Weiß sie, dass sie irgendwann umgebracht wird?«

»Sie weiß, dass das durchaus möglich ist«, sagte er.

Das überraschte mich.

Es war schwer zu erraten, was Edward dachte. »Sie hofft, dass sie sich entschließen, sie zu behalten.«

Ich spürte, wie mir das Blut aus dem Gesicht wich. »Sie will eine von ihnen werden?«

Er nickte einmal kurz und sah mich scharf an, während er auf meine Reaktion wartete.

Ich schauderte. »Wie kann sie das nur wollen?«, flüsterte ich. Ich sprach mehr zu mir selbst, als dass ich eine Antwort erwartete. »Wie kann sie zusehen, wie all die Leute in diesen grässlichen Raum geschleust werden, und dabei mitmachen wollen?«

Edward antwortete nicht. In seinem Gesicht zuckte es als Reaktion auf etwas, das ich gesagt hatte.

Als ich in sein allzu schönes Gesicht schaute und den Wandel zu verstehen versuchte, wurde mir plötzlich bewusst, dass ich wirklich hier war, in Edwards Armen, wie flüchtig der Moment auch sein mochte, und dass wir nicht – zumindest im Augenblick nicht – getötet wurden.

»Oh, Edward«, rief ich, und jetzt schluchzte ich wieder. Das war so idiotisch. Jetzt konnte ich durch die Tränen wieder nicht sein Gesicht sehen, und das war unverzeihlich. Nur noch die Zeit bis zum Sonnenuntergang war mir sicher. Wieder wie in einem Märchen, dessen Zauber zeitlich begrenzt war.

»Was ist?«, fragte er, noch immer besorgt, und rieb mir sanft über den Rücken.

Ich schlang die Arme um seinen Hals und presste mich enger an ihn. Was konnte er schlimmstenfalls tun? Höchstens mich wegschieben. »Ist es sehr krank, dass ich ausgerechnet jetzt glücklich bin?«, fragte ich. Meine Stimme versagte zweimal.

Er schob mich nicht weg. Er zog mich fest an seine eisharte Brust, so fest, dass ich kaum atmen konnte, obwohl ich nicht länger ein Loch in der Brust hatte. »Ich weiß genau, was du meinst«, flüsterte er. »Aber wir haben auch allen Grund, glücklich zu sein. Schließlich sind wir am Leben.«

»Ja«, sagte ich. »Das ist ein guter Grund.«

»Und zusammen«, hauchte er. Sein Atem war so süß, dass mir ganz schwindelig wurde.

Ich nickte nur. Bestimmt hatte dieser Umstand für ihn längst nicht so eine Bedeutung wie für mich.

»Und mit ein bisschen Glück sind wir auch morgen noch am Leben.«

»Hoffentlich«, sagte ich unbehaglich.

»Die Aussichten sind ganz gut«, versicherte Alice mir. Sie war so still gewesen, dass ich sie fast vergessen hatte. »In weniger als vierundzwanzig Stunden sehe ich Jasper wieder«, fügte sie zufrieden hinzu.

Die Glückliche. Sie konnte auf ihre Zukunft vertrauen.

Ich konnte den Blick nicht lange von Edwards Gesicht wenden. Ich blickte ihn unverwandt an und wünschte sehnlichst, dass die Zukunft niemals eintreten möge. Dass dieser Moment niemals endete oder dass ich, wenn er endete, aufhörte zu existieren.

Edwards Blick ruhte nur auf mir, seine dunklen Augen waren weich, und es war leicht, sich einzubilden, dass er genauso empfand wie ich. Und das tat ich. Ich bildete es mir ein, um mir den Augenblick zu versüßen.

Er zeichnete mit den Fingerspitzen die Ringe unter meinen Augen nach. »Du siehst so müde aus.«

»Und du siehst durstig aus«, flüsterte ich zurück und schaute auf die lila Schatten unter seinen schwarzen Augen.

Er zuckte die Schultern. »Nicht der Rede wert.«

»Wirklich? Ich könnte mich neben Alice setzen«, bot ich widerstrebend an; ich hätte mich lieber umgebracht, als auch nur einen Zentimeter von ihm abzurücken.

»Sei nicht albern.« Er seufzte; sein süßer Atem liebkoste mein Gesicht. »*Diese* Seite meines Wesens hatte ich noch nie besser im Griff als jetzt.«

Ich hatte eine Million Fragen an ihn, aber ich hielt den Mund. Ich wollte den Augenblick nicht zerstören, so unvollkommen er auch war, hier in diesem Raum, der mir Übelkeit verursachte, und mit dem angehenden Monster im Hintergrund, das uns beobachtete.

In seinen Armen konnte ich mir leicht vorstellen, dass er mit mir zusammen sein wollte. Ich schob alle Gedanken daran beiseite, warum er sich so verhielt – um mich in dieser kritischen Situation zu beruhigen, oder nur aus schlechtem Gewissen, weil wir hier waren, oder aus Erleichterung, weil er nicht für meinen Tod verantwortlich war. Vielleicht hatte auch nur die lange Trennung dafür gesorgt, dass ich ihn jetzt nicht langweilte. Das alles spielte keine Rolle. Ich war viel glücklicher, wenn ich so tat, als ob er so fühlte wie ich.

Ich lag still in seinen Armen, prägte mir sein Gesicht ein und tat so als ob.

Er betrachtete mich, als täte er dasselbe, während er mit Alice darüber diskutierte, wie wir nach Hause kommen sollten. Sie sprachen so schnell und leise, dass Gianna keine Chance hatte, sie zu belauschen. Ich bekam selber nur die Hälfte mit. Es hörte sich jedenfalls so an, als würde es nicht ohne Diebstahl abgehen. Ich fragte mich, ob der gelbe Porsche wohl schon wieder bei seinem Besitzer war.

»Was sollte denn der Spruch mit der Sängerin?«, fragte Alice.

»*La tua cantante*«, sagte Edward. Aus seinem Mund klangen die Worte wie Musik.

»Ja, das meinte ich«, sagte Alice, und ich hörte genauer hin. Darüber hatte ich mich auch gewundert.

Ich spürte, wie Edward mit den Schultern zuckte. »Das ist ihr Ausdruck für jemanden, der so riecht wie Bella für mich. Sie nennen sie meine *Sängerin* – weil ihr Blut für mich singt.«

Alice lachte.

Ich war so müde, dass ich hätte schlafen können, aber ich kämpfte dagegen an. Ich wollte keine Sekunde mit ihm verpassen. Hin und wieder redete er mit Alice, dann beugte er sich plötzlich herab und küsste mich – seine glasglatten Lippen berührten mein Haar, meine Stirn, meine Nasenspitze. Jedes Mal war es wie ein elektrischer Schlag für mein Herz, das so lange geschlummert hatte. Sein Klopfen schien den ganzen Raum zu erfüllen.

Es war der Himmel mitten in der Hölle.

Ich verlor jegliches Zeitgefühl. Und als Edward mich fester umarmte und wie Alice wachsam zu der Flügeltür am anderen Ende des Raums schaute, geriet ich in Panik. Ich presste mich an Edwards Brust, als Alec auftauchte. Seine Augen waren jetzt von einem leuchtenden Rubinrot und sein hellgrauer Anzug war trotz des Nachmittagsmahls immer noch makellos.

Er hatte gute Nachrichten.

»Ihr könnt jetzt gehen«, sagte er, und seine Stimme klang so warm, als wären wir uralte Freunde. »Und haltet euch bitte nicht länger als nötig in der Stadt auf.«

Edward spielte kein Theater mehr, seine Stimme war eiskalt. »Keine Sorge.«

Alec lächelte, nickte und verschwand dann wieder.

»Nehmen Sie die ersten Aufzüge rechts im Flur«, sagte Gianna, als Edward mir aufhalf. »Zwei Stockwerke tiefer ist die Empfangshalle, die auf die Straße führt. Auf Wiedersehen«, fügte sie freundlich hinzu. Ich fragte mich, ob ihre Kompetenz sie wohl retten konnte.

Alice warf ihr einen finsteren Blick zu.

Ich war erleichtert darüber, dass es einen anderen Ausgang gab; ich war mir nicht sicher, ob ich die unterirdische Reise ein zweites Mal überstanden hätte.

Durch eine geschmackvolle Empfangshalle gingen wir hinaus. Ich war die Einzige, die sich noch einmal nach dem mittelalterlichen Schloss mit der trügerischen Geschäftsfassade umdrehte. Der Turm war von hier aus nicht zu sehen, und dafür war ich dankbar.

Das Fest war immer noch in vollem Gang. Während wir schnell durch die schmalen Kopfsteinpflastergassen liefen, gingen nach und nach die Straßenlaternen an. Der Himmel über uns war von einem trüben verwaschenen Grau, doch die Gebäude standen so dicht beieinander, dass er dunkler wirkte.

Auch die Farben des Fests waren am Abend dunkler. Edwards langer flatternder Umhang fiel nicht so sehr auf, wie es an einem gewöhnlichen Abend in Volterra vielleicht der Fall gewesen wäre. Jetzt sah man einige Leute mit schwarzen Satinumhängen, und die Plastikzähne, wie ich sie heute Mittag bei dem Kind auf der Piazza gesehen hatte, schienen auch bei den Erwachsenen sehr beliebt zu sein.

»Lächerlich«, murmelte Edward.

Als ich mich zu Alice beugte, um sie etwas zu fragen, war sie plötzlich verschwunden. Ich hatte gar nicht bemerkt, dass sie von meiner Seite gewichen war.

»Wo ist Alice?«, flüsterte ich panisch.

»Sie holt eure Taschen.«

Ich hatte ganz vergessen, dass eine Zahnbürste auf mich wartete. Sofort erschien mir die Zukunft viel rosiger.

»Sie will außerdem ein Auto klauen, oder?«, fragte ich.

Er grinste. »Erst wenn wir hier raus sind.«

Der Weg bis zum Stadttor kam mir endlos vor. Edward sah, wie erschöpft ich war, er schlang mir einen Arm um die Taille und stützte mich mehr, als dass ich selber lief.

Als er mich durch den Torbogen aus dunklem Stein schob, schauderte ich. Das riesige antike Fallgitter über uns war wie eine Käfigtür, die uns einzusperren drohte.

Er führte mich zu einem dunklen Wagen, der mit laufendem Motor rechts vom Tor im Schatten stand. Zu meiner Überraschung bestand Edward nicht darauf zu fahren, sondern ließ sich mit mir auf die Rückbank sinken.

»Tut mir leid«, sagte Alice mit einer vagen Handbewegung zum Armaturenbrett. »Ich hatte keine große Auswahl.«

»Macht nichts, Alice.« Er grinste. »Es kann ja nicht nur 911er-Turbos geben.«

Sie seufzte. »Vielleicht muss ich mir so einen mal legal zulegen. Der war erstklassig.«

»Ich schenke dir einen zu Weihnachten«, versprach Edward.

Alice drehte sich um und strahlte ihn an, was mir Sorgen machte, denn sie raste bereits den dunklen, kurvigen Hügel hinunter.

»In Gelb«, sagte sie.

Edward hielt mich fest in den Armen. In dem grauen Umhang hatte ich es warm und bequem. Mehr als bequem.

»Du kannst jetzt schlafen, Bella«, murmelte er. »Es ist vorbei.«

Ich wusste, dass er die Gefahr meinte, den Albtraum in der antiken Stadt, aber ich musste trotzdem einmal schwer schlucken, ehe ich antworten konnte.

»Ich möchte nicht schlafen. Ich bin nicht müde.« Nur der zweite Teil war gelogen. Ich wollte die Augen nicht schließen. Das Innere des Wagens wurde von den Lämpchen am Armaturenbrett nur schwach erleuchtet, aber ich konnte sein Gesicht dennoch sehen.

Er drückte die Lippen in die Mulde unter meinem Ohr. »Versuch es wenigstens«, sagte er.

Ich schüttelte den Kopf.

Er seufzte. »Du bist dickköpfig wie eh und je.«

Ich war wirklich dickköpfig; ich kämpfte gegen die schweren Lider, und ich gewann.

Auf der dunklen Straße war es am schwersten; als wir uns den hellen Lichtern am Flughafen von Florenz näherten, wurde es leichter. Hinzu kam die Aussicht, die Zähne putzen und saubere Sachen anziehen zu können. Alice brachte auch Edward neue Kleider, und er ließ den dunklen Umhang auf einem Müllhaufen in einer Gasse zurück. Der Flug nach Rom war so kurz, dass die Müdigkeit keine Chance hatte, mich zu übermannen. Ich wusste, dass es auf dem Flug von Rom nach Atlanta anders aussehen würde, zumal Alice wieder diese weichen Sitze in der ersten Klasse gebucht hatte. Deshalb bat ich die Stewardess um eine Cola.

»Bella«, sagte Edward missbilligend. Er wusste, wie stark ich auf Koffein reagierte.

Alice saß hinter uns, ich hörte sie leise mit Jasper telefonieren.

»Ich möchte nicht schlafen«, erinnerte ich ihn. Ich tischte ihm eine Ausrede auf, die glaubwürdig war, weil sie der Wahrheit entsprach. »Wenn ich jetzt die Augen zumache, sehe ich Dinge, die ich nicht sehen will. Ich kriege Albträume.«

Von da an ließ er mich damit in Ruhe.

Es wäre die perfekte Gelegenheit zum Reden gewesen, ich hätte die Antworten bekommen können, die ich brauchte, aber eigentlich nicht haben wollte; ich verzweifelte schon beim Gedanken daran, was er mir antworten würde. Eine lange Zeitspanne ohne Unterbrechungen lag vor uns, und im Flugzeug konnte er mir nicht entwischen – jedenfalls nicht so leicht. Niemand außer Alice würde uns hören; es war spät und die meisten Passagiere schalteten bereits das Licht aus und baten in gedämpftem Ton um Kopfkissen. Beim Reden wäre die Erschöpfung nicht so übermächtig.

Doch so schwer es auch war, ich biss mir auf die Zunge, um keine Fragen zu stellen. Mein Verstand arbeitete vermutlich durch die Erschöpfung nur sehr eingeschränkt, aber ich klammerte mich an die Hoffnung, später noch ein paar Stunden mit ihm herausschlagen zu können, indem ich das Gespräch jetzt aufschob. Dass ich, wie Scheherazade, eine weitere Nacht gewinnen könnte.

Also trank ich weiter Cola und widerstand sogar der Versuchung zu blinzeln. Edward schien vollkommen zufrieden damit, mich im Arm zu halten, während er mir immer wieder mit den Fingern übers Gesicht streichelte. Auch ich berührte sein Gesicht. Ich konnte mich nicht beherrschen, obwohl ich wusste, wie sehr es mir später, wenn ich wieder allein war, wehtun würde. Immer wieder küsste er mich aufs Haar, auf die Stirn, auf die Handgelenke ... aber niemals auf den Mund, und das war gut so. Denn wie oft kann ein Herz gequält werden, ohne stehenzubleiben? In den letzten Tagen hatte ich einiges durchgemacht, was mein Ende hätte bedeuten können, aber es hatte mich nicht abgehärtet. Im Gegenteil, ich kam mir furchtbar zerbrechlich vor, als könnte ein einziges Wort mich vernichten.

Edward sagte nichts. Vielleicht hoffte er, ich würde einschlafen. Vielleicht hatte er auch einfach nichts zu sagen.

Ich gewann den Kampf gegen meine schweren Lider. Als wir in Atlanta landeten, war ich wach, und ich sah sogar die Sonne, die über der Wolkendecke von Seattle aufging, bevor Edward das Rollo herunterzog. Ich war stolz auf mich. Ich hatte keinen Augenblick verpasst.

Weder Alice noch Edward waren überrascht über den Empfang, der uns am Sea-Tac Airport bereitet wurde, aber ich hatte überhaupt nicht damit gerechnet. Als Erstes sah ich Jasper – der mich gar nicht wahrzunehmen schien. Er hatte nur Augen für Alice. Sofort ging sie zu ihm; sie umarmten sich nicht wie andere Paare, die sich hier wiedersahen. Sie schauten sich nur in die Augen, und doch war es ein so intimer Moment, dass ich den Blick abwandte.

Carlisle und Esme warteten weiter hinten im Schatten einer breiten Säule. Esme streckte die Arme nach mir aus und umarmte mich fest, wenn auch etwas unbeholfen, weil Edward mich immer noch nicht losließ.

»Vielen, vielen Dank«, sagte sie mir ins Ohr.

Dann schlang sie die Arme um Edward, und sie sah aus, als würde sie weinen, wenn sie könnte.

»Nie wieder wirst du mir so etwas antun«, grollte sie.

Edward grinste reumütig. »Tut mir leid, Mom.«

»Danke, Bella«, sagte Carlisle. »Dafür sind wir dir was schuldig.«

»Wohl kaum«, murmelte ich. Plötzlich war die Erschöpfung überwältigend. Mein Kopf fühlte sich an, als würde er nicht zu meinem Körper gehören.

»Sie ist stehend k.o.«, sagte Esme vorwurfsvoll zu Edward. »Wir müssen sie nach Hause bringen.«

Obwohl ich nicht wusste, ob ich jetzt nach Hause gebracht werden wollte, stolperte ich halb blind durch den Flughafen. Edward zog mich an der einen Seite, Esme an der anderen. Ich wusste nicht, ob Alice und Jasper hinter uns waren oder nicht, und ich war zu erschöpft, um mich umzudrehen.

Obwohl ich immer noch ging, schlief ich schon fast, als wir beim Auto ankamen. Die Überraschung, Emmett und Rosalie zu sehen, die in dem schwachen Licht der Tiefgarage an der schwarzen Limousine lehnten, belebte mich ein wenig. Edward erstarrte.

»Nicht«, flüsterte Esme. »Ihr ist schrecklich zu Mute.«

»Geschieht ihr ganz recht«, sagte Edward und gab sich keine Mühe, die Stimme zu dämpfen.

»Es ist nicht ihre Schuld«, sagte ich. Ich lallte vor Erschöpfung.

»Lass es sie wiedergutmachen«, bat Esme. »Wir fahren mit Alice und Jasper.«

Edward starrte die absurd schöne blonde Vampirfrau an, die auf uns wartete.

»Bitte, Edward«, sagte ich. Ich wollte ebenso wenig mit Rosalie fahren wie er, aber ich hatte in seiner Familie schon mehr als genug Zwietracht gesät.

Er seufzte und zog mich zum Wagen.

Wortlos setzten Emmett und Rosalie sich nach vorn, während Edward mich wieder zu sich auf die Rückbank zog. Ich wusste, dass ich gegen die schweren Lider nicht länger ankämpfen konnte, und legte ergeben den Kopf an seine Brust. Ich ließ die Augen zufallen. Ich spürte, wie der Wagen anfing zu schnurren.

»Edward«, setzte Rosalie an.

»Ich weiß.« Edwards Ton war brüsk und unversöhnlich.

»Bella?«, fragte Rosalie leise.

Erschrocken riss ich die Augen auf. Es war das erste Mal, dass sie mich direkt ansprach.

»Ja, Rosalie?«, sagte ich zögernd.

»Es tut mir so leid, Bella. Ich habe ein furchtbar schlechtes Gewissen, und ich bin so dankbar, dass du nach dem, was ich getan habe, so tapfer warst, meinen Bruder zu retten. Bitte sag, dass du mir verzeihst.«

Ihre Worte klangen unbeholfen und gestelzt vor Scham, aber sie schien es ernst zu meinen.

»Natürlich, Rosalie«, murmelte ich in der Hoffnung, dass sie mich jetzt vielleicht nicht mehr ganz so hassen würde. »Du kannst überhaupt nichts dafür. Ich bin ja von der blöden Klippe gesprungen. Natürlich verzeihe ich dir.«

Die Worte waren kaum zu verstehen, so schwer vor Müdigkeit waren meine Lippen.

»Es zählt erst, wenn sie wieder bei Bewusstsein ist«, sagte Emmett kichernd.

»Ich bin bei Bewusstsein«, sagte ich, aber es klang wie ein genuschelter Seufzer.

»Lass sie schlafen«, sagte Edward energisch, doch seine Stimme klang schon etwas wärmer.

Dann war es still bis auf das sanfte Brummen des Motors. Ich musste eingeschlafen sein, denn es kam mir vor, als wären nur wenige Sekunden vergangen, als die Tür aufging und Edward mich aus dem Wagen trug. Ich bekam die Augen nicht auf. Zuerst dachte ich, wir wären immer noch am Flughafen.

Und dann hörte ich Charlie.

»Bella!«, rief er aus einiger Entfernung.

»Charlie«, murmelte ich und versuchte aus der Benommenheit herauszufinden.

»Sch«, machte Edward leise. »Es ist alles gut, du bist zu Hause und in Sicherheit. Schlaf weiter.«

»Ich fasse es nicht, dass du es wagst, dich hier blicken zu lassen«, fuhr Charlie Edward an. Seine Stimme war jetzt ganz nah.

»Lass das, Dad«, stöhnte ich. Er hörte mich nicht.

»Was ist mit ihr?«, wollte Charlie wissen.

»Sie ist nur sehr müde, Charlie«, versicherte Edward ihm ruhig. »Bitte lass sie schlafen.«

»Sag du mir nicht, was ich tun soll!«, schrie Charlie. »Gib sie her. Nimm deine Pfoten von ihr weg!«

Edward versuchte mich an Charlie zu übergeben, aber ich klammerte mich hartnäckig an ihm fest. Ich merkte, wie mein Vater an meinem Arm zerrte.

»Hör auf, Dad«, sagte ich, lauter jetzt. Ich schaffte es, die Augen aufzureißen, und starrte Charlie verschlafen an. »Sei lieber auf *mich* sauer.«

Wir waren vor unserem Haus. Die Haustür stand offen. Die Wolkendecke über uns war so dick, dass ich nicht erraten konnte, wie spät es war.

»Worauf du dich verlassen kannst«, versprach Charlie. »Rein mit dir.«

»Okay. Lass mich runter«, sagte ich seufzend.

Edward stellte mich auf die Füße. Ich sah, dass ich aufrecht stand, aber ich spürte meine Beine nicht. Trotzdem ging ich ein paar Schritte, bis der Gehweg mir entgegenkam. Edwards Arme fingen mich auf, ehe ich auf den Boden knallte.

»Ich trage sie nach oben«, sagte Edward. »Dann gehe ich.«

»Nein«, rief ich in Panik. Ich hatte meine Antworten noch nicht bekommen. Wenigstens so lange musste er bleiben.

»Ich gehe nicht weit weg«, flüsterte Edward mir so leise ins Ohr, dass Charlie es nicht hören konnte.

Charlies Antwort hörte ich nicht, aber Edward ging ins Haus. Bis zur Treppe schaffte ich es, die Augen offen zu halten. Das Letzte, was ich spürte, waren Edwards kühle Finger, die meine Hände von seinem Hemd lösten.

Traum oder Wirklichkeit?

Ich hatte das Gefühl, sehr lange geschlafen zu haben – und mein Körper war so steif, als hätte ich mich die ganze Zeit über nicht bewegt. Mein Denken war benebelt und langsam; seltsame, bunte Träume, auch Albträume, schwirrten mir schwindelerregend schnell durch den Kopf. Das Schreckliche und das Himmlische, alles ein absurdes Durcheinander. Ich hatte Ungeduld und Angst empfunden, weil ich nicht schnell genug von der Stelle gekommen war ... Und da waren viele Monster gewesen, rotäugige Dämonen, umso schauriger wegen ihrer außerordentlich höflichen Manieren. Der Traum war immer noch lebendig – sogar an die Namen konnte ich mich erinnern. Doch der lebendigste, der unvergessliche Teil des Traums war nicht das Schreckliche. Unvergesslich war der Engel.

Es war schwer, ihn gehen zu lassen und aufzuwachen. Dieser Traum wollte nicht in die Gruft von Träumen befördert werden, die ich nie wieder besuchen würde. Ich kämpfte noch damit, während mein Geist wacher wurde und die Wirklichkeit zu mir durchdrang. Ich wusste nicht, was für ein Wochentag heute war, aber ich war mir sicher, dass Jacob oder die Schule oder die Arbeit oder irgendetwas mich erwartete. Ich holte tief Luft und fragte mich, wie ich noch einen weiteren Tag überstehen sollte.

496

Etwas Kaltes berührte mit ganz leichtem Druck meine Stirn. Ich kniff die Augen fester zu. Anscheinend träumte ich noch immer, und der Traum fühlte sich unglaublich real an. Ich war so nah daran, aufzuwachen … jeden Augenblick konnte er mir entgleiten.

Doch dann merkte ich, dass es sich zu real anfühlte, so real, dass es mir nicht guttat. Die steinernen Arme, die um meinen Körper geschlungen waren, waren zu greifbar. Wenn ich jetzt nicht die Notbremse zog, würde ich es später bereuen. Mit einem resignierten Seufzer riss ich die Augen auf, um die Illusion zu verscheuchen.

»Oh!«, stieß ich hervor und presste mir die Fäuste auf die Augen.

Ich war eindeutig zu weit gegangen, ich hätte die Phantasie nicht so mit mir durchgehen lassen dürfen. Na ja, das war nicht ganz richtig ausgedrückt. Ich hatte sie *gezwungen*, mit mir durchzugehen, ich hatte mit der Jagd nach Halluzinationen meinen Verstand zerstört.

Doch im Bruchteil einer Sekunde begriff ich, dass ich, wenn ich sowieso den Verstand verloren hatte, die Illusionen ebenso gut genießen konnte, solange sie angenehm waren.

Ich schlug die Augen wieder auf – und Edward war immer noch da, sein makelloses Gesicht nur wenige Zentimeter von meinem entfernt.

»Habe ich dich erschreckt?«, fragte er leise. Es klang besorgt.

Für eine Wahnvorstellung war diese hier wirklich gut. Sein Gesicht, seine Stimme, sein Geruch, alles – das war noch tausendmal besser, als zu ertrinken. Die wunderschöne Ausgeburt meiner Phantasie beobachtete mein wechselndes Mienenspiel mit Besorgnis. Seine Augen waren pechschwarz, und darunter lagen Schatten wie Blutergüsse.

Ich blinzelte zweimal und versuchte mich verzweifelt an das Letzte zu erinnern, von dem ich wusste, dass es wirklich passiert war. Alice war auch in meinem Traum gewesen, und ich fragte mich, ob sie wirklich zurückgekommen war oder ob das nur der Anfang des Traums gewesen war. Ich *dachte*, sie wäre an dem Tag gekommen, als ich fast ertrunken wäre ...

»Oh, verdammt«, krächzte ich. Ich hatte einen trockenen Hals vom Schlafen.

»Was hast du, Bella?«

Ich runzelte die Stirn und schaute ihn unglücklich an. Jetzt sah er noch besorgter aus als vorhin.

»Ich bin tot, stimmt's?« Ich stöhnte. »Ich bin doch ertrunken. Mist, verdammter. Das überlebt Charlie nicht.«

Auch Edward runzelte die Stirn. »Du bist nicht tot.«

»Und warum wache ich dann nicht auf?«, fragte ich.

»Du bist doch wach, Bella.«

Ich schüttelte den Kopf. »Ja, klar. Du willst, dass ich das denke. Und wenn ich dann aufwache, ist es noch schlimmer. Falls ich aufwache, aber das werde ich nicht, weil ich ja tot bin. Wie schrecklich. Der arme Charlie. Und Renée und Jake ...« Ich verstummte vor Entsetzen darüber, was ich getan hatte.

»Ich kann gut verstehen, dass du mich mit einem Albtraum verwechselst.« Er lächelte kurz und grimmig. »Aber ich kann mir nicht vorstellen, was du angestellt haben könntest, um in der Hölle zu landen. Hast du viele Morde begangen, während ich weg war?«

Ich verzog das Gesicht. »Wohl kaum. Wenn ich in der Hölle wäre, wärst du ja nicht bei mir.«

Er seufzte.

Ich wurde allmählich klarer im Kopf. Einen Moment löste ich den Blick widerstrebend von seinem Gesicht, ich schaute zu dem dunklen offenen Fenster und dann wieder zu ihm. Ich begann mich an Einzelheiten zu erinnern ... und spürte, wie meine Wangen ganz ungewohnt heiß wurden, als ich langsam begriff, dass Edward wirklich und wahrhaftig hier war und dass ich meine Zeit damit vergeudete, mich wie ein Idiot zu benehmen.

»Dann ist das alles wirklich passiert?« Es war fast unmöglich zu begreifen, dass der Traum Wirklichkeit war.

»Das kommt ganz darauf an.« Edwards Lächeln war immer noch hart. »Wenn du meinst, dass wir in Italien beinahe abgeschlachtet worden wären, dann ja.«

»Wie merkwürdig«, sagte ich nachdenklich. »Ich war tatsächlich in Italien. Weißt du, dass ich bis dahin nicht weiter gekommen war als Albuquerque?«

Er verdrehte die Augen. »Vielleicht solltest du noch ein wenig schlafen. Du redest wirr.«

»Ich bin aber nicht mehr müde.« Jetzt wusste ich alles wieder ganz deutlich. »Wie spät ist es? Wie lange hab ich geschlafen?«

»Es ist kurz nach ein Uhr nachts. Also ungefähr vierzehn Stunden.«

Während er sprach, reckte ich mich. Ich war so steif.

»Und Charlie?«, fragte ich.

Edward runzelte die Stirn. »Der schläft. Ich sollte dir wohl sagen, dass ich gerade gegen die Regeln verstoße. Na ja, genau genommen nicht, denn er hat mir verboten, jemals wieder einen Fuß durch seine Tür zu setzen, und ich bin durchs Fenster hereingekommen ... Aber es war doch deutlich, was er meinte.«

»Charlie hat dir Hausverbot erteilt?«, fragte ich, und mein Erstaunen verwandelte sich in Wut.

Er klang traurig: »Hattest du etwas anderes erwartet?«

Ich war wütend. Ich hatte mit meinem Vater ein ernstes Wörtchen zu reden – vielleicht musste ich ihn mal wieder daran erinnern, dass ich volljährig war. Natürlich spielte es eigentlich keine Rolle. Allzu bald würde es keinen Grund mehr für ein solches Verbot geben. Ich versuchte an weniger schmerzhafte Dinge zu denken.

»Hast du eine Geschichte parat?«, fragte ich. Einerseits war ich wirklich neugierig, andererseits versuchte ich unser Gespräch möglichst unverfänglich zu halten und mich zu beherrschen, um ihn nicht mit dem verzweifelten, quälenden Verlangen zu verschrecken, das in mir tobte.

»Was meinst du?«

»Was soll ich Charlie erzählen? Wie soll ich ihm erklären, dass ich so lange … wie lange war ich eigentlich weg?« Ich versuchte mich zu erinnern.

»Nur drei Tage.« Seine Augen wurden schmal, aber diesmal wirkte sein Lächeln natürlicher. »Eigentlich hatte ich gehofft, du hättest eine gute Entschuldigung. Ich habe keine.«

Ich stöhnte. »Na super.«

»Na ja, vielleicht hat Alice sich etwas überlegt«, sagte er, um mich zu trösten.

Das genügte mir. Wen kümmerte es, was später auf mich zukam? Jede Sekunde hier mit ihm – sein makelloses Gesicht so nah, dass es im schwachen Licht meines Weckers schimmerte – war kostbar und durfte nicht vergeudet werden.

»Also«, setzte ich an und wählte für den Anfang die unwichtigste, wenn auch immer noch höchst interessante Frage. Ich musste das Gespräch in Gang halten. Schließlich war ich zu Hause in Sicherheit, und er könnte jeden Moment verschwinden. Außerdem war dieses flüchtige Paradies ohne den Klang seiner Stimme nicht ganz vollkommen. »Was hast du bis vor drei Tagen getrieben?«

Sein Gesichtsausdruck wurde sofort wachsam. »Nichts allzu Aufregendes.«

»Natürlich nicht«, murmelte ich.

»Warum machst du so ein Gesicht?«

»Na ja ...« Ich verzog nachdenklich den Mund. »Wenn du doch nur ein Traum wärst, würdest du genau das antworten. Ich glaube, ich bin mit meiner Phantasie am Ende.«

Er seufzte. »Wenn ich es dir erzähle, glaubst du mir dann endlich, dass das hier kein Albtraum ist?«

»Albtraum!«, wiederholte ich verächtlich. Er wartete auf meine Antwort. »Vielleicht«, sagte ich, nachdem ich einen Moment überlegt hatte. »Wenn du es mir erzählst.«

»Ich war ... auf der Jagd.«

»Fällt dir nichts Besseres ein?«, sagte ich abschätzig. »Das ist noch lange kein Beweis dafür, dass ich wach bin.«

Er zögerte, dann sprach er langsam, wobei er seine Worte mit Bedacht wählte. »Ich habe nichts Essbares gejagt ... Eigentlich habe ich mich in der ... Verfolgungsjagd versucht. Darin bin ich nicht sonderlich gut.«

»Was hast du denn verfolgt?«, fragte ich neugierig.

»Nichts von Belang.« Seine Worte passten nicht zu seinem Gesichtsausdruck; er sah beunruhigt aus, beklommen.

»Das verstehe ich nicht.«

Er zögerte; sein Gesicht, das vom Licht des Weckers eigenartig grünlich schien, wirkte gequält.

»Ich ...« Er holte tief Luft. »Ich muss dich um Verzeihung bitten. Und nicht nur das, ich bin dir vorher zumindest eine Erklärung schuldig. Denn du musst wissen« – die Worte sprudelten jetzt nur so aus ihm heraus, wie so häufig, wenn er erregt

war, und ich musste mich sehr konzentrieren, um alles mitzubekommen –, »dass ich keine Ahnung hatte. Mir war nicht klar, was
für ein Durcheinander ich zurückließ. Ich glaubte dich hier in
Sicherheit. In vollkommener Sicherheit. Ich wusste ja nicht, dass
Victoria« – er bleckte die Zähne, als er den Namen sagte – »zurückkommen würde. Ich gebe zu, als ich sie das letzte Mal sah,
war ich mehr auf James' Gedanken konzentriert. Ich habe es
einfach nicht für möglich gehalten, dass sie so reagieren könnte.
Dass sie überhaupt derart mit ihm verbunden war. Ich glaube,
inzwischen weiß ich, warum – sie war sich seiner so sicher, ihr
kam gar nicht der Gedanke, dass er versagen könnte. Ihre Sie-
gesgewissheit überlagerte ihre Gefühle für ihn, deshalb erkannte
ich nicht, wie tief sie waren. Nicht, dass es irgendeine Entschuldigung für das gäbe, was ich dir zugemutet habe. Als ich hörte,
was du Alice erzählt hast – was sie selbst gesehen hat –, als ich
begriff, dass du dein Leben in die Hände von halbwüchsigen,
ungestümen Werwölfen gelegt hast, dem Schlimmsten, was es
außer Victoria selbst dort draußen gibt« – er schauderte und
sein Redestrom brach für einen kurzen Moment ab. »Du musst
mir glauben, dass ich von alldem keine Ahnung hatte. Es macht
mich ganz krank, selbst jetzt, wenn ich dich sehe und wohlbehal-
ten in meinen Armen spüre. Ich bin der armseligste …«

»Stopp«, fuhr ich dazwischen. Er starrte mich gequält an, und
ich suchte nach den richtigen Worten – den Worten, die ihn von
seinem Schuldgefühl befreien könnten, das ihn unnötigerweise so
plagte. Es fiel mir sehr schwer, diese Worte zu sagen. Ich wusste
nicht, ob ich sie aussprechen konnte, ohne zusammenzubrechen.
Aber ich musste versuchen, das Bild geradezurücken. Ich wollte
nicht, dass er meinetwegen ein schlechtes Gewissen hatte und sich
quälte. Er sollte glücklich sein, ganz gleich, was es mich kostete.

Ich hatte wirklich gehofft, diesen Teil unseres Gesprächs noch hinauszögern zu können. Nun würde alles viel früher zu einem Ende kommen.

Ich griff auf die monatelange Übung im Schauspielern zurück und setzte ein unbeteiligtes Gesicht auf.

»Edward«, sagte ich. Sein Name brannte mir ein wenig im Hals. Ich spürte die Erinnerung an die klaffende Wunde, die nur darauf wartete, wieder aufzureißen, sobald er verschwunden war. Ich wusste nicht, wie ich es diesmal überleben sollte. »Du musst damit aufhören. So darfst du nicht denken. Du kannst dein Leben nicht von dieser ... *Schuld* ... beherrschen lassen. Du kannst nicht die Verantwortung für das übernehmen, was mir zustößt. Nichts davon ist deine Schuld, so ist mein Leben nun mal. Wenn ich also vor einen Bus laufe oder was auch immer mir demnächst passiert, dann musst du dir klarmachen, dass du damit nichts zu tun hast. Du kannst nicht einfach nach Italien flüchten, nur weil du mich nicht gerettet hast und dir deswegen ein schlechtes Gewissen machst. Selbst wenn ich von der Klippe gesprungen wäre, um mich umzubringen, wäre das meine Entscheidung und *nicht deine Schuld* gewesen. Ich weiß, es ist deine deine Art, dir ständig an allem die Schuld zu geben, aber du darfst das nicht zu weit treiben! Das ist verantwortungslos – du musst auch an Esme denken und Carlisle und ...«

Jetzt verlor ich fast die Beherrschung. Ich hielt inne und holte tief Luft, um mich zu beruhigen. Ich musste ihn freigeben. So etwas durfte nie wieder vorkommen.

»Isabella Marie Swan«, flüsterte er, und ein ganz eigenartiger Ausdruck lag auf seinem Gesicht. Er sah fast wütend aus. »Glaubst du etwa, ich hätte die Volturi gebeten, mich zu töten, *weil ich Schuldgefühle hatte*?«

Ich spürte, wie verständnislos ich aussehen musste. »Etwa nicht?«

»Ich hatte die schlimmsten Schuldgefühle«, sagte er. »Schlimmer, als du dir vorstellen kannst.«

»Dann … was willst du denn damit sagen? Das verstehe ich nicht.«

»Bella, ich ging zu den Volturi, weil ich glaubte, du wärst tot«, sagte er mit weicher Stimme und glühendem Blick. »Selbst wenn ich an deinem Tod nicht beteiligt gewesen wäre« – er schauderte bei dem Wort »Tod« –, »selbst wenn es *nicht* meine Schuld gewesen wäre, hätte ich mich nach Italien aufgemacht. Natürlich hätte ich direkt mit Alice reden sollen, anstatt es aus zweiter Hand von Rosalie zu glauben. Aber was sollte ich denn denken, als der Typ sagte, Charlie sei auf der Beerdigung? Was sprach dafür …? Was spricht dafür …«, murmelte er gedankenverloren. Seine Stimme war so leise, dass ich nicht wusste, ob ich richtig gehört hatte. »Bei uns spricht alles immer nur dagegen. Ein Missverständnis nach dem anderen. Nie wieder werde ich Romeo einen Vorwurf machen.«

»Aber ich verstehe es immer noch nicht«, sagte ich. »Kein bisschen. Na ja, und selbst wenn?«

»Wie bitte?«

»Selbst wenn ich tot gewesen wäre?«

Er starrte mich lange zweifelnd an, ehe er sagte: »Weißt du denn gar nichts mehr von dem, was ich dir gesagt habe?«

»Ich weiß noch *alles*, was du mir gesagt hast.« Auch das, was alles andere zunichtegemacht hatte.

Er fuhr mit seiner kühlen Fingerspitze über meine Unterlippe. »Bella, ich glaube, da liegt ein Missverständnis vor.« Er schloss die Augen und schüttelte mit einem halben Lächeln den Kopf. Es war kein glückliches Lächeln. »Ich dachte, ich hätte mich damals deutlich ausgedrückt. Bella, in einer Welt, in der es dich nicht gibt, kann ich nicht leben.«

»Ich bin …« Mir schwindelte, als ich nach dem passenden Wort suchte. »… verwirrt.« Das passte. Ich verstand nicht, was er sagte.

Er schaute mir tief in die Augen, sein Blick war ernst. »Ich bin ein guter Lügner, Bella. Das muss ich auch sein.«

Ich erstarrte, meine Muskeln verkrampften sich, als warteten sie auf einen Schlag. Das Loch in meiner Brust war mit einem Mal wieder da; der Schmerz raubte mir den Atem.

Er fasste mich an der Schulter und versuchte meine Starre zu lösen. »Lass mich ausreden! Ich bin ein guter Lügner, aber dass du mir so schnell geglaubt hast.« Er zuckte zusammen. »Das war … unerträglich.«

Ich wartete, immer noch erstarrt.

»Damals im Wald, als ich mich von dir verabschiedet habe …«

Ich verbot mir die Erinnerung daran. Ich versuchte mit aller Macht, im Jetzt zu bleiben.

»Da wolltest du mich nicht gehen lassen«, flüsterte er. »Das habe ich gesehen. Ich wollte das nicht tun, es fühlte sich an, als würde es mich umbringen. Aber ich wusste, wenn ich dich nicht überzeugen könnte, dass ich dich nicht mehr liebte, würdest du viel länger brauchen, dein Leben weiterzuleben. Ich hoffte, wenn du glaubtest, ich wende mich anderen Dingen zu, würdest du dasselbe tun.«

»Ein glatter Bruch«, flüsterte ich, ohne die Lippen zu bewegen.

»Genau. Aber ich hätte nie gedacht, dass du es mir so leicht machen würdest! Ich hätte gedacht, es wäre so gut wie unmöglich – du würdest die Wahrheit so genau kennen, dass ich das Blaue vom Himmel herunterlügen müsste, um auch nur einen Funken des Zweifels in dir zu säen. Ich habe gelogen, und das tut mir so leid – weil ich dir wehgetan habe und weil es alles vergebens war. Es tut mir leid, dass ich dich nicht vor dem beschützen konnte, was ich bin. Ich habe gelogen, um dich zu retten, und bin gescheitert. Das tut mir leid. Aber wie konntest du mir nur glauben? Nachdem ich dir tausendmal gesagt hatte, dass ich dich liebe, wie konnte da ein einziges Wort dein Vertrauen zerstören?«

Ich sagte nichts. Ich war zu erschrocken, um eine vernünftige Antwort zu geben.

»Ich habe es in deinen Augen gesehen – dass du ernsthaft geglaubt hast, ich wollte dich nicht mehr. So eine absurde, lächerliche Vorstellung – als ob ich weiterleben könnte ohne dich!«

Ich war immer noch erstarrt. Seine Worte waren unverständlich, weil sie unmöglich waren.

Er rüttelte mich wieder an der Schulter, nicht fest, aber doch so, dass meine Zähne leicht aufeinanderschlugen.

»Bella.« Er seufzte. »Wirklich, was hast du dir nur gedacht!«

Und da fing ich an zu weinen. Die Tränen schossen mir in die Augen und strömten mir über die Wangen.

»Ich wusste es«, schluchzte ich. »Ich wusste, dass es ein Traum ist.«

»Du bist unmöglich«, sagte er und lachte auf – ein hartes, frustriertes Lachen. »Wie kann ich es so erklären, dass du mir glaubst? Du schläfst nicht und du bist auch nicht tot. Ich bin hier und ich liebe dich. Ich habe dich immer geliebt und ich werde dich immer lieben. Jede Sekunde, da ich fort war, habe ich an dich gedacht und dein Gesicht vor Augen gehabt. Als ich dir sagte, ich wolle dich nicht, war das schwärzeste Blasphemie.«

Ich schüttelte den Kopf, während die Tränen immer weiterflossen.

»Du glaubst mir nicht, oder?«, flüsterte er, und sein Gesicht war noch blasser als sonst – das sah ich sogar in dem schwachen Licht. »Warum kannst du die Lüge glauben, aber nicht die Wahrheit?«

»Es war schon immer abwegig, dass du mich lieben solltest«, erklärte ich, und die Stimme versagte mir. »Das habe ich immer gewusst.«

Er kniff die Augen zusammen und spannte den Kiefer an.

»Ich werde dir beweisen, dass dies kein Traum ist«, versprach er.

Er nahm mein Gesicht fest in die Hände und achtete nicht darauf, dass ich versuchte, den Kopf wegzudrehen.

»Bitte nicht«, flüsterte ich.

Er hielt inne, seine Lippen waren nur Zentimeter von meinen entfernt.

»Warum nicht?«, fragte er. Sein Atem blies mir ins Gesicht und mir wurde schwindelig.

»Wenn ich aufwache« – er öffnete den Mund, um zu widersprechen, und ich korrigierte mich –, »okay, vergiss das. Wenn du mich wieder verlässt, wird es auch so schon schwer genug sein.«

Er wich ein kleines Stück zurück und starrte mich an.

»Als ich dich gestern berührt habe, da warst du so … zögerlich, so zurückhaltend, und doch warst du dieselbe. Ich muss wissen, warum. Komme ich zu spät? Habe ich dich zu sehr verletzt? Hast du dich anderen Dingen zugewandt? Das wäre … nur billig. Ich werde deine Entscheidung nicht in Frage stellen. Also versuch bitte nicht, mich zu schonen – sag mir einfach, ob du mich nach allem, was ich dir angetan habe, noch lieben kannst oder nicht. Kannst du?«, flüsterte er.

»Was ist das denn für eine bescheuerte Frage?«

»Antworte einfach. Bitte.«

Eine ganze Weile schaute ich ihn finster an. »Meine Gefühle für dich werden sich nie ändern. Natürlich liebe ich dich – und das kannst du auch nicht ändern!«

»Mehr wollte ich nicht hören.«

Dann lag sein Mund auf meinem und ich konnte mich nicht wehren. Nicht, weil er vieltausendmal stärker war als ich, sondern weil sich mein Verstand in dem Moment, als unsere Lippen sich trafen, in nichts auflöste. Dieser Kuss war nicht ganz so behutsam wie andere, die ich in Erinnerung hatte, und das war mir nur recht. Wenn das Loch mich schon zerreißen musste, konnte ich vorher wenigstens so viel wie möglich mitnehmen.

Also erwiderte ich seinen Kuss, und mein Herz schlug wild und holprig, während mein Atem keuchend ging und meine Hände gierig sein Gesicht berührten. Ich spürte seinen Marmorkörper überall, und ich war so froh, dass er nicht auf mich gehört hatte – kein Schmerz auf der Welt war so groß, dass ich deswegen auf das hier verzichten wollte. Seine Hände erforschten mein Gesicht, und ich zeichnete seins nach, und in dem kurzen Moment, da seine Lippen frei waren, flüsterte er meinen Namen.

Als mir schwindelig wurde, zog er sich zurück, doch nur, um sein Ohr an mein Herz zu legen.

Benommen lag ich da und wartete darauf, dass mein Atem wieder ruhiger und leiser wurde.

»Übrigens«, sagte er beiläufig, »werde ich dich nicht verlassen.«

Ich sagte nichts, und er schien die Skepsis in meinem Schweigen zu hören.

Er hob mein Gesicht an und hielt mich mit seinem Blick fest. »Ich gehe nirgendwohin. Nicht ohne dich«, fügte er, jetzt ernsthafter, hinzu. »Ich habe es nur getan, um dir die Möglichkeit zu geben, ein normales, glückliches Menschenleben zu führen. Durch mich warst du ständig in Gefahr, ich schnitt dich von der Welt ab, in die du gehörtest, und setzte in jedem Augenblick, den ich mit dir verbrachte, dein Leben aufs Spiel. Also musste ich es versuchen. Irgendetwas musste ich tun, und dich zu verlassen, schien der einzige Weg zu sein. Wenn ich nicht geglaubt hätte, es wäre zu deinem Besten, hätte ich es nie über mich gebracht. Dafür bin ich viel zu egoistisch. Nur *du* warst mir noch wichtiger als das, was ich wollte ... was ich brauchte. Bei dir sein, das ist alles, was ich will und was ich brauche, und ich weiß, dass ich nie wieder stark genug sein werde, dich zu verlassen. Es gibt zu viele Entschuldigungen für mich, bei dir zu bleiben – Gott sei Dank! Offenbar bist du ohnehin nie in Sicherheit, ganz gleich, wie viele Kilometer zwischen uns liegen.«

»Versprich mir nichts«, flüsterte ich. Wenn ich mir die Hoffnung erlaubte und alles vergebens war ... das würde mich umbringen. Wenn schon all diese gnadenlosen Vampire es nicht geschafft hatten, mich zu töten, würde die Hoffnung das erledigen.

Seine schwarzen Augen glitzerten metallisch vor Zorn. »Du glaubst, ich lüge dich jetzt an?«

»Nein – nicht dass du lügst.« Ich schüttelte den Kopf und versuchte zusammenhängend zu denken, objektiv zu prüfen, ob er mich wirklich liebte, damit ich der Hoffnung nicht in die Falle ging. »Es kann ja sein, dass du es ernst meinst ... jetzt. Aber was ist morgen, wenn dir wieder einfällt, warum du mich verlassen hast? Oder nächsten Monat, wenn Jasper nach mir schnappt?«

Er zuckte zusammen.

Ich dachte über die letzten Tage meines Lebens nach, bevor er mich verlassen hatte, und versuchte sie im Licht dessen zu betrachten, was er mir gerade erzählt hatte. Wenn ich versuchte zu akzeptieren, dass er mich verlassen hatte, obwohl er mich liebte, um mich zu schützen, bekamen seine Grübelei und sein abweisendes Schweigen eine ganz neue Bedeutung. »Es ist doch nicht so, dass du die Entscheidung damals nicht durchdacht hättest, oder?«, sagte ich. »Am Ende wirst du wieder das tun, was du für richtig hältst.«

»Ich bin nicht so stark, wie du glaubst«, sagte er. »Richtig und Falsch haben ihre Bedeutung für mich verloren; ich wäre ohnehin zurückgekommen. Schon bevor Rosalie mich angerufen hat, um mir von dir zu erzählen, war ich nicht mehr im Stande, eine weitere Woche zu ertragen oder auch nur einen Tag. Ich musste schon kämpfen, eine einzige Stunde zu überstehen. Es war nur noch eine Frage der Zeit – und es hätte nicht mehr lange gedauert –, bis ich vor deinem Fenster aufgetaucht wäre und dich gebeten hätte, mich zurückzunehmen. Ich bin auch jetzt gern bereit dich zu bitten, wenn du möchtest.«

Ich verzog das Gesicht. »Sei mal ernst.«

»Ich bin ernst«, sagte er und sah mich wütend an. »Würdest du dir bitte anhören, was ich zu sagen habe? Dürfte ich wohl erklären, was du mir bedeutest?«

Er wartete und schaute mich prüfend an, um sicherzugehen, dass ich auch wirklich zuhörte.

»Bevor du da warst, Bella, war mein Leben eine mondlose Nacht. Sehr dunkel, aber mit Sternen – Punkte aus Licht und Weisheit. Und dann bist du über meinen Himmel gesaust wie ein Meteor. Plötzlich stand alles in Flammen, da war Glanz und da war Schönheit. Als du weg warst, als der Meteor hinter dem Horizont verschwunden war, wurde alles schwarz. Nichts hatte sich verändert, aber meine Augen waren vom Licht geblendet. Ich konnte die Sterne nicht mehr sehen. Und es gab für nichts mehr einen Grund.«

Ich wollte ihm glauben. Doch was er da beschrieb, war *mein* Leben ohne *ihn*, nicht umgekehrt.

»Deine Augen werden sich daran gewöhnen«, sagte ich leise.

»Das ist ja gerade das Problem – es geht nicht.«

»Und die Zerstreuung?«

Er lachte bitter. »Das gehörte zur Lüge, Liebste. Es gab keine Zerstreuung, die ... die mich die *Qual* vergessen ließ. Mein Herz schlägt seit fast neunzig Jahren nicht mehr, aber das war etwas ganz anderes. Es fühlte sich an, als wäre mein Herz nicht mehr da – als wäre ich hohl. Als hätte ich alles hier bei dir gelassen.«

»Das ist komisch«, murmelte ich.

Er zog eine seiner formvollendeten Augenbrauen hoch. »Komisch?«

»Ich meine merkwürdig – ich dachte, das wäre nur bei mir so. Auch mir fehlte fast alles. Ich konnte so lange nicht richtig atmen.« Ich füllte meine Lunge und genoss das Gefühl. »Und mein Herz. Das war eindeutig verloren.«

Er schloss die Augen und legte das Ohr wieder an mein Herz. Meine Wange schmiegte sich an sein Haar, ich spürte es auf der Haut und roch seinen köstlichen Duft.

»Dann war die Verfolgungsjagd also keine Zerstreuung?«, fragte ich. Ich war neugierig, aber vor allem musste ich mich jetzt selbst ablenken. Ich war viel zu nahe dran, mir Hoffnungen zu machen. Viel länger konnte ich mich nicht davon abhalten. Mein Herz pochte und jubilierte in meiner Brust.

»Nein.« Er seufzte. »Das war nie eine Zerstreuung. Es war eine Verpflichtung.«

»Was soll das heißen?«

»Nun ja, zwar hätte ich nie gedacht, dass von Victoria eine Gefahr ausging, aber ich wollte sie doch nicht ungeschoren davonkommen lassen ... Wie gesagt, ich bin ein miserabler Jäger. Bis Texas war ich ihr auf der Spur, doch dann folgte ich einer falschen Fährte nach Brasilien – dabei war sie inzwischen hier.« Er stöhnte. »Ich war noch nicht mal auf dem richtigen Kontinent! Und die ganze Zeit hat sie dich hier ...«

»Du hast *Victoria* gejagt?« Das kam halb kreischend und zwei Oktaven zu hoch heraus, sobald ich meine Stimme wiedergefunden hatte.

Charlies entferntes Schnarchen geriet ins Stocken, dann fiel er wieder in seinen gleichmäßigen Rhythmus.

»Nicht besonders erfolgreich«, sagte Edward. Es schien ihn zu verwirren, dass ich so aufgebracht war. »Aber diesmal stelle ich es geschickter an. Sie wird die Gegend hier nicht mehr lange mit ihrer Anwesenheit belästigen.«

»Das kommt ... überhaupt nicht in Frage«, brachte ich mühsam hervor. Selbst wenn Emmett oder Jasper ihm dabei half. Selbst wenn Emmett *und* Jasper ihm halfen. Das war noch schlimmer als die andere Vorstellung: Jacob Black, wie er der bösartigen, katzenhaften Victoria ganz nah gegenüberstand. Ich ertrug es nicht, mir Edward so vorzustellen, obwohl er so viel widerstandsfähiger war als mein halb menschlicher bester Freund.

»Jetzt hat ihre letzte Stunde geschlagen. Damals ist sie mir entwischt, aber diesmal nicht, nicht nachdem ...«

Wieder unterbrach ich ihn und versuchte, die Ruhe zu bewahren. »Hattest du nicht gerade versprochen, du würdest mich nicht verlassen?«, fragte ich und kämpfte dagegen an, dass sich die Worte in mein Herz gruben, sobald ich sie ausgesprochen hatte. »Das ist mit einer Verfolgungsjagd nicht so ganz vereinbar, oder?«

Er sah mich durchdringend an. Tief in seiner Brust erhob sich ein Knurren. »Ich werde mein Versprechen halten, Bella. Aber

Victoria …« – jetzt war das Knurren deutlicher zu hören – »wird sterben. Und zwar bald.«

»Wir wollen nichts überstürzen«, sagte ich und versuchte meine Panik zu verbergen. »Vielleicht kommt sie ja gar nicht wieder. Jake und sein Rudel haben sie bestimmt verjagt. Es gibt überhaupt keinen Grund, nach ihr zu suchen. Ich hab größere Probleme als Victoria.«

Edwards Augen wurden schmal, aber er nickte. »Du hast Recht. Die Werwölfe sind ein Problem.«

Ich schnaubte. »Ich rede nicht von Jacob. Meine Probleme sind viel schlimmer als eine Handvoll junger Wölfe, die Unsinn machen.«

Edward sah aus, als wollte er etwas sagen, aber dann überlegte er es sich anders. Nach einer Weile sagte er: »Wirklich? Und was ist dann dein größtes Problem? Das Victorias Rückkehr so vergleichsweise unerheblich erscheinen lässt?«

»Wie wär's mit dem zweitgrößten?«, sagte ich ausweichend.

»Na gut«, sagte er misstrauisch.

Ich schwieg einen Moment. Ich war mir nicht sicher, ob ich den Namen über die Lippen bringen würde. »Es gibt noch andere, die hinter mir her sind«, erinnerte ich ihn flüsternd.

Er seufzte, reagierte jedoch nicht so heftig, wie ich es nach seiner Reaktion auf Victoria erwartet hätte.

»Die Volturi sind nur das *zweit*größte Problem?«

»Du wirkst ja ziemlich gelassen«, bemerkte ich.

»Wir haben noch genügend Zeit, darüber nachzudenken. Für sie bedeutet Zeit etwas ganz anderes als für dich oder sogar für mich. Sie zählen die Jahre, wie du die Tage zählst. Es würde mich nicht wundern, wenn sie sich erst wieder an dich erinnern, wenn du dreißig bist«, sagte er leichthin.

Der Schreck durchfuhr mich.

Dreißig.

Seine Versprechen bedeuteten also letztlich gar nichts. Wenn ich eines Tages dreißig wurde, konnte er nicht vorhaben, noch lange bei mir zu bleiben. Als ich mir das vorstellte, spürte ich einen stechenden Schmerz, ich hatte mir also doch bereits Hoffnungen gemacht, obwohl ich es mir verboten hatte.

»Du brauchst keine Angst zu haben«, sagte er besorgt, als er sah, dass mir schon wieder Tränen in die Augen stiegen. »Ich passe auf, dass sie dir nichts tun.«

»Solange du hier bist.« Wobei es sowieso keine Rolle mehr spielte, was mir zustieß, wenn er weg war.

Er nahm mein Gesicht fest in seine steinernen Hände und schaute mich mit seinen Mitternachtsaugen an; sein Blick hatte die Anziehungskraft eines Schwarzen Lochs. »Ich werde dich nie mehr verlassen.«

»Aber du hast *dreißig* gesagt«, flüsterte ich. Jetzt liefen die Tränen über. »Was soll das heißen? Du willst bei mir bleiben, aber du lässt es zu, dass ich alt werde?«

Sein Blick wurde weich, während er einen harten Zug um den Mund bekam. »Genau das werde ich tun. Was bleibt mir anderes übrig? Ich kann nicht ohne dich sein, aber ich werde deine Seele nicht zerstören.«

»Ist das wirklich …« Ich versuchte weiterzusprechen, aber diese Frage war zu schwierig. Ich erinnerte mich an sein Gesicht, als Aro ihn geradezu gebeten hatte, mich unsterblich zu machen. An seinen gequälten Blick. War er wirklich um meiner Seele willen so darauf erpicht, dass ich ein Mensch blieb, oder war er sich nur nicht sicher, dass er so lange mit mir zusammenbleiben wollte?

»Ja?«, sagte er und wartete auf meine Frage.

Ich stellte eine andere. Sie war fast genauso schwer, aber nur fast.

»Und wenn ich eines Tages so alt bin, dass man mich für deine Mutter hält? Oder deine *Großmutter*?« Meine Stimme war matt vor Abscheu – ich sah wieder das Gesicht meiner Oma aus dem Traum vor mir.

Jetzt war sein Gesicht ganz weich. Er wischte mir mit den Lippen die Tränen von den Wangen. »Das bedeutet nichts für mich«, sagte er, und ich spürte seinen Atem auf der Haut. »Du wirst immer das Schönste in meinem Leben sein. Allerdings ...« Er zögerte und zuckte leicht zusammen. »Wenn du meiner überdrüssig werden solltest, wenn du mehr wolltest – das würde ich verstehen, Bella. Ich verspreche dir, dass ich dir nicht im Weg stehen werde, wenn du mich verlassen willst.«

Seine Augen sahen aus wie flüssiger Onyx und sein Blick war aufrichtig. Es hörte sich an, als hätte er unendlich viele Gedanken auf diesen idiotischen Plan verwendet.

»Dir ist doch klar, dass ich irgendwann sterben werde, oder?«, sagte ich.

Auch darüber hatte er nachgedacht. »Ich folge dir nach, sobald ich kann.«

»Das ist echt ...« Ich suchte nach dem passenden Wort. »... krank.«

»Bella, es ist der einzig richtige Weg ...«

»Lass uns noch mal einen Schritt zurückgehen«, sagte ich. Wenn ich wütend war, fiel es mir viel leichter, klar und entschlossen zu sein. »Du erinnerst dich an die Volturi, oder? Ich kann nicht für immer ein Mensch bleiben. Sie werden mich umbringen. Selbst wenn sie nicht an mich denken, bis ich *dreißig* bin« – ich zischte das Wort –, »glaubst du im Ernst, sie werden mich vergessen?«

»Nein«, antwortete er langsam und schüttelte den Kopf. »Sie werden dich nicht vergessen. Aber …«

»Aber?«

Er grinste, während ich ihn argwöhnisch anschaute. Vielleicht war ich nicht die einzige Verrückte.

»Ich habe einige Pläne.«

»Und diese Pläne«, sagte ich, und meine Stimme wurde mit jedem Wort ätzender, »diese Pläne kreisen alle darum, dass ich ein *Mensch* bleiben soll.«

Als ich in diesem Ton mit ihm sprach, verhärtete sich seine Miene. »Natürlich.« Das klang brüsk, sein himmlisches Gesicht wirkte arrogant.

Wir schauten uns wütend an.

Dann holte ich tief Luft, straffte die Schultern und schob seine Arme weg, so dass ich mich aufsetzen konnte.

»Möchtest du, dass ich gehe?«, fragte er, und ich bekam Herzflattern, als ich sah, dass ihm die Vorstellung wehtat, obwohl er versuchte, es zu verbergen.

»Nein«, sagte ich. »*Ich* gehe.«

Er sah mich misstrauisch an, als ich aus dem Bett stieg und auf der Suche nach meinen Schuhen in dem dunklen Zimmer herumtastete.

»Darf ich fragen, wo du hinwillst?«, fragte er.

»Ich fahre zu dir nach Hause«, sagte ich, während ich immer noch blind herumtastete.

Er stand auf und kam zu mir. »Hier sind deine Schuhe. Wie gedenkst du dorthin zu kommen?«

»Mit meinem Transporter.«

»Davon wird Charlie aber bestimmt wach«, sagte er, um mich abzuschrecken.

Ich seufzte. »Ich weiß. Aber ehrlich gesagt kriege ich sowieso schon mehrere Wochen Hausarrest. Viel schlimmer kann es nicht mehr kommen.«

»Stimmt. Außerdem wird er mir die Schuld geben, nicht dir.«

»Wenn du einen besseren Vorschlag hast, bin ich ganz Ohr.«

»Bleib hier«, schlug er vor, doch er sah nicht sehr hoffnungsvoll aus.

»Keine Chance. Aber fühl du dich nur ganz wie zu Hause«, sagte ich aufmunternd, und während ich zur Tür ging, wunderte ich mich selbst, wie leicht es mir fiel, ihn zu necken.

Er war vor mir an der Tür und versperrte mir den Weg.

Ich runzelte die Stirn und wandte mich zum Fenster. So hoch war es nicht, und unten war Gras …

»Na gut.« Er seufzte. »Ich bringe dich hin.«

Ich zuckte die Achseln. »Von mir aus. Es wär sowieso ganz gut, wenn du auch dabei wärest.«

»Und warum?«

»Weil du so unglaublich starrsinnig bist und ich davon ausgehe, dass du deinen Standpunkt deutlich machen möchtest.«

»Was für einen Standpunkt?«, fragte er mit zusammengebissenen Zähnen.

»Hier geht es nicht mehr nur um dich. Du bist nicht der Nabel der Welt, weißt du.« Was meine persönliche Welt anging, stand auf einem anderen Blatt. »Wenn du uns die Volturi auf den Hals hetzt, nur weil du unbedingt willst, dass ich ein Mensch bleibe, dann sollte deine Familie da ein Wörtchen mitzureden haben.«

»Worüber?«, fragte er.

»Über meine Sterblichkeit. Ich lasse darüber abstimmen.«

Eine Abstimmung für die Ewigkeit

Er war nicht begeistert, das war ihm deutlich anzusehen. Aber dann nahm er mich ohne weitere Diskussionen in die Arme und sprang leichtfüßig aus dem Fenster. Er landete ohne den kleinsten Ruck, wie eine Katze. Es war doch etwas höher, als ich gedacht hatte.

»Also gut«, sagte er, und die Missbilligung in seiner Stimme war unüberhörbar. »Auf geht's.«

Er half mir auf seinen Rücken, und dann rannte er los. Obwohl es so lange her war, kam es mir ganz vertraut vor. Offenbar gehörte das zu den Dingen, die man nie verlernte, so wie Radfahren.

Es war still und dunkel, als er durch den Wald lief, sein Atem ging langsam und gleichmäßig – es war so dunkel, dass die Bäume, die an uns vorbeiflogen, fast unsichtbar waren und ich nur an dem Luftstrom im Gesicht merkte, wie schnell wir waren. Die Luft war feucht; sie brannte nicht in den Augen wie der Wind auf der Piazza in Volterra, und das war tröstlich. Ebenso tröstlich war die Nacht nach der entsetzlichen Helligkeit dort. Wie die Decke, unter der ich als Kind oft gespielt hatte, fühlte sich die Dunkelheit vertraut und sicher an.

Ich erinnerte mich daran, dass ich früher vor Angst die Augen schließen musste, wenn wir so schnell durch den Wald gerast waren. Jetzt kam mir das albern vor. Ich ließ die Augen weit geöffnet, legte das Kinn auf seine Schulter und die Wange an seinen Hals. Die Geschwindigkeit war berauschend. Das war hundertmal besser als Motorradfahren.

Ich drehte mein Gesicht zu ihm und drückte meine Lippen auf seinen kalten, harten Nacken.

»Danke«, sagte er, während die schwarzen Bäume schemenhaft an uns vorbeirasten. »Heißt das, du bist zu dem Schluss gekommen, dass du wach bist?«

Ich lachte, es war ein leichtes, natürliches Lachen, ganz unangestrengt. Es hörte sich richtig an. »Das kann man nicht sagen. Eher dass ich versuche, nicht aufzuwachen. Nicht heute Nacht.«

»Irgendwann werde ich mir dein Vertrauen wieder verdienen«, sagte er leise, mehr zu sich selbst. »Und wenn es das Letzte ist, was ich tue.«

»Dir vertraue ich ja«, versicherte ich ihm. »Aber mir nicht.«

»Das musst du mir mal erklären.«

Daran, dass der Wind nachließ, merkte ich, dass er jetzt nicht mehr rannte, und ich nahm an, dass es nicht mehr weit bis zum Haus war. Ich meinte sogar den Fluss zu hören, der irgendwo in der Nähe vorbeirauschte.

»Na ja …« Ich suchte nach den richtigen Worten. »Ich vertraue nicht darauf, dass ich … genug bin. Dass ich dich verdiene. Ich habe gar nichts, womit ich dich halten könnte.«

Er blieb stehen und holte mich von seinem Rücken herunter. Seine sanften Hände ließen mich nicht los; nachdem er mich wieder auf die Füße gesetzt hatte, umarmte er mich ganz fest und zog mich an seine Brust.

»Du hältst mich für immer und ewig«, flüsterte er. »Daran darfst du nie zweifeln.«

Aber wie sollte ich das nicht tun?

»Du hast mir immer noch nicht verraten …«, murmelte er.

»Was?«

»Was dein größtes Problem ist.«

»Einmal darfst du raten.« Seufzend tippte ich ihm mit dem Zeigefinger auf die Nasenspitze.

Er nickte. »Ich bin schlimmer als die Volturi«, sagte er grimmig. »Das habe ich wohl nicht anders verdient.«

Ich verdrehte die Augen. »Die Volturi könnten mich schlimmstenfalls umbringen.«

Er wartete mit wachsamem Blick.

»Du kannst mich verlassen«, erklärte ich. »Die Volturi, Victoria … die sind nichts dagegen.«

Selbst in der Dunkelheit sah ich, dass sich sein Gesicht schmerzhaft verzog – es erinnerte mich an seinen Gesichtsausdruck, als Jane ihn mit ihrem Blick gequält hatte; mir wurde elend und ich bereute, dass ich die Wahrheit gesagt hatte.

»Nicht«, flüsterte ich und berührte sein Gesicht. »Sei nicht traurig.«

Halbherzig zog er einen Mundwinkel hoch, aber das Lächeln erreichte seine Augen nicht. »Könnte ich dir doch nur begreiflich machen, dass ich dich gar nicht verlassen *kann*«, flüsterte er.

»Vermutlich wird nur die Zeit dich überzeugen können.«

Die Idee gefiel mir. »Einverstanden«, sagte ich.

Er sah immer noch gequält aus, und ich versuchte ihn abzulenken.

»Kann ich denn jetzt, wo du hierbleibst, meine Sachen wiederhaben?«, fragte ich so leichthin wie möglich.

Ich hatte Erfolg, jedenfalls teilweise: Er lachte. Doch sein Blick war immer noch unglücklich. »Deine Sachen waren nie weg«, verriet er mir. »Ich wusste, dass das nicht richtig war, denn ich hatte dir ja Frieden ohne Erinnerungen versprochen.

Es war dumm und kindisch, aber ich wollte, dass etwas von mir bei dir blieb. Die CD, die Fotos, die Tickets – das ist alles unter den Dielen in deinem Zimmer.«

»*Was?*«

Er nickte, und meine offensichtliche Freude über diese Kleinigkeit schien ihn aufzuheitern – wenn auch nicht genug, um den Schmerz aus seinem Gesicht zu verscheuchen.

»Ich glaube«, sagte ich langsam, »ich bin mir nicht sicher, aber vielleicht … womöglich habe ich es die ganze Zeit gewusst.«

»Was hast du gewusst?«

Eigentlich wollte ich nur den gequälten Ausdruck aus seinem Blick vertreiben, doch als ich es sagte, klang es wahrer, als ich gedacht hatte.

»Irgendetwas in mir, vielleicht mein Unterbewusstsein, hat nie richtig geglaubt, dass es dir egal ist, ob ich lebe oder sterbe. Wahrscheinlich hab ich deshalb auch die Stimmen gehört.«

Eine Weile war es sehr still. »Stimmen?«, fragte er tonlos.

»Na ja, nur eine Stimme. Deine. Das ist eine lange Geschichte.« Als er mich misstrauisch ansah, bereute ich, dass ich davon angefangen hatte. Würde er mich für verrückt halten, wie alle anderen? Hatten sie etwa Recht? Wenigstens war der Ausdruck auf seinem Gesicht, so als würde etwas ihn innerlich verbrennen, verschwunden.

»Ich habe Zeit.« Er klang unnatürlich gelassen.

»Es ist ziemlich armselig.«

Er wartete.

Ich wusste nicht, wie ich es erklären sollte. »Weißt du noch, dass Alice gesagt hat, ich wär unter die Extremsportler gegangen?«

»Du bist zum Spaß von einer Klippe gesprungen«, sagte er ausdruckslos.

»Ähm, ja, genau. Und davor, mit dem Motorrad ...«

»Motorrad?«, sagte er. Ich kannte seine Stimme gut genug, um zu merken, dass unter der äußeren Ruhe etwas brodelte.

»Das habe ich Alice wohl nicht erzählt.«

»Nein.«

»Also, das war so ... Weißt du, ich hatte herausgefunden, dass ... wenn ich etwas Gefährliches oder Dummes machte ... dann konnte ich mich besser an dich erinnern«, gestand ich und kam mir dabei total gestört vor. »Dann wusste ich wieder, wie deine Stimme klingt, wenn du wütend bist. Ich konnte dich hören, als würdest du direkt neben mir stehen. Meistens versuchte ich, nicht an dich zu denken, aber in solchen Momenten tat es nicht so weh – es war, als würdest du mich wieder beschützen. Als ob du nicht wolltest, dass mir etwas zustößt. Und jetzt frage ich mich, ob ich dich wohl deshalb so deutlich hören konnte, weil ich insgeheim immer wusste, dass du mich noch liebst ...«

Und wieder klangen die Worte echt, als ich sie aussprach. Irgendwo tief im Innern erkannte ich, dass es die Wahrheit war.

Seine Stimme klang erstickt. »Du ... hast ... dein Leben aufs Spiel gesetzt ... um meine Stimme ...«

»Schsch«, unterbrach ich ihn. »Warte mal. Ich glaub, ich hab gerade eine Erleuchtung.«

Ich dachte an die Nacht in Port Angeles, als ich die erste Halluzination hatte. Ich hatte zwei mögliche Erklärungen gehabt. Wahnsinn oder Wunschdenken. Eine dritte Möglichkeit hatte ich nicht gesehen.

Aber was, wenn ...

Wenn man nun ernsthaft an etwas glaubte, aber völlig danebenlag? Wenn man sich so darauf versteift hatte, dass man die Wahrheit gar nicht in Betracht zog? Ließ sich die Wahrheit dann zum Schweigen bringen oder versuchte sie ans Licht zu kommen?

Möglichkeit drei: Edward liebte mich. Das Band zwischen uns ließ sich weder durch Distanz noch durch Zeit durchtrennen. Und ganz gleich, wie viel außergewöhnlicher oder schöner oder geistreicher oder vollkommener er war, so war er doch genauso unwiederbringlich verwandelt wie ich. So wie ich immer zu ihm gehören würde, so würde er auf immer mir gehören.

Hatte ich versucht, mir das klarzumachen?

»Oh!«

»Bella?«

»Oh. Gut. Jetzt verstehe ich.«

»Deine Erleuchtung?«, fragte er, und seine Stimme war wacklig und angespannt.

»Du liebst mich«, sagte ich verwundert. Wieder durchströmte mich das Gefühl, dass es wahr war.

Obwohl er immer noch besorgt aussah, breitete sich das schiefe Lächeln, das ich so liebte, auf seinem Gesicht aus. »Ja, so ist es.«

Mein Herz schwoll an, als wollte es meine Rippen sprengen. Es füllte meine Brust aus und schnürte mir die Kehle zu, so dass ich nicht sprechen konnte.

Er wollte mich tatsächlich so, wie ich ihn wollte – für immer. Er wollte nur deshalb so verzweifelt, dass ich sterblich blieb, weil er um meine Seele bangte, weil er mir das Menschliche nicht nehmen wollte. Verglichen mit der Angst, er könnte *mich* nicht wollen, kam mir dieses Hindernis – meine Seele – fast unbedeutend vor.

Er nahm mein Gesicht fest in seine kalten Hände und küsste mich, bis mir so schwindlig war, dass sich der Wald drehte.

Dann legte er seine Stirn an meine, und ich war nicht die Einzige, die heftiger atmete als sonst.

»Du hast das besser hinbekommen als ich, weißt du?«, sagte er.

»Was hab ich besser hinbekommen?«

»Zu überleben. Du hast dich wenigstens bemüht. Du bist morgens aufgestanden, hast versucht, Charlie etwas vorzuspielen, bist zur Schule gegangen. Wenn ich nicht gerade auf Verfolgungsjagd war, dann war ich … zu nichts zu gebrauchen. Ich konnte nicht bei meiner Familie sein – ich konnte mit niemandem zusammen sein. Zu meiner Schande muss ich gestehen, dass ich mich mehr oder weniger eingeigelt und dem Unglück hingegeben habe.« Er lächelte verschämt. »Das war noch viel armseliger, als Stimmen zu hören.«

Ich war sehr erleichtert darüber, dass er mich zu verstehen schien – es war tröstlich, dass das für ihn alles einleuchtend war. Jedenfalls schaute er mich nicht so an, als hielte er mich für verrückt. Er schaute mich an, als ob … er mich liebte.

»Nur eine Stimme«, verbesserte ich ihn.

Er lachte, dann zog er mich fest an seine Seite und führte mich weiter.

»Ich mache das hier nur, damit du deinen Willen bekommst.« Während er mit großen Schritten weiterging, zeigte er vor sich in die Dunkelheit, wo groß und schwach schimmernd das Haus auftauchte. »Es ist völlig unerheblich, was sie sagen.«

»Es betrifft sie jetzt aber auch.«

Er zuckte gleichmütig die Schultern.

Er führte mich durch die offene Haustür in das dunkle Haus und schaltete das Licht an. Der Raum war genauso, wie ich ihn in Erinnerung hatte – der Flügel und die weißen Sofas und die helle, massive Treppe. Kein Staub, keine weißen Laken.

Edward rief ihre Namen, ohne die Stimme zu erheben. »Carlisle? Esme? Rosalie? Emmett? Jasper? Alice?« Sie würden ihn hören.

Carlisle stand plötzlich neben mir, als wäre er die ganze Zeit dort gewesen. »Herzlich willkommen, Bella.« Er lächelte. »Was können wir für dich tun? Angesichts der frühen Stunde nehme ich an, dass dies kein ganz gewöhnlicher Besuch ist?«

Ich nickte. »Ich möchte sofort mit euch allen sprechen, wenn das geht. Es ist wichtig.«

Während ich das sagte, schaute ich Edward ins Gesicht. Er guckte missbilligend, aber ergeben. Als ich wieder zu Carlisle schaute, sah auch er Edward an.

»Natürlich«, sagte Carlisle. »Lasst uns doch in das andere Zimmer gehen.«

Carlisle führte uns durch das helle Wohnzimmer, dann hinüber ins Esszimmer, und knipste die Lichter an. Das Zimmer hatte ebenso weiße Wände und eine so hohe Decke wie das Wohnzimmer. In der Mitte stand unter einem niedrig hängenden Kronleuchter ein großer, glänzender ovaler Tisch mit acht Stühlen. Carlisle bot mir einen Platz am Kopf des Tisches an.

Bis dahin hatte ich noch nie gesehen, dass die Cullens den Esstisch benutzten – er war nur Requisite. Sie aßen nicht im Haus.

Kaum hatte ich mich hingesetzt, sah ich, dass wir nicht allein waren. Esme war Edward gefolgt, und hinter ihr kam einer nach dem anderen die ganze Familie herein.

Carlisle setzte sich zu meiner Rechten und Edward zu meiner Linken. Auch die anderen nahmen leise Platz. Alice grinste mich an, sie wusste schon Bescheid. Emmett und Jasper sahen neugierig aus, und Rosalie lächelte mich zaghaft an. Ich lächelte genauso schüchtern zurück. Wir mussten uns erst noch aneinander gewöhnen.

Carlisle nickte mir zu. »Du hast das Wort.«

Ich schluckte. Es machte mich nervös, dass sie mich alle so anstarrten. Edward nahm unterm Tisch meine Hand. Ich schaute ihn verstohlen an, aber er beobachtete die anderen, er sah sehr angespannt aus.

»Also«, sagte ich. »Ich hoffe, Alice hat euch schon erzählt, was in Volterra passiert ist?«

»Alles«, versicherte mir Alice.

Ich sah sie vielsagend an. »Und das unterwegs?«

»Das auch.« Sie nickte.

»Gut.« Ich seufzte erleichtert. »Dann sind wir alle auf dem gleichen Stand.«

Sie warteten geduldig, während ich meine Gedanken zu ordnen versuchte.

»Also, ich habe ein Problem«, begann ich. »Alice hat den Volturi versprochen, dass ich eine von euch werde. Sie werden jemanden schicken, der das kontrolliert, und das ist bestimmt nichts Gutes – das sollten wir vermeiden. Denn jetzt betrifft es auch euch alle. Das tut mir leid.« Ich schaute ihre schönen Gesichter eins nach dem anderen an, wobei ich mir das allerschönste bis zuletzt aufbewahrte. Edward hatte die Mundwinkel nach unten verzogen. »Aber wenn ihr mich nicht wollt, werde ich mich nicht aufdrängen, ganz gleich, ob Alice dazu bereit ist oder nicht.«

Esme öffnete den Mund, um etwas zu sagen, doch ich hob einen Finger, ich war noch nicht zu Ende.

»Bitte lass mich ausreden. Ihr alle wisst, was ich möchte. Und bestimmt wisst ihr auch, wie Edward darüber denkt. Ich glaube, die einzige Möglichkeit, zu einer gerechten Entscheidung zu kommen, ist eine Abstimmung. Wenn ihr beschließt, dass ihr mich nicht wollt, dann … dann werde ich wohl allein nach Italien zurückgehen. Ich kann nicht zulassen, dass sie hierherkommen.« Ich runzelte unwillkürlich die Stirn, als ich mir das vorstellte.

In Edwards Brust war ein schwaches Grollen zu hören. Ich achtete nicht darauf.

»Ihr sollt wissen, dass ich so oder so keinen von euch in Gefahr bringen werde. Ich möchte jetzt, dass ihr darüber abstimmt, ob ich ein Vampir werden soll oder nicht.«

Das Wort »Vampir« sprach ich mit einem halben Lächeln aus, dann nickte ich Carlisle zu, damit er anfangen sollte.

»Einen Moment«, unterbrach Edward.

Ich schaute ihn wütend an. Er guckte gleichmütig zurück und drückte meine Hand.

»Vor der Abstimmung möchte ich noch etwas hinzufügen.« Ich seufzte.

»Es betrifft die Gefahr, auf die Bella sich bezieht«, fuhr er fort. »Ich glaube nicht, dass wir uns da allzu große Sorgen machen müssen.«

Jetzt kam Leben in sein Gesicht. Er legte die freie Hand auf den glänzenden Tisch und beugte sich vor.

»Es gab mehr als einen Grund dafür«, fing er an und schaute in die Runde, »dass ich Aro am Ende nicht die Hand reichen wollte. Sie haben eine Kleinigkeit außer Acht gelassen, und die wollte ich ihnen nicht verraten.« Er grinste.

»Und das wäre?«, sagte Alice. Ich sah bestimmt genauso skeptisch aus wie sie.

»Die Volturi sind sehr zuversichtlich, und dazu haben sie auch guten Grund. Wenn sie jemanden finden wollen, dann schaffen sie das auch. Erinnerst du dich an Demetri?« Er schaute mich an.

Ich schauderte. Er nickte und fuhr fort.

»Er spürt Menschen auf – das ist seine Gabe, deshalb ist er bei ihnen. Die ganze Zeit, während wir dort waren, habe ich ihre Gehirne nach etwas durchforstet, was uns retten könnte. Ich habe versucht, so viele Informationen wie möglich zu sammeln. Und ich habe herausgefunden, wie Demetris Gabe funktioniert. Er ist ein Tracker – und er ist noch tausendmal begabter als James. Sein Talent ist entfernt mit dem verwandt, was ich mache oder Aro. Er schnappt das ... Aroma? Ich weiß nicht, wie ich es beschreiben soll ... den Tenor ... der Gedanken eines anderen auf, und dem folgt er dann. Es funktioniert über unglaubliche Entfernungen. Doch nach Aros kleinen Experimenten, nun ja ...« Edward zuckte die Achseln.

»Du glaubst, er kann mich nicht finden«, platzte ich heraus.

»Da bin ich mir sicher«, sagte er überzeugt. »Er verlässt sich ganz und gar auf Demetris übersinnliche Fähigkeit. Wenn die bei dir nicht funktioniert, werden sie blind sein.«

»Und was haben wir damit gewonnen?«

»Alice wird uns sagen können, wann sie einen Besuch planen, und dann verstecke ich dich. Sie werden vollkommen hilflos sein«, sagte er hämisch. »Das wird wie die Suche nach der Stecknadel im Heuhaufen!«

Er und Emmett wechselten einen Blick und grinsten beide.

Ich fand das Ganze unlogisch. »Aber dich können sie doch finden«, erinnerte ich ihn.

»Und ich kann auf mich selbst aufpassen.«

Emmett lachte und streckte seinem Bruder die Hand hin.

»Ausgezeichneter Plan, Bruder«, sagte er begeistert.

Edward streckte den Arm aus und schlug ein.

»Nein«, zischte Rosalie.

»Absolut nicht«, stimmte ich ihr zu.

»Nett«, sagte Jasper anerkennend.

»Idioten«, murmelte Alice.

Esme schaute Edward nur wütend an.

Ich straffte mich und versuchte mich zu konzentrieren. Das hier war *meine* Versammlung.

»Na gut. Edward hat euch eine Alternative gezeigt, die ihr in Betracht ziehen könnt«, sagte ich kühl. »Lasst uns jetzt abstimmen.«

Diesmal schaute ich Edward an; ich wollte es hinter mich bringen und seine Meinung als Erstes hören. »Möchtest du, dass ich ein Mitglied eurer Familie werde?«

Seine Augen wurden hart und pechschwarz. »Nicht so. Du wirst ein Mensch bleiben.«

Ich nickte kurz und geschäftsmäßig, dann machte ich weiter.

»Alice?«

»Ja.«

»Jasper?«

»Ja«, sagte er mit ernster Stimme. Ich war ein wenig überrascht – ich war mir keineswegs sicher gewesen, dass er für mich stimmen würde –, doch ich verkniff mir eine Reaktion und fuhr fort.

»Rosalie?«

Sie zögerte und biss sich auf die volle, perfekte Unterlippe. »Nein.«

Ich ließ mir nichts anmerken und wandte den Kopf, um zum Nächsten überzugehen, doch sie hob die Hände.

»Ich möchte es gern erklären«, bat sie. »Es ist nicht so, dass ich irgendetwas gegen dich als Schwester hätte. Aber … dies ist nicht das Leben, das ich mir selbst ausgesucht hätte. Mir wäre es damals lieber gewesen, wenn jemand für mich mit Nein gestimmt hätte.«

Ich nickte langsam, dann wandte ich mich an Emmett.

»Aber sicher!« Er grinste. »Uns fällt bestimmt noch was anderes ein, wie wir uns mit diesem Demetri anlegen können.«

Ich musste ein Grinsen unterdrücken und schaute Esme an.

»Ja, natürlich, Bella. Für mich gehörst du jetzt schon zur Familie.«

»Danke, Esme«, murmelte ich und schaute zu Carlisle.

Plötzlich war ich nervös und bereute es, dass ich ihn nicht als Erstes gefragt hatte. Ich war mir sicher, dass seine Stimme das meiste Gewicht hatte, sie wog schwerer als jede Mehrheit.

Carlisle sah mich nicht an.

»Edward«, sagte er.

»Nein«, stöhnte Edward. Er hatte die Zähne zusammengebissen und die Oberlippe zurückgezogen.

»Es ist die einzig sinnvolle Möglichkeit«, beharrte Carlisle. »Du hast dich dafür entschieden, nicht ohne sie zu leben, daher bleibt mir keine Wahl.«

Edward ließ meine Hand los und rückte vom Tisch ab. Er stolzierte aus dem Zimmer und knurrte leise vor sich hin.

»Jetzt weißt du wohl, wie ich entschieden habe«, sagte Carlisle seufzend.

Ich starrte immer noch Edward nach. »Danke«, murmelte ich.

Aus dem anderen Zimmer kam ein ohrenbetäubender Knall.

Ich zuckte zusammen und sagte schnell: »Das war alles, was ich wissen wollte. Ich danke euch. Dafür, dass ihr mich bei euch behalten wollt. Ich empfinde ganz genauso für euch wie ihr für mich.«

Sofort war Esme bei mir und schlang mir die kalten Arme um den Körper.

»Liebste Bella«, hauchte sie.

Ich erwiderte ihre Umarmung. Aus dem Augenwinkel sah ich, dass Rosalie vor sich auf den Tisch schaute, und mir wurde bewusst, dass meine Worte auch anders aufgefasst werden konnten.

»Also, Alice«, sagte ich, als Esme mich losließ. »Wo willst du es machen?«

Alice starrte mich mit schreckgeweiteten Augen an.

»Nein! *Nein!* NEIN!«, brüllte Edward, der jetzt wieder ins Zimmer stürmte. Ehe ich auch nur blinzeln konnte, war er bei mir, er beugte sich über mich, das Gesicht vor Wut verzerrt. »Hast du den Verstand verloren?«, rief er. »Bist du wahnsinnig geworden?«

Ich duckte mich und hielt mir die Ohren zu.

»Ähm, Bella«, fiel Alice ängstlich ein. »Ich glaube nicht, dass ich schon so weit bin. Das bedarf einiger Vorbereitung …«

»Du hast es versprochen«, erinnerte ich sie und funkelte sie unter Edwards Arm hindurch an.

»Ich weiß, aber … Im Ernst, Bella! Ich habe keine Ahnung, wie ich es anstellen soll, dich dabei *nicht* umzubringen.«

»Du schaffst das schon«, sagte ich ermutigend. »Ich vertraue dir.«

Edward knurrte zornig.

Alice schüttelte schnell den Kopf und schaute mich panisch an.

»Carlisle?« Ich wandte mich zu ihm.

Edward fasste mir ans Kinn und zwang mich, ihn anzusehen. Mit der anderen Hand gab er Carlisle zu verstehen, dass er schweigen sollte.

Carlisle achtete nicht darauf. »Ich könnte es machen«, beantwortete er meine Frage. Ich hätte gern sein Gesicht gesehen. »Es bestünde keine Gefahr, dass ich die Beherrschung verlieren würde.«

»Das hört sich doch gut an.« Ich hoffte, dass er mich verstehen konnte; Edward hielt mein Kinn so fest, dass ich kaum sprechen konnte.

»Moment mal«, sagte Edward zwischen den Zähnen. »Es muss ja nicht jetzt gleich sein.«

»Es gibt keinen Grund, weshalb es nicht jetzt gleich sein sollte«, nuschelte ich.

»Mir würde da schon der eine oder andere einfallen.«

»Das kann ich mir vorstellen«, sagte ich aufgebracht. »Und jetzt lass mich los.«

Er gab mein Gesicht frei und verschränkte die Arme vor der Brust. »In etwa drei Stunden wird Charlie hier sein und dich suchen. Ich würde es ihm glatt zutrauen, dass er die Polizei einschaltet.«

»Allen dreien«, fügte er hinzu.

Das war das Schwerste. Charlie, Renée. Jetzt auch noch Jacob. Die Menschen, die ich verlieren und denen ich wehtun würde. Es wäre mir lieber, wenn nur ich zu leiden hätte, aber ich wusste, dass das unmöglich war.

Andererseits schadete ich ihnen noch mehr, wenn ich ein Mensch blieb. Charlie setzte ich durch meine bloße Nähe ständig der Gefahr aus. Jake setzte ich einer noch größeren Gefahr aus, indem ich seine Feinde in das Gebiet zog, das er bewachen musste. Und Renée – ich konnte es noch nicht mal riskieren, meine Mutter zu besuchen, weil ich befürchten musste, meine tödlichen Probleme mit zu ihr zu nehmen.

Ich zog Gefahren magnetisch an, damit hatte ich mich inzwischen abgefunden.

Es musste mir gelingen, nicht nur mich selbst zu schützen, sondern vor allem die, die mir nahestanden, selbst wenn das hieß, dass ich nicht mit ihnen zusammen sein konnte. Ich musste stark sein.

»Wir sind doch alle dafür, möglichst wenig Aufsehen zu erregen«, sagte Edward, immer noch zwischen zusammengebissenen Zähnen, zu Carlisle gewandt. »Und deshalb schlage ich vor, dass wir dieses Gespräch verschieben, zumindest so lange, bis Bella mit der Schule fertig ist und nicht mehr bei Charlie wohnt.«

»Das ist ein vernünftiger Einwand, Bella«, sagte Carlisle.

Ich stellte mir vor, wie Charlie reagieren würde, wenn er heute Morgen aufwachte und nach allem, was er diese Woche hatte durchmachen müssen – erst Harrys Tod, dann mein plötzliches Verschwinden –, mein Bett leer vorfände. Das hatte er nicht verdient. So lange war es ja gar nicht mehr hin bis zum Schulabschluss …

Ich schob die Lippen vor. »Ich werd's mir überlegen.«

Edwards Kiefermuskeln entspannten sich.

»Es ist besser, wenn ich dich jetzt nach Hause bringe«, sagte er. Er war jetzt ruhiger, hatte es aber eindeutig eilig, mich von hier fortzubringen. »Nur für den Fall, dass Charlie früher wach wird.«

Ich schaute Carlisle an. »Wenn ich mit der Schule fertig bin?«

»Du hast mein Wort.«

Ich holte tief Luft, lächelte und wandte mich wieder an Edward: »Gut. Du kannst mich nach Hause bringen.«

Schnell führte Edward mich aus dem Haus, ehe Carlisle mir noch weitere Versprechungen machen konnte. Er brachte mich zum Hintereingang hinaus, so dass ich nicht sehen konnte, was im Wohnzimmer zu Bruch gegangen war.

Auf dem Rückweg schwiegen wir. Ich hatte gewonnen und war darüber ziemlich zufrieden. Natürlich hatte ich auch Angst, aber daran versuchte ich nicht zu denken. Wieso sollte ich mir den Schmerz ausmalen – den körperlichen oder seelischen? Ich würde erst daran denken, wenn es gar nicht mehr anders ging.

Als wir bei mir zu Hause angekommen waren, sauste Edward die Wand hoch und zu meinem Fenster hinein. Dann löste er meine Arme von seinem Nacken und setzte mich aufs Bett.

Ich glaubte ziemlich genau zu wissen, was er dachte, aber als ich sein Gesicht sah, war ich überrascht. Er sah nicht wütend aus, eher abschätzend. Er ging in meinem dunklen Zimmer schweigend auf und ab, während ich ihn mit wachsendem Misstrauen ansah.

»Egal, was du im Schilde führst, es wird nicht funktionieren«, sagte ich.

»Scht, ich denke nach.«

»Grrrm«, stöhnte ich, ließ mich aufs Bett fallen und zog mir die Decke über den Kopf.

Ich hörte nichts, aber plötzlich war er bei mir und zog die Decke zurück, so dass er mich ansehen konnte. Er lag neben mir. Er strich mir die Haare von der Wange.

»Wenn es dir nichts ausmacht, wäre es mir sehr lieb, wenn du dein Gesicht nicht verbergen würdest. Ich habe viel zu lange ohne deinen Anblick gelebt. Jetzt ... musst du mir eine Frage beantworten.«

»Was?«, fragte ich widerstrebend.

»Wenn du einen einzigen Wunsch frei hättest, ganz egal welchen, was würdest du dir dann wünschen?«

Ich sah ihn skeptisch an. »Dich.«

Er schüttelte ungeduldig den Kopf. »Etwas, was du noch nicht hast.«

Ich war mir nicht sicher, worauf er hinauswollte, deshalb überlegte ich genau, ehe ich antwortete. Dann sagte ich etwas, was sowohl wahr als auch so gut wie unmöglich war.

»Ich würde mir wünschen ... dass Carlisle es nicht machen muss. Sondern dass *du* mich verwandelst.«

Ich behielt ihn argwöhnisch im Auge und erwartete einen Wutanfall wie bei ihm zu Hause. Zu meiner Überraschung blieb seine Miene unverändert. Er sah immer noch nachdenklich aus.

»Was würdest du dafür geben?«

Ich traute meinen Ohren nicht. Ich starrte in sein gelassenes Gesicht und platzte mit der Antwort heraus, ohne groß zu überlegen.

»Alles.«

Er lächelte schwach, dann verzog er den Mund. »Fünf Jahre?«

Bestimmt guckte ich ebenso wütend wie entsetzt.

»Du hast gesagt, alles«, erinnerte er mich.

»Ja, aber ... du würdest die Zeit nutzen, um dich herauszuwinden. Man muss das Eisen schmieden, solange es heiß ist. Außerdem ist es zu gefährlich, ein Mensch zu bleiben – jedenfalls für mich. Also, alles, aber nicht *das*.«

Er runzelte die Stirn. »Drei Jahre?«

»Nein!«

»Ist es dir denn gar nichts wert?«

Ich dachte darüber nach, wie sehr ich es mir wünschte. Lieber ein Pokerface aufsetzen, beschloss ich, und nicht zeigen, *wie* sehr. So hatte ich mehr Verhandlungsspielraum. »Ein halbes Jahr?«

Er verdrehte die Augen. »Das reicht nicht.«

»Dann ein Jahr«, sagte ich. »Das ist mein letztes Wort.«

»Gib mir wenigstens zwei.«

»Ausgeschlossen. Neunzehn lass ich mir ja noch gefallen. Aber es kommt nicht in Frage, dass ich auch nur in die Nähe der Zwanzig gerate. Wenn du dein Leben lang ein Teenager bleibst, will ich das auch.«

Er dachte einen Augenblick darüber nach. »Na gut. Lassen

wir die Fristen beiseite. Wenn du willst, dass ich es mache –
dann musst du nur eine Bedingung erfüllen.«

»Bedingung?« Meine Stimme wurde tonlos. »Was für eine?«

Sein Blick war vorsichtig – er sprach langsam. »Heirate mich
vorher.«

Ich starrte ihn an und wartete. »Okay. Wo bleibt die Pointe?«

Er seufzte. »Du verletzt meinen Stolz, Bella. Ich habe dir gerade einen Heiratsantrag gemacht, und du hältst es für einen
Witz.«

»Edward, sei bitte ernst.«

»Ich bin todernst.« Er sah mich zutiefst aufrichtig an.

»Aber sicher«, sagte ich, und ich merkte, dass ich leicht hysterisch klang. »Ich bin erst achtzehn.«

»Und ich bin fast hundertzehn. Es wird Zeit, dass ich sesshaft
werde.«

Ich wandte den Blick ab und schaute zum dunklen Fenster
hinaus. Ich versuchte die Panik in den Griff zu bekommen, bevor ich mich verriet.

»Weißt du, heiraten steht bei mir nicht gerade ganz oben auf
der Liste. Für Renée und Charlie war es so was wie der Todes-
kuss.«

»Interessante Wortwahl.«

»Du weißt schon, was ich meine.«

Er holte tief Luft. »Jetzt erzähl mir bitte nicht, dass du Angst
hast, dich zu binden«, sagte er ungläubig, und ich wusste, worauf er abzielte.

»Nicht direkt«, sagte ich ausweichend. »Ich hab ... ich hab
Angst vor Renée. Sie hat ziemlich deutliche Ansichten zum
Thema Heiraten unter dreißig.«

»Wäre es ihr lieber, wenn du eine von den ewigen Verdamm-
ten würdest, als zu heiraten?« Er lachte düster.

»Du hältst das für einen Witz.«

»Bella, wenn man die Verpflichtung, die man mit der Ehe eingeht, damit vergleicht, was es bedeutet, die eigene Seele zu verschachern, um bis in alle Ewigkeit ein Dasein als Vampir zu fristen …« Er schüttelte den Kopf. »Wenn du nicht den Mut aufbringst, mich zu heiraten, dann …«

»Und«, unterbrach ich ihn. »Wenn ich es täte? Wenn ich dir sagen würde, du sollst jetzt mit mir nach Las Vegas fahren? Wäre ich dann in drei Tagen ein Vampir?«

Er lächelte, und seine Zähne blitzten im Dunkeln. Er nahm mich beim Wort. »Natürlich«, sagte er. »Ich hole schon mal den Wagen.«

»Verdammt«, murmelte ich. »Ich geb dir anderthalb Jahre.«

»Kommt nicht in Frage.« Er grinste. »Ich bestehe auf dieser Bedingung.«

»Gut. Dann lasse ich es Carlisle machen, wenn ich mit der Schule fertig bin.«

»Wenn es dir so lieber ist.« Er zuckte die Achseln, und jetzt war sein Lächeln absolut engelsgleich.

»Du bist unmöglich«, stöhnte ich. »Ein Monster.«

Er kicherte. »Willst du mich deshalb nicht heiraten?«

Ich stöhnte wieder.

Er beugte sich zu mir; seine nachtdunklen Augen glühten, und ich konnte nicht mehr richtig denken. »Bitte, Bella?«, hauchte er.

Einen Augenblick vergaß ich zu atmen. Als ich wieder zu mir kam, schüttelte ich schnell den Kopf und versuchte den Nebel aus meinen Gedanken zu verscheuchen.

»Hätte ich mehr Erfolg bei dir, wenn ich Zeit gehabt hätte, einen Ring zu besorgen?«

»Nein! Keine Ringe!« Ich schrie es beinahe.

»Jetzt hast du ja gesagt«, flüsterte er.

»Ups.«

»Charlie steht gleich auf, ich verschwinde lieber«, sagte Edward resigniert.

Mein Herzschlag setzte aus.

Er schaute mir ins Gesicht. »Wäre es kindisch, wenn ich mich in deinem Schrank verstecke?«

»Nein!«, flüsterte ich begeistert. »Bitte bleib.«

Edward lächelte und verschwand.

Aufgewühlt lag ich im Dunkeln und wartete darauf, dass Charlie hereinkam. Edward wusste genau, was er tat, und ich wäre jede Wette eingegangen, dass sein angeblich verletzter Stolz Teil des Schlachtplans war. Natürlich konnte ich immer noch Carlisles Angebot annehmen, aber jetzt, mit der Möglichkeit vor Augen, dass Edward mich selbst verwandelte, wollte ich es unbedingt. Er war wirklich gerissen.

Die Tür ging einen Spalt auf.

»Guten Morgen, Dad.«

»Oh, hallo, Bella.« Offenbar war es ihm peinlich, dass ich ihn ertappt hatte. »Ich wusste nicht, dass du schon wach bist.«

»Ja. Ich hab nur gewartet, bis du aufwachst, damit ich in die Dusche kann.« Ich stand auf.

»Warte«, sagte Charlie und schaltete das Licht an. Ich blinzelte in das grelle Licht und gab mir alle Mühe, nicht zum Schrank zu schauen. »Ich muss erst mal mit dir reden.«

Ich schnitt eine Grimasse. Ich hatte vergessen, Alice nach einer guten Ausrede zu fragen.

»Du weißt, dass du Ärger kriegst.«

»Ja, schon klar.«

»Ich bin in den letzten drei Tagen fast wahnsinnig geworden. Da komme ich von Harrys Beerdigung nach Hause und du bist spurlos verschwunden. Von Jacob höre ich nur, dass du mit Alice

Cullen abgehauen bist und in Schwierigkeiten steckst. Du hast keine Telefonnummer hinterlassen und nichts von dir hören lassen. Ich wusste nicht, wo du warst und wann – oder ob – du wieder nach Hause kommst. Kannst du dir überhaupt vorstellen, wie … wie …« Er atmete heftig ein, bevor er weitersprach. »Kannst du mir einen einzigen Grund nennen, weshalb ich dich nicht auf der Stelle nach Jacksonville schicken sollte?«

Ich kniff die Augen zusammen. Er wollte mir also drohen. Aber das konnte ich auch. Ich setzte mich auf und schlang mir die Decke um. »Weil ich nicht gehe.«

»Einen Moment mal, mein Fräulein …«

»Hör mal, Dad, ich übernehme die volle Verantwortung für alles, was ich gemacht habe, und von mir aus kannst du mir den Hausarrest meines Lebens verpassen. Ich erledige sämtliche Hausarbeit und die Wäsche und den Abwasch, bis du der Meinung bist, ich hätte meine Lektion gelernt. Und du hast bestimmt auch jedes Recht, mich rauszuschmeißen – aber nach Florida gehe ich trotzdem nicht.«

Er wurde puterrot im Gesicht. Er atmete ein paarmal durch, ehe er antwortete.

»Würdest du mir dann bitte mal erklären, wo du gesteckt hast?«

Oh, verdammt. »Es war … ein Notfall.«

Er zog die Augenbrauen hoch und wartete auf die Fortsetzung meiner grandiosen Erklärung.

Ich blies die Wangen auf und pustete geräuschvoll aus. »Da gibt's nicht viel zu erzählen, Dad. Es war vor allem ein Missverständnis. Klatsch und Tratsch. Und das ist dann irgendwie aus dem Ruder gelaufen.«

Er wartete misstrauisch.

»Weißt du, Alice hatte Rosalie erzählt, dass ich von der

Klippe gesprungen bin …« Weil ich so eine schlechte Lügnerin war, versuchte ich verzweifelt, eine Geschichte hinzukriegen, die der Wahrheit möglichst nahe kam, doch ehe ich weitersprechen konnte, erinnerte Charlies entsetzter Gesichtsausdruck mich daran, dass er von dem Klippensprung noch gar nichts gewusst hatte.

Oje, oje. Als wäre ich nicht sowieso schon erledigt.

»Ach, das hab ich dir noch gar nicht erzählt«, brachte ich mühsam heraus. »Ist auch nicht der Rede wert. Ich war mit Jake schwimmen und wir hatten ein bisschen Spaß … Jedenfalls hat Rosalie Edward davon erzählt, und er hat sich furchtbar aufgeregt. Bei ihr klang es irgendwie so, als wollte ich mich umbringen oder so. Und Alice konnte ihn nicht erreichen, deshalb hat sie mich nach … nach L.A. geschleppt, damit ich es ihm persönlich erklären konnte.« Ich zuckte die Schultern und hoffte verzweifelt, dass mein unbeabsichtigtes Geständnis ihn nicht zu sehr von der großartigen Erklärung ablenkte, die ich ihm gerade geliefert hatte.

Charlies Miene war versteinert. »Wolltest du dich wirklich umbringen, Bella?«

»Nein, natürlich nicht. Jake und ich hatten nur Spaß zusammen. Wir sind von der Klippe gesprungen. Das machen die Jungs aus La Push andauernd. Wie gesagt, nicht der Rede wert.«

Charlies Gesicht war jetzt nicht mehr versteinert, sondern rot vor Wut. »Was geht das Edward Cullen überhaupt an?«, schimpfte er. »Die ganze Zeit hat er dich ohne ein Wort hängenlassen …«

Ich unterbrach ihn. »Das war auch ein Missverständnis.«

Er wurde wieder rot. »Dann ist er also zurück?«

»Ich bin mir nicht sicher, aber ich glaube, sie sind alle wieder da.«

Er schüttelte den Kopf, die Ader auf seiner Stirn pochte. »Ich möchte, dass du dich von ihm fernhältst, Bella. Ich traue ihm nicht über den Weg. Der ist nichts für dich. Ich will nicht, dass er dich noch mal so fertigmacht.«

»In Ordnung«, sagte ich kurz angebunden.

Charlie war bass erstaunt. »Ach.« Er musste sich einen Augenblick sammeln und atmete vor Überraschung laut aus. »Ich hätte gedacht, du würdest dich auf die Hinterbeine stellen.«

»Tu ich auch.« Ich sah ihm geradewegs in die Augen. »Ich meinte: In Ordnung, dann ziehe ich aus.«

Ihm traten fast die Augen aus dem Kopf und sein Gesicht wurde dunkelrot. Mein Entschluss geriet ins Wanken, denn jetzt machte ich mir plötzlich Sorgen um seine Gesundheit. Er war genauso alt wie Harry …

»Dad, ich möchte ja gar nicht ausziehen«, sagte ich in milderem Ton. »Ich hab dich lieb und ich weiß, dass du dir Sorgen machst, aber du musst mir vertrauen. Und wenn du willst, dass ich bleibe, musst du versuchen, die Sache mit Edward ein bisschen entspannter zu sehen. Willst du, dass ich hierbleibe, oder nicht?«

»Das ist unfair, Bella. Du weißt, dass ich dich bei mir haben möchte.«

»Dann sei nett zu Edward, denn er wird da sein, wo ich bin.« Ich sagte es voller Zuversicht. Meine Erleuchtung wirkte immer noch nach.

»Nicht in meinem Haus«, tobte Charlie.

Ich seufzte tief. »Am besten, wir vertagen die Diskussion. Denk einfach ein paar Tage darüber nach, ja? Aber vergiss nicht, dass Edward und ich nur im Doppelpack zu haben sind.«

»Bella …«

»Denk drüber nach«, sagte ich. »Und könntest du mich jetzt

bitte einen Moment allein lassen? Ich muss unbedingt unter die Dusche.«

Charlies Gesicht war von einem eigenartigen Lila, aber er ging, und er knallte die Tür hinter sich zu. Ich hörte ihn wütend die Treppe hinunterstampfen.

Ich warf die Decke ab, und da war Edward auch schon, er saß im Schaukelstuhl, als hätte er die ganze Zeit dort gesessen.

»Tut mir leid«, flüsterte ich.

»Ach, ich hätte wesentlich Schlimmeres verdient«, murmelte er. »Verdirb es dir meinetwegen bitte nicht mit Charlie.«

»Mach dir deswegen keine Sorgen«, flüsterte ich. Ich suchte meine Sachen fürs Badezimmer und saubere Klamotten zusammen. »Ich verderbe es mir nicht mehr als nötig mit ihm. Oder willst du mir etwa sagen, dass ich nirgendwo hinkann?« Ich riss in gespieltem Entsetzen die Augen auf.

»Du würdest in ein Haus mit lauter Vampiren ziehen?«

»Da wäre jemand wie ich vermutlich am sichersten. Außerdem …« Ich grinste. »Wenn Charlie mich rausschmeißt, brauchen wir auch nicht zu warten, bis ich mit der Schule fertig bin, oder?«

Er biss die Zähne zusammen. »Kannst du es denn gar nicht abwarten bis zur ewigen Verdammnis?«, sagte er leise.

»Daran glaubst du doch selbst nicht.«

»Ach, nein?«, sagte er wütend.

»Nein.«

Er schaute mich finster an und wollte etwas sagen. Aber ich fiel ihm ins Wort.

»Wenn du wirklich glauben würdest, dass du deine Seele verloren hast, dann hättest du sofort kapiert, was los war, als ich dich in Volterra gefunden hatte. Dann hättest du nicht gedacht, wir wären beide tot. Aber du hast gesagt: ›Erstaunlich. Carlisle *hatte Recht*‹«, erinnerte ich ihn triumphierend. »Du hast die Hoffnung also doch noch nicht ganz aufgegeben.«

Ausnahmsweise war Edward einmal sprachlos.

»Also lass uns doch gemeinsam hoffen, ja?«, schlug ich vor. »Nicht, dass es irgendwie wichtig wäre. Wenn du bei mir bleibst, brauche ich keinen Himmel.«

Langsam stand er auf, nahm mein Gesicht in seine Hände und schaute mir in die Augen. »Für immer«, schwor er, immer noch überwältigt.

»Mehr verlange ich nicht«, sagte ich und reckte mich auf die Zehenspitzen, damit ich meine Lippen auf seine drücken konnte.

$\mathscr{E}$PILOG: EINIGE ERNSTE PROBLEME

Jetzt war wieder Normalität eingekehrt – die gute Vor-Zombie-Normalität. Schneller, als ich es für möglich gehalten hätte. Carlisle wurde von seinem Krankenhaus mit offenen Armen wieder aufgenommen; sie versuchten ihre Freude darüber, dass Esme sich mit L. A. so gar nicht hatte anfreunden können, nicht im mindesten zu verbergen. Wegen der Matheklausur, die ich durch die Reise nach Italien verpasst hatte, waren Edward und Alice im Moment besser für den Schulabschluss gerüstet als ich. Und das, wo plötzlich das College ganz oben auf meiner Prioritätenliste stand (es war mein Plan B für den Fall, dass Edwards Angebot mich doch noch davon abbringen konnte, mich nach dem Abschluss von Carlisle verwandeln zu lassen). Viele Fristen waren an mir vorbeigegangen, aber Edward brachte mir täglich einen neuen Stapel mit Bewerbungsunterlagen. Er war schon mal in Harvard gewesen, also kümmerte es ihn nicht, dass wir wegen meiner Trödelei im nächsten Jahr womöglich beide auf dem College in Port Angeles landen würden.

Charlie war nicht gut auf mich zu sprechen, und mit Edward redete er kein Wort. Immerhin durfte Edward – während bestimmter Besuchszeiten – wieder ins Haus. Aber ich durfte nicht hinaus.

Schule und Arbeit waren die einzigen Ausnahmen, und die

öden gelben Wände des Klassenzimmers erschienen mir in letzter Zeit ungewöhnlich verlockend. Das lag nicht zuletzt an meinem Tischnachbarn.

Edward war zu seinem Stundenplan vom Beginn des Schuljahrs zurückgekehrt, und damit hatten wir wieder alle Kurse zusammen. Nachdem die Cullens im letzten Herbst angeblich nach L.A. gezogen waren, hatte ich mit meinem Verhalten dafür gesorgt, dass der Platz neben mir frei geblieben war. Selbst Mike, der sonst jede Gelegenheit beim Schopf ergriff, war auf Abstand geblieben. Jetzt, wo Edward wieder da war, kam es mir fast so vor, als wären die vergangenen acht Monate nur ein verstörender Albtraum gewesen.

Aber nur fast. Erstens war da die Sache mit dem Hausarrest. Und zweitens hatte es vor dem Herbst meine Freundschaft mit Jacob Black noch nicht gegeben. Und deshalb hatte ich ihn damals natürlich auch nicht vermisst.

Ich konnte nicht nach La Push fahren, und Jacob kam mich nicht besuchen. Er ging noch nicht mal ans Telefon, wenn ich anrief.

Ich versuchte ihn vor allem abends zu erreichen, wenn Charlie Edward um Punkt neun mit grimmiger Schadenfreude hinausgeworfen hatte und bevor Edward sich, sobald Charlie schlief, wieder zum Fenster hereingeschlichen hatte. Ich telefonierte am liebsten zu dieser Zeit, weil mir aufgefallen war, dass Edward jedes Mal das Gesicht verzog, wenn ich Jacob erwähnte. Er sah dann irgendwie missbilligend und argwöhnisch aus … vielleicht sogar wütend. Ich nahm an, dass er Werwölfen gegenüber ähnlich voreingenommen war wie Werwölfe gegenüber Vampiren, wenngleich er nicht so offen darüber sprach wie Jacob über die »Blutsauger«.

Also vermied ich es möglichst, Jacob zu erwähnen.

Mit Edward in der Nähe war es schwer, an traurige Dinge zu

denken – selbst an meinen früheren besten Freund, der meinetwegen vermutlich gerade sehr unglücklich war. Immer wenn ich an Jake dachte, hatte ich ein schlechtes Gewissen, weil ich nicht öfter an ihn dachte.

Mein Märchen ging weiter. Der Prinz war zurückgekehrt, der böse Zauber gebrochen. Ich wusste nur nicht so recht, was ich mit der übrig gebliebenen Figur machen sollte. Gab es für Jacob kein glückliches Ende?

Wochen vergingen, und Jacob ging immer noch nicht ans Telefon, wenn ich anrief. Allmählich wurde es zu einer unaufhörlichen Sorge. Wie ein tropfender Wasserhahn im Hinterkopf, den ich weder abstellen noch ignorieren konnte. Tropf, tropf, tropf. Jacob, Jacob, Jacob.

Ich erwähnte ihn zwar fast nie, aber manchmal hielt ich es vor Frust und Sorge nicht mehr aus.

»Das ist einfach unverschämt!«, platzte ich eines Samstagnachmittags heraus, als Edward mich von der Arbeit abholte. Wütend zu sein war leichter, als ein schlechtes Gewissen zu haben. »Richtig beleidigend!«

Ich hatte meine Strategie geändert, weil ich hoffte, damit mehr Erfolg zu haben. Diesmal hatte ich Jake von der Arbeit aus angerufen, aber ich hatte nur einen wenig hilfsbereiten Billy ans Telefon bekommen. Wieder mal.

»Billy hat gesagt, Jake *will* nicht mit mir sprechen«, sagte ich wütend, während ich zuschaute, wie der Regen am Seitenfenster herunterlief. »Dass er da war und noch nicht mal die drei Schritte zum Telefon gegangen ist! Sonst sagt Billy immer, Jake wär nicht da oder er hätte zu tun oder er schliefe oder so. Ich meine, ich wusste natürlich, dass er mich anlügt, aber wenigstens hat er die Form gewahrt. Billy hasst mich jetzt wahrscheinlich auch. Das ist ungerecht!«

»Es hat nichts mit dir zu tun, Bella«, sagte Edward ruhig. »Niemand hasst dich.«

»So kommt es mir aber vor«, murmelte ich und verschränkte die Arme vor der Brust. Jetzt war es aus bloßer Widerborstigkeit. Es war kein Loch mehr da – ich konnte mich kaum noch an das Gefühl der Leere erinnern.

»Jacob weiß, dass wir zurück sind, und sicher hat er erfahren, dass ich wieder mit dir zusammen bin«, sagte Edward. »Er will einfach nicht in meine Nähe kommen. Die Feindschaft ist zu tief verwurzelt.«

»Das ist doch idiotisch. Er weiß, dass du nicht ... wie andere Vampire bist.«

»Dennoch gibt es guten Grund, auf Abstand zu bleiben.«

Ich starrte blind aus dem Fenster und sah nur Jacobs Gesicht vor mir, das zu der bitteren Maske verzerrt war, die ich so hasste.

»Bella, wir sind, was wir sind«, sagte Edward ruhig. »Ich kann mich beherrschen, doch ich bezweifle, dass er es kann. Er ist noch sehr jung. Es würde sehr wahrscheinlich in einen Kampf ausarten, und ich weiß nicht, ob ich aufhören könnte, bevor ich ihn um...« Er brach ab und fuhr dann schnell fort: »Bevor ich ihn verletze. Das würdest du mir nicht verzeihen. Ich will nicht, dass das passiert.«

Ich dachte daran, was Jacob damals in der Küche zu mir gesagt hatte, ich hatte seine heisere Stimme genau im Ohr. *Ich weiß nicht, ob ich mich genügend in der Gewalt habe ... du wärst wahrscheinlich auch nicht begeistert, wenn ich deine Freundin umbringen würde.* Aber damals hatte er sich in der Gewalt gehabt ...

»Edward Cullen«, flüsterte ich. »Wolltest du gerade sagen ›bevor ich ihn *umbringe*‹? Wolltest du das sagen?«

Er wandte den Blick ab und starrte in den Regen. Die rote

Ampel vor uns, die ich gar nicht bemerkt hatte, schaltete auf Grün, und er fuhr weiter, ganz langsam. Nicht so wie sonst.

»Ich würde … mir alle Mühe geben … das nicht zu tun«, sagte er schließlich.

Ich starrte ihn mit offenem Mund an, doch er starrte weiter geradeaus. Wir standen vor einem Stoppschild.

Auf einmal fiel mir ein, was mit Paris passiert, als Romeo zurückkommt. Die Regieanweisung war einfach: *Sie fechten. Paris fällt.*

Aber das war lächerlich. Ausgeschlossen.

Ich holte tief Luft und schüttelte den Kopf, um die Worte aus meinem Kopf zu vertreiben. »So was wird nicht passieren, es gibt also keinen Grund, sich darüber Sorgen zu machen. Und du weißt, dass Charlie jetzt schon auf die Uhr schaut. Bring mich lieber nach Hause, bevor ich zu spät komme und noch mehr Ärger kriege.«

Ich wandte ihm das Gesicht zu und lächelte halbherzig.

Jedes Mal, wenn ich sein Gesicht sah, dieses unglaublich vollkommene Gesicht, schlug mein Herz fest und gesund in meiner Brust. Diesmal raste es noch schneller als sonst. Der Ausdruck in seinem statuenhaften Gesicht kam mir nur allzu bekannt vor.

»Du hast bereits noch mehr Ärger, Bella«, flüsterte er mit unbewegten Lippen.

Ich rückte näher zu ihm heran und klammerte mich an seinen Arm, während ich seinem Blick folgte. Ich wusste nicht, was ich erwartet hatte – vielleicht Victoria mitten auf der Straße, ihr flammend rotes Haar flatternd im Wind, oder eine Reihe Vampire in schwarzen Umhängen … oder ein Rudel wütender Werwölfe. Aber ich sah überhaupt nichts.

»Was ist? Was ist los?«

Er holte tief Luft. »Charlie …«

»Dad!«, kreischte ich.

Jetzt sah er mich an, und sein Blick war immerhin so ruhig, dass sich meine Panik ein wenig legte.

»Charlie … wird dich wahrscheinlich *nicht* umbringen, aber er denkt darüber nach«, sagte Edward. Er fuhr wieder los, bog in unsere Straße ein, fuhr jedoch an unserem Haus vorbei und parkte den Wagen am Waldrand.

»Was hab ich getan?«, fragte ich atemlos.

Edward schaute schnell zurück zum Haus. Ich folgte seinem Blick, und erst jetzt sah ich, was da neben dem Streifenwagen parkte. Glänzend, knallrot, unübersehbar. Es war mein Motorrad, das in der Einfahrt prangte.

Edward hatte gesagt, dass Charlie mich am liebsten umbringen würde, also wusste er es – dass es meins war. Und es gab nur einen, der hinter diesem Verrat stecken konnte.

»Nein!«, stieß ich hervor. »*Warum?* Warum sollte Jacob mir das antun?« Ich konnte nicht fassen, dass er mir so in den Rücken gefallen war. Ich hatte ihm blind vertraut, er kannte alle meine Geheimnisse. Er war mein sicherer Hafen gewesen – derjenige, auf den ich immer zählen konnte. Natürlich wusste ich, dass er im Moment nicht gut auf mich zu sprechen war, aber ich hatte nicht gedacht, dass das die Grundlage unserer Freundschaft betraf. Die hatte ich für unerschütterlich gehalten!

Womit hatte ich das verdient? Charlie würde ausrasten – und, noch schlimmer, er würde sich hintergangen fühlen und sich Sorgen machen. Als ob er nicht schon genug am Hals hätte! So etwas Kleinliches und Gemeines hätte ich Jake nie zugetraut. Brennende Tränen sprangen mir in die Augen, aber es waren keine Tränen der Trauer. Ich war betrogen worden. Plötzlich war ich so wütend, dass mein Schädel pochte, als würde er gleich platzen.

»Ist er noch da?«, zischte ich.

»Ja. Er wartet auf uns«, sagte Edward und nickte zu dem schmalen Weg, der den dunklen Saum des Waldes zweiteilte.

Ich sprang aus dem Wagen und stürmte in Richtung der Bäume, die Fäuste bereits zum Schlag geballt.

Warum war Edward nur so viel schneller als ich?

Er fasste mich um die Taille, ehe ich den Weg erreicht hatte.

»Lass mich! Ich bringe ihn um! Dieser Verräter!«, rief ich in Richtung der Bäume.

»Charlie kann dich hören«, warnte Edward mich. »Und wenn du erst mal im Haus bist, mauert er womöglich die Tür zu.«

Automatisch drehte ich mich um, und alles, was ich sah, war das glänzend rote Motorrad. Ich sah buchstäblich rot. Mein Schädel fing wieder an zu pochen.

»Gib mir nur eine Runde mit Jacob, dann kümmere ich mich um Charlie.« Vergeblich versuchte ich mich zu befreien.

»Jacob Black will *mich* treffen. Deshalb ist er noch hier.«

Sofort hielt ich inne, meine Kampfeslust wurde im Keim erstickt. Meine Hände wurden schlaff. *Sie fechten. Paris fällt.*

Ich war zwar wütend, aber *so* wütend doch nicht.

»Um mit dir zu reden?«, fragte ich.

»Mehr oder weniger.«

»Wie viel mehr?« Meine Stimme bebte.

Edward strich mir die Haare aus dem Gesicht. »Keine Sorge, er will nicht mit mir kämpfen. Er ist hier als … Sprecher des Rudels.«

»Ach so.«

Edward schaute wieder zum Haus, dann umfasste er mich fester und zog mich zum Wald. »Komm, wir müssen uns beeilen. Charlie wird ungeduldig.«

Wir brauchten nicht weit zu gehen; Jacob wartete nur ein kleines Stück oberhalb des Weges. Er lehnte an einem moosbewachsenen Baumstamm und wartete mit hartem, verbittertem Gesicht, genau wie ich es mir vorgestellt hatte. Er schaute erst mich an, dann Edward. Jacob verzog verächtlich den Mund und kam uns ein paar Schritte entgegen. Er stellte sich auf die Ballen seiner bloßen Füße und beugte sich leicht vor, die zitternden Hände zu Fäusten geballt. Er sah größer aus als bei unserer letzten Begegnung. Es war unglaublich, aber offenbar wuchs er immer noch. Wenn er neben Edward stünde, würde er ihn weit überragen.

Doch sobald wir Jacob sahen, blieb Edward stehen, so dass wir weit voneinander entfernt standen. Edward drehte sich zu ihm und schob mich hinter sich. Ich schaute an ihm vorbei zu Jacob – um ihn anklagend anzusehen.

Ich hätte gedacht, dass es mich nur noch wütender machen würde, seine aufgebrachte, zynische Miene zu sehen. Stattdessen fühlte ich mich an unser letztes Treffen erinnert, als er Tränen in den Augen gehabt hatte. Mein Zorn legte sich und verrauchte schließlich, während ich Jacob anstarrte. Es war so lange her, dass ich ihn gesehen hatte – es war schrecklich, dass unser Wiedersehen *so* sein sollte.

»Bella«, sagte Jacob zur Begrüßung und nickte einmal in meine Richtung, ohne Edward aus den Augen zu lassen.

»Warum?«, flüsterte ich und versuchte normal zu sprechen, obwohl ich einen Kloß im Hals hatte. »Wie konntest du mir das antun, Jacob?«

Der höhnische Ausdruck verschwand, doch seine Miene blieb hart und unbewegt. »Es ist besser so.«

»Was soll das denn heißen? Willst du, dass Charlie mich erwürgt? Oder soll er einen Herzinfarkt kriegen wie Harry? Du kannst ja noch so wütend auf mich sein, aber wie konntest du *ihm* das antun?«

Jacob zuckte zusammen, aber er gab keine Antwort.

»Er wollte niemandem wehtun – er wollte nur, dass du Hausarrest bekommst, damit du nicht mit mir zusammen sein kannst«, murmelte Edward und erklärte damit Jacobs unausgesprochene Gedanken.

Als Jacob Edward wieder anstarrte, sprühten seine Augen vor Hass.

»Ach, Jake«, stöhnte ich. »Ich hab doch schon Hausarrest! Was glaubst du, weshalb ich nicht nach La Push gekommen bin, um dich dafür in den Hintern zu treten, dass du nicht ans Telefon gehst?«

Jacobs Blick huschte wieder zu mir, zum ersten Mal sah er irritiert aus. »Deshalb?«, fragte er und presste dann die Lippen zusammen, als bereute er, etwas gesagt zu haben.

»Er dachte, ich wäre derjenige, der dich nicht gehen lässt«, erklärte Edward.

»Hör auf damit«, fuhr Jacob ihn an.

Edward gab keine Antwort.

Jacob schauderte einmal, dann biss er die Zähne fest zusammen und ballte die Fäuste. »Bella hat nicht übertrieben, was deine … ›Talente‹ angeht«, sagte er zwischen den Zähnen. »Dann weißt du also schon, warum ich hier bin.«

»Ja«, sagte Edward leise. »Aber bevor du anfängst, muss ich etwas sagen.«

Jacob wartete, ballte abwechselnd die Fäuste und streckte die Finger, während er die Zuckungen in seinen Armen zu beherrschen versuchte.

»Danke«, sagte Edward, und seine Stimme bebte vor feierlichem Ernst. »Ich kann dir gar nicht sagen, wie dankbar ich dir bin. Ich werde bis zum Ende meines … Daseins in deiner Schuld stehen.«

Jacob starrte ihn verdutzt an, seine Schultern waren vor Überraschung erstarrt. Er warf mir einen schnellen Blick zu, aber ich verstand genauso wenig wie er.

»Du hast dafür gesorgt, dass Bella am Leben geblieben ist«, erklärte Edward. Seine Stimme war rau und voller Inbrunst. »Als ich … es nicht getan habe.«

»Edward …«, setzte ich an, doch er hob eine Hand und sah Jacob an.

Einen kurzen Augenblick sah Jacob erstaunt aus, dann begriff er, was Edward meinte, und sein Gesicht verwandelte sich wieder in die harte Maske. »Das hab ich nicht für dich getan.«

»Ich weiß. Doch das ändert nichts daran, dass ich Dankbarkeit empfinde. Ich dachte, das solltest du wissen. Wenn es irgendetwas gibt, das in meiner Macht steht …«

Jacob hob eine Braue.

Edward schüttelte den Kopf. »Das steht nicht in meiner Macht.«

»In wessen dann?«, knurrte Jacob.

Edward schaute zu mir. »In ihrer. Ich lerne schnell, Jacob Black, und ich mache nicht zweimal denselben Fehler. Ich werde so lange hier sein, bis sie mich fortschickt.«

Für einen Augenblick war ich in seinen goldenen Blick eingetaucht. Es war nicht schwer zu erraten, was ich in dem Gespräch nicht mitbekommen hatte. Das Einzige, was Jacob von Edward wollte, war, dass er verschwand.

»Niemals«, flüsterte ich, immer noch in Edwards Blick versunken.

Jacob stieß einen würgenden Laut aus.

Widerstrebend löste ich mich von Edwards Blick und sah

Jacob stirnrunzelnd an. »Wolltest du sonst noch irgendwas, Jacob? Du wolltest, dass ich Ärger kriege – sieht so aus, als hätte das geklappt. Charlie könnte mich ebenso gut ins Kloster schicken. Aber trotzdem wird er mich nicht von Edward trennen. Nichts kann uns trennen. Was willst du also noch?«

Jacob hatte den Blick immer noch auf Edward geheftet. »Ich wollte deine blutsaugenden Freunde nur an ein paar zentrale Punkte in dem Vertrag erinnern, dem sie zugestimmt haben. Nur dieser Vertrag hält mich davon ab, ihm auf der Stelle die Kehle durchzubeißen.«

»Wir haben ihn nicht vergessen«, sagte Edward, und gleichzeitig fragte ich: »Was für zentrale Punkte?«

Jacob starrte immer noch Edward an, aber er antwortete mir. »Der Vertrag ist ziemlich konkret. Wenn einer von ihnen einen Menschen beißt, ist der Waffenstillstand beendet. *Beißt*, nicht tötet«, betonte er. Schließlich schaute er mich an. Sein Blick war kalt.

Ich brauchte nur eine Sekunde, um den Unterschied zu begreifen, und dann schaute ich ebenso kalt zurück.

»Das geht dich überhaupt nichts an.«

»Und ob mich …«, stieß er hervor, dann versagte seine Stimme.

Ich hatte nicht damit gerechnet, dass ich mit meiner übereilten Äußerung eine so starke Reaktion hervorrufen würde. Auch wenn er gekommen war, um Edward zu warnen, hatte er das offenbar für eine reine Vorsichtsmaßnahme gehalten. Er hatte nicht gewusst – oder er wollte nicht wahrhaben –, dass ich mich bereits entschieden hatte. Dass ich für immer zu den Cullens gehören wollte.

Meine Antwort ließ Jacob am ganzen Körper zittern. Er presste die Fäuste fest an die Schläfen, kniff die Augen zu und krümmte sich zusammen, um die Krämpfe unter Kontrolle zu halten. Sein Gesicht wurde fahlgrün unter der rostbraunen Haut.

»Jake? Geht es?«, fragte ich besorgt.

Ich machte einen halben Schritt auf ihn zu, dann hielt Edward mich fest und riss mich wieder hinter sich. »Vorsicht! Er hat sich nicht in der Gewalt!«, sagte er warnend.

Doch Jacob war wieder einigermaßen bei sich, nur seine Arme zitterten noch. Hasserfüllt sah er Edward an. »Bah! Ich würde ihr nie etwas tun.«

Weder Edward noch mir entgingen die Betonung und der implizite Vorwurf. Ein leises Zischen entfuhr Edward. Automatisch ballte Jacob die Hände.

»BELLA!«, brüllte Charlie vom Haus her. »KOMM SOFORT REIN!«

Wir alle erstarrten und lauschten auf die Stille, die folgte.

Ich war die Erste, die wieder sprach, meine Stimme zitterte. »Mist.«

Die Wut verschwand aus Jacobs Gesicht. »Das tut mir wirklich leid«, murmelte er. »Ich musste es einfach tun – ich musste versuchen …«

»Vielen Dank auch.« Das Zittern in meiner Stimme machte den Sarkasmus zunichte. Ich starrte auf den Weg und war halb darauf gefasst, Charlie wie einen wütenden Stier durch den nassen Farn trampeln zu sehen. Ich wäre dann das rote Tuch.

»Nur eines noch«, sagte Edward zu mir, dann schaute er Jacob an. »Auf unserer Seite der Grenze haben wir keine Spur von Victoria gefunden – und ihr?«

Er kannte die Antwort, sobald sie in Jacobs Gedanken war, aber Jacob sprach sie trotzdem aus. »Zuletzt, als Bella … weg war. Wir haben so getan, als könnte sie durch unseren Ring hindurch – dabei haben wir sie immer enger eingekreist, um sie aus dem Hinterhalt zu überfallen …«

Es lief mir eiskalt über den Rücken.

»Aber dann ist sie weg wie ein geölter Blitz. Soweit wir sagen können, hat sie die Fährte der kleinen Schwarzhaarigen aufgenommen und ist abgezischt. Seitdem ist sie nicht wieder in die Nähe unseres Gebiets gekommen.«

Edward nickte. »Sollte sie zurückkommen, ist sie nicht mehr euer Problem. Wir werden …«

»Sie hat in unserem Revier gemordet«, zischte Jacob. »Sie gehört uns!«

»Nein …«, widersprach ich beiden.

»BELLA! ICH SEHE SEINEN WAGEN UND ICH WEISS, DASS DU DA BIST! WENN DU NICHT IN EINER SEKUNDE IM HAUS BIST …!« Charlie machte sich nicht die Mühe, die Drohung zu Ende zu sprechen.

»Komm«, sagte Edward.

Verzweifelt schaute ich zurück zu Jacob. Ob ich ihn je wiedersehen würde?

»Tut mir leid«, flüsterte er so leise, dass ich seine Lippen lesen musste, um ihn zu verstehen. »Leb wohl, Bella.«

»Du hast es versprochen«, erinnerte ich ihn. »Wir sind immer noch Freunde, oder?«

Jacob schüttelte langsam den Kopf, und ich glaubte an dem Kloß in meinem Hals zu ersticken.

»Du weißt, dass ich versucht habe, das Versprechen zu halten, aber … jetzt weiß ich nicht mehr, wie ich es versuchen soll. Nicht jetzt …« Er kämpfte, um die harte Maske aufrechtzuerhalten, aber sie bröckelte und fiel schließlich ganz. »Du wirst mir fehlen«, sagte er lautlos. Er streckte eine Hand nach mir aus, die Finger lang gestreckt, als wünschte er, sie könnten den Abstand zwischen uns überbrücken.

»Du mir auch«, brachte ich heraus. Ich streckte ihm die Hand entgegen.

Als wären wir miteinander verbunden, spürte ich das Echo seines Schmerzes in meinem Körper. Sein Schmerz war mein Schmerz.

»Jake …« Ich machte einen Schritt auf ihn zu. Ich wollte die Arme um seine Mitte schlingen und den unglücklichen Ausdruck von seinem Gesicht verscheuchen.

Edward zog mich wieder zu sich, um mich aufzuhalten.

»Es ist in Ordnung«, versprach ich ihm und schaute ihn zuversichtlich an. Er würde es verstehen.

Sein Blick war unergründlich, sein Gesicht ausdruckslos. Kalt. »Nein, es ist nicht in Ordnung.«

»Lass sie los«, knurrte Jacob, jetzt wieder voller Zorn. »Sie will doch!« Er machte zwei große Schritte auf uns zu. Vorfreude flammte in seinen Augen auf. Seine Brust schien anzuschwellen, als ein Schaudern hindurchfuhr.

Edward schob mich hinter sich und wirbelte herum, bis er Jacob wieder gegenüberstand.

»Nein! Edward! …!«

»ISABELLA SWAN!«

»Komm jetzt! Charlie ist stocksauer!« Panik lag in meiner Stimme, aber nicht wegen Charlie. »Beeil dich!«

Ich zog ihn am Arm und er entspannte sich wieder etwas. Langsam führte er mich zurück, ohne Jacob aus den Augen zu lassen.

Jacob schaute uns mit wütender, bitterer Miene an. Die Vorfreude wich aus seinen Augen, und kurz bevor der Wald uns trennte, verzog er schmerzhaft das Gesicht.

Ich wusste, dass dieser Anblick mich verfolgen würde, bis ich ihn wieder lächeln sah.

Und in diesem Moment schwor ich mir, dass ich ihn wieder lächeln sehen würde, und zwar bald. Ich würde einen Weg finden, meinen besten Freund zu behalten.

Edward hielt mich eng umschlungen, und nur deshalb liefen mir die Tränen nicht über die Wangen.

Ich hatte einige ernste Probleme.

Mein bester Freund zählte mich zu seinen Feinden.

Victoria lief immer noch frei herum und brachte alle, die ich liebte, in Gefahr.

Wenn ich nicht bald ein Vampir wurde, würden die Volturi mich umbringen.

Und jetzt sah es so aus, als würden die Quileute das selbst in die Hand nehmen, *wenn* ich ein Vampir würde – außerdem würden sie versuchen, meine künftige Familie umzubringen. Ich konnte mir nicht vorstellen, dass sie eine Chance hatten, aber würde mein bester Freund bei diesem Versuch womöglich ums Leben kommen?

Sehr ernste Probleme. Aber warum kamen sie mir alle plötzlich unbedeutend vor, als wir den Wald hinter uns ließen und ich den Ausdruck auf Charlies violettem Gesicht sah?

Edward drückte mich sanft. »Ich bin da.«

Ich holte tief Luft.

Das stimmte. Edward war da, und er hielt mich im Arm.

Solange das so war, konnte ich alles ertragen.

Ich straffte die Schultern und ging weiter, um meine Strafe anzutreten, Edward verlässlich an meiner Seite.

DANKSAGUNG

Ein großer, liebevoller Dank gilt meinem Mann und meinen Söhnen, die meinem Schreiben immer mit Verständnis und Rücksicht begegnet sind. Immerhin bin ich nicht die Einzige, die etwas davon hat – bestimmt sind viele Restaurants dankbar, dass ich nicht mehr koche.

Dir, Mom, danke ich dafür, dass du meine beste Freundin bist und dass ich dir endlos von den schwierigen Textstellen erzählen durfte. Danke auch für deine sagenhafte Kreativität und Intelligenz und dafür, dass du mir einen kleinen Teil davon vererbt hast.

All meinen Geschwistern, Emily, Heidi, Paul, Seth und Jacob, danke ich dafür, dass ich ihre Namen ausleihen durfte. Ich hoffe, ihr bereut es nicht, wenn ihr seht, was ich damit angestellt habe.

Ein besonderer Dank gilt meinem Bruder Paul für den Motorradunterricht – du bist wirklich ein begnadeter Lehrer.

Meinem Bruder Seth kann ich gar nicht genug für all die Arbeit und sein Geschick beim Erstellen meiner Website www.stepheniemeyer.com danken. Ich bin unendlich dankbar für alles, was er als mein Webmaster für mich tut.

Meinem Bruder Jacob danke ich noch einmal dafür, dass er mir bei Fragen rund ums Auto allzeit zur Seite stand.

Ein großes Dankeschön an meine Agentin Jodi Reamer für

ihre unermüdliche Hilfe und Unterstützung. Und auch dafür, dass sie meine Verrücktheiten mit einem Lächeln erträgt, auch wenn ich weiß, dass sie eigentlich lieber ein paar ihrer Ninja-Griffe bei mir anwenden würde.

Der schönen Elizabeth Eulberg dankbare Grüße und Küsse dafür, dass sie meine Lesereisen für mich zu einer Party statt zu einer lästigen Pflicht machte, dass sie mein Internet-Jagdfieber unterstützt, dass sie die Snobs im EEC (Elizabeth Eulberg Club) überredet hat, mich aufzunehmen, und, ach ja, auch noch dafür, dass sie mich auf die Bestsellerliste der *New York Times* gehievt hat.

Tausend Dank allen bei Little, Brown and Company dafür, dass sie mich unterstützt und an meine Geschichten geglaubt haben.

Und schließlich ein Dank an alle talentierten Musiker, die mich inspirierten, vor allem die Band Muse – in diesem Roman gibt es Gefühle, Szenen und Handlungsstränge, die es ohne diese geniale Musik nicht geben würde. Auch Linkin Park, Travis, Elbow, Coldplay, Marjorie Fair, My Chemical Romance, Brand New, The Strokes, Armor for Sleep, The Arcade Fire und The Fray haben alle dafür gesorgt, dass Schreibblockaden gar nicht erst aufkommen konnten.